高等学校土木工程类专业通用教材

土木类

CELIANG XUE

测量学

（第2版）

主　编 ◎ 张晓明
副主编 ◎ 周克勤　李晓莉
廖振修　陈　斌

合肥工業大學出版社

书　名　测量学(第 2 版)
主　编　张晓明
责任编辑　郭　敬
封面设计　诚邦视觉设计

出　版　合肥工业大学出版社
地　址　合肥市屯溪路 193 号
电　话　理工图书出版中心：0551－62903004
　　　　营销与储运管理中心：0551－62903198
版　次　2007 年 8 月第 1 版　2013 年 6 月第 2 版
印　次　2023 年 7 月第 9 次印刷
开　本　787 毫米×1092 毫米　1/16
印　张　20
字　数　444 千字
书　号　ISBN 978－7－5650－1334－8
定　价　34.00 元
印　刷　安徽昶颉包装印务有限责任公司
发　行　全国新华书店

图书在版编目(CIP)数据

测量学/张晓明主编．—2 版．—合肥：合肥工业大学出版社，2013.6(2023.7 重印)
ISBN 978－7－5650－1334－8

Ⅰ.①测…　Ⅱ.①张…　Ⅲ.①测量学—高等学校—教材　Ⅳ.①P2

中国版本图书馆 CIP 数据核字(2013)第 105810 号

前　言
（第2版）

本书根据全国高等学校土建学科教学指导委员会制定的培养目标和培养方案而编写。

本书力求简明扼要、秉承传统、推陈出新。全书共分11章，第1章至第5章为测量学基础理论部分，介绍测量学的基本理论及测量仪器的构造和使用；第6章至第8章为测量学基础应用部分，介绍控制测量以及大比例尺地形测量的有关知识；第9章至第11章为测量学综合应用部分，介绍测量学在建筑工程、道路与桥梁工程、隧道工程中的综合应用。

本书自2007年8月出版发行以来，受到国内众多高校土木工程专业师生的欢迎。经过近年来的教学实践，编者对于本教材有了更深刻的认识。借这次修订机会将原教材中的文字错误进行了订正，也对新的知识和规范做了补充，使之更适用于教与学。

本书可作为高等学校土木工程专业通用教材，也可作为测绘工程技术人员参考用书。

本书由张晓明、周克勤担任主编，李晓莉、廖振修、陈斌担任副主编，其他参编人员有高旭光、周利利、王山东、谢胜华、刘英姿、董斌、田劲松、柴陆修、赵平、赵卫华、王青、张绪能。参编单位有安徽建筑大学、北京建筑大学、合肥工业大学、北京大学、河海大学、安徽工业大学、安徽农业大学、皖西学院、铜陵学院、合肥学院。全书由北京建筑大学朱光教授审定。

本书在编写过程中得到了编者所在院校的大力支持，合肥工业大学出版社在本书编辑、校对、照排等方面做了大量的工作，朱光教授在百忙中审定书稿，在此一并表示衷心感谢！
限于编写水平及能力，尽管我们力求明达无误，但书中难免存在瑕疵错漏，请广大读者批评指正。

主编邮箱：1098023190@qq.com。

编　者

2013年5月

目　录

第 1 章　绪论 …………………………………………………………………… (1)
1.1　测量学的基本概念与研究内容 ………………………………………… (2)
1.2　测量学的发展 …………………………………………………………… (5)
1.3　地面点位的确定 ………………………………………………………… (11)
1.4　测量工作的程序和内容 ………………………………………………… (19)

第 2 章　水准测量 ……………………………………………………………… (23)
2.1　水准测量原理 …………………………………………………………… (24)
2.2　光学水准仪和水准尺 …………………………………………………… (25)
2.3　普通水准测量的方法及成果整理 ……………………………………… (30)
2.4　自动安平水准仪 ………………………………………………………… (37)
2.5　精密水准仪 ……………………………………………………………… (39)
2.6　电子水准仪 ……………………………………………………………… (41)
2.7　光学水准仪的检验和校正 ……………………………………………… (42)
2.8　水准测量的误差分析及注意事项 ……………………………………… (45)

第 3 章　角度测量 ……………………………………………………………… (49)
3.1　水平角和竖直角测量原理 ……………………………………………… (50)
3.2　光学经纬仪 ……………………………………………………………… (51)
3.3　水平角测量 ……………………………………………………………… (58)
3.4　竖直角测量 ……………………………………………………………… (61)
3.5　电子经纬仪的测角原理 ………………………………………………… (64)
3.6　激光准直经纬仪 ………………………………………………………… (67)
3.7　光学经纬仪的检验与校正 ……………………………………………… (69)
3.8　水平角测量误差分析 …………………………………………………… (73)

第 4 章　光电测距 ……………………………………………………………… (76)
4.1　测距原理 ………………………………………………………………… (77)
4.2　光电测距仪及使用 ……………………………………………………… (82)
4.3　光电测距成果整理 ……………………………………………………… (93)
4.4　光电测距精度分析与注意事项 ………………………………………… (95)

第 5 章　观测误差与测量平差 …… (99)
5.1　概述 …… (100)
5.2　偶然误差的规律性 …… (101)
5.3　衡量精度的指标 …… (104)
5.4　观测值的算术平均值及改正数 …… (109)
5.5　观测值的精度评定 …… (110)
5.6　误差传播定律及应用 …… (112)
5.7　加权平均值及中误差 …… (118)

第 6 章　控制测量 …… (123)
6.1　概述 …… (124)
6.2　平面控制测量 …… (129)
6.3　高程控制测量 …… (148)
6.4　全球定位系统(GPS)测量 …… (154)

第 7 章　地形测量 …… (168)
7.1　地形图的基本知识 …… (169)
7.2　地形图的测绘 …… (189)
7.3　电子全站仪数字化测图 …… (196)
7.4　航空摄影测量成图 …… (209)

第 8 章　地形图的应用 …… (221)
8.1　概述 …… (222)
8.2　地形图应用的基本内容 …… (222)
8.3　工程建设中的应用 …… (228)
8.4　建筑设计中的应用 …… (233)
8.5　给排水工程设计中的应用 …… (233)
8.6　道路勘测设计中的应用 …… (234)
8.7　城镇规划中的应用 …… (235)
8.8　数字地形图的应用 …… (236)

第 9 章　建筑施工测量 …… (240)
9.1　施工测量概述 …… (241)
9.2　测设的基本工作 …… (242)
9.3　施工场地控制测量 …… (248)
9.4　建筑施工测量 …… (251)
9.5　竣工测量 …… (260)

9.6 建筑物的变形测量 …………………………………………………………… (261)

第10章 道路与桥梁工程测量 …………………………………………………… (264)
10.1 概述 …………………………………………………………………………… (265)
10.2 道路带状地形测量 ……………………………………………………………… (265)
10.3 道路中线测量 …………………………………………………………………… (270)
10.4 路线纵横断面测量 ……………………………………………………………… (281)
10.5 道路施工测量 …………………………………………………………………… (289)
10.6 桥梁施工测量 …………………………………………………………………… (291)

第11章 隧道工程测量 …………………………………………………………… (299)
11.1 概述 …………………………………………………………………………… (300)
11.2 地面控制测量 …………………………………………………………………… (300)
11.3 隧道施工测量 …………………………………………………………………… (302)
11.4 竖井联系测量 …………………………………………………………………… (306)
11.5 隧道竣工测量 …………………………………………………………………… (310)

参考文献 ………………………………………………………………………… (312)

第1章

绪　论

[本章导读]

本章主要介绍测量学的基本概念与研究内容，以及地面点位的确定。通过本章的学习，读者能初步了解测量学的基本知识和基本技能，为以后各章节的学习打下基础。

[知识目标]

1. 掌握测量学的基本概念与研究内容。
2. 了解测量学的分类。
3. 了解测量学的发展。
4. 掌握地面点位的确定。
5. 掌握测量工作的程序和内容。

[能力目标]

1. 掌握地面点位确定的方法。
2. 掌握测量坐标系和高程。

[重点难点]

1. 测量坐标系和高程。
2. 地面点位确定。

1.1 测量学的基本概念与研究内容

1.1.1 测量学的基本概念

测绘学是地球科学的一个分支学科,《中国大百科全书》中关于测绘学的定义为:"研究测定和推算地面点的几何位置、地球形状及地球重力场,据此测量地球表面自然形态和人工设施的几何分布,并结合某些社会信息和自然信息的地理分布,编制全球和局部地区各种比例尺的地图和专题地图的理论和技术的学科。它包括测量和制图两项主要内容。有的国家称它为测量学,有的称为测量与制图学。在中国称为测绘学。"随着科学技术的发展,测绘学的研究对象不仅包括地球表面,还包括地球外层空间的各种自然实体和人造实体。因而,目前测绘学的比较完整的基本概念应是:研究对实体(包括地球整体、表面以及外层空间各种自然和人造的物体)中与地理空间分布有关的各种几何、物理、人文及其随时间变化的信息的采集、处理、管理、更新和应用的科学与技术。

现今,一般认为测量学是测绘学的一个狭义的概念,因而,测量学可以定义为:测量学是研究地球形状、大小和重力场以及确定地面(包括空中、地下和海底)点位的科学。

1.1.2 研究内容

从测绘学的定义可知,测绘学的研究内容相当广泛,而且由于学科的交叉发展,测绘学研究内容又增添了很多相关的学科内容,如空间科学、信息科学等。下面仅就其核心研究内容作一概略阐述。

第一,研究地球的形状和大小及其重力场的分布情况。测绘学主要是研究地理空间分布问题,而这一研究又是以地球为核心展开的,因而首先必须研究地球的形状和大小问题。由于人类的生产生活与地球的重力场有着重要的关系,因此,必须研究地球重力场的分布情况。因此,可以看出,对地球形状和大小以及重力场的研究是其他地理空间研究的基础。

第二,建立测绘的基准以及测量的坐标系统和参考框架。主要是研究如何确立测量的起算基准、尺度基础,如何建立测量的坐标系统以及该坐标系统的具体应用形式,即参考框架。

第三,研究如何将地表形态测绘成地形图。在测量的坐标系统和参考框架已经建立的前提下,研究如何测定地面点的位置,如何将地面的点位绘到地形图上。可以采用传统的模拟法,利用常规的测量仪器进行地形图测绘,平板仪测绘、经纬仪测绘等都是这种方式测绘地形图;可以采用数字化测图方法,利用全站仪或GPS RTK、计算机等进行数字化地形图的数据采集和数字化地形图成图;也可以利用航空摄影的方法测绘地形图。

第四,研究测绘在国民经济生产生活和国防等建设中的应用问题。该问题主要研究:在图上设计的建筑物、构筑物的点位如何以一定的精度在实地标定出来,即放样;施工建设过程中如何确保各种设计的几何关系;工程竣工后的变形和沉降量等安全指标。该研究内容是直接服务于人类的生产生活。

第五,研究测量的误差处理。在测量工作中由于种种原因,观测值是无法达到其真值的,即观测值中含有误差。为了更好地反映真实情况,消除由于观测误差带来的理论上的矛盾,同时,评定测量的精度,必须研究测量误差的性质和数学规律,即建立测量误差理论与测量平差方法。如,概率论与数理统计、最小二乘原理、灰色理论、神经网络理论等。

除上述主要的研究内容外,测绘学还研究空间信息的传输、存储和表达。随着信息化的到来,地理空间信息的共享也成为人们研究的重点,由此带来了空间海量信息的传输和存储问题。由于地理空间信息具有空间和属性双重内容,这使得传统关系型数据库不便于管理地理空间数据,必须研究新型的数据库系统以适应地理空间数据的特点。由于数字摄影测量和遥感普及应用,地理空间信息的数据量是巨大的(故称为海量数据):全国1米分辨率的影像数据量达到60TB(1TB=1024GB)。海量数据的传输和存取是目前研究的一个重要方面。可视化是目前数据表达的重要方式,地理空间信息的可视化呈现出二维到三维的发展趋势,虚拟现实技术是目前研究的一个热点。

1.1.3 测量学的分类

随着测绘学的发展,测量学已经形成一个完善的一级学科,根据其研究的不同侧重点可以分成以下几个分支学科。

1. 大地测量学

大地测量学是研究地球的形状、大小和重力场,测定地面点的几何位置和地球整体与局部运动的理论和技术的学科。测定地球的大小是指测定地球椭球的大小;研究地球形状是指研究大地水准面的形状;测定地面点的几何位置是指测定以地球椭球面为参考面的地面点位置。

大地测量学的基本任务是:第一,建立和维护高精度全球和区域性大地测量系统与大地测量参考框架;第二,获取空间点位置的静态和动态信息;第三,测定和研究地球形状大小、地球外部重力场及其随时间的变化;第四,测定和研究全球和区域性地球动力学现象,包括地球自转和极移、地球潮汐、板块运动与地壳形变以及其他全球变化;第五,研究地球表面观测量向椭球面和平面的投影变换及相关的大地测量计算问题;第六,研究新型的大地测量仪器和大地测量方法;第七,研究空间大地测量理论和方法。

现代大地测量学呈现出高精度、实时快速等特征,并正向四维发展(即加入“时间维”)。

2. 摄影测量学与遥感

摄影测量学是利用摄影的手段获取被测物体的信息(主要是影像),通过对图像的处理、量测、判识和研究,以确定被测物体的形状、大小和位置,并判断其物理性质的一门学科。按获取相片的方法不同,分为航空摄影测量学和地面近景摄影测量学。航空摄影测量主要用于测制地形图,是将摄影机安装到飞机等航空飞行器上,按照预定的航线对地面进行摄影(见图 1—1)。摄影时要保证相片具有一定的重叠度,前后重叠(航向重叠)一般大于 60%,左右重叠(旁向重叠)一般大于 20%,相互重叠的两张相片构成一个立体像对,通过对立体像对的处理生成正射影像图或线划地形图。摄影测量的发展经历了模拟法、解析法和数字化三个阶段。航空摄影测量成图是当今大面积地形图测绘的主要方法。地面近景摄影测量是将摄影机安置在地面上进行测量,主要用于工程测量,如建筑物的变形观测、工业设备的安装、古建筑测绘等,也可用于小区域地形测量。

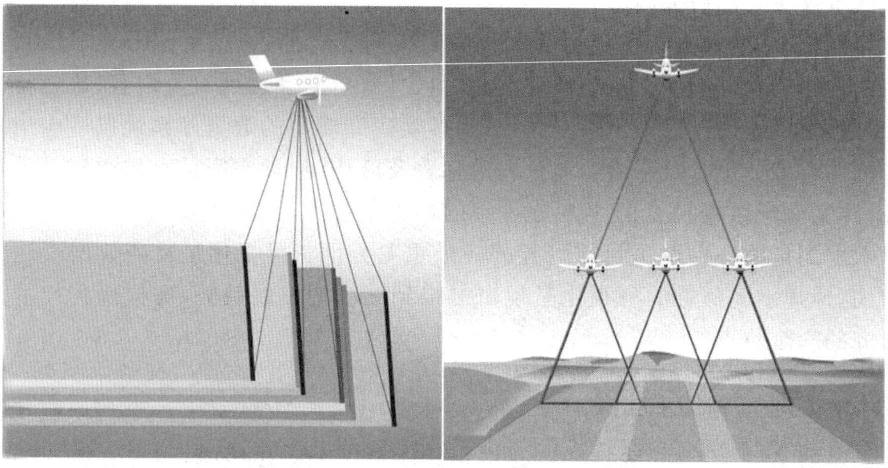

图 1-1 航空摄影测量

遥感,即遥远的感知,是指利用飞机、飞船、卫星等航天(空)器携带传感器,接收地面物体反射或发射的电磁波信号,以图像胶片或数字磁带形式记录下来,传到地面,经信息处理、判读分析和实地验证,提供给人们所需的地物的几何和物理信息。目前,遥感已应用于农业、林业、地质、环境、测绘、气象、军事等领域,应用前景非常广泛。

3. 工程测量学

工程测量学是研究工程建设在规划设计、施工放样和运营管理各阶段中进行测量工作的理论、技术和方法的科学。它是测绘学在国民经济和国防建设中的直接应用。按工程建设进行的程序,工程测量服务于工程建设的各阶段,主要任务有:在规划设计前期需进行工程现场的控制测量以提供施工的位置基准,测绘工程现场的地形图以供工程设计使用;在施工阶段前期需将图上设计好的建筑物标定到实地,确保其形状、大小、位置和相互关系正确,即放样;在施工阶段进行各种施工测量,准确地标定出建筑物各部分的平面和高程位置以及相互间的轴线关系,作为施工和安装的依据,以确保工程质量和安全生产;工程竣工后,要将建筑物群体测绘成竣工平面图,作为质量验收和日后管理维护的依据资料,称为竣工测量;对于大型工程,如高层建筑物、大型水坝、重要厂房等,工程竣工后,为监视工程的状况以及保证安全,需进行周期性的变形监测和沉降观测,找出建筑物变形和沉降的规律并作出后期的预报。

工程测量学除服务于一般的工程建设外,还用于一些工业和科研设备的精密安装，从而形成工程测量学的一个分支学科，即精密工程测量（例如，大型精密机床的安装、大型正负电子对撞机的安装等）。目前，一些大型工程如大型桥梁建设也需要精密工程测量为之定位。因而，精密工程测量代表着工程测量学的发展方向。

4. 地图制图学

地图制图学主要研究地图的基础理论、地图设计、地图编制和复制的技术方法及其应用的学科。传统地图学的具体研究内容为：地图投影，即将地面的曲面按一定的要求以一定的数学方法投影到平面上；地图编制，即制图资料的分析和处理、图例、表示方法等；地图制印，即研究地图的复制和印刷的各种工艺的理论和方法。随着计算机图形学的应用，地图制图转向数字化，人们利用计算机及输入、输出等设备，通过数据库和图形数字处理方法实现地图数据的获取、处理、显示、存储和输出，从而产生了电子地图。较之传统地图，电子地图具有精度高、信息承载量大、使用方便、一图多用等优点。

5. 海洋测量学

海洋测量学是研究以海洋水体和海底为对象所进行的测量和海图编制理论和方法的学科，主要包括海道测量、海洋大地测量、海底地形测量、海洋专题测量以及航海图、海底地形图、海洋专题图等图的编制。

1.2 测量学的发展

1.2.1 测量学的历史发展

测绘学有着悠久的历史。古代的测绘技术起源于水利和农业等生产的需求。古埃及尼罗河每年洪水泛滥，淹没了土地界线，水退以后需要重新划界，从而在公元前1400年就已经有了地产边界的测量。公元前2世纪，司马迁在《史记·夏本纪》中叙述了禹受命治理洪水的情况："左准绳，右规矩，载四时，以开九州、通九道、陂九泽、度九山"。这段记载说明在公元前很久，中国人为了治水，已经会使用简单的测量工具了。

测绘学的研究对象是地球，随着人类对地球形状认识的逐步深化，要求对地球形状和大小进行精确的测定，因而促进了测绘学的发展。地图制图是测量的必然结果，所以地图的演变及其制作方法的进步是测绘学发展的重要方面。测绘学是一门技术性较强的学科，它的形成和发展在很大程度上依赖于测绘方法和仪器工具的创造和变革。从原始的测绘技术，发展到近代的测绘学，其过程可由下列3个方面来说明：

第一，人类对地球形状的认识过程。人类对地球形状的科学认识，是从公元前6世纪古希腊的毕达哥拉斯(Pytha－goras)最早提出地球是球形的概念开始的。两个世纪之后，亚里士多德(Aristotle)做了进一步论证，支持这一学说，称为地圆说。世界上有记载的实测弧度测量，最早是中国唐代开元十二年(公元724)张遂和南宫说等人在今河南省境内进行的，根据测量结果推算出了纬度1度的子午弧长。

17世纪末，英国牛顿(I. Newton)和荷兰的惠更斯(C. Huygens)首次从力学的观点探讨地球形状，提出地球是两极略扁的椭球体，称为地扁说。1735～1741 年间，法国科学院派遣测量队在南美洲的秘鲁和北欧的拉普兰进行弧度测量，证明牛顿等的地扁说是正确的。

19 世纪初，随着测量精度的提高，通过对各处弧度测量结果的研究，发现测量所依据的垂线方向同地球椭球面的法线方向之间的差异不能忽略。因此法国的 P. S. 拉普拉斯和德国的 C. F. 高斯相继指出，地球形状不能用旋转椭球来代表。1849 年，Sir G. G. 斯托克斯提出利用地面重力观测资料确定地球形状的理论。1873 年，利斯廷(J. B. Listing)首用“大地水准面”一词，以该面代表地球形状。自那时起，弧度测量的任务，不仅是确定地球椭球的大小，而且还包括求出各处垂线方向相对于地球椭球面法线的偏差，用以研究大地水准面的形状。

人类对地球形状的认识和测定，经过了“球——椭球——大地水准面”3 个阶段，花去了两千五六百年的时间。随着对地球形状和大小的认识和测定的愈益精确，测绘工作中精密计算地面点的平面坐标和高程逐步有了可靠的科学依据，同时也不断丰富了测绘学的理论。

第二，地图制图的演变。地图的出现可追溯到上古时代，那时由于人类从事生产和军事等活动，就产生了对地图的需要。考古工作者挖掘到公元前 25 世纪至前 3 世纪画在或刻在陶片、铜板或其他材料上的地图。据文字记载，中国春秋战国时期地图已用于地政、军事和墓葬等方面。例如，《管子·地图篇》记述：“凡兵主者必先审知地图。”1973 年，在中国湖南省长沙马王堆汉墓中发现的绘制在帛上的地图，是公元前 168 年之前制作的。这些地图虽是根据已有资料和见闻绘制的，但它已注意到比例尺和方位，讲求一定的精度。公元 2 世纪，古希腊的 C. 托勒密所著《地理学指南》一书，提出了地图投影问题。16 世纪，地图制图进入了一个新的发展时期。中国明代的罗洪先和德国的 G. 墨卡托都以编制地图集的形式，分别总结了 16 世纪之前中国和西方在地图制图方面的成就。从 16 世纪起，随着测量技术的发展，尤其是三角测量方法的创立，西方一些国家纷纷进行大地测量工作，并根据实地测量结果绘制图家规模的地形图，这样测绘的地形图，不仅有准确的方位和比例尺，具有较高的精度，而且能在地图上描绘出地表形态的细节，还可按不同的用途，将实测地形图缩制编绘成各种比例尺的地图。中国历史上首次使用这样的方法在广大国土上测绘的地形图，是清康熙四十七年至五十七年(公元 1708～1718)完成的《皇舆全图》。现代地图制图的方法有了巨大的变革，地图制图的理论也不断得到丰富，特别是 20 世纪 60 年代以来，又朝着计算机辅助地图制图的方向发展，使成图的精度和速度都有很大的提高。

第三，测绘技术和仪器工具的变革。17 世纪之前，人们使用简单的工具，例如中国的绳尺、步弓、矩尺和圭表等进行测量。这些测量工具都是机械式的，而且以用于量测距离为主。17 世纪初发明了望远镜。1617 年，荷兰的斯涅耳(W. Snell)为了进行弧度测量而首创三角测量法，以代替在地面上直接测量弧长，从此测绘工作不仅量测距离，而且开始了角度测量。约于 1640 年，英国的加斯科因(W. Gascoigne)在两片透镜之间设置十字丝，使望远镜能用于精确瞄准，用以改进测量仪器，这可算光学测绘仪器的开端。约于 1730 年，英国的西森(Sisson)制成测角用的第一架经纬仪，大大促进了三角测量的发展，使它成为建立各种等级测量控制网的主要方法。

19世纪初，随着测量方法和仪器的不断改进，测量数据的精度也不断提高，精确的测量计算就成为研究的中心问题。此时，数学的进展开始对测绘学产生重大影响。1806年和1809年法国的勒让德(A. M. Legendre)和德国的高斯分别发表了最小二乘准则，这为测量平差计算奠定了科学基础。19世纪50年代初，法国洛斯达(A. Lausse－dat)首创摄影测量方法。随后，相继出现立体坐标量测仪、地面立体测图仪等。由于航空技术的发展，1915年出现了自动连续航空摄影机，因而可以将航摄相片在立体测图仪器上加工成地形图，从此发展了航空摄影测量方法。可以说，从17世纪末到20世纪中叶，测绘仪器主要在光学领域内发展，测绘学的传统理论和方法也已发展成熟。

从20世纪50年代起，测绘技术又朝电子化和自动化方向发展。首先是测距仪器的变革。1948年起陆续发展起来的各种电磁波测距仪，由于可用来直接精密测量远达几十公里的距离，因而使得大地测量定位方法除了采用三角测量外，还可采用精密导线测量和三边测量。与此同时，电子计算机出现了，并很快应用到测绘学中。这不仅加快了测量计算的速度，而且还改变了测绘仪器和方法，使测绘工作更为简便和精确。继而在60年代，又出现了计算机控制的自动绘图机，可用以实现地图制图的自动化。

自从1957年第一颗人造地球卫星发射成功后，测绘工作有了新的飞跃，在测绘学中开辟了卫星大地测量学这一新领域。同时，由于利用卫星可从空间对地面进行遥感，因而可将遥感的图像信息用于编制大区域内的小比例尺影像地图和专题地图。所以20世纪50年代以后，测绘仪器的电子化和自动化以及许多空间技术的出现，不仅实现了测绘作业的自动化，提高了测绘成果的质量，而且使传统的测绘学理论和技术发生了巨大的变革，测绘的对象也由地球扩展到月球和其他天体。

1.2.2 测量学的现代发展

随着空间技术、计算机技术和信息技术的发展，测绘学同时也得到飞速发展。以“3S”为代表的现代测绘技术使测绘学在空间化、信息化和自动化方面发生了革命性变化。而其中，以“3S”集成为核心的地球空间信息科学是建立“数字地球”的基础。

1.“3S”技术

“3S”是指：全球卫星定位系统(GPS)、遥感(RS)和地理信息系统(GIS)。

全球卫星定位系统(Global Positioning System，简称GPS)是美国军方于1973年开始发展的新一代卫星导航定位系统。该系统由三大部分构成，即GPS卫星星座、地面监控站和用户接收机。其中，GPS卫星星座是由分布在6个轨道面上的24颗GPS卫星组成；地面监控站主要包括主控站、监测站和注入站，主要是用来监测并调整卫星的运行轨道及卫星的各部分的运行健康状态、计算卫星的实时位置并将其位置信息和气象等有关信息注入卫星中；用户接收机则是用来接收卫星的定位信号，计算出接收机位置的坐标。GPS定位时只需GPS接收机接收到4颗以上的

GPS 卫星信号，利用空间距离后方交会的原理，即可根据接收到的卫星位置信息和卫星到接收机之间的距离信息解算出接收机所处位置的三维坐标。

全球卫星定位系统除了美国的 GPS 系统外，前苏联也于 20 世纪 80 年代开始建设了一套与 GPS 相似的 GLONASS 系统。GLONASS 系统的构成与 GPS 相同，主要不同之处是在卫星星座的设计、信号载波频率和卫星的识别技术上。但由于政治和经济等原因，GLONASS 系统的卫星星座至今仍未布置完全，俄罗斯现正着手完善该系统。另外，欧洲空间局和欧洲联盟于 2002 年也批准了建设新一代卫星导航定位系统 Galileo（伽利略）。Galileo 系统卫星星座由分布在 3 个轨道面上的 30 颗卫星组成，2008 年年底完成了布置。该系统主要作为民用，可以提供双频定位水平方向 4 米、垂直方向 8 米精度的免费定位服务，亚米级精度的商业定位服务和其他如生命安全、公共管制、搜寻援救等服务。中国、印度等非欧盟国家也参与了该系统的建设。

遥感（Remote Sensing，简称 RS），是在不接触物体本身，用传感器采集目标物的电磁波信息，经处理、分析后，得到目标物几何、物理性质的一项技术。其主要是利用物体本身的特征和所处的环境不同，具有不同的电磁波反射或反射辐射特征。目前，遥感平台主要以飞机和卫星为主，因而可以在较短时间内获得大面积区域的信息。遥感数据呈现出高空间分辨率、高光谱分辨率和高时相分辨率的发展趋势，卫星遥感 QuickBird 的空间分辨率已达到 0.61 米（见图 1－2）。随着遥感分辨率的提高，其应用也越来越普及，如资源勘察、测绘、农业、林业、水文、环境、气象和灾害监测等，成为快速获取地理信息的重要手段。

图 1－2　上海浦东（局部）QuickBird 遥感影像

地理信息系统（Geographic Information System，简称 GIS）是一种以采集、存储、管理、分析和描述整个或部分地球表面与空间和地理分布有关的数据的信息系统。其核心技术是如何利用计算机表达和管理地理空间对象及其特征，主要包括硬件系统和软件系统。硬件系统主要包括计算机系统（含常规输入输出设备，如鼠标、键盘、打印机等）、数据采集系统（如数字化仪、扫描仪等）、输出设备（绘图仪等)。软件系统则是GIS的核心,决定着其功能。软件系统一般包括:数据输入子系统、图形及属性编辑子系统、空间数据库管理系统、空间查询与空间分析子系统、制图与输出子系统。目前,常用的国外GIS基础软件主要有ArcGIS、MapInfo等,国内的GIS基础软件主要有MapGIS、SuperMap、GeoStar等。GIS的进展主要表现在:组件GIS,即采用面向对象的COM/DCOM技术,使得可以方便地利用VC、VB、Delphi等语言进行应用系统开发;互联网GIS,利用互联网进行地理数据的分布式采集、存储和查询,是GIS发展的必然趋势;多维动态GIS,从传统的二维加属性形式向三维发展,最终发展到含时态信息的四维GIS;移动GIS,利用移动终端(如掌上电脑)结合GPS、移动通信等技术,可进行移动定位、车辆导航等移动服务。

目前,3S技术正趋于集成化。GPS主要用于实时、快速地提供目标的空间位置;RS用于实时、快速地提供大面积地表地物及其环境的几何与物理信息,以及它们的各种变化;GIS则对多种来源的时空数据与属性数据进行综合处理与分析应用。

2. 数字地球与地球空间信息科学

数字地球是美国前副总统戈尔于1998年1月31日在“数字地球——认识21世纪我们这颗星球”的报告中提出的一个概念。其可以理解为对真实地球及其相关现象统一的数字化重现和认识,特点是嵌入海量地理数据,实现多分辨率的、对地球三维的描述。数字地球的支撑技术主要包括:信息高速公路和计算机宽带高速网络技术、高分辨率卫星影像技术、空间信息技术、大容量数据处理与存储技术、科学计算以及可视化和虚拟现实技术。

地球空间信息科学(Geo－Spatial Information Science,简称Geomatics)是实现数字地球的基础,是以全球定位系统(GPS)、地理信息系统(GIS)、遥感(RS)等空间信息技术为主要内容,并以计算机技术和通信技术为主要技术支撑,用以采集、量测、分析、存储、管理、显示、传播和应用与地球和空间分布有关数据的一门综合和集成的信息科学和技术。地球空间信息科学理论框架的核心是地球空间信息机理,即通过对地球圈层间信息传输过程与物理机制的研究,揭示地球几何形态和空间分布及变化规律。

3. 工程测量中的测绘新技术

目前,工程测量正趋于内外业一体化和自动化,即数据的外业获取和内业处理的自动化。例如,在大坝变形监测中,可以采用自动照准全站仪(测量机器人)或GPS接收机进行实时、自动地数据采集,通过有线或无线的数据传输系统将观测数据传入主控计算机中,在数据处理软件的支持下进行变形分析和作业控制,如图1－3所示的自动化监测系统。

目前,小浪底水利枢纽、长江三峡水利枢纽等均采用GPS自动化变形监测系统。新疆昌吉三屯河水库大坝、安徽港口湾水库大坝、山西垣曲后河水库大坝等采用了全站仪自动化监测系统。

变形监测点 GPS 天线

自动化全站仪监测站

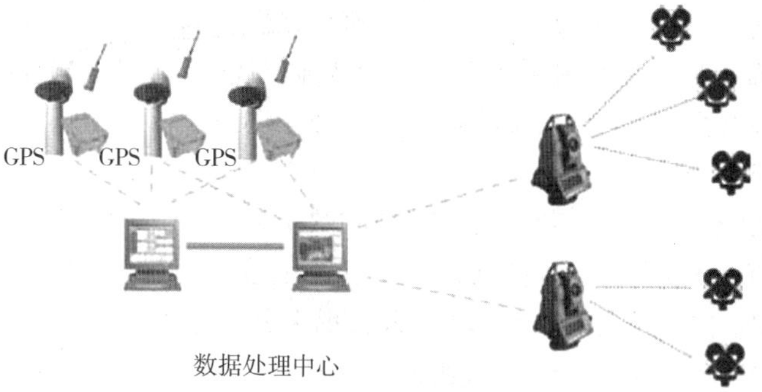

数据处理中心

变形监测点

图 1-3　自动化监测系统

近年来，激光仪器在工程测量中得到长足的发展和应用。例如，常规工程测量使用的激光扫平仪、激光垂准仪，大大方便了施工测量工作，提高了工程施工效率（见图 1-4）。在精密工程测量中，激光跟踪测量仪可以以 0.05 mm 的精度方便地进行各种高精度的工业测量。目前该仪器在宝马汽车公司、波音飞机制造公司、中国科学技术大学同步辐射实验室等高精度工业安装及仪器定位监测中得到广泛应用（见图 1-5）。三维激光扫描仪可以进行近距离对地物海量点位的扫描，从而通过扫描获得的点云数据进行地物的三维建模。例如，该三维扫描仪应用在秦俑二号坑的三维数字化建模和故宫太和殿三维数字化建模中，如图 1-6 所示。

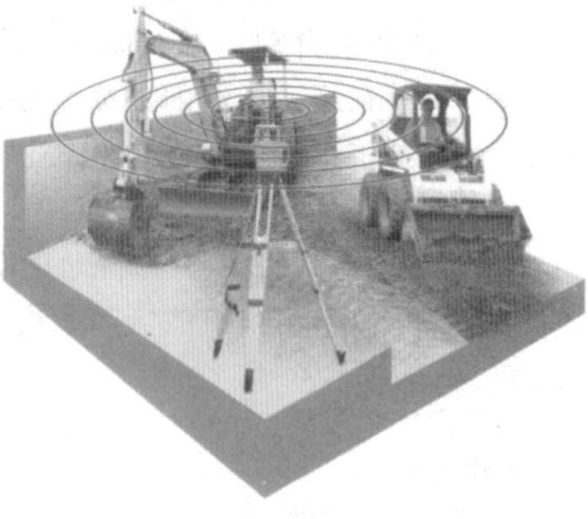

激光扫平仪

激光垂准仪

图 1-4　常用工程激光测量仪器

图 1-5　激光跟踪测量仪在汽车制造中的应用

图 1-6　三维激光扫描仪在古建筑及文物保护中的应用

1.3　地面点位的确定

1.3.1　地球的形状和大小

由于测量工作是以地球为核心进行的，因此必须首先研究地球的形状和大小。目前，我们已经知道，地球的总体形状是一个不规则的椭球（见图 1-7）。由于地球表面形态非常复杂，例如，珠穆朗玛峰高出海平面达 8844.43 米，而马里亚纳海沟则在海平面下 11034 米，若直接用地球表面形态作为地球形体来研究则非常复杂而无法进行。由于地球表面的三分之二是海洋面，我们可以设想将海洋面向陆地和岛屿延伸，从而形成一个曲面，我们称之为水准面，利用这个曲面来代替地球的形体。但海洋的海水面由于潮起潮落而并不固定，这样，水准面也就有无数多个，即每一时刻便有一个水准面，这时仍然无法唯一地确定地球形态。实际中，利用观潮资料可得到一个海水面的平均高度。就是用这个平均海水面所确定的水准面（我们称之为大地水准面），来唯一地表示地球形状（见图 1-7）。大地水准面所包围的形体称为大地体。由于地表的起伏与大地体的平均半径 6371km 相比是微不足道的，因而利用大地水准面近似代表地球形状是可行的。大地水准面是测量工作的基准面。与大地水准面垂直的铅垂线是测量工作基准线。

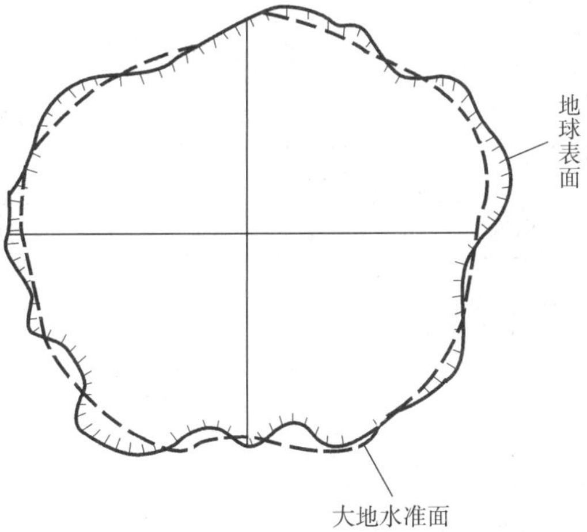

图 1-7　地球的总体形状

由于地球内部密度分布的不均匀，从而导致作为重力等位面的大地水准面也不是一个规则的椭球面，即无法用简单的数学式来表示。因此，必须寻求一个规则的几何形体来代替大地水准面，从而可以进行测量数据的计算处理。在实际中，利用与大地水准面最为相近的一个椭球面——地球椭球（又称旋转椭球）面来作为测量数据的计算面（如图 1-8(a)）。

图 1-8(b)描绘了某一区域地球自然表面、大地水准面和旋转椭球面三者的关系。地球椭球的几何参数为长半轴 a、短半轴 b 和扁率 f。其关系为：

$$f=\frac{a-b}{a} \tag{1-1}$$

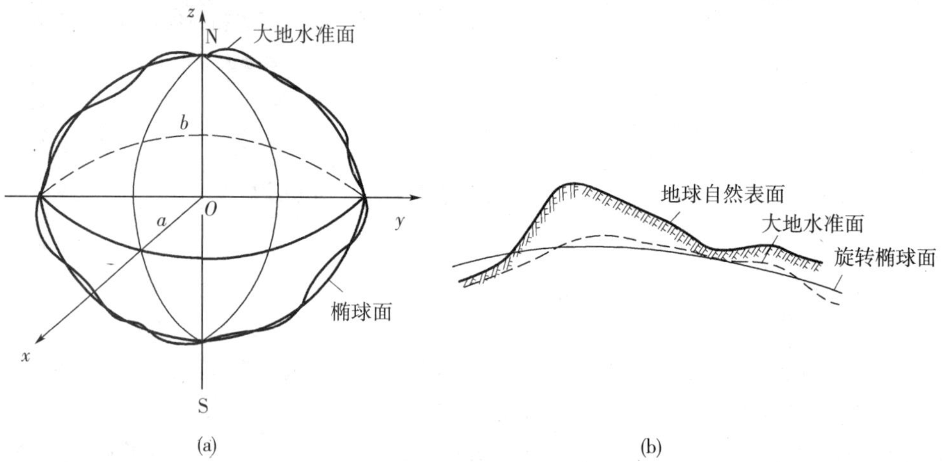

图 1-8　测量基准面

表 1-1 列出部分常见地球椭球的几何参数。

表 1-1　常见几种地球椭球几何参数

椭球名称	长半轴 a(m)	短半轴 b(m)	扁率 f	推算时间和国家
白塞尔	6377397	6356079	1/299.2	1841 年，德国
海福特	6378388	6356912	1/297.0	1909 年，美国
克拉索夫斯基	6378245	6356863	1/298.3	1940 年，前苏联
IUGG—75	6378140	6356755.3	1/298.257	1979 年，国际大地测量与地球物理联合会
WGS—84	6378137	6356752.314245	1/298.257223563	1984 年，美国

各个国家或地区，根据自己国家或地区的大地水准面形态，将地球椭球进行定位，从而使其与该国家或地区的大地水准面吻合最好，定位后的地球椭球称为参考椭球。

1.3.2 地面点位确定的基本方法

确定地面点位是以大地水准面为基准面、以铅垂线为基准线的，因而，在测量工作中，是将地面点沿铅垂线方向投影到大地水准面上得到其投影位置(见图 1-9)。要确定地面点 A、B、C、D、E 的位置，将其向大地水准面投影得 a、b、c、d、e 投影点，则地面点 A、B、C、D、E 的空间位置，就可以用 a、b、c、d、e 投影点在大地水准面上的坐标以及其到 A、B、C、D、E 的铅垂距离 H_A、H_B、H_C、H_D、H_E 来表示。

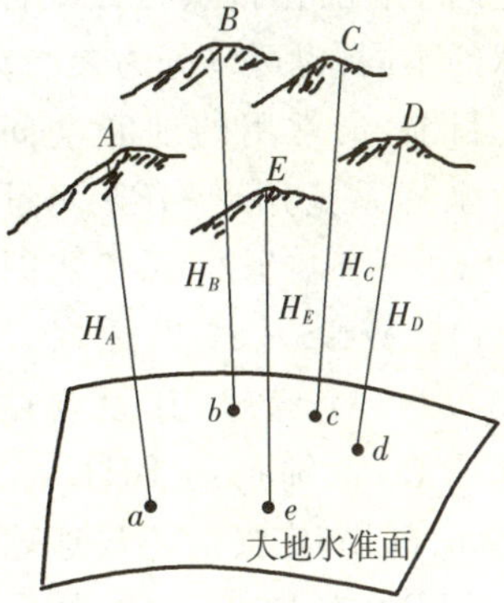

图 1-9 地面点位确定

1.3.3 测量坐标系统

要确定一个点的空间位置，必须首先建立坐标系统。在测量中常用的坐标系统形式有：大地坐标系、空间直角坐标系、平面直角坐标系。

1. 大地坐标系

大地坐标系采用大地经度 L、大地纬度 B 和大地高 H 来描述空间位置。若是以参考椭球而建立起来的大地坐标系称为参心大地坐标系，若是以总地球椭球而建立起来的大地坐标系称为地心大地坐标系(如图 1-10)。其中，O 是椭球中心，NS 为椭球的旋转轴，N 为北极，S 为南极。包括旋转轴 NS 的平面称为子午面，子午面与椭球面的交线称为子午圈或子午线，也称经线。垂直于旋转轴 NS 的平面与椭球面的交线称为平行圈，也称纬线。圆心为椭球中心 O 的平行圈称为赤道。

建立大地坐标系，规定以椭球的赤道为基圈，以起始子午线(首子午线)为主圈。对于地面上任意一点 P，其大地坐标如图 1-10 所示。

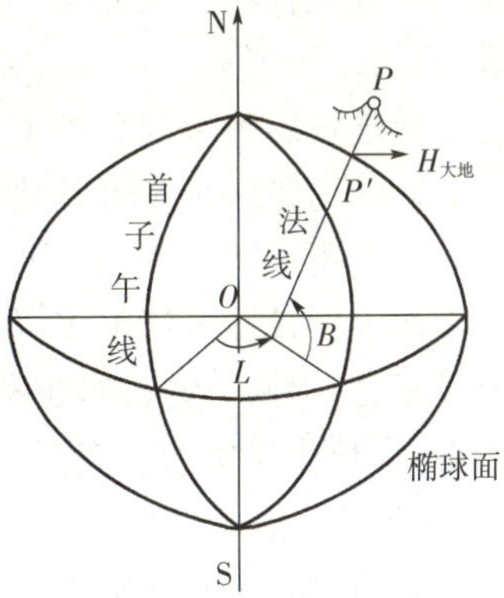

图 1-10 大地坐标系

大地经度 L：过 P 点的椭球子午面与起始子午面之间的夹角。由起始子午面开始，向东为正，从 0°～180° 称为东经；向西为负，从 0°～180° 称为西经。

大地纬度 B：过 P 点的椭球面法线与椭球赤道面的夹角。由赤道起算向北为正，从 0°～90°称为北纬；向南为负，从 0°～90°称为南纬。

大地高 H：由 P 点沿椭球面法线至椭球面的距离。从椭球面起，向外为正，向内为负。

传统大地测量一般采用参心大地坐标系，如我国采用的 1954 年北京坐标系、1980 年西安坐标系等。现代卫星大地测量则一般采用地心大地坐标系，如 GPS 测量中采用以 WGS-84 总地球椭球而建立的地心大地坐标系——WGS-84 世界大地坐标系。

2. 空间直角坐标系

空间直角坐标系的原点位于地球椭球的中心，Z 轴指向地球北极，X 轴指向起始子午线与赤道的交点，Y 轴位于赤道面上，且按右手坐标系与 X 轴成 90°夹角。某点的空间坐标可用该点在此坐标系的各个坐标轴上的投影来表示。根据采用的地球椭球的不同，也可以分为参心空间直角坐标系和地心空间直角坐标系。

目前，最常用的地心空间直角坐标系是用于 GPS 测量的 WGS－84 坐标系（见图 1－11）。WGS－84 坐标系采用 WGS－84 椭球，其原点在地球质心，Z 轴指向 $BIH_{1984.0}$（国际时间局）定义的协议地球极（CTP）方向，X 轴指向 $BIH_{1984.0}$ 的零度子午线和 CTP 赤道的交点，Y 轴与 Z、X 轴垂直构成空间直角右手坐标系。

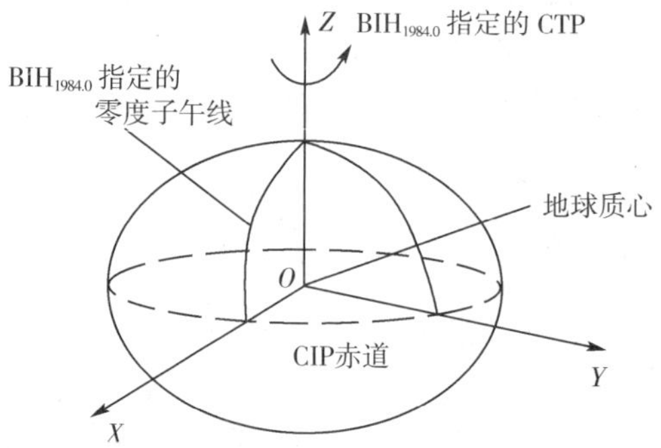

图 1－11　WGS－84 坐标系

空间某点 P 的 WGS－84 坐标，可以表示为三维直角坐标（X，Y，Z），也可以表示成以 WGS－84 椭球为基准的大地坐标（L，B，H）形式。

3. 平面直角坐标系

大地坐标和空间直角坐标是研究大地问题的有效的坐标系形式，但在工程建设、测绘地形图等工作时就显得不很方便。这就要求我们将球面上的大地坐标按一定的数学投影关系归算到平面上。

椭球面是一个不可直接展开的面，展开后会引起一定的形变，在测量上为了保证其形变不影响工程的需要，常采用一定的投影方法将空间坐标通过数学变换映射到平面上。投影方法很多，如 UTM 投影、Lambert 投影等，我国采用高斯投影。高斯投影是一种等角投影，也称正形投影，其投影有两个基本条件：①投影后角度大小不变；②长度投影后会变形，但是在一点上各个方向的微分线段变形比是一常数。

（1）高斯投影

高斯投影也称横轴椭圆柱等角投影，是德国测量学家高斯于 1825～1830 年首先提出的。直到 1912 年德国另一测量学家克吕格推导出实用的坐标投影公式后，这种投影才得到推广，所以该投影也称为高斯-克吕格投影。

如图 1－12 所示，该投影是将一个横椭圆柱套在地球椭球体上，椭球体中心 O 在椭圆柱中心轴上，椭球体南北极与椭圆柱相切，并使某一子午线与椭圆柱相切。此子午线称中央子午线。然后将椭球体面上的点、线按正形投影条件投影到椭圆柱上，再沿椭圆柱 P、P' 点母线割开，并展成平面，即成为高斯投影平面。在此平面上：

①中央子午线是直线，其长度不变形，离开中央子午线的其他子午线是弧形，凹向中央子午线。离开中央子午线越远，变形越大。

②投影后赤道是一条直线，赤道与中央子午线保持正交。

③离开赤道的纬线是弧线，凸向赤道。

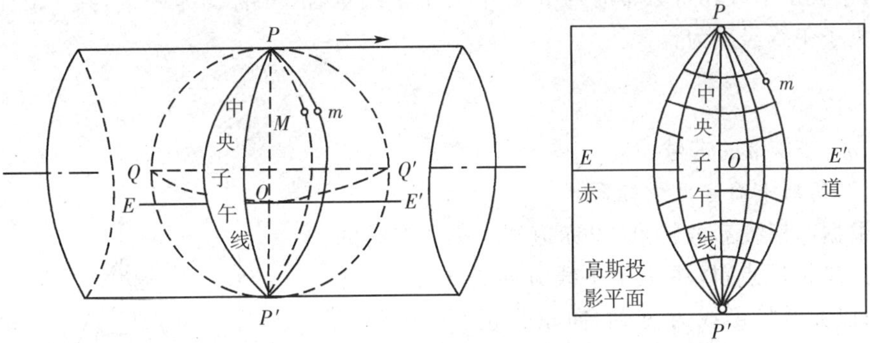

(a)　　(b)

图 1－12　高斯投影

高斯投影可以将椭球面变成平面，但是离开中央子午线越远变形越大，这种变形将会影响测图和施工精度。为了对长度变形加以控制，测量中采用了限制投影宽度的方法，即将投影区域限制在靠近中央子午线的两侧狭长地带，这种方法称为分带投影。投影带宽度是以相邻两个子午线的经差来划分的，通常有 6°带和 3°带等不同投影方法。

6°带投影是从格林尼治首子午线开始，自西向东每经差 6°划分一长条形投影带，这样将椭球划分成 60 个带，编号为 1～60(见图 1－13)。

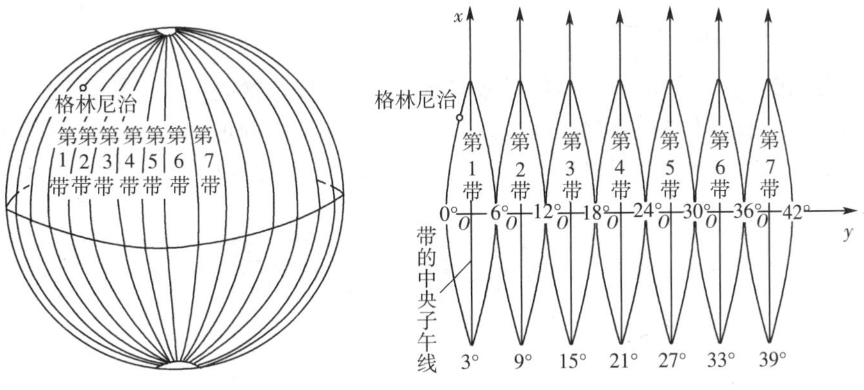

(a)　　(b)

图 1－13　高斯分带

各带的中央子午线的经度可以按下式计算：

$$L_6 = 6n - 3 \tag{1-2}$$

式中：n——6°带的带号。

已知某点的大地经度 L，可按下式计算所在的 6°带带号：

$$n = \frac{L}{6}(\text{的整数商}) + 1(\text{有余数时}) \tag{1-3}$$

若要减小投影变形量，可采用 3°分带。3°带是从经度为 1°30′的子午线开始划分的，其中央子午线在奇数带时与 6°带中央子午线重合，每隔 3°为一带，共 120 带，各带中央子午线经度为：

$$L_3 = 3n \quad (1-4)$$

式中：n——3°带的带号。

(2)高斯平面直角坐标系

根据高斯投影的特点，以赤道和中央子午线的交点为坐标原点；以中央子午线方向为 x 轴，向北为正；以赤道投影线为 y 轴，向东为正。我国位于北半球，x 坐标均为正值，而 y 坐标值有正有负，为使用方便使 y 坐标值都为正值，将纵坐标轴向西平移 500km，并在 y 坐标前冠以所在带的带号。这样构成了高斯平面直角坐标系(见图 1－14)。

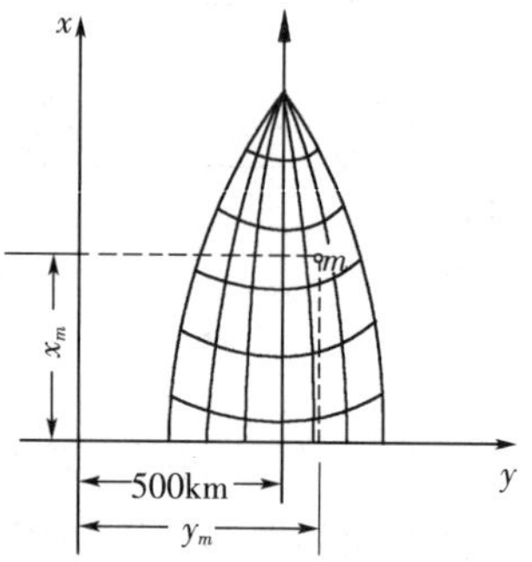

图 1－14　高斯平面直角坐标系

如 20 带内某点 m 的自然值为：

$x_m = 3513782.335\text{m}$

$y_m = 200.250\text{m}$

则 m 点在高斯坐标系中表示为：

$x_m = 3513782.335\text{m}$

$y_m = 20500200.250\text{m}$

注意，在计算中要将 y 值前的带号去掉，以恢复其自然值。

高斯平面直角坐标系和数学中的笛卡儿坐标系是不同的：高斯平面直角坐标系 x 轴为纵坐标轴，y 为横坐标轴，故而坐标原点选取和象限顺序也不同(见图 1－15)。

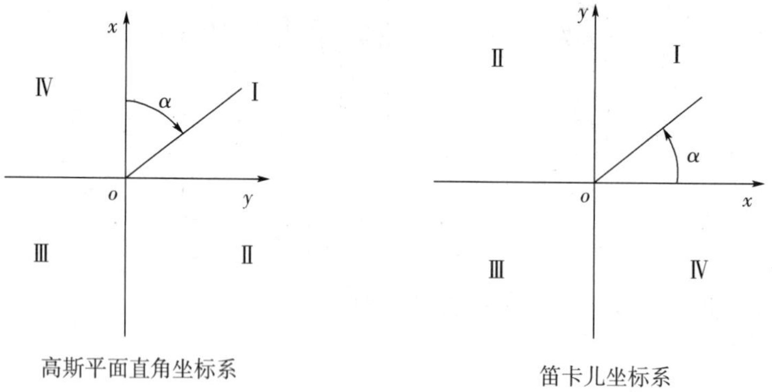

图 1－15　高斯坐标与笛卡儿坐标

(3)独立平面直角坐标系

在一般工程测量中，当测区面积不大时(一般半径不大于 10km 范围)，可以把测区的大地水准面视作一平面来处理，这时就可以简单地根据工程的需要建立独立平面直角坐标系。

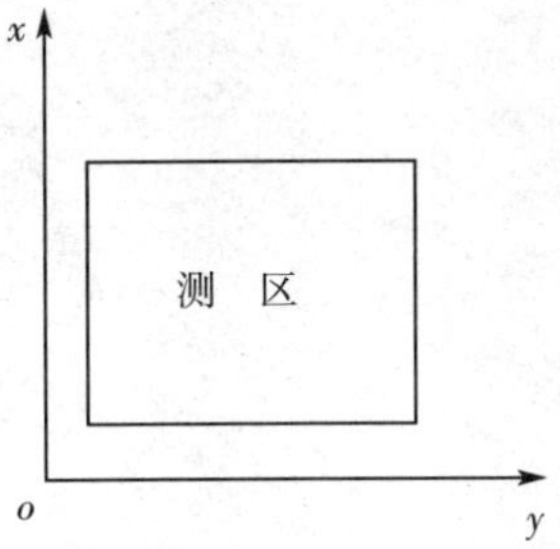

图 1-16 独立平面直角坐标系

独立平面直角坐标系的建立方法是南北方向为坐标纵轴，即 x 轴，x 向北为正，向南为负；东西方向为坐标横轴，即 y 轴，y 轴向东为正，向西为负。这与数学上的笛卡儿坐标系也不同。为了使测区内的每一点的坐标值都是正值，一般将坐标原点选在测区的西南角(见图 1-16)。

4. 地面点的高程

要确定地面一个点的位置，仅知道其二维的平面坐标是不够的，还需要知道其高程。

地面点的高程是指地面点到某一高程基准面的垂直距离。由于高程基准面选择的不同，就有不同的高程系统。测量上常用的高程基准面有参考椭球体面和大地水准面。其相应的高程为大地高和海拔高。

(1)大地高

是以参考椭球体面为高程基准面。大地高是地面点沿法线到椭球体面的距离，见图 1-10。

(2)海拔高

是以大地水准面为高程基准面，即地面点沿铅垂线到大地水准面的距离。

海水面由于受潮汐、风浪的影响，是个动态曲面。所以，在确定大地水准面时，在海边设立验潮站，进行长期潮汐观测，取海水面平均高度作为高程零点。新中国成立后，我国采用青岛验潮站长期观测资料求得黄海平均海水面作为我国高程基准面，称为"1956 年黄海高程系"。在青岛市观象山建立水准原点，其高程为 72.289m。后又将 1953 年到 1979 年验潮资料进行归算，推算青岛国家水准原点高程为 72.260m，称为"1985 年国家高程基准"，1987 年我国开始启用这个基准。工程测量中常用海拔高程系统，地面某点沿铅垂线到大地水准面的距离称为该点的绝对高程，一般简称为高程。在某些不要求绝对高程值的工程中或局部地区特殊条件下，不需要和国家高程系联系，也可以采用一个假设水准面作为高程起算面，这样所得到的地面点高程称为假定高程或相对高程。如图 1-17 所示，A、B 两点的假定高程分别为 H'_A 和 H'_B。

地面上两点之间的高程之差称为高差，一般用 h 表示(见图 1-17)，A、B 两点的高差为：

$$h_{AB}=H_B-H_A=H'_B-H'_A \tag{1-5}$$

由此可见，两点间的高差与高程起算面无关，但计算两点高差时，两点高程必须采用同一高程基准面，即同一高程起算面。

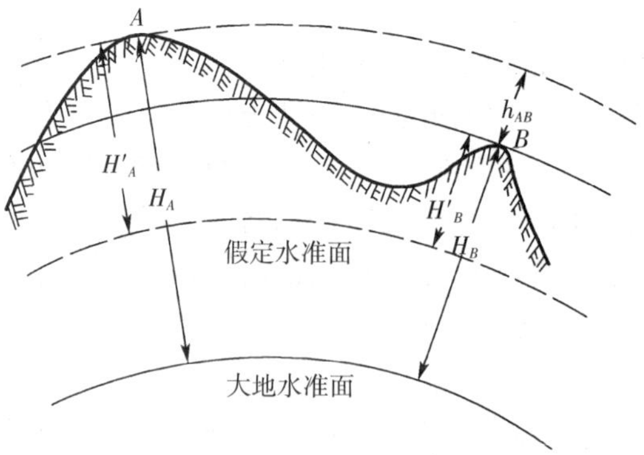

图 1-17　高程与高差

在我国某些地区有时还采用吴淞口高程系统，该系统建于 20 世纪初，主要应于上海周边地区和沿长江中下游地区的部分城市测量和工程测量中。该系统目前不统一，如在合肥，其高程与 1956 年黄海高程系相差 1.89 米，即：

$$H_{吴淞}=H_{56}+1.89 \tag{1-6}$$

在工程中，应注意高程基准的统一，若不在同一个高程基准下，则应进行换算使之统一。

1.3.4　我国采用的大地坐标系统

1. 1954 年北京坐标系

1954 年，我国由于缺乏天文大地网观测资料，暂时采用了克拉索夫斯基椭球，并与前苏联 1942 年坐标系统进行联测，通过计算建立了我国大地坐标系统，称为 1954 年北京坐标系。该坐标系统的大地原点在前苏联的普尔科沃，定位定向是前苏联 1942 年坐标系的定位定向。该坐标系统在新中国建国初期的国民经济建设和国防建设中起到重要作用，但存在着一定问题，主要是：参考椭球长半轴偏长，比地球总椭球的长半轴长了一百多米；椭球基准轴定向不明确；椭球面与我国境内的大地水准面不太吻合，东部高程异常可达＋68m，全国范围平均达 29 米；点位精度不高。

2. 1980 年国家大地坐标系

1980 年国家大地坐标系也称 1980 年西安坐标系，是在 1954 年北京坐标系的基础上采用多点定位法建立起来的。参考椭球采用 IUGG75 推荐的椭球，椭球定位参数根据我国范围内高程异常平方和最小为条件求解。椭球短轴平行于地球质心指向地极原点 JYD1968.0 方向，起始大地子午面平行于我国起始天文子午面。大地原点位于西安市北 60km 处的泾阳县永乐镇，称为西安原点。经过大规模的我国天文大地网整体平差计算，建立了比较完善的我国独立的二维参心坐标系统。

3. 新 1954 坐标系

我国在建立 1954 年北京坐标系以后，便进行坐标系统框架的建立，即进行了全国范围的大规模的控制测量，取得了大量的在 1954 年北京坐标系下的控制点坐标。当采用 1980 年国家大地坐标系后，为了使得坐标系统的统一，需将 1954 年北京坐标系下的点坐标转换到 1980 年国家大地坐标系下。由于计算量巨大，加之当时条件有限，无法全部进行转换，便采用了一个新的坐标系统作为其过渡，即新 1954 坐标系。新 1954 坐标系是在 1980 坐标系基础上，将 IUGG75 椭球还原为克拉索夫斯基参考椭球，将坐标原点平移使其与 1954 年北京坐标系重合，坐标轴保持与 1980 年国家大地坐标系的坐标轴平行。

坐标系统和高程系统建立以后，因为坐标系中的坐标轴在实际中是虚拟的，而高程系统中的大地水准面位置在实际测量工作中也是无法直接得到的，因而，仍然无法直接求得地面某点的平面坐标和高程值。为了能在某坐标系统和高程系统下进行测量工作，则必须建立起该坐标系统框架和高程系统框架。在我国，由一、二、三、四等天文大地控制点逐级加密构成平面坐标系统框架（图 1－18），由一、二、三、四等水准点逐级加密构成高程系统框架（参见图 6－5）。

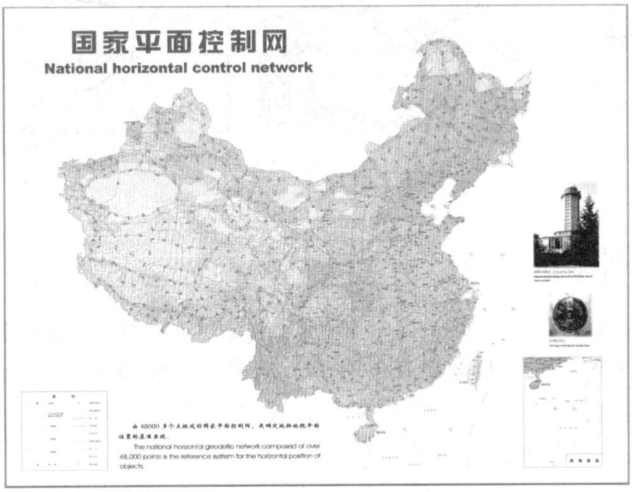

图 1－18　国家平面控制网

1.4　测量工作的程序和内容

1.4.1　测量工作的程序

在进行地形图测绘或施工测量等测量工作时，都需要确定一些特征点（称作碎部点）的位置。碎部点一般较多，逐点测量碎部点会造成越来越大的累积误差。为了保证碎部点的测量精度，同时为了保持与全国或地区的点位坐标系统的一致性，先在测区布置一些具有控制意义的点，即控制点，在一定的坐标系统和高程系统下测出这些点的坐标和高程，称作控制测量。再根据这些控制点与特征点的距离、连线间的角度关系和高差关系，从而得出这些碎部点的位置。即在控制点位置的基础上确定碎部点位置，这样可以保证整个测区内的碎部点的点位精度比较均匀，同时保持坐标系统和高程系统的一致性。

如图 1－19，图中 A、B、C、D、E 即是为进行地形图测绘和工程放样而布设的控制点。因而，测量工作进行的程序是先进行控制测量，再进行碎部测量；从布局上是先从整体进行控制，再进行局部的碎部测量；而在测量精度上，控制测量是从高精度到低精度逐级进行的，控制测量的精度又比碎部测量的精度高。所以，“由整体到局部，先控制后碎部，从高级到低级”是测量工作的一个原则。在测量中的每一个环节都必须进行检验，合格后才能进入下一个环节，从而才能得到合格的测量成果。因此，“步步检核”是测量工作的第二个原则。

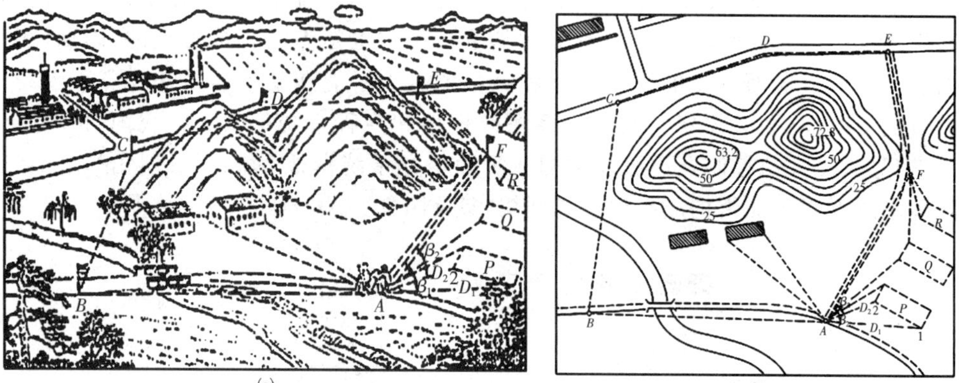

(a)　　(b)

图 1－19　控制测量与碎部测量

1.4.2　控制测量

控制测量是确定控制点的平面坐标和高程的测量工作，控制点从全局上给测区提供控制基准并提供平面坐标和高程的起算数据。在经典测量中，控制测量分为平面控制测量和高程控制测量。平面控制测量的方法主要有：三角测量、导线测量、GPS 测量等；高程控制测量的方法主要有：水准测量、三角高程测量等。新中国成立初期，我国为了国民经济建设和国防建设，进行了全国范围的控制测量，即建立了覆盖全国的一、二、三、四等平面控制网和一、二、三、四等高程控制网（见图 1－18）。国家等级的控制网点的密度有限，往往不能满足各地区的工程需要，因而，各城市和地区也分别建立了各自城市和地区的控制网。在一些地形图测绘或工程测量中，由于国家控制点和城市控制点较少，也需要先进行控制测量，从而为测图或工程测量提供位置基础和起算数据（见图 1－20）。

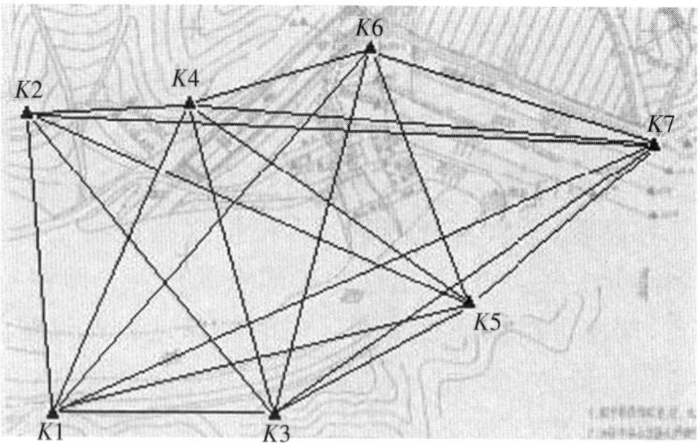

图 1－20　工程控制网

1.4.3 碎部测量

在测量工作中，地物的形状和地面的形态都可以由其特征点的位置来确定，这些特征点被称为碎部点或细部点，测量碎部点位置的工作就称为碎部测量。例如，在测绘地形图时，就是通过测量出地面各地物、地貌的碎部点位，再在图上用规定的线条或符号对其进行连接或标记，从而成为地形图(见图 1－21)。目前，碎部测量的常规方法主要是利用全站仪按极坐标和三角高程的原理确定碎部点的坐标和高程。近年来，GPS RTK(实时动态 GPS)在地形测量、工程放样等碎部测量工作中也得到普及应用。

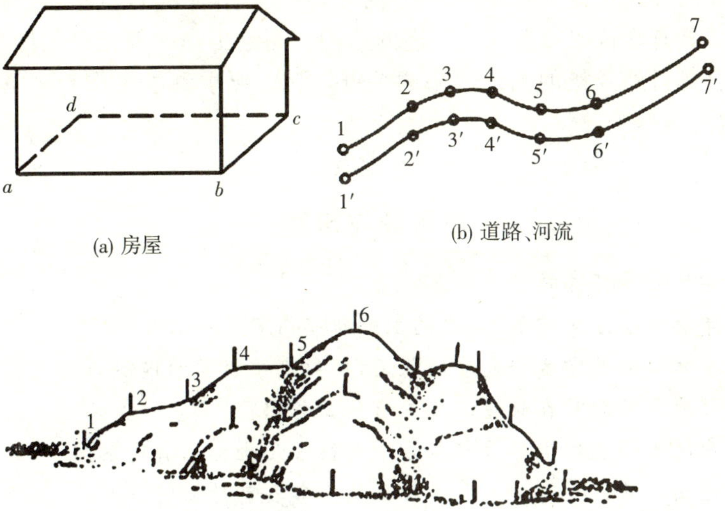

(a) 房屋　(b) 道路、河流

(c) 山地

图 1－21　碎部点示意图

1.4.4 测量的基本工作

工程测量中的核心问题是点的位置，在实际应用中表现在两个方面：

第一，如何确定地面上某点的位置，即如何求地面某点的平面坐标和高程。解决该问题的过程在测量中称作测定。

第二，已知某点的平面坐标和高程，如何在实地将其所在位置标定出来。该问题的解决过程称为测设或放样。

地形图是国民经济建设和国家安全的重要基础信息资料，在工程规划和工程建设以及国防建设中都起到十分重要的作用，因此，地形图是测绘学研究的一个重要内容。地形图的基本内容、地形图测绘方法和地形图的常规应用是测绘工作者必须掌握的知识。

在工程测量中，设计好的建筑物位置需要在实地标出，在施工过程中需要对相关点位及轴线关系进行测量，因而，测设和施工测量是工程测量的重要内容。在建筑物施工过程中和建成后有时需要对其进行变形观测和沉降观测，变形和沉降监测是工程测量的一个重要方向。

确定点位的方法很多，但其基本原理不外是由若干个已知坐标或高程的已知点出发，根据点之间的距离、点间连线构成的角度和点间的高差，由数学几何原理求出未知点相对于已知点的坐标增量或高差，进而求解出未知点的坐标或高程。因而，角度测量、距离测量和高差测量是经典测量工作的三项基本工作。

测绘工作是一项实践性很强的工作，因此，学习测量学时应注重理论与实践相结合，即在掌握理论原理和方法的同时必须掌握各种常规的测量仪器的操作。同时，测量数据的处理要求我们有一定的计算能力，特别是要求测绘工作者应掌握一定的计算器和计算机的使用方法。因而，测、算、绘是测绘工作者需要掌握的基本技能。测绘工作的外业工作是非常辛苦的，同时，内业工作又是极其精细严谨的，这要求测绘工作者具有吃苦耐劳和认真严谨的精神。测绘工作一般都是团队作业，成员间默契的配合是得到合格的测绘成果的关键，因此，要求测绘工作者应具有团结协助的团队精神。

思考题与习题

1. 测量学的主要任务是什么？
2. 测量学有哪些分支学科，各自的主要研究内容是什么？
3. 通过本章对测量学古今发展的叙述，你对测绘科学的内涵与发展有何感想？
4. 何谓大地水准面？在测量工作中有什么作用？
5. 测量中的平面直角坐标系与数学中的笛卡儿坐标系有何不同？
6. 表示地面点的位置有哪几种坐标系统？各具有什么特点？
7. 何谓绝对高程、相对高程？何谓高差？
8. 测量工作的原则是什么？
9. 测定与测设有何区别？
10. 测量的基本工作有哪些？

第2章

水准测量

[本章导读]

本章主要介绍水准测量的原理、水准仪和水准尺、水准测量的方法和成果整理。通过本章的学习,读者能掌握水准仪的使用和水准测量的外业观测与内业计算。

[知识目标]

1. 掌握水准测量原理。
2. 掌握光学水准仪和水准尺。
3. 掌握普通水准测量的方法及成果整理。
4. 了解光学水准仪的检验和校正。
5. 了解水准测量的误差分析及注意事项。

[能力目标]

1. 掌握水准仪的使用。
2. 掌握高程的计算。

[重点难点]

1. 水准测量的外业和内业。
2. 水准测量技术要求。

2.1 水准测量原理

测定地面点高程的工作，称为高程测量。高程测量是测量的基本工作之一。高程测量按所使用的仪器和施测方法的不同，可以分为水准测量、三角高程测量、GPS高程测量和气压高程测量。水准测量是目前精确测定地面点高程的一种主要方法。

水准测量是利用水准仪提供的一条水平视线，读取竖立于两个高程点上的水准尺读数，测定地面两点间的高差，这样就可由已知点的高程推算出未知点的高程。

如图 2-1 所示，欲测定 A、B 两点间的高差 h_{AB}，可在 A、B 两点分别竖立水准尺，在 A、B 之间安置水准仪。利用水准仪提供的水平视线，分别读取 A 点水准尺上的读数 a 和 B 点水准尺上的读数 b，则 A、B 两点高差为：

$$h_{AB}=a-b \tag{2-1}$$

水准测量是由已知高程点开始向待测点方向前进的。在图 2-1 中，按测量的前进方向，A 点为已知高程点，B 点为待测点，则 A 点为后视点，A 尺读数 a 为后视读数；B 点为前视点，B 尺读数 b 为前视读数。

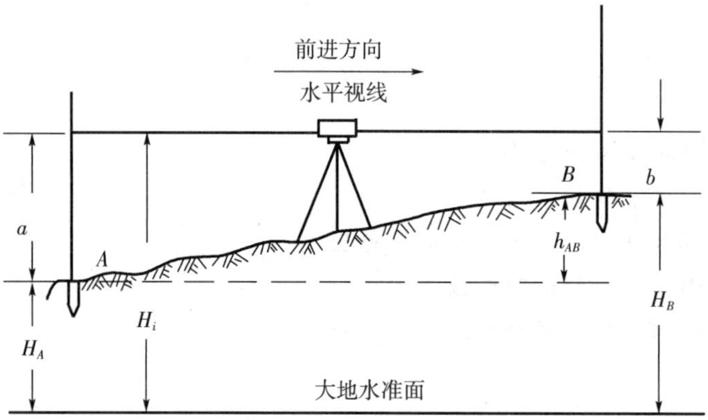

图 2-1　水准测量原理

若 A 点高程为 H_A，则 B 点高程为：

$$H_B=H_A+h_{AB}=H_A+(a-b) \tag{2-2}$$

B 点高程还可通过仪器的视线高程 H_i 来计算，即：

$$\begin{aligned} H_i&=H_A+a \\ H_B&=H_i-b \end{aligned} \tag{2-3}$$

直接用高差计算 B 点高程，称为高差法，利用仪器视线高程 H_i 计算 B 点高程，称为视线高法。在某种情况下，要根据一个后视点的高程同时测定多个前视点的高程时，采用视线高法较为简便。否则，应尽量采用高差法测两点间高程。

2.2 光学水准仪和水准尺

2.2.1 光学水准仪的构造

水准测量所使用的仪器为水准仪，工具有水准尺和尺垫。水准仪按其精度可分为DS05、DS1、DS3和DS10等四个等级。工程测量广泛使用DS3型水准仪。因此，本章着重介绍这类仪器。

如图2-2所示，水准仪构成主要有望远镜、水准器及基座三部分。DS3望远镜主要由物镜、目镜、对光透镜和十字丝分划板等部件组成。

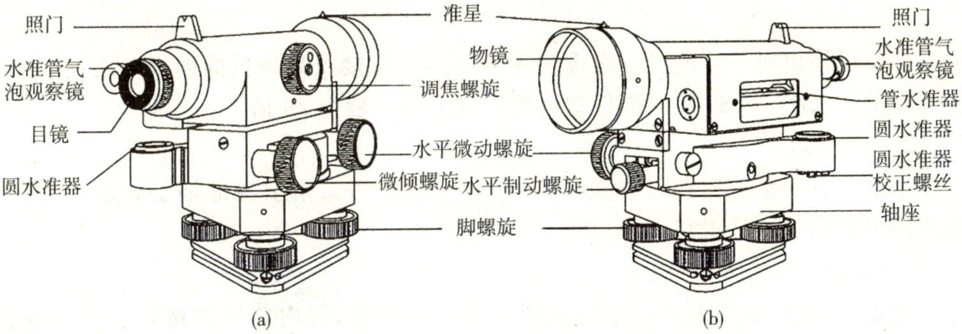

图2-2 DS3型水准仪构造

1. 望远镜

望远镜具有成像和扩大视角的功能，其作用是看清远近距离不同的目标，并在水准尺上进行读数。

如图2-3所示，物镜和目镜多采用复合透镜组。物镜固定在物镜筒前端，调焦透镜通过物镜调焦螺旋可沿光轴在镜筒内前后移动。十字丝分划板由平板玻璃圆片制成，通过分划板座固定在望远镜筒上。十字丝分划板上刻有两条互相垂直的长线，竖直的一条称竖丝，横的一条称为中丝，是为了瞄准目标和读数用的。在中丝的上下方还对称地刻有两条与中丝平行的短横线，是用来测定距离的，称为视距丝(见图2-36(b))。

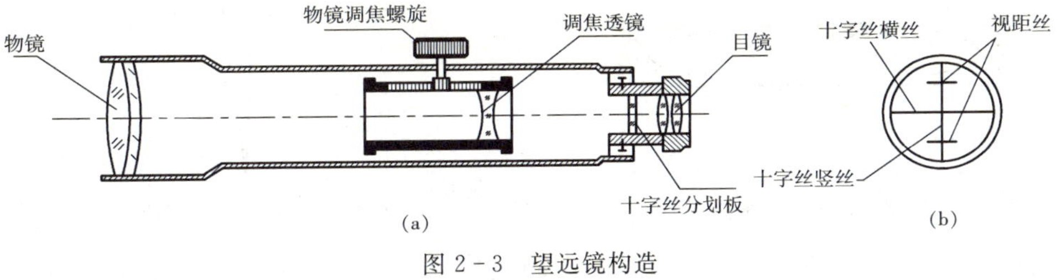

图2-3 望远镜构造

十字丝交点与物镜光心的连线，称为视准轴或视轴。水准测量是在视准轴水平时，用十字丝的中丝截取水准尺上的读数。

望远镜成像原理如图 2－4 所示。调焦凹透镜可使不同距离的目标均能成像在十字丝分划板平面上。再通过目镜，便可看清同时放大了的十字丝和目标影像。

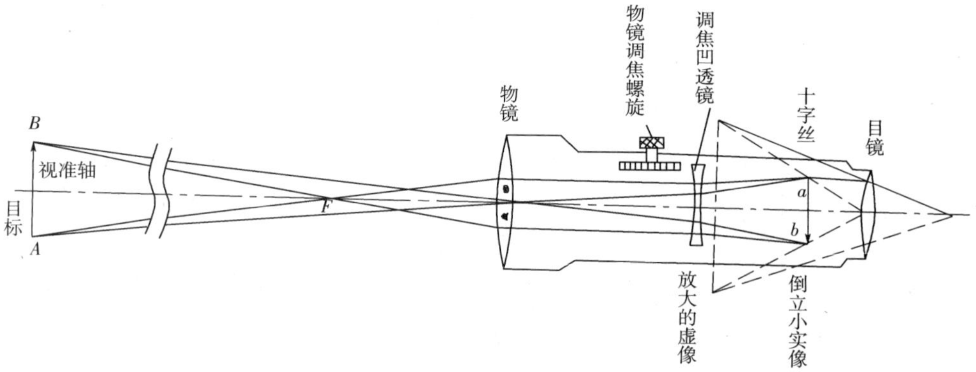

图 2－4　望远镜成像原理

从望远镜内所看到的目标影像的视角与肉眼直接观察该目标的视角之比，称为望远镜的放大率。DS3 级水准仪望远镜的放大率一般为 28 倍。

2. 水准器

水准器有管水准器和圆水准器两种：管水准器用来指示视准轴是否水平；圆水准器用来指示竖轴是否竖直。

(1)管水准器

又称水准管，是一纵向内壁磨成圆弧形的玻璃管，管内装满酒精和乙醚的混合液，加热融封冷却后在管内形成一个气泡(见图 2－5)。由于气泡较轻，故恒处于管内最高位置。

水准管上一般刻有间隔为 2mm 的分划线，分划线的中点 O，称为水准管零点。在水准管的纵剖面内通过零点作水准管圆弧的切线，称为水准管轴。当水准管的气泡中点与水准管零点重合时，称为气泡居中；这时水准管轴处于水平位置。水准管圆弧 2mm 所对的圆心角称为水准管分划值(见图 2－6)。

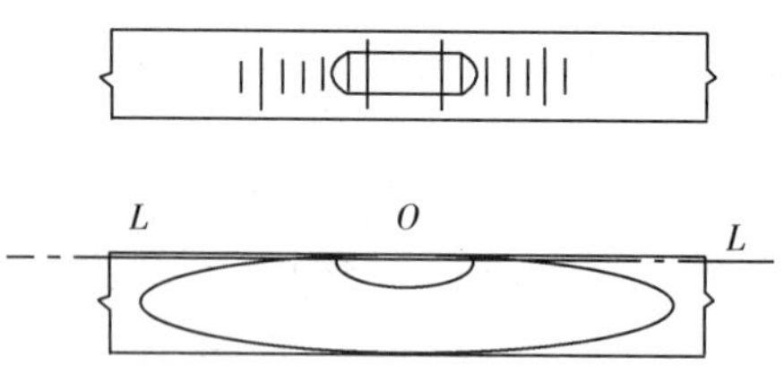

图 2－5　水准管

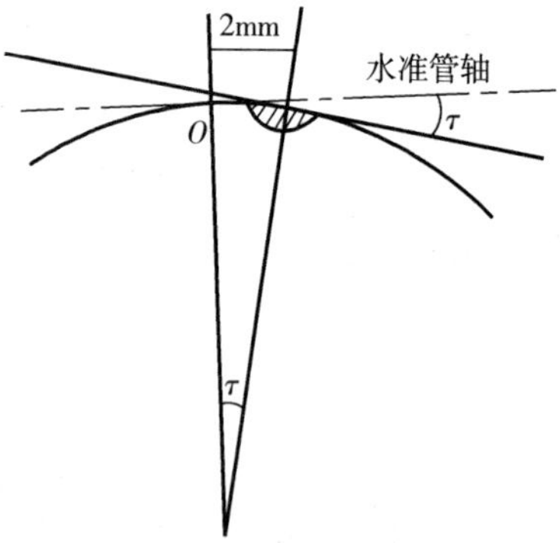

图 2－6　水准管分划值

$$\tau=\frac{2}{R}\rho'' \qquad (2-4)$$

式中：R——水准管圆弧半径，单位为 mm。

$\rho'' \approx 206265''$

水准管分划值的大小反映了仪器置平精度的高低。水准管纵向弧线半径 R 越大，τ 值越小，则水准管灵敏度越高。安装在 DS3 级水准仪上的水准管，其分划值不大于 20″/2mm。

由于水准管精度较高，人眼的视力难以精确判别气泡的居中，因此，微倾式水准仪在水准管的上方安装一组符合棱镜，如图 2－7(a)所示，通过符合棱镜的反射作用，使气泡两端各半个影像反映在望远镜旁的符合气泡观察窗中。若气泡两端的影像吻合时(如图 2－7(c))，就表示气泡居中。若气泡的影像错开(如图 2－7(b))，则表示气泡不居中。这时，应转动微倾螺旋，微倾螺旋可调节望远镜在竖直面内微小仰俯，使水准管气泡居中，以达到视准轴水平的目的，使气泡的两端影像吻合。这种能精确指示气泡居中的水准器称为附合水准器。

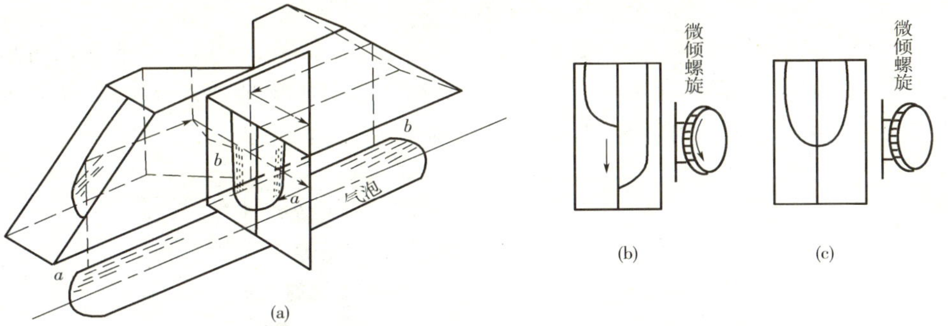

图 2－7　附合水准器

(2)圆水准器

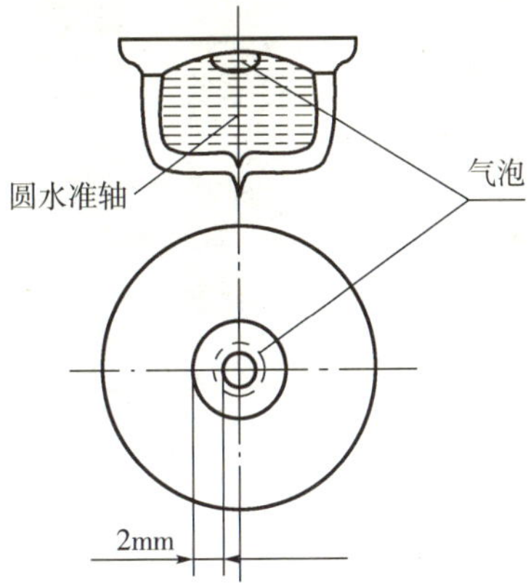

图 2－8　圆水准器

圆水准器是一个圆柱形的玻璃盒子(见图 2－8)，顶面的内壁是球面，其中有圆分划圈，圆圈的中心为水准器的零点。通过零点的球面法线为圆水准器轴线，当圆水准器气泡居中时，该轴线处于竖直位置。

当气泡不居中时，气泡中心偏移零点 2mm，轴线所倾斜的角值，称为圆水准器的分划值。由于它的精度较低，故只用于仪器的概略整平。DS3 级水准仪上的圆水准器，其分划值一般为 8′/2mm。

3. 基座

基座主要由轴座、脚螺旋和三角形底板构成。仪器上部通过竖轴插入轴座内，由基座承托。整个仪器用螺旋与三脚架连接。

此外，如图 2－2 所示，控制望远镜水平转动的还有制动、微动螺旋。制动螺旋拧紧后，转动微动螺旋，望远镜在水平方向作微小转动，以利于照准目标。

2.2.2 水准尺

水准尺是水准测量时使用的标尺。常用的水准尺有塔尺和双面尺两种，多采用不易变形且干燥的优质木材或铝合金制成。其质量好坏直接影响水准测量的精度，要求尺长稳定，分划准确。

塔尺多用于等外水准测量，其长度有 3m 和 5m 两种，用三节或五节套接在一起。尺的底部为零点，尺上黑白格相间，每格宽度为 1cm，有的为 0.5cm，每一米和分米处均有注记。

双面水准尺多用于三、四等水准测量，其长度有 2m 和 3m 两种，且两根尺为一对（如图 2-9 所示）。尺的两面均有刻划，一面为红白相间称红面尺；另一面为黑白相间，称黑面尺（也称主尺），两面的刻划均为 1cm，并在分米处注记。两根尺的黑面均由零开始；而红面，一根尺底端零点由 4.687m 开始，另一根底端零点由 4.787m 开始。利用黑、红面尺零点差可对水准测量读数进行检核。

尺垫是在转点处放置水准尺用的，它用生铁铸成（见图 2-10），一般为三角形，中央有一突起的半球体，下方有三个支脚。用时将支脚牢固地插入土中，以防下沉，上方突起的半球形顶点作为竖立水准尺和标志转点之用。

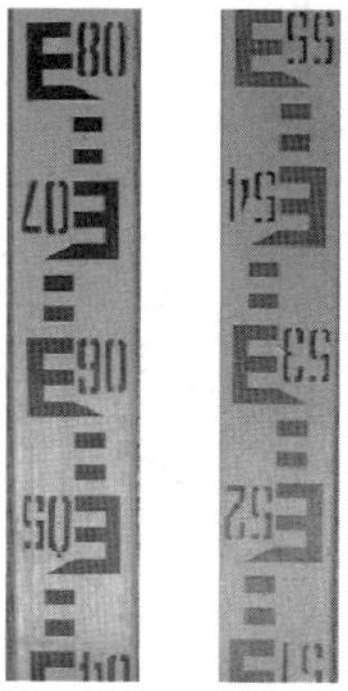

图 2-9 双面水准尺

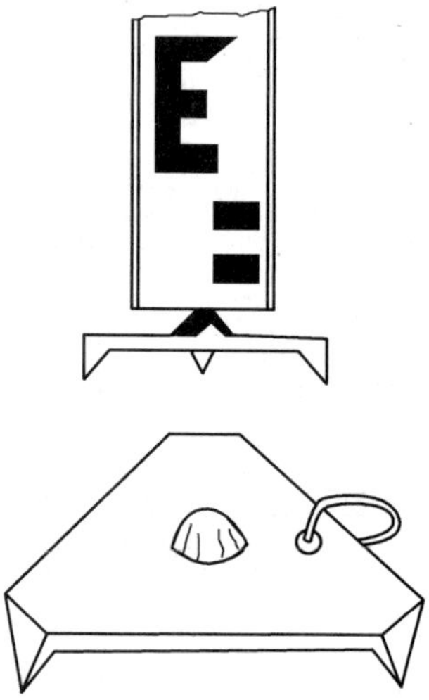

图 2-10 尺垫

2.2.3 光学水准仪的使用

水准仪的使用包括仪器的安置、粗略整平、瞄准水准尺、精平和读数等操作步骤。

1. 安置水准仪

在测站上安置三脚架，调节脚架使高度适中，目估使架头大致水平，检查脚架伸缩螺旋是否拧紧，脚架是否安置稳固，然后打开仪器箱取出水准仪，置于三脚架头上用连接螺旋将仪器牢固地固连在三脚架头上。安装时，应用手扶住仪器，以防仪器从架头滑落。

2. 粗略整平

粗略整平(简称粗平)是借助圆水准器的气泡居中,使仪器竖轴竖直,从而望远镜视准轴大致水平。具体操作方法如下:(1)任选两个脚螺旋1、2,双手相向等速转动这对脚螺旋,使气泡移动到1、2连线过圆水准零点的垂线上(见图2-11(a))。在整平的过程中,气泡的移动方向与左手大拇指运动的方向一致。(2)转动另一只脚螺旋3(见图2-11(b)),使气泡移动到分划圈的零点位置。

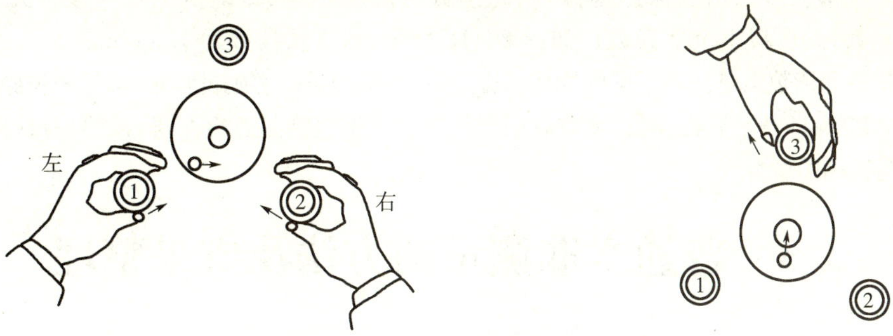

(a) (b)

图2-11 圆水准气泡整平

按上述步骤反复操作,直至任一位置气泡居中为止。

3. 瞄准水准尺

首先进行目镜对光,即把望远镜对着明亮的背景,转动目镜对光螺旋,使十字丝清晰。再松开制动螺旋,转动望远镜,用望远镜筒上的准星和照门大致对照水准尺后,拧紧制动螺旋。然后从望远镜中观察,转动对光螺旋进行物镜对光,使目标清晰,再转动微动螺旋水平微小移动望远镜,使竖丝对准水准尺中间稍偏一点(见图2-12),即可看清楚水准尺的读数。

物镜调焦后,当眼睛在目镜端上下微微移动时,有时会发现十字丝与目标影像有相对运动,这种现象称为视差(见图2-13)。产生视差的原因是目标成像的平面和十字丝平面不重合。由于视差的存在会影响到读数的正确性,必须加以消除。消除的方法是重新仔细地进行物镜对光和目镜对光,直到眼睛上下移动,读数不变为止。此时,从目镜端看到的十字丝与目标影像都十分清晰。

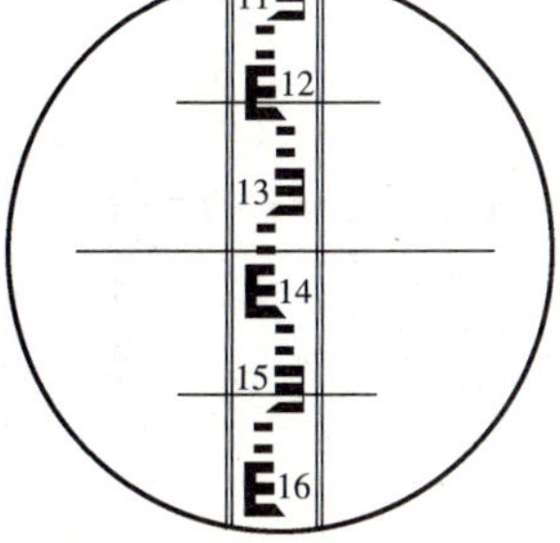

图2-12 水准尺读数

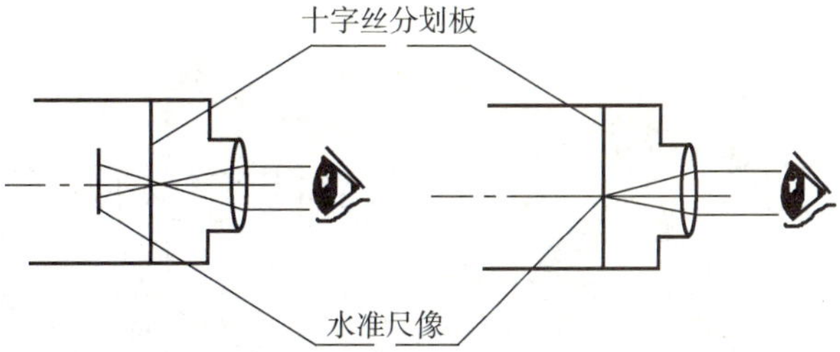

图2-13 视差现象

4. 精平与读数

(1)精平(即精确整平)是调节微倾螺旋,使管水准气泡精确居中的操作,目的是使视准轴精确水平。具体操作方法是眼睛通过位于目镜左方的符合气泡观察窗看水准管气泡,右手转动微倾螺旋,使气泡两端的像吻合,即表示水准管气泡已精确居中,指示望远镜的视准轴已精确水平。

(2)完成精平后,即可用十字丝的中丝读水准尺上读数,此时,水准尺应扶直。DS3 型水准仪多采用倒像望远镜,因此读数时应从小往大,即从上往下读。先估读出毫米数,然后报出全部读数。如图 2-12 所示,水准尺读数为 1.337m。

精平和读数虽是两项不同的操作步骤,但在水准测量的实施过程中,却把两项操作视为一个整体:即精平后再读数,读数后还要检查管水准气泡是否完全符合。只有这样,才能取得准确的读数。

2.3 普通水准测量的方法及成果整理

2.3.1 水准点和水准路线

1. 水准点

为了统一全国的高程系统和满足各种测量的需要,测绘部门在全国各地埋设并测定了很多高程点,这些点称为水准点(Bench Mark),简记为 BM。水准测量通常是从水准点引测其他待测点的高程。采用某等级的水准测量方法测出其高程的水准点称为该等级水准点。一、二等水准测量为精密水准测量,三、四等水准测量为普通水准测量。

水准点有永久性和临时性两种。国家等级水准点一般用石料或钢筋混凝土制成,深埋到地面冻结线以下。在标石的顶面设有用不锈钢或其他不易锈蚀材料制成的半球状标志(见图 2-14(a))。有些水准点也可设置在稳定的墙脚上,称为墙上水准点(见图 2-14(b))。

建筑工地上的永久性水准点一般用混凝土或钢筋混凝土制成(见图 2-14(c)),临时性的水准点可用地面上突出的坚硬岩石或用大木桩打入地下,桩顶钉半球形铁钉以示水准点准确位置(图 2-14(d))。

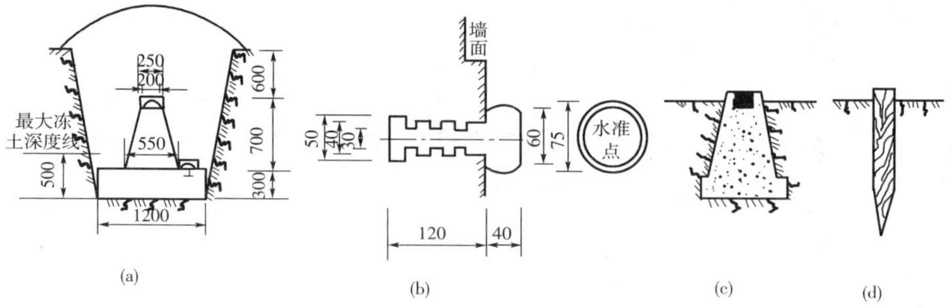

图 2-14 水准点

埋设水准点后，应绘出水准点与附近固定建筑物或其他地物的关系图，在图上还要写明水准点的编号和高程，称为点之记，以便于日后寻找水准点位置之用。水准点编号前通常加 BM 字样，作为水准点的代号。

2. 水准路线

在水准点间进行水准测量所经过的路线，称为水准测量路线，主要有附合水准路线、闭合水准路线和支水准路线。

水准测量路线可以检核水准测量成果的准确性。

(1)附合水准路线

如图 2-15(a)所示，从已知高程的水准点 BM.1 出发，沿待定高程的水准点 1、2、3 进行水准测量，最后附合到另一已知高程的水准点 BM.2 所构成的水准路线，称为附合水准路线。

(2)闭合水准路线

如图 2-15(b)所示，从已知高程的水准点 BM.5 出发，沿各待定高程的水准点 1、2、3、4、5 进行水准测量，最后又回到原出发点 BM.5 的环形路线，称为闭合水准路线。

(3)支水准路线

如图 2-15(c)所示，从已知高程的水准点 BM.8 出发，沿待定高程的水准点 1、2 进行水准测量，这种既不闭合又不附合的水准路线，称为支水准路线。为了进行检核，支水准路线采用往返观测。

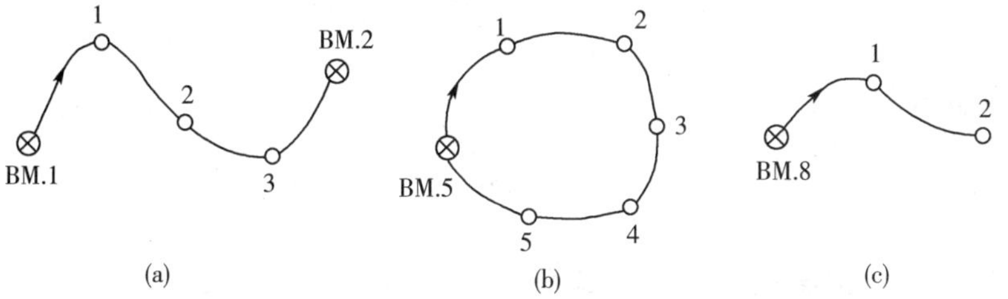

图 2-15 水准测量路线

2.3.2 普通水准测量的方法

2.3.2.1 普通水准测量原理

当已知高程的水准点距待测定高程点较远或高差很大时，就需要在两点间加设若干个立尺点，分段设站，连续进行观测。加设的这些立尺点并不需要测定其高程，它们只起传递高程的作用，故称之为转点(Turning Point)，用 TP 表示。

如图 2-16 所示，已知水准点 BM.A 的高程为 H_A，现欲测定 B 点的高程 H_B。由于 A、B 两点相距较远，需分段设站进行测量，具体施测如图 2-16 所示。

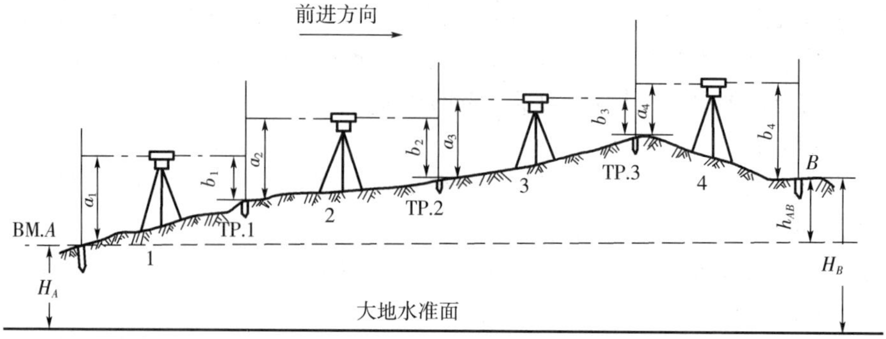

图 2-16　水准测量的施测

显然，每安置一次仪器，便可测得一个高差，即

$$h_1 = a_1 - b_1$$

$$h_2 = a_2 - b_2$$

$$\vdots$$

$$h_n = a_n - b_n$$

将各式相加，得

$$h_{AB} = \sum h = \sum a - \sum b \tag{2-5}$$

则 B 点的高程为

$$H_B = H_A + h_{AB} = H_A + (\sum a - \sum b) \tag{2-6}$$

2.3.2.2　观测步骤与记录(双仪高法)

(1)在 BM. A 点立直水准尺作为后视尺，在路线前进方向适当位置处设转点 TP. 1，安放尺垫，在尺垫上立直水准尺作为前视尺。

(2)在 BM. A 点和 TP. 1 两点大致中间位置I处安置水准仪，使圆水准器气泡居中。

(3)瞄准后视尺，转动微倾螺旋，使水准管气泡严格居中，按中丝读取后视读数 =2.014m，记入"水准测量手簿"表 2-1 第 3 栏内。

(4)瞄准前视尺，转动微倾螺旋，使水准管气泡严格居中，读取前视读数 b_1=1.223m，记入下表第 4 栏内。计算该站高差 $h_1 = a_1 - b_1$=0.791m，也记入下表第 5 栏内。

(5)为了检核所测高差的正确性，改变仪器高度(10cm 以上)，再观测一次。两次所测高差之差不超过容许值(例如等外水准测量容许值为±6mm)，则认为符合要求。取其平均值作为该测站最后结果，否则须要重测。

(6)将 BM. A 点水准尺移至转点 TP. 2 上，转点 TP. 1 上的水准尺不动，水准仪移至 TP. 1 和 TP. 2 两点大致中间位置Ⅱ处，按上述相同的操作方法进行第二站的观测。如此依次操作，直至终点 B 为止。其观测记录见表 2-1。

表 2-1　水准测量手簿(双仪高法)

日期：2004 年 6 月 14 日　　仪器：DS 3 水准仪　　观测：张山

天气：多云　　地点：实训基地　　记录：李云

测站	测点	水准尺读数		高差 h'	平均高差 h	高程 H	备注
		后视读数 a	前视读数 b				
Ⅰ	BM. A	2.014		+0.791	+0.792	32.186	已知
		1.901		+0.793			
	TP. 1		1.223				
			1.108				
Ⅱ	TP. 1	2.312		+1.862	+1.864		
		2.424		+1.866			
	TP. 2		0.450				
			0.558				
Ⅲ	TP. 2	2.077		+1.211	+1.213		
		1.955		+1.215			
	TP. 3		0.866				
			0.740				
Ⅳ	TP. 3	2.413		+1.512	+1.514		
		2.287		+1.516			
	TP. 4		0.901				
			0.771				
Ⅴ	TP. 4	0.418		−1.932	−1.933		
		0.533		−1.934			
	BM. B		2.350			35.636	已知
			2.467				
计算	$\sum$	18.334	11.434	+6.900	+3.450		
检核	$\sum a-\sum b=18.334-11.434=+6.900$　$(\sum a-\sum b)/2=+3.450$ $\sum h'=+6.900$　$(\sum h')/2=+3.450$ $\sum h=+3.450$　$H_B-H_A=+3.450$						

2.3.2.3　水准测量的检核

1. 计算检核

为了保证记录表中数据的正确，应对记录表中计算的高差和高程进行检核。

检核内容：后视读数总和减前视读数总和的二分之一、高差总和的二分之一、平均高差总和、B 点高程与 A 点高程之差。这四个数字应相等，否则计算有错。例如表 2-1 中：

$$\frac{1}{2}(\sum a-\sum b)=\frac{1}{2}(18.334\text{m}-11.434\text{m})=+3.450\text{m}$$

$$\frac{1}{2}\sum h'=\frac{1}{2}(+6.900\text{m})=+3.450\text{m}$$

$$\sum h=+3.450\text{m}$$

$$H_B - H_A = 35.636\text{m} - 32.186\text{m} = +3.450\text{m}$$

但计算检核只能检查计算是否正确,不能检核观测和记录时是否产生错误。

2. 测站检核

B 点的高程是根据 A 点的已知高程和转点之间的高差计算出来。若其中测错任何一个高差,B 点高程就不会正确。因此,对每一站的高差,都必须采取措施进行检核测量。

(1)双仪高法

又称变动仪器高法。同一测站安置两次仪器,用两次不同的仪器高度,测得两次高差以相互比较进行检核。两次安置仪器的高度变化值应不小于 10cm。

(2)双面尺法

此法是保持仪器的高度不变,分别对双面水准尺的黑面和红面进行观测,分别算出两个高差。

如果测得的两次高差之差不超过规定的限差(如,图根水准测量容许值为±6mm),则取其平均值作为该测站最后结果,否则必须重测。

3. 成果检核

测站检核只能检核一个测站上是否存在错误或误差超限。由于温度、风力、大气折光、尺垫下沉和仪器下沉等外界条件引起的误差,水准尺倾斜和估读的误差,以及水准仪本身的误差等,虽然在一个测站上反映不很明显,但随着测站数的增多使误差积累,有时也会超过规定的限差。因此,还必须对水准测量进行成果检核,其方法是利用水准路线的几何条件进行限差的检核。

(1)附合水准路线检核

从理论上讲,附合水准路线各测段高差代数和应等于两个已知高程水准点之间的高差,即:

$$\sum h_{理} = H_B - H_A$$

由于,测量成果中不可避免地包含有误差,使得实测的各测段高差代数和 $\sum h_{测}$ 与其理论值 $\sum h_{理}$ 并不相等,两者的差值,称为高差闭合差 f_h,即:

$$f_h = \sum h_{测} - \sum h_{理} = \sum h_{测} - (H_B - H_A) \tag{2-7}$$

(2)闭合水准路线检核

从理论上讲,闭合水准路线各测段高差代数和应等于零,即

$$\sum h_{理} = 0$$

如果实际测量高差之和不等于零,则高差闭合差为

$$f_h = \sum h_{测} \tag{2-8}$$

(3)支水准路线检核

支线水准路线要进行往返测量,以资检核。

从理论上讲,支线水准路线往测高差与返测高差的代数和应等于零,即

$$\sum h_{往} + \sum h_{返} = 0$$

如果不等于零，则高差闭合差为

$$f_h=\sum h_{往}+\sum h_{返} \tag{2-9}$$

高差闭合差可用来衡量测量成果的精度，各种路线形式的水准测量，其高差闭合差均不应超过规定的容许值，否则即认为观测结果不符合要求。不同等级的水准测量，其高差闭合差的容许值不同。

等外水准测量的高差闭合差容许值，规定为：

平地　$f_{h容}=\pm 40\sqrt{\sum L}$ (mm)　$\sum L$ 为水准路线长度的公里数

山地　$f_{h容}=\pm 12\sqrt{\sum n}$ (mm)　$\sum n$ 为测站总数

四等水准测量的高差闭合差容许值，规定为：

平地　$f_{h容}=\pm 20\sqrt{\sum L}$ (mm)　$\sum L$ 为水准路线长度的公里数

山地　$f_{h容}=\pm 6\sqrt{\sum n}$ (mm)　$\sum n$ 为测站总数

2.3.3 普通水准测量的成果整理

水准测量外业工作结束后，要检查手簿记录有无错误和遗漏，再计算各点间的高差，经检核无误后，才能进行高差闭合差的计算和调整，最后计算各点的高程。

1. 附合水准路线闭合差的计算和调整

图 2-17 是一条等外附合水准路线测量示意图。A、B 为已知高程的水准点，1、2、3 为待定高程的水准点，h_1、h_2、h_3 和 h_4 为各测段观测高差，n_1、n_2、n_3 和 n_4 为各测段测站数，L_1、L_2、L_3 和 L_4 为各测段长度。现已知 $H_A=65.376$m，$H_B=68.623$m，各测段站数、长度及高差均标注于图 2-17 中，试进行水准测量的成果整理。

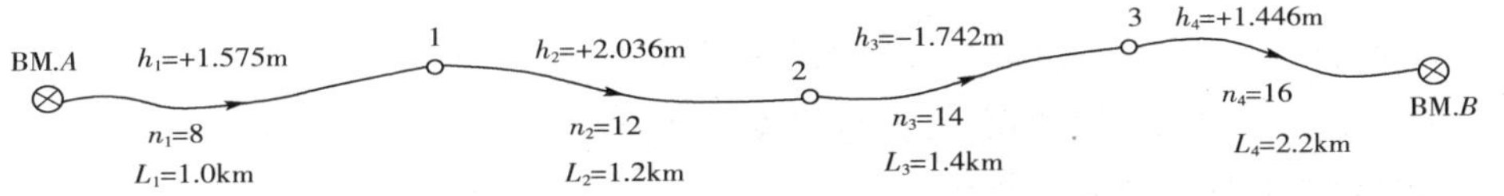

图 2-17　附合水准路线示意图

(1)填写观测数据和已知数据

将点号、测段长度、测站数、观测高差及已知水准点 A、B 的高程，填入附合水准路线成果计算表 2-2 中有关各栏内。

(2)计算高差闭合差

$$f_h=\sum h_{测}-(H_B-H_A)=3.315\text{m}-(68.623\text{m}-65.376\text{m})=+0.068\text{m}=+68\text{mm}$$

高差闭合差容许值采用等外水准测量平地公式计算。按公里数进行检核，则：

$$f_{h容}=\pm 40\sqrt{\sum L}=\pm 40\sqrt{5.8}==\pm 96\text{mm}$$

因 $|f_h|<|f_{h容}|$，说明观测成果精度符合要求，可对高差闭合差进行调整。如果 $|f_h|>|f_{h容}|$，说明观测成果不符合要求，必须重新进行水准测量。

表 2-2　水准测量成果计算表

点号	距离(km)	测站数	实测高差(m)	改正数(mm)	改正后高差(m)	高程(m)	备注
(1)	(2)	(3)	(4)	(5)	(6)	(7)	(8)
BM. A						65.376	已知
	1.0	8	+1.575	−12	+1.563		
1						66.939	
	1.2	12	+2.036	−14	+2.022		
2						68.961	
	1.4	14	−1.742	−16	−1.758		
3						67.203	
	2.2	16	+1.446	−26	+1.420		
BM. B						68.623	已知
$\sum$	5.8	50	+3.315	−68	+3.247		
辅助计算	$f_h=\sum h_{测}-(H_B-H_A)=3.315\text{m}-(68.623\text{m}-65.376\text{m})=+0.068\text{m}=+68\text{mm}$ $f_{h容}=\pm40\sqrt{\sum L}=\pm40\sqrt{5.8}=\pm96\text{mm}$　　$\lvert f_h\rvert<\lvert f_{h容}\rvert$						

(3)调整高差闭合差

在同一条水准路线上，可认为观测条件是相同的，各站产生的误差机会是相同的，故闭合差的调整原则是按与测站数或测段长度成比例地进行分配，将高差闭合差反号成比例地分配到各相应测段的高差上，得改正后高差，即各测段的高差改正数为

$$v_i=-\frac{f_h}{\sum n}n_i \quad 或 \quad v_i=-\frac{f_h}{\sum L}L_i \tag{2-10}$$

式中：v_i—— 第 i 测段的高差改正数(mm)；

$\sum n$、$\sum L$—— 水准路线总测站数与总长度；

n_i、L_i—— 第 i 测段的测站数与测段长度。

本例中，各测段改正数为

$$v_1=-\frac{f_h}{\sum L}L_1=-\frac{68\text{mm}}{5.8\text{km}}\times1.0\text{km}=-12\text{mm}$$

$$v_2=-\frac{f_h}{\sum L}L_2=-\frac{68\text{mm}}{5.8\text{km}}\times1.2\text{km}=-14\text{mm}$$

$$v_3=-\frac{f_h}{\sum L}L_3=-\frac{68\text{mm}}{5.8\text{km}}\times1.4\text{km}=-16\text{mm}$$

$$v_4=-\frac{f_h}{\sum L}L_4=-\frac{68\text{mm}}{5.8\text{km}}\times2.2\text{km}=-26\text{mm}$$

计算检核：$\sum v_i=-f_h$。

将各测段高差改正数填入表 2-2 中第 5 栏内。

(4)计算各测段改正后高差

各测段改正后高差等于各测段观测高差加上相应的改正数，即

$$\overline{h}_{i改}=h_{i测}+v_i \tag{2-11}$$

式中：$\overline{h}_{i改}$——第 i 段的改正后高差(m)。

本例中，各测段改正后高差为

$$\overline{h}_1=h_1+v_i=+1.575\text{m}+(-0.012\text{m})=+1.563\text{m}$$

$$\overline{h}_2=h_2+v_2=+2.036\text{m}+(-0.014\text{m})=+2.022\text{m}$$

$$\overline{h}_3=h_3+v_3=-1.742\text{m}+(-0.016\text{m})=-1.758\text{m}$$

$$\overline{h}_4=h_4+v_4=+1.446\text{m}+(-0.026\text{m})=+1.420\text{m}$$

计算检核：$\sum\overline{h}_{i改}=H_B-H_A$。

将各测段改正后高差填入表 2-2 中第 6 栏内。

(5)计算待定点高程

根据已知水准点 A 的高程和各测段改正后高差，即可依次推算出各待定点的高程，即

$$H_1=H_A+\overline{h}_1=65.376\text{m}+1.563\text{m}=66.939\text{m}$$

$$H_2=H_1+\overline{h}_2=66.939\text{m}+2.022\text{m}=68.961\text{m}$$

$$H_3=H_2+\overline{h}_3=68.961\text{m}+(-1.758\text{m})=67.203\text{m}$$

计算检核：$H_B(推算)=H_3+\overline{h}_4=67.203\text{m}+1.420\text{m}=68.623\text{m}=H_{B(已知)}$。

最后推算出的 B 点高程应与已知的 B 点高程相等，以此作为计算检核。将推算出各待定点的高程填入表 2-2 中第 7 栏内。

2. 闭合水准路线闭合差的计算和调整

闭合水准路线可以看成是首尾已知点重合的附合水准路线，因此其闭合差的调整、各点高程的计算，以及闭合差限差的大小，与附合水准路线都是相同的，在此不必赘述。

2.4 自动安平水准仪

自动安平水准仪是用设置在望远镜内的自动安平补偿装置代替了微倾式水准仪的水准管和微倾螺旋。观测时，只需将水准仪上的圆水准器气泡居中，便可直接

读取水平视线在水准尺上截取的读数。由于不用调节水准管气泡居中，从而简化了操作，提高了观测速度和效率。

1. 自动安平水准仪的原理

如图 2-18 所示，视准轴水平时，十字丝交点在 B 处，读到的读数为 α。当视准轴倾斜一个微小倾角 α，十字丝交点从 B 点移动到 A 点，读取的读数 α' 不是水平视线对应的读数。在望远镜的光路上安置一个自动补偿器，使通过物镜光心的水平视线经过补偿器后偏转一个 β 角，仍能通过十字丝交点，这样十字丝交点上读出的水准尺读数仍为 α，即视线水平时应该读出的水准尺读数。

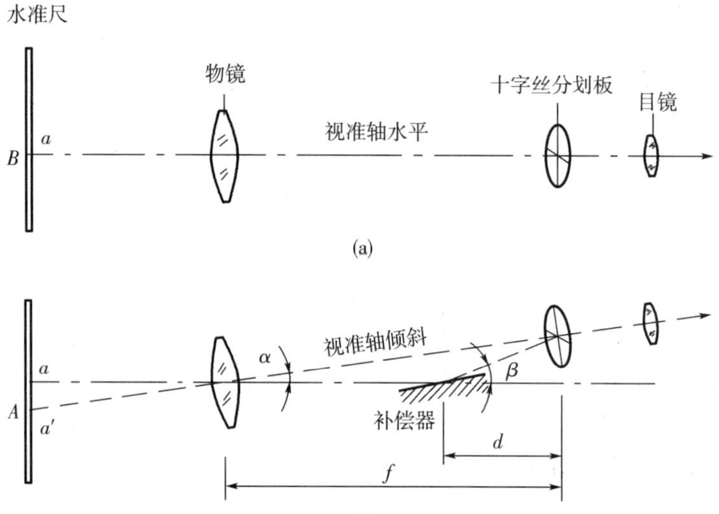

图 2-18　自动安平原理

常用的补偿器结构是采用特殊材料制成的金属丝悬吊一组光学棱镜组成(见图 2-19)，它利用重力作用实现视线安平。只有视准轴的倾斜角在一定的范围内补偿器才能起作用，补偿器起作用的最大容许倾斜角称为补偿范围。

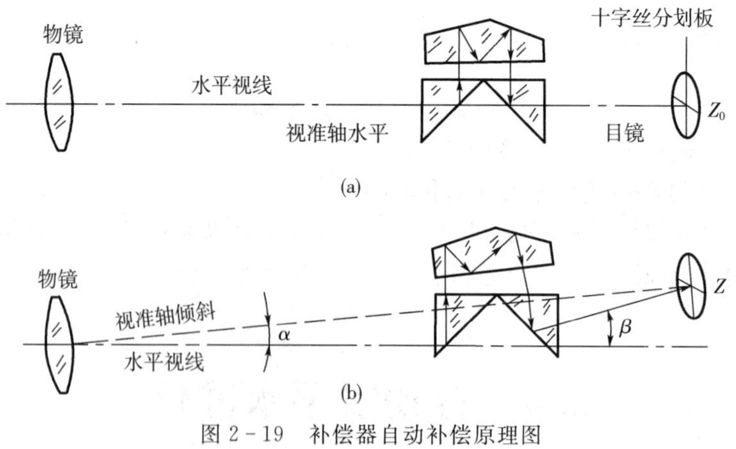

图 2-19　补偿器自动补偿原理图

自动安平水准仪补偿器的补偿范围一般为 $\pm 8' \sim \pm 11'$，而圆水准器的分划值为 $8'/2\text{mm}$，因此，操作自动安平水准仪时，只需调节脚螺旋使圆水准气泡居中，补偿器就起作用。

补偿器包括“固定屋脊棱镜”、“悬吊直角棱镜”和“空气阻尼器”等3部分，相当于一个钟摆(见图2-20)，因此，开始时会有所晃动，表现为十字丝相对于水准尺影像的移动，1～2秒后，将趋于稳定，这时就可以读数了。

2. 自动安平水准仪的使用

自动安平水准仪的使用与普通水准仪类似，安置好仪器后，首先将圆水准器气泡居中，然后瞄准水准尺，等待2～4秒后，即可进行读数，无需进行精平操作了。有的自动安平水准仪配有一个补偿器检查按钮，每次读数前按一下该按钮，确认补偿器能正常作用再读数。

由于无需精平，这样不仅可以缩短水准测量的观测时间，而且对于施工场地地面的微小震动、松软土地的仪器下沉以及大风吹刮等原因，引起的视线微小倾斜，能迅速自动安平仪器，从而提高了水准测量的观测精度。

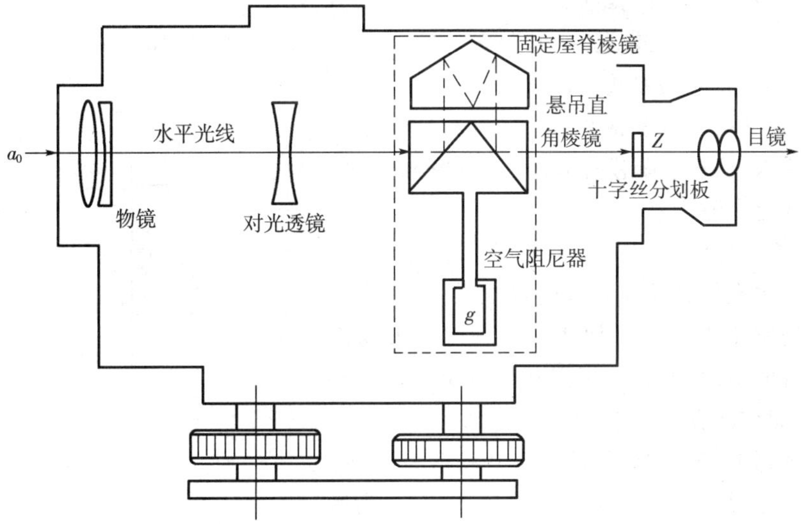

图2-20 自动安平水准仪中的补偿器

2.5 精密水准仪

1. 精密水准仪

精密水准仪主要用于国家一、二等水准测量和高精度的工程测量中，例如建构筑物的沉降观测，大型桥梁工程的施工测量和大型精密设备安装的水平基准测量等。

精密水准仪的原理和结构与一般水准仪类似(见图2-21)，其特点是能够精密地整平视线和精确地读取读数。为此，在结构上应满足以下条件。

(1)水准器具有较高的灵敏度

如DS1水准仪的管水准器 τ 值为10″/2mm。

图 2-21　精密水准仪

(2)望远镜具有良好的光学性能

如 DS1 水准仪望远镜的放大倍数为 38 倍,望远镜的有效孔径 47mm,视场亮度较高。十字丝的中丝刻成楔形,能较精确地瞄准水准尺的分划。

(3)具有光学测微器装置

可直接读取水准尺一个分格(1cm 或 0.5cm)的 1/100 单位(0.1mm 或 0.05mm),提高读数精度。

(4)视准轴与水准轴之间的联系相对稳定

精密水准仪均采用钢构件,并且密封起来,受温度变化影响小。

2. 精密水准尺

精密水准仪必须配有精密水准尺,精密水准尺须与精密水准仪配套使用。这种尺一般是在木质尺身的槽内,安有一根因瓦合金带。带上标有刻划,数字注在木尺上(见图 2-22)。

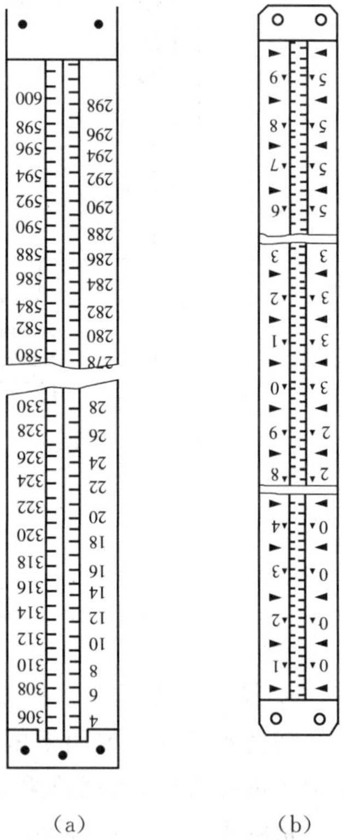

图 2-22　精密水准尺

精密水准尺上的分划注记形式一般有两种:

一种是尺身上刻有左右两排分划,右边为基本分划,左边为辅助分划。基本分划的注记从零开始;辅助分划的注记从某一常数 K 开始,K 称为基辅差。

另一种是尺身上两排均为基本划分,其最小分划为 10mm,但彼此错开 5mm。尺身一侧注记米数,另一种侧注记分米数。尺身标有大、小三角形,小三角形表示半分米处,大三角形表示分米的起始线。这种水准尺上的注记数字比实际长度增大了一倍,即 5cm 注记为 1dm。因此使用这种水准尺进行测量时,要将观测高差除以 2 才是实际高差。

3. 精密水准仪的操作方法

精密水准仪的操作方法与一般水准仪基本相同,只是读数方法有些差异。当水准仪精平后,十字丝中丝往往不能恰好对准水准尺上某一整分划线，这时就要转动测微轮使视线上、下平行移动(图 2-23)，十字丝的楔形丝正好夹住一个整分划线，被夹住的分划线读数为 m、dm、cm。此时视线上下平移的距离则由测微器读数窗中读出 mm。图 2-23 中的读数为 148+0.655=148.655cm=1.48655m。

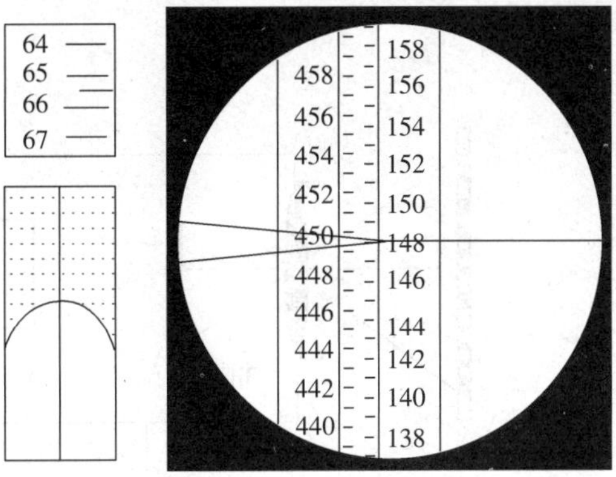

测微尺与管水准气泡观察窗视场　　望远镜视场

图 2-23　精密水准尺读数

2.6　电子水准仪

电子水准仪(又称数字水准仪)是在水准仪望远镜光路中增加了分光镜和光电探测器(CCD 阵列)等部件，采用条形码分划水准尺和图像处理电子系统，构成光、机、电及信息存储与处理的一体化水准测量系统。

图 2-24 所示为徕卡 DNA03 精密电子水准仪。

图 2-24　电子水准仪 DNA03

电子水准仪的主要优点是：

(1)操作简捷，自动观测和记录，并立即用数字显示测量结果。

(2)整个观测过程在几秒钟内即可完成，从而大大减少观测错误和误差。

(3)仪器还附有数据处理器及与之配套的软件，从而可将观测结果输入计算机后处理，实现测量工作自动化和流水线作业，大大提高功效。

(4)电子水准仪的观测精度高。

电子水准仪的观测精度高，如瑞士徕卡公司开发的 NA2000 型电子水准仪的分辨力为 0.1mm，每千米往返测得高差中数的偶然中误差为 2.0mm；DNA3003 型电子水准仪的分辨力为 0.01mm，每千米往返测得高差中数的偶然中误差为 0.4mm。

1. 电子水准仪测量原理

电子水准仪须配套使用的为条形编码水准尺(见图 2-25)，通常由玻璃纤维或铟钢制成，其外形类似于一般商品外包装上印制的条纹码。在电子水准仪中装置有行阵传感器(CCD 阵列)，它可识别水准标尺上的条形编码。电子水准仪摄入条形编码后，经处理器转变为相应的数字，在通过信号转换和数据化，在显示屏上直接显示中丝读数和视距(见图 2－26)。

图 2－25　条码尺

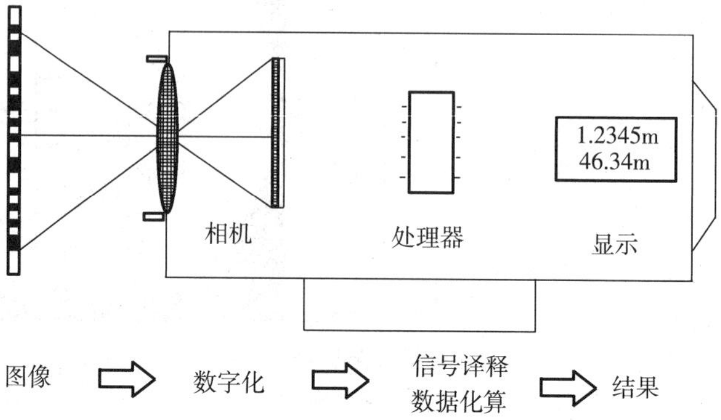

图 2－26　电子水准仪原理

2. 电子水准仪的使用

电子水准仪的操作面板拥有各种操作功能键和数字键，并有 LCD 显示屏显示测量结果和系统的状态。观测时，电子水准仪在人工完成安置与粗平、瞄准目标(条形编码水准尺)后，按下测量键后约 3～4 秒即显示出测量结果。其测量结果可贮存在电子水准仪内或通过电缆连接存入机带记录器中。

2.7　光学水准仪的检验和校正

2.7.1　水准仪应满足的条件

根据水准测量原理，水准仪必须提供一条水平视线，才能正确地测出两点间高差。图 2－27 显示了水准仪主要轴线的关系。水准仪的构造应满足的几何条件是：

(1)圆水准器轴平行于仪器的竖轴；

(2)十字丝的中丝(横丝)垂直于仪器的竖轴；

(3)水准管轴平行于视准轴。

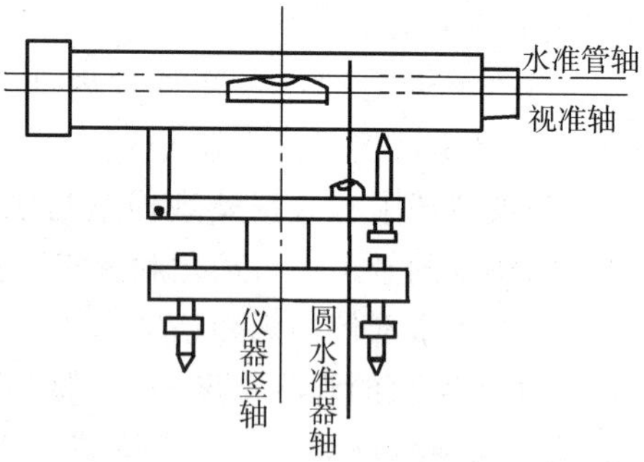

图 2－27　水准仪主要轴线的关系

2.7.2 检验与校正

1. 圆水准器轴平行于仪器竖轴的检验与校正

(1)检验

用脚螺旋使圆水准器气泡居中，将仪器绕竖轴旋转 180 度，如果气泡不居中，表明圆水准器轴不平行于竖轴，而离开零点弧长所对应的圆心角为两倍的 δ(见图 2－28)。

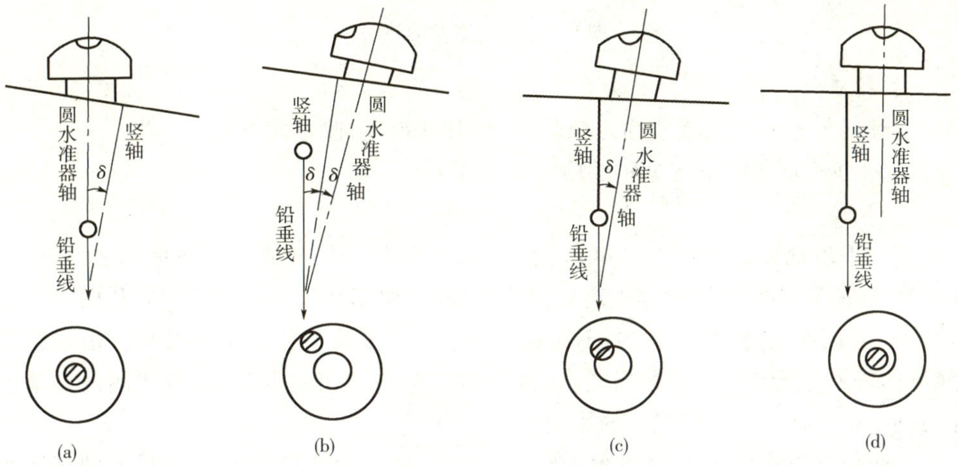

图 2－28 圆水准器校正原理

(2)校正

松开固定螺丝，调整圆水准三个校正螺丝(见图 2－29)，使气泡向居中位置移动偏离量的一半。校正工作一般都难于一次完成，需反复进行直至仪器旋转到的圆水准器气泡皆居中时为止。

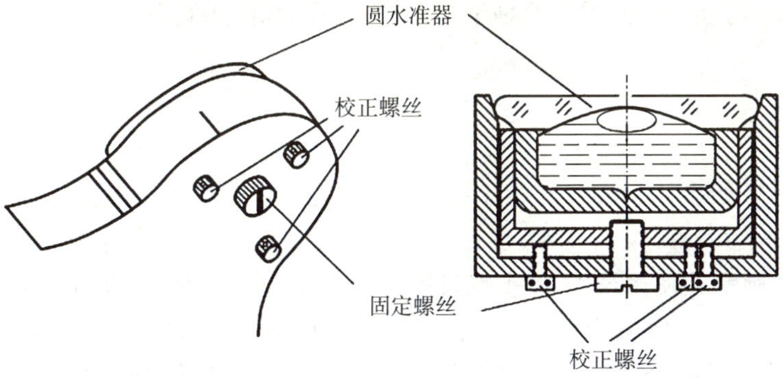

图 2－29 圆水准器校正螺丝

2. 十字丝横丝垂直于仪器竖轴的检验与校正

(1)检验

安置仪器后，先将横丝一端对准一个明显的点状目标 P，固定制动螺旋，转动微动螺旋，如果标志点 P 不离开横丝，说明横丝垂直于竖轴，否则需要进行校正（见图 2－30）。

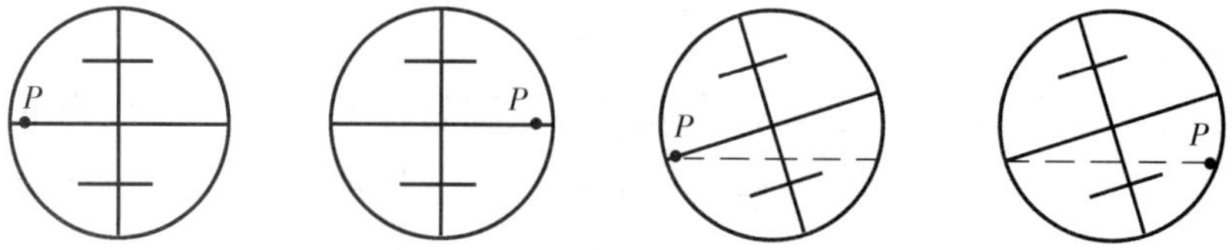

图 2－30 十字丝的检验

（2）校正

用螺丝刀松开分划板座固定螺丝，转动分划板座，改正偏离量的一半。

3. 水准管轴平行于视准轴的检验与校正

（1）检验

①在平坦地面定出相距约 80m 的 A、B 两点，打木桩或放置尺垫标志之，并竖立水准尺。在 A、B 两点间的等距离处安置水准仪，用变动仪高法，测出 A、B 两点的高差 h_{AB}。若两次测得的高差之差不超过 3mm，则取平均值作为最后结果。由于距离相等，两轴不平行产生的 i 角误差 $\triangle h$ 可在高差计算中可自动消除，故实测高差值不受两轴不平行产生的 i 角误差的影响。

②将仪器再次安置于 B 点附近约 3m 左右，精平后读得 B 点水准尺上的读数为 b_2，因仪器离 B 点很近，两轴不平行引起的读数误差可忽略不计。

然后，瞄准 A 点水准尺，精平后读得 A 点水准尺上的读数 a_2，则可再次计算出两点高差 $h'_{AB}=a_2-b_2$，两次测量的高差之差 $\Delta h=h'_{AB}-h_{AB}$。根据 b_2 和 A、B 两点的正确高差 h_{AB} 可算出 A 点尺上对应的理论读数应为

$$a'_2=b_2+h_{AB} \tag{2-12}$$

如果 a'_2 与 a_2 相等，说明两轴平行，否则存在 i 角，其值为

$$i''=\frac{\Delta h}{S_{AB}}\times\rho'' \tag{2-13}$$

对于 DS3 级微倾水准仪，i 值不得大于 20″；否则，应进行校正。

（2）校正

转动微倾螺旋使中丝对准 A 点尺上正确读数 a'_2，此时视准轴处于水平位置，但管水准器气泡必然偏离中心。用拨针拨动水准管一端的上、下两个校正螺丝（见图 2－31），松一个，紧一个，使气泡的两端的影像精确符合。然后，扭紧校正螺丝即可。

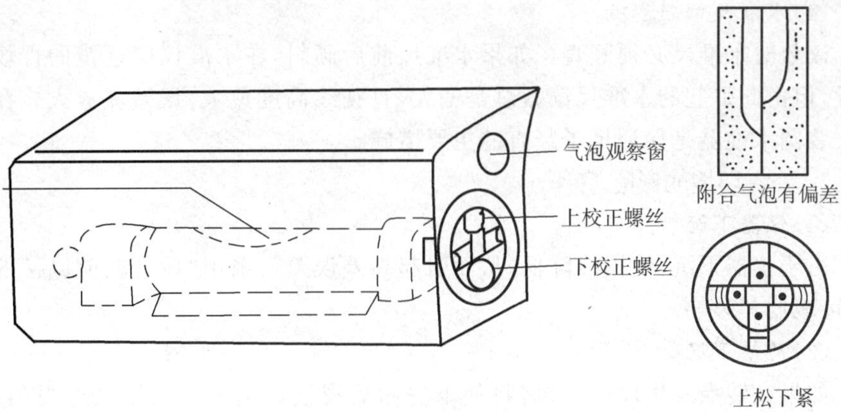

图 2-31　水准管的校正

2.8　水准测量的误差分析及注意事项

水准测量误差按其来源可分为仪器误差、观测误差和外界环境的影响三个方面。

1. 仪器误差

(1)仪器校正后的残余误差

i 角校正残余误差，这种影响与距离成正比，只要观测时注意前、后视距离相等，可消除或减弱此项的影响。

(2)水准尺误差

由于水准尺刻划不准确，尺长变化、弯曲等影响，水准尺必须经过检验才能使用。标尺的零点差可在一水准段中使测站为偶数的方法予以消除。

2. 观测误差

(1)水准管气泡居中误差

设水准管分划值为 τ''，居中误差一般为 $\pm 0.15\tau''$。采用符合式水准器时，气泡居中精度可提高一倍，故居中误差为

$$m''_{\tau} = \pm \frac{0.15\tau''}{2\rho''} D \tag{2-14}$$

(2)读数误差

在水准尺上估读毫米数的误差，与人眼的分辨能力(一般为 60″)、望远镜的放大倍率以及视线长度有关，通常按下式计算：

$$m_v = \frac{60''}{V} \frac{D}{\rho''} \tag{2-15}$$

(3)视差影响

当视差存在时，十字丝平面与水准尺影像不重合，若眼睛观察的位置不同，便读出不同的读数，因而也会产生读数误差。

(4)水准尺倾斜影响

读数时水准尺必须竖直。如果水准尺前后倾斜，在水准仪望远镜的视场中不会察觉，但由此引起的水准尺读数总是偏大，且视线高度愈大，误差就愈大。在水准尺上安装圆水准器是保证尺子竖直的主要措施。

3. 外界环境的影响

(1)仪器下沉

由于仪器下沉，使视线降低，从而引起高差误差。采用"后、前、前、后"的观测程序，可减弱其影响。

(2)尺垫下沉

如果在转点发生尺垫下沉，将使下一站后视读数增大。采用往返观测，取平均值的方法可以减弱其影响。

(3)地球曲率及大气折光影响

如图2-32所示，用水平视线代替大地水准面，在水准尺上读数产生的误差为c，这种误差称为地球曲率差，则

$$c=\frac{D^2}{2R} \tag{2-16}$$

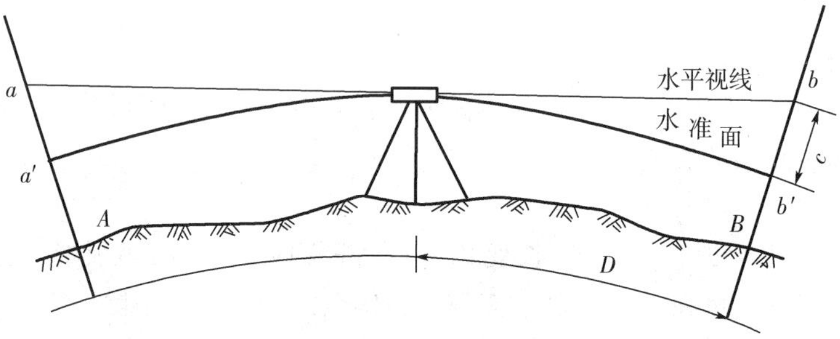

图2-32　地球曲率差的影响

接近地面的空气温度不均匀，所以空气的密度也不均匀。光线在密度不匀的介质中沿曲线传布，这称为"大气折光"。由于大气折光，视线并非是水平，而是一条曲线，曲线的曲率半径为地球半径的7倍，其折光量的大小对水准读数产生的影响为

$$r=\frac{D^2}{2\times 7R} \tag{2-17}$$

折光影响与地球曲率影响之和为

$$f=c-r=\frac{D^2}{2R}-\frac{D^2}{14R}=0.43\frac{D^2}{R} \tag{2-18}$$

如果前视水准尺和后视水准尺到测站的距离相等，则在前视读数和后视读数中含有相同的大气折光及地球曲率影响误差。这样在高差中就没有这误差的影响了。因此架测站时要争取"前后视相等"。

(4)温度和风力对仪器的影响

温度会引起仪器的部件发生涨缩，从而可能引起视准轴的构件(物镜，十字丝和

调焦镜)相对位置的变化,或者引起视准轴相对于水准管轴位置的变化。由于光学测量仪器是精密仪器,不大的位移量可能使轴线产生几秒偏差,从而使测量结果的误差增大。

不均匀的温度对仪器的性能影响尤其大。例如从前方或后方日光照射水准管,就能使气泡"趋向太阳"——水准管轴的零位置改变了。

温度的变化不仅引起大气折光的变化,而且当烈日照射水准管时,由于水准管本身和管内液体温度升高,气泡向着温度高的方向移动,影响仪器水平,产生气泡居中误差,观测时应注意撑伞遮阳。

思考题与习题

1. 名词解释:视线高程、视准轴、水准管轴、水准管分划值、高差闭合差。

2. 水准仪是根据什么原理来测定两点之间高差的?

3. 水准仪的望远镜主要由哪几部分组成?各部分有什么功能?

4. 用望远镜瞄准水准尺有哪些步骤?

5. 何谓视差?产生视差的原因是什么?如何消除视差?

6. 何谓水准管分划值?与水准管的灵敏度有何关系?

7. 圆水准器和水准管各有何作用?

8. 圆水准器气泡居中后,为什么水准管气泡不一定居中?

9. 何为转点?在水准测量中有何作用?

10. 测站校核为何不能代替检核?

11. 水准仪有哪些轴线?它们之间应满足哪些条件?

12. 水准测量时,通常采用"中间法",它能消除哪些影响?

13. 后视点 A 的高程为 55.318m,读得其水准尺的读数为 2.212m,在前视点 B 尺上读数为 2.522m,问高差 h_{AB} 是多少?B 点比 A 点高,还是比 A 点低?B 点高程是多少?试绘图说明。

14. 精密水准仪的使用方法和普通水准仪有何不同?

15. 如图 2-33 所示,由水准点 BM.A 测到 B 点的往测高差 $h_{往}=+1.688$m,再从 B 点返测到 BM.A,各站的水准尺读数于图中,试填表 2-3 并计算 B 点高程。

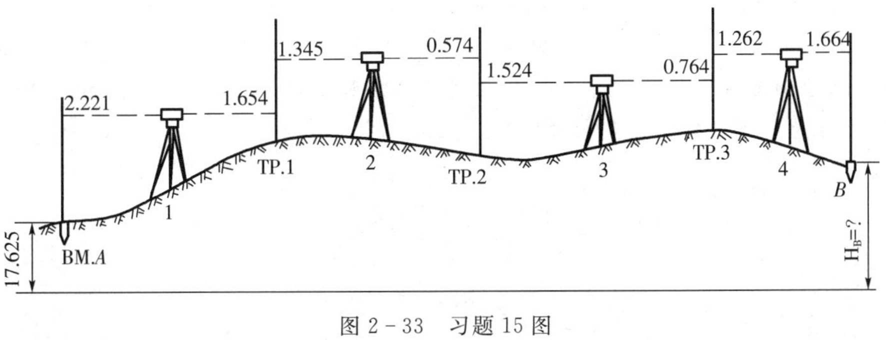

图 2-33 习题 15 图

表 2-3　水准测量手簿

测站	点号	后视读数（m）	前视读数（m）	高差（m）		高程（m）	备注
				+	—		
校核计算							

16. 如图 2-34 所示，为一闭合水准路线等外水准测量示意图，水准点 BM.2 的高程为 45.515m，1、2、3、4 点为待定高程点，各测段高差及测站数均标注在图中，试计算各待定点的高程。

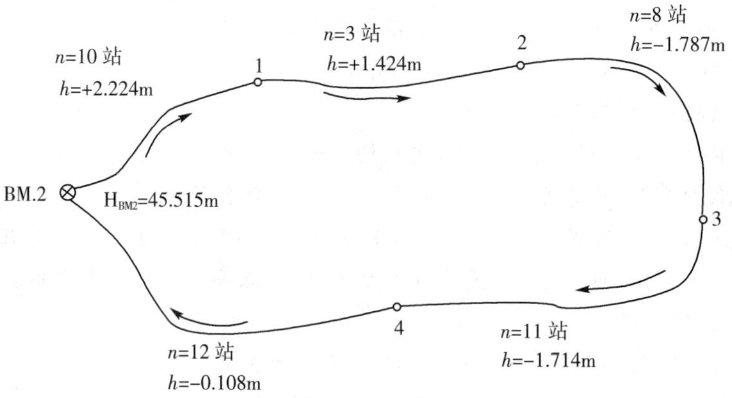

图 2-34　习题 16 图

17. 已知 A、B 两水准点的高程分别为：$H_A=44.286\text{m}$，$H_B=44.175\text{m}$。水准仪安置在 A 点附近，测得 A 尺上读数 $a=1.966\text{m}$，B 尺上读数 $b=1.845\text{m}$。问这架仪器的水准管轴是否平行于视准轴？若不平行，当水准管的气泡居中时，视准轴是向上倾斜，还是向下倾斜？如何校正？

第3章

角度测量

[本章导读]

本章主要介绍角度测量的原理、经纬仪的使用、水平角和竖直角观测。通过本章的学习，读者能初步掌握角度测量的方法和经纬仪的使用。

[知识目标]

1. 掌握水平角与竖直角测量原理。
2. 掌握 DJ_6 型光学经纬仪。
3. 掌握水平角和竖直角测量。
4. 了解光学经纬仪的检验与校正。
5. 了解水平角观测的误差分析及注意事项。

[能力目标]

1. 掌握经纬仪的使用。
2. 掌握测回法水平角和竖直角的观测与计算。

[重点难点]

1. 角度测量的外业和内业。
2. 角度测量技术要求。

3.1 水平角和竖直角测量原理

为了测定地面点的平面位置和高程，需要观测水平角和竖直角，即角度测量。

3.1.1 水平角测量原理

地面上一点到两目标的方向线垂直投影在水平面上所成的角度称为水平角，通常用β表示。如图3－1所示，测量上所要观测的水平角是$\angle AOB$在水平面上的投影$\angle a'Ob'$，而不是$\angle AOB$。实际上$\angle a'Ob'$就是通过OA与OB的两铅垂面所形成的二面角，因此用任意一水平面去截两竖面，即得此二面角。测量上就是根据这一特点进行水平角测量的。

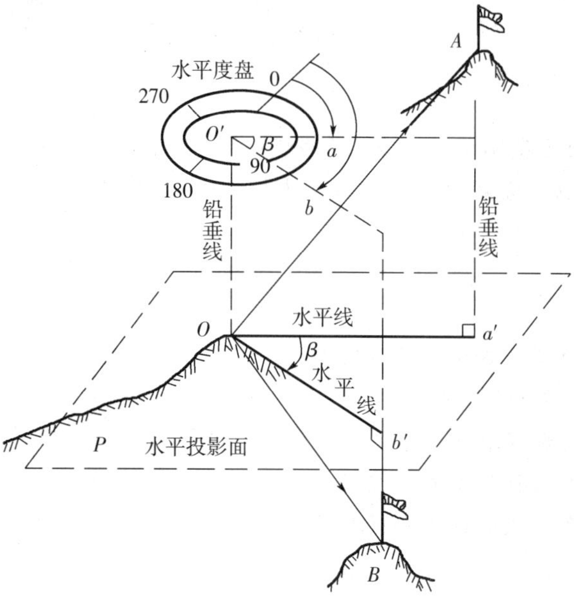

图3－1　水平角测量原理

为测定水平角β($\angle a'Ob'$)的大小，可在$O'O$上的O'点安置一有分划的圆盘(一般按顺时针方向注记)，使圆盘的中心在$O'O$上，并处于水平位置。从OA竖面与圆盘的交线得一个读数a，再从OB竖面得另一读数b，则水平角β就是二读数之差。即

$$\beta = \angle a'Ob' = b - a \tag{3-1}$$

3.1.2 竖直角测量原理

一点到目标的方向线与该点的水平线在同一竖直面内所夹的角度称为竖直角，简称竖角。竖角一般用α表示，其角值在$0°\sim\pm 90°$之间。视线上倾时所构成的竖角称为仰角，取正值；视线下倾时称为俯角，取负值。如图3－2所示，OP方向的竖角$\alpha = \angle PO'C$，为正值。

根据竖角的定义，要测定竖角，必然也与观测水平角一样是两个方向的读数之

差。如图 3-2 所示，如果在测站点 O 上安置一个带有竖直刻度盘的测角仪器，其竖盘中心通过水平视线，设照准目标点 P 时视线的读数为 n，水平视线的读数为 m，则竖直角 $\alpha = n - m$。与水平角观测不同的是，竖盘是固定在望远镜的旋转轴上，随望远镜一起转动，当视线水平时其读数是个定值。这样一来，测定竖角时实际上只需对目标方向进行读数，然后计算出竖角的角值。

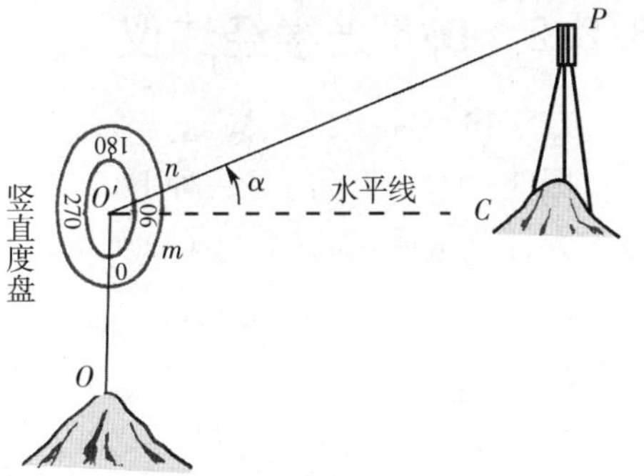

图 3-2 竖直角测量原理

用于角度测量的仪器主要是经纬仪，它是根据角度测量的基本原理而设计制造的。

3.2 光学经纬仪

3.2.1 基本构造

经纬仪的种类很多，目前广泛使用的主要有光学经纬仪和电子经纬仪两类。若按精度的不同亦可划分为普通经纬仪和精密经纬仪。我国生产的中等精度和一般精度的光学经纬有 DJ2、DJ6、DJ15 等几种等级(DJ6 经纬仪的基本构造见图 3-3)。代号中“D”为大地测量仪器总代号，“J”为经纬仪代号，后面的数字为仪器的测角精度指标参数，表示检定时水平角观测一测回方向的观测中误差。例如 DJ6 表示该型号经纬仪的一测回方向的观测中误差为 6″或稍小于 6″。DJ6 型光学经纬仪常用于一般工程测量、低等控制测量、地形测量等。

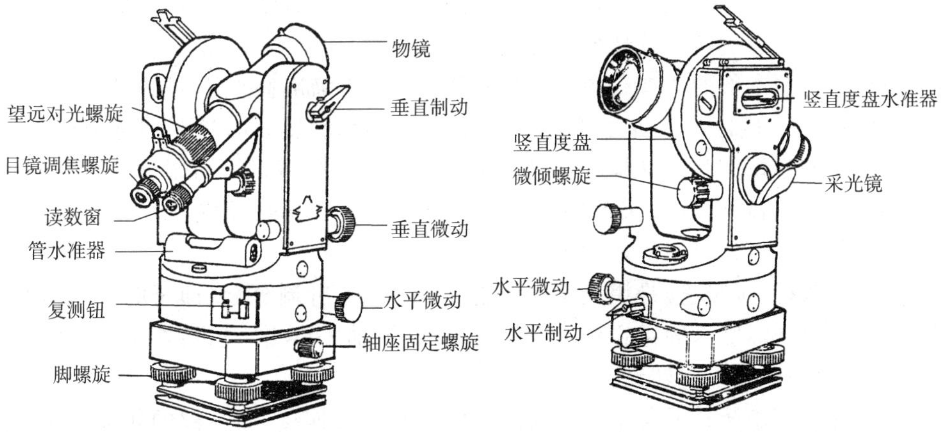

图 3-3 DJ6 光学经纬仪基本构造与外形图

3.2.2 DJ6 光学经纬仪

1. DJ6 光学经纬仪构造

图 3－4(a)所示的是一种 DJ6 级光学经纬仪的外形。它由照准部、水平度盘、基座三大部分组成，如图 3－4(b)所示。

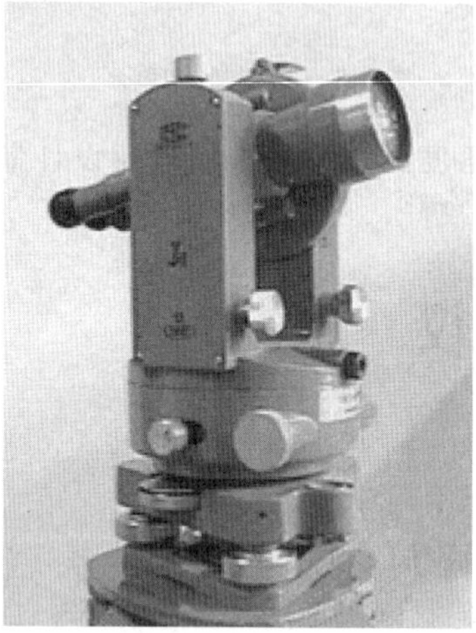

(a)

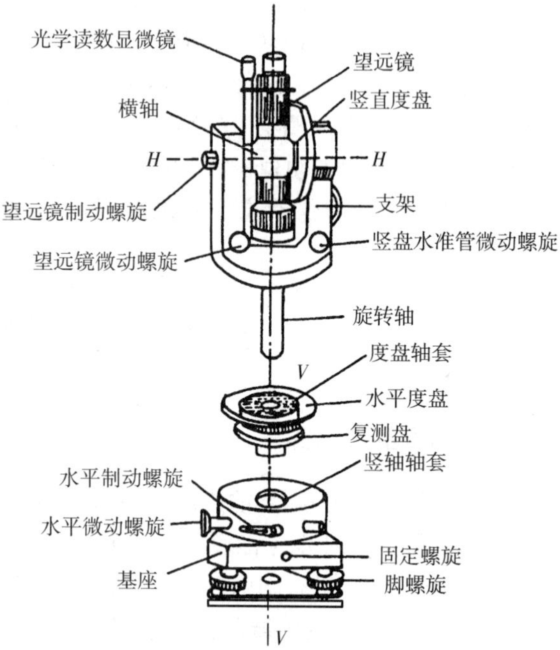

(b)

图 3－4 J6 级光学经纬仪的组成及外形图

(1)照准部部分

照准部主要由望远镜、竖直度盘、照准部水准管、读数装置等部件组成，它是基座和水平度盘上方能转动的部分的总称，见图 3－4(b)。

望远镜是照准部的主要部件，安装在横轴上。为瞄准高低不同的目标，望远镜可随横轴在支架上上下转动，横轴也就是望远镜的旋转轴。为控制望远镜的转动，设有望远镜制动螺旋和微动螺旋。读数装置的读数显微镜目镜与望远镜目镜并列，相距很近，照准后稍微移动头部即可读数。读数装置的光路原理、常见的几种读数设备与读数方法后作专门讲述。

竖直度盘(简称竖盘)是用光学玻璃制成，刻有 60 分制分划(即全圆 360°)，其注记形式后面讲述。竖盘固定在望远镜的旋转轴(横轴)上，当望远镜在竖直面内上下转动时，竖盘也随之一起转动。

整个照准部由竖轴系与水平度盘部分和基座部分连接，照准部的转动就是绕竖轴在水平方向内转动。为了使竖轴处于竖直位置和水平度盘处于水平位置，照准部装有圆水准器和水准管，用于整平仪器。另外，为了能够按固定的指标位置进行读数，通常还装有竖盘指标水准管。

照准部制动螺旋和微动螺旋用以控制照准部的旋转，装置在水平度盘部分。

(2)水平度盘

水平度盘部分主要由水平度盘、照准部制动、微动装置、复测机构(或度盘变换手轮)等组成。

水平度盘用光学玻璃制成,整个圆周分为 360°,顺时针注记。J6 级经纬仪一般每隔 1°有一分划。水平度盘独立装于竖轴上,照准部转动时,水平度盘一般是不动的。

复测机构用以改变水平度盘的读数位置。需要把水平度盘安置在某一读数位置时,将复测扳手扳下,则水平度盘与照准部结合在一起,随照准部一起转动。不需要一起转动时,将复测扳手扳上,水平度盘就与照准部脱开。没有复测机构的经纬仪,单独设置一个度盘变换手轮,需要变换水平度盘位置时,转动手轮即可。

(3)基座

仪器的最下部是基座,是支撑整个仪器的底座。观测时,与水准仪的基座相似,通过中心螺旋固定在三脚架上。基座部分主要由基座、脚螺旋、连接板等组成。

在连接三脚架与基座的中心螺旋的正中装有挂垂球的挂钩,观测时使所挂垂球尖对准地面点标志中心,以保证竖轴轴线与所测角顶点的铅垂线重合(称为仪器对中)。一般经纬仪都备有垂球,但其对中精度较低,现在大部分经纬仪都装有光学对中器。

光学对中器(见图 3-5)是一个小型外调焦望远镜。当照准部水平时,对中器的视线经棱镜折射后的一段成铅垂方向,且与仪器竖轴重合。若地面点标志中心与光学对中器分划板中心相重合,说明竖轴中心已位于所测角顶点的铅垂线上。使用光学对中器对中比垂球对中方便,且对中精度较高。光学对中器一般都装在仪器的照准部。

此外,基座上还有轴座固定螺丝,使用时切莫随意松动基座上的固定螺丝,以免仪器脱落。

经纬仪是用来测量角度的仪器,因此,上述经纬仪的各部件之间,必须满足角度测量所提出的要求,如水平度盘必须水平,其分划中心应在照准部旋转轴(竖轴)上;望远镜上下转动时,视准轴所形成的视准面必须是竖直平面,等等。

总的来说,经纬仪轴线应该满足四种关系,主要轴线的关系如图 3-6 所示:

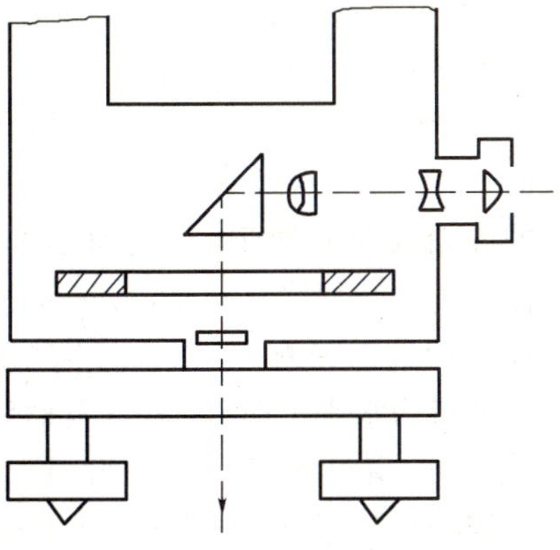

图 3-5　光学对中器

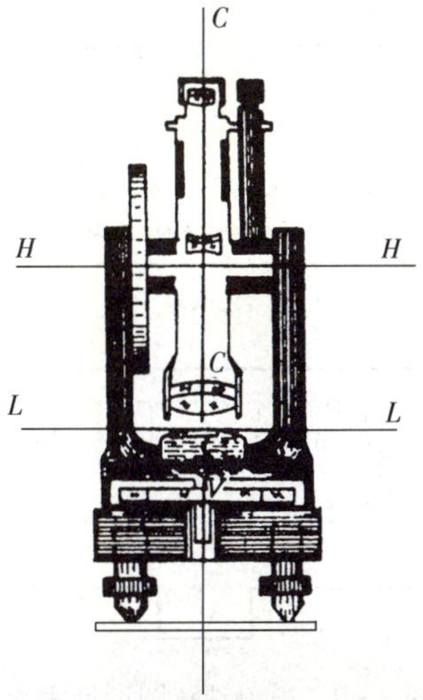

图 3-6　经纬仪主要轴线关系

① 照准部水准管轴应垂直于竖轴;

② 视准轴应垂直于横轴;

③ 横轴应垂直于竖轴;

④ 十字丝竖丝应垂直于横轴。

2. 读数设备及读数方法

由于度盘的分划很细密,需要放大一定的倍数才能看得清楚,读数准确,因此光学经纬仪通常利用读数显微镜进行读数。图 3-7 为 J6 级光学经纬仪的读数系统的光路原理图,从图中可看出,经水平度盘的光线由反光镜 1 反射后穿过照明进光窗 2,经转向棱镜 3 的折射,透镜 4 的聚光,后由水平度盘显微镜组 7 和转向棱镜 8 将水平度盘光线 5 的分划线转向后,在读数窗与场镜 9 的平面上成像。光线通过读数窗与场镜 9 后,再经过转向棱镜 10 和转向透镜 11,在读数显微镜目镜 12 的焦平面成像。经竖直度盘的光线由反光镜 1 反射后穿过照明进光窗 2,经照明棱镜 13 的折射,照亮了竖盘 14 的分划线,然后由转向棱镜 15 和竖盘显微镜组 16,转向棱镜 17 及菱形棱镜 18,将竖盘的分划线在读数窗与场镜 9 的平面上成像。光线通过读数窗与场镜 9 后,与水平度盘的光线沿同一路线继续前进。J6 光学经纬仪读数显微镜的读数设备,通常有测微尺式和平板玻璃测微器式两种。

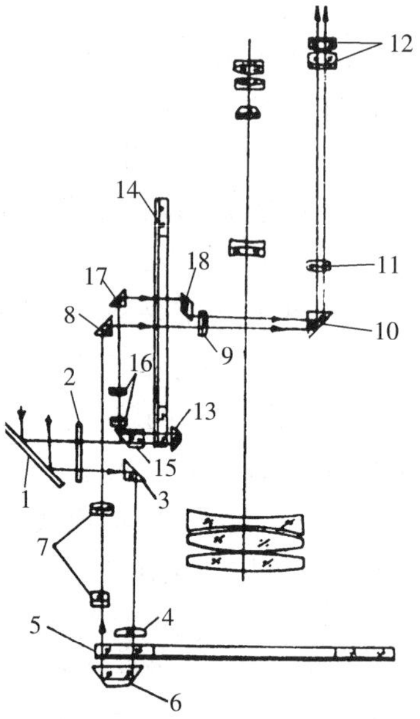

图 3-7 光学经纬仪的光路原理图

(1)测微尺式

很多 J6 光学经纬仪都采用这种读数设备。它是在显微镜的读数窗内设置一个带分划尺的分划板,称为测微尺或分微尺。测微尺的长度刚好等于度盘 1°分划间的长度,分为 60 小格,每小格代表 1′,每 10 小格注有数字,表示 10′的倍数。如图 3-8 所示,是读数显微镜内所见到的度盘和测微尺的影像。其中,长线和大号数字是度盘上的分划线及其注记,短线和小号数字是测微尺上的分划线及其注记,测微尺的 0 分划线是读数的指标线;上面注有“水平”字样的窗口为水平度盘读数窗,下面注有“竖直”字样的窗口为竖盘读数窗口。有的仪器是用符号“—”或字母“H”(Horizontal 水平的)、符号“⊥”或字母“V”(Vertical 竖直的)来分别表示水平度盘读数窗和竖直度

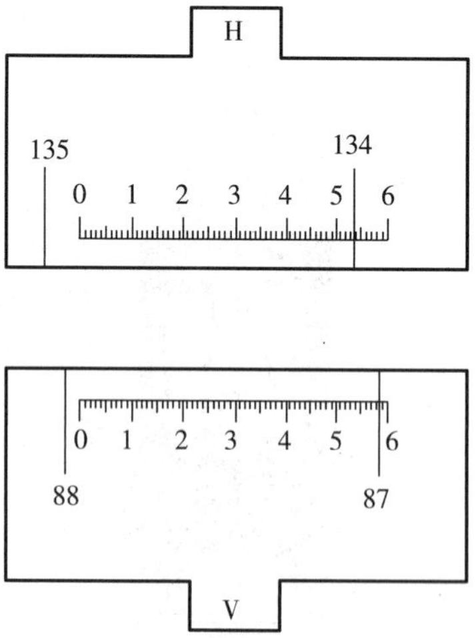

图 3-8 J6 经纬仪测微尺式读数窗

盘读数窗。

读数时，首先判断哪一根度盘的分划线被测微尺所覆盖，度数就是这根分划线的注记读数，然后读取分的读数。分数是这根分划线所指的测微尺上的读数，直接读取到 1′，估读到 0.1′并直接化成秒，以便后面的计算。例如图 3－8 中，水平度盘的读数为 134°53′54″，竖盘的读数为 87°58′30″。

由于读数精度受到显微镜放大率与测微尺长度的限制，所以这种读数设备一般仅用于 J6 级及以下的光学经纬仪。

(2)平板玻璃测微器式

有的光学经纬仪的读数设备，是在显微镜的光路中设置光学元件和测微尺组成的光学测微器。在这种测微器中，通过光学机械元件的作用，使度盘分划线的影像产生移动，以与固定指标线重合，或者使度盘对径分划线相向移动而符合。分划线影像的这个移动量反映在测微尺上，可在读数窗内读取。

J6 光学经纬仪光学测微器的光学元件一般为单平板玻璃，光线以一定入射角穿过平板玻璃时，将发生移动现象。平板玻璃和测微尺用金属机件连在一起，转动测微手轮时，平板玻璃和测微尺就绕同一轴转动。度盘分划线的影像因此而产生的移动量就可在测微尺上读取。

这种读数显微镜的读数窗口，如图 3－9 所示。下面为水平度盘读数窗；中间为竖盘读数窗，度盘读数窗上有双指标线；上面为两个度盘共用的测微尺的读数窗，有单指标线。度盘的最小分划为 30′，每隔一度有数字注记。测微尺共分划 90 小格，当度盘分划线影像移动 30′间隔时，测微尺转动 90 小格，所以测微尺上每小格为 20″，每三小格为一大格(1′)，每一大格有数字注记。

实际测角时，转动测微手轮使双指标线旁的度盘分划线精确位于双指标线的中间，双指标线中间的分划线即为度盘上的读数；然后再从测微尺上读取不足 30′的分数和秒数，估读到 1/4 格，即 5″。最后所测角度为二者之和。应当注意，这种装置的读数设备，水平度盘与竖盘读数应分别转动测微手轮读取。如图 3－9(b)中竖盘的读数为 4°30′＋11′50″＝4°41′50″。

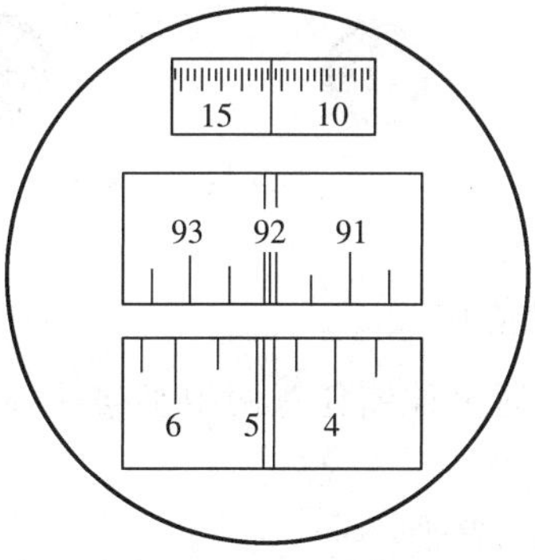

(a) 水平盘读数窗

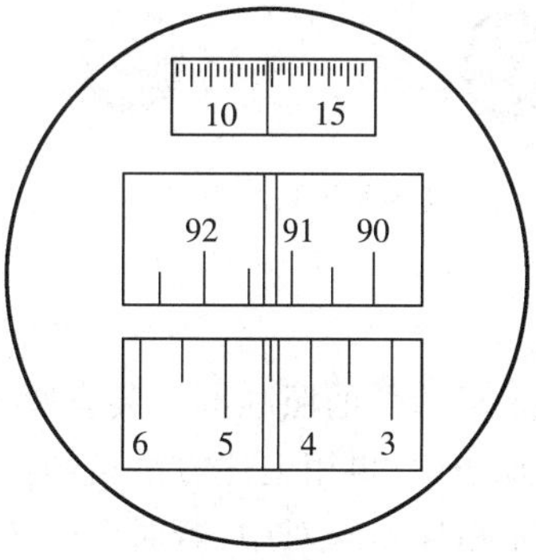

(b) 竖盘读数窗

图 3－9　J6 经纬仪平板玻璃测微器式读数窗

3. 经纬仪的安置与使用

用经纬仪观测角度之前，必须将仪器中心安置在测站点的铅垂线上。同时，还应使水平度盘处于水平位置。所以在测站上安置经纬仪包括对中、整平两项工作。经纬仪的安置与使用程序如下：

(1)对中

对中的目的是使仪器中心与测站点的标志中心在同一铅垂线上。

利用垂球对中操作方法如下：首先打开三脚架，安置在测站点上，使架头大致水平，架头中心大致对准测站点。然后，装上仪器，拧紧中心螺旋并挂上垂球。此时若垂球尖偏离测站点较远，可平行地移动脚架，使之初步对中。再将脚架尖踩入土内，使仪器保持稳定。若仍稍有偏差，可略松中心螺旋，在架头上移动仪器，使垂球尖精确地对准测站点，再拧紧中心螺旋。至此，仪器中心和测站点就处在同一铅垂线上，对中工作即告完成。

实际作业中，大多数都是采用光学对中器来进行对中工作，操作方法如下：将仪器安置在测站上，调节对中器焦距，使其分划环及地面成像清晰。固定三脚架的一条腿于适当位置，两手分别握住另外两条腿，移动这两条腿并同时从光学对中器中观察，使对中器对准测站标志中心(地面点在分划环内部中心)。

(2)整平

整平的目的是使仪器的竖轴竖直，即水平度盘上处于水平位置。具体做法如下：

转动照准部，使照准部水准管先平行于任意两个脚螺旋的连线(如图 3-10(a)所示)，按气泡运行方向与左手大拇指旋转方向一致的规律，以相反方向同时旋转这两个脚螺旋，使水准管气泡居中。然后，将照准部旋转 90°，使水准管垂直于原先的位置，如图 3-10(b)所示。单独旋转第三个脚螺旋，使气泡居中。如此反复进行，直至水准管气泡在任何方向都居中。

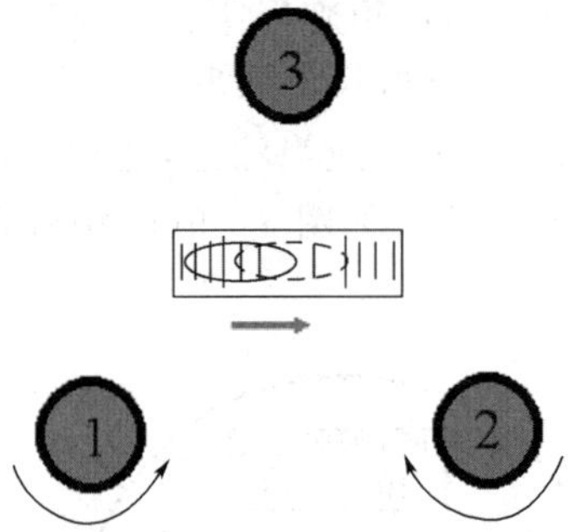

气泡居中，1、2 等高

(a)

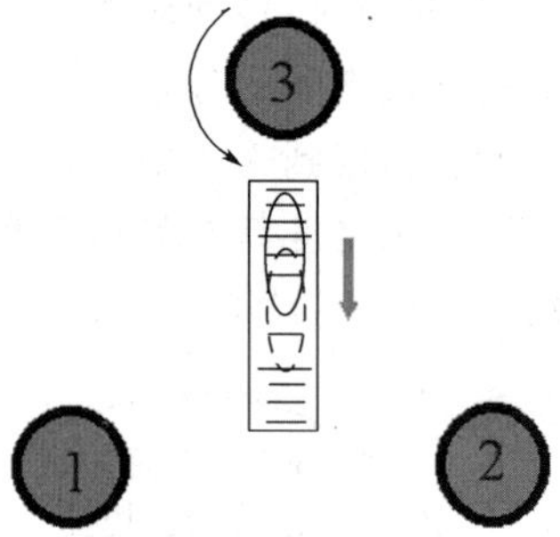

气泡居中，3 与 1、2 等高

(b)

图 3-10　经纬仪的整平

如果经纬仪的照准部上装有圆水准器，可先通过伸缩任意两根脚架使圆水准器气泡大致居中，再用上述方法精确整平。

整平后应检查对中，若对中破坏，应重新对中、整平。

完成对中、整平工作后即可进行角度观测(在 3.3 和 3.4 两节中讲述)。

3.2.3　DJ2 级光学经纬仪

DJ2 光学经纬仪是控制测量经常使用的高精度经纬仪。DJ2 级光学经纬仪的构造，除轴系和读数设备外基本上和DJ6级光学经纬仪相同。图3－11是苏州光学仪器厂生产的DJ2型光学经纬仪的外形图。它的各个部件的名称均注在图上。

DJ2仪器读数设备与DJ6比较有两个特点：一是J2级光学经纬仪采取度盘对径重合读数取平均值，消除了照准部偏心的影响，提高了读数精度；二是在J2级光学经纬仪读数显微镜中，只能看到水平度盘或竖直度盘的一种影像，要转换另一种时，需转动换像手轮。

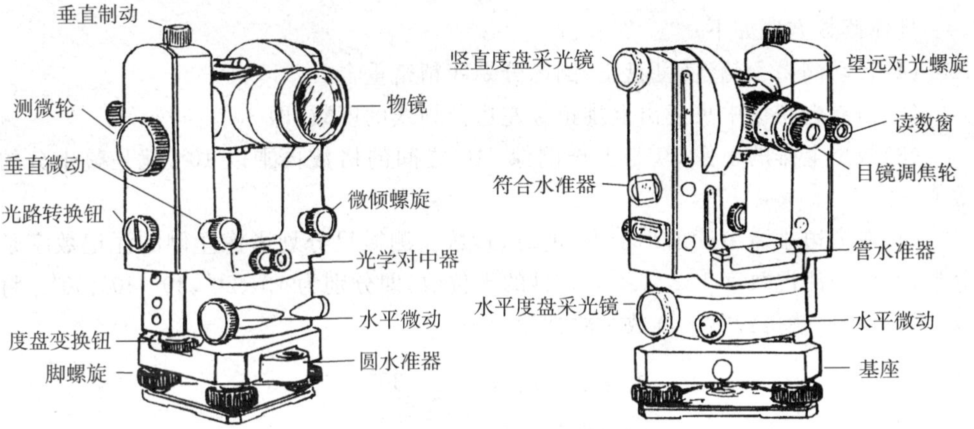

图3－11　DJ2光学经纬仪外形图

下面着重介绍它和DJ6级光学经纬仪的不同之处。

1. 水平度盘变换手轮

水平度盘变换手轮的作用是变换水平度盘的初始位置。水平角观测中，根据测角需要，对起始方向观测时，可先拨开手轮的护盖，再转动该手轮，把水平度盘的读数值配置为所规定的读数。

2. 换像手轮

在读数显微镜内一次只能看到水平度盘或竖直度盘的影像，若要读取水平度盘读数时，要转动换像手轮，使轮上指标红线成水平状态，并打开水平度盘反光镜，此时显微镜呈水平度盘的影像。若打开竖直度盘反光镜时，转动换像手轮，使轮上指标线竖直时，则可看到竖盘影像。

3. 测微手轮

测微手轮是DJ2级光学经纬仪的读数装置。对于DJ2级经纬仪，其水平度盘（或竖直度盘）的刻划形式是把每度分划线间又等分刻成三格，格值等于20′。通过光学系统，将度盘直径两端分划的影像同时反映到同一平面上，并被一横线分成正、倒像，一般正字注记为正像，倒字注记为倒像。图3－12所示为读数窗示意图，测微尺上刻有600格，其分划影像见图中小窗。当转动测微手轮使分微尺由零分划移动到600分划时，度盘正、倒对径分划影像等量相对移动一格，故测微尺上600格相应的角值为10′，一格的格值等于1″。因此，用测微尺可以直接测定1″的读数，从而起到了测微作用。图3－12中的读数值为$30°20'+8'00''=30°28'00''$。

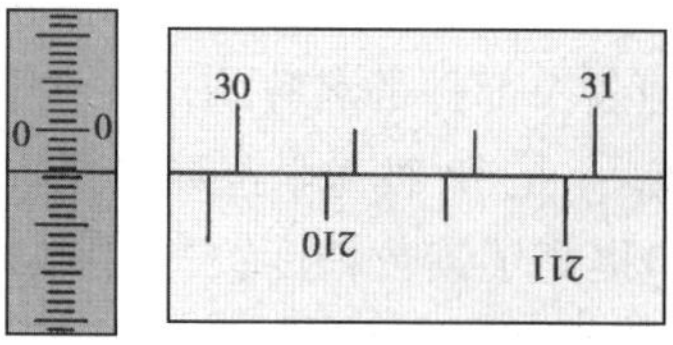

(a) 读数前视窗

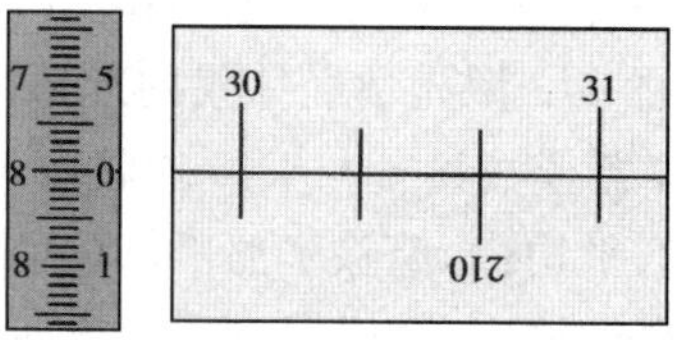

(b) 读数时视窗

图 3-12　DJ2 级光学经纬仪读数窗

具体读数方法如下：

(1)转动测微手轮，使度盘正、倒像分划线精密重合。

(2)由靠近视场中央读出上排正像左边分划线的度数，即 30°。

(3)数出上排的正像 30°与下排倒像 210°之间的格数再乘以 10′，就是整十分的数值，即 20′。

(4)在旁边小窗中读出小于 10′的分、秒数。测微尺分划影像左侧的注记数字是分数，右侧的注记数字 1、2、3、4、5 是秒的十位数，即分别为 10″、20″、30″、40″、50″。将以上数值相加就得到整个读数。故其读数为：

度盘上的度数	30°
度盘上整十分数	20′
测微尺上分、秒数	8′00″
全部读数为	30°28′00″

3.3　水平角测量

用经纬仪测角时，为了消除某些误差，同时提高测量精度，一般应盘左、盘右两个位置进行观测。所谓盘左，就是观测者对着望远镜的目镜时，竖直盘在望远镜的左侧；反之，观测者对着望远镜的目镜时，竖直盘在望远镜的右侧，称为盘右。习惯上常将盘左称为正镜，盘右称为倒镜。

水平角的观测方法一般根据观测目标的多少、测角精度的要求以及所使用的仪器而定。现将最常用的两种测角方法——测回法和方向观测法，介绍如下：

1. 测回法

测回法是水平角测量的基本方法，用于观测两个方向之间的水平角。

如图 3-13，假设要观测 OA 与 OB 方向间的水平角 β，其具体步骤如下：

(1)安置仪器

观测者在测站点的 O 安置经纬仪，进行对中、整平后，使仪器处于盘左位置。另外两名测量员分别在 A、B 两点竖立觇标(花杆、觇牌等)。

(2)盘左半测回(上半测回)

松开照准部和望远镜的制动螺旋，精确瞄准左目标 A(使觇标准确地夹在双竖丝中间或用单竖丝去平分，注意消除视差)，读取水平度盘读数 $a_{左}$ 并记入观测手簿；松开照准部和望远镜的制动螺旋，顺时针转动望远镜，用同样的方法，瞄准右目标 B，读

取水平度盘读数 $b_{左}$ 并记录。(注意:无论使用哪种仪器,欲转动照准部或望远镜前,应首先检查是否松开制动螺旋。)

以上称为盘左半测回或上半测回。上半测回测得的角值为

$$\beta_{左}=b_{左}-a_{左} \tag{3-2}$$

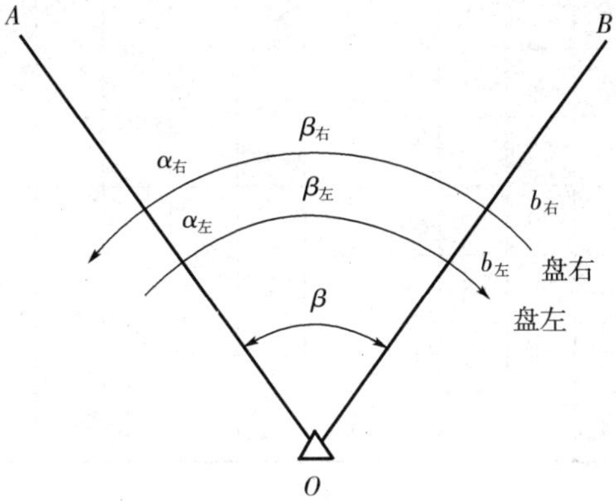

图 3-13　测回法观测水平角

(3)盘右半测回(下半测回)

读取完水平度盘读数 $b_{左}$ 后,松开制动螺旋,倒转望远镜,将仪器变换为盘右位置,再次瞄准右目标 B,读取水平度盘读数 $b_{右}$。然后逆时针旋转照准部,瞄准左目标 A,读记水平度盘读数 $\alpha_{右}$。此为盘右半测回(下半测回),其角值为:

$$\beta_{右}=b_{右}-\alpha_{右} \tag{3-3}$$

盘左半测回与盘右半测回合在一起,称为一测回。若上、下半测回角值之差不超过规定限差,则取其平均值作为一测回水平角的角值:

$$\beta=\frac{1}{2}(\beta_{左}+\beta_{右}) \tag{3-4}$$

若误差超限,应检查原因,重新观测。

有时需观测几个测回,为了减少度盘分划不均匀的误差影响,在各测回之间,应使用复测器(或度盘变换手轮),按测回数 n,将度盘位置变换 $180°/n$。例如要观测两个测回,第一测回起始时的度盘位置应配置在 0°00′00″或稍大于 0°00′00″的读数处,第二测回起始时应配置在 90°00′或稍大于 90°00′的读数处。

测回法观测水平角通常有两项限差,一是前、后半测回角值之差,二是各测回同一方向值之差。对于使用 J6 型经纬仪所进行的普通测角工作,一般规定前者为 40″,后者为 25″。

测回法观测手簿的格式举例如表 3-1。

表 3-1　测回法观测手簿

测站	竖盘位置	目标	水平度盘读数 °	′	″	半测回角值 °	′	″	一测回角值 °	′	″	各测回平均角值 °	′	″	备注
第一测回 0	左	A	0	01	12	200	07	42	200	07	36	200	07	34	
		B	200	08	54										
	右	A	180	02	00	200	07	30							
		B	20	09	30										
第二测回 0	左	A	90	00	36	200	07	24	200	07	33				
		B	290	08	00										
	右	A	270	01	06	200	07	42							
		B	110	08	48										

2. 方向观测法

观测三个或三个以上方向时，通常采用方向观测法。

如图 3-14，用方向观测法观测 O 到 A、B、C、D 各方向之间的水平角，其步骤如下：

在 O 点安置经纬仪，对中、整平后，使其处于盘左位置。将度盘配置在 0°00′或稍大的读数处，选择一明显目标作为起始方向（又称零方向）开始观测，如以 A 作为零方向，然后按顺时针方向依次观测 B、C……各方向，读取水平度盘读数并记录。如果观测方向超过三个，最后还应回到起始方向（A），读数并记录，这一步称为“归零”，其目的是为了检查水平度盘的位置在观测过程中是否发生变动。以上是盘左半测回，或叫上半测回。倒转望远镜，将仪器变换为盘右位置，按逆时针方向依次照准 A、D、C、B、A，观测并记录。此为盘右半测回或下半测回。

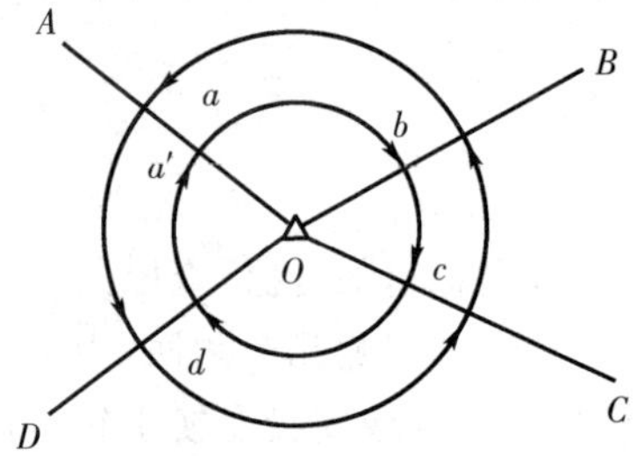

图 3-14　方向观测法观测水平角

以上为方向观测法一测回的观测工作。如果需观测 n 测回，同测回法一样，应于每测回间将度盘变换 180°/n。

表 3-2 为方向观测法两个测回的观测记录和计算示例。其记录和计算方法基本上与测回法一样，但由于有“归零”观测，因此起始方向有两个读数，最后取平均值记于有关列的上面。归零后方向值是把观测的方向值减去起始方向“归零”后的平均值而算得的。

表 3-2　方向观测法观测手簿

测站	测回数	目标	读数		2C	平均读数	归零后方向值	各测回归零方向值平均值	备注
			盘左	盘右					
			° ′ ″	° ′ ″	″	° ′ ″	° ′ ″	° ′ ″	
0	1					(0 02 00)			
		A	0 02 12	180 02 00	+12	0 02 06	0 00 00	0 00 00	
		B	37 44 15	217 44 05	+10	37 44 10	37 42 00	37 42 01	
		C	110 29 04	290 28 52	+12	110 28 58	110 26 48	110 26 52	
		D	150 14 51	330 14 43	+8	150 14 47	150 12 37	150 12 33	
		A	0 02 18	180 02 08	+10	0 02 13			
	0					(90 03 24)			
		A	90 03 30	270 03 22	+8	90 03 26	0 00 00		
		B	127 45 34	307 45 28	+6	127 45 31	37 42 07		
		C	200 30 24	20 30 18	+6	200 30 21	110 26 57		
		D	240 15 57	60 15 49	+8	240 15 53	150 12 29		
		A	90 03 25	270 03 18	+7	90 03 22			

方向观测法通常有三项限差。

(1)半测回归零差:半测回中两次瞄准起始方向的读数之差;

(2)同一方向上、下半测回方向值较差;

(3)各测回方向差:同一方向各测回的方向值之差。

以上三项限差,不同精度的仪器有不同的规定。对于J6型经纬仪,一般规定半测回归零差和各测回方向差的限差为25″,同一方向上、下半测回方向值较差不应超过40″。

3.4　竖直角测量

1. 竖直角观测方法

(1)不同竖盘注记形式的竖角计算方法

竖盘的注记形式很多,因而由竖盘读数计算竖角的公式也不同。常见的注记形式为全圆注记;注记的方向又分顺时针注记与逆时针注记。图3-15为比较多见的两种注记形式。现以图3-15(a)所示的顺时针注记的竖盘形式为例,讨论竖角的计算方法。

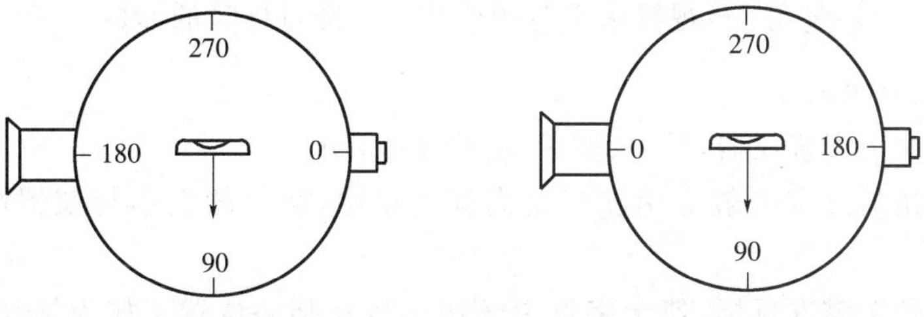

(a)　(b)

图3-15　竖盘注记形式

由图 3－16 可知，在盘左位置（图 3－16（a）、（b）），望远镜水平时读数指标线（图中度盘下方带箭头的短线）的读数为 90°；望远镜上倾瞄准一目标（仰角），读数减小为 L。显然，盘左位置时竖角的值为：

$$\alpha_{左}=90°-L \tag{3-5}$$

同样，由该图可看出，在盘右位置（图 3－16（c）、（d）），望远镜水平时的读数为 270°；望远镜上倾瞄准一目标，读数增加为 R。所以，盘右位置时竖角的值为：

$$\alpha_{右}=R-270° \tag{3-6}$$

由于观测中总存在误差，$\alpha_{左}$ 与 $\alpha_{右}$ 常不相等，应取其平均值作为最后观测成果：

$$\begin{aligned}\alpha &=\frac{1}{2}(\alpha_{左}+\alpha_{右})\\ &=\frac{1}{2}[(R-L)-180°]\end{aligned} \tag{3-7}$$

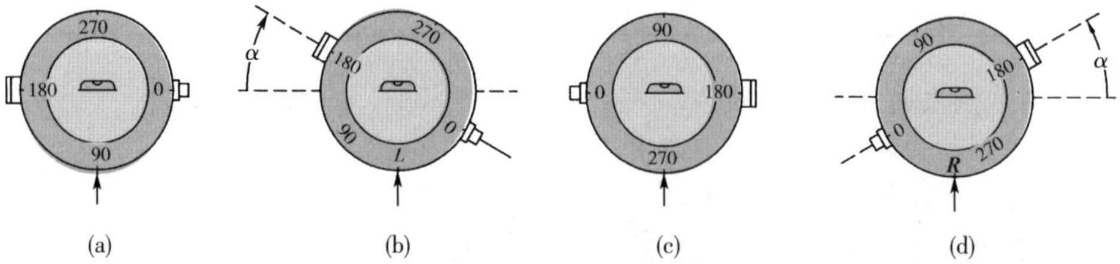

图 3－16　竖盘读数与竖角计算

可见，计算竖角的公式无非是两个方向的读数之差，问题是哪个读数减去哪个读数以及视线水平时的读数是多少。观测之前应首先根据竖盘注记形式，确定竖角的计算方法。实际作业中，只需把所用仪器的望远镜先放在大致水平位置观察一下读数，确定水平位置时的读数（90°的整倍数）；然后，上、下转动望远镜，判断读数的变化趋势，即可确定竖角的计算公式。

若望远镜上倾，读数增加，则

竖角 α＝瞄准目标时的读数－视线水平时的读数

若望远镜上倾，读数减少，则

竖角 α＝视线水平时的读数－瞄准目标时的读数

（2）竖直角观测

①在测站上安置仪器，对中、整平，量取仪器高 i。

（注：竖角的测定一般应用在三角高程测量中，竖角的大小与仪器高和觇标高有关。）

②盘左位置瞄准目标，使十字丝中丝切于目标某一位置。如为标尺，则读取中丝在标尺上的读数；如照准的是觇标上某位置，则应量取该中丝所截位置至地面点

的高度。这就是觇标高 ν。

③转动竖盘水准管微动螺旋，使竖盘水准管气泡居中，读取盘左位置的竖盘读数 L。

④倒转望远镜，盘右位置照准目标同一位置，同上法读取盘右位置的竖盘读数 R。

⑤根据竖盘注记形式，确定竖角计算公式，计算竖角的大小。同时应判断指标差较差是否超限。若超限，应重测。

竖直角观测手簿的记录格式如表 3－3。

表 3－3　竖直角观测记录

测站	仪器	觇点	觇标高	竖盘位置	竖盘读数 (° ′ ″)	半测回竖角 (° ′ ″)	两倍指标差 (″)	一测回竖角 (° ′ ″)	照准目标位置
No. 6	1.48	P1	1.05	左	76 23 54	13 36 06	－12	13 36 00	觇标顶
				右	283 35 54	13 35 54			
		P2	3.39	左	118 03 06	－28 03 06	－06	－28 03 09	觇标顶
				右	241 56 48	－28 03 12			

2. 竖盘指标差

上面讲述的竖角计算公式都是认为当视线水平时，竖盘的读数为 90°的整倍数。但实际上这个条件有时是不满足的：当视线水平且竖盘指标水准管气泡居中时，指标线所指读数不是 90°的整倍数，而是稍大于或小于 90°的整倍数，存在一个角度差。因为这个差值是由指标从正确位置偏移了而引起的，所以称为竖盘指标差，通常用 x 表示。当指标偏移的方向与竖盘注记方向一致时，使读数增大了 x，则 x 为正；反之，若指标偏移的方向与竖盘注记方向相反时，使读数减小了 x，则 x 为负值。现仍以图 3－15(a)所示的竖盘形式为例，讨论竖角的计算公式及指标差的计算。

如图 3－17 所示，盘左视线水平且竖盘指标水准管气泡居中时，指标所指不是 90°，而是 $90°+x$。同样，指向目标时读数也大了 x。所以正确的竖角计算应该是

$$\alpha=(90°+x)-L$$

同样，盘右时应该用

$$\alpha=R-(270°+x)$$

将此两式相加取中数，则可得

$$\begin{aligned}\alpha &=\frac{1}{2}\{[(90°+x)-L]+[R-(270°+x)]\} \\ &=\frac{1}{2}[(R-L)-180°]\end{aligned}$$

这与式(3－7)完全相同。可见，采用盘左、盘右两次读数而求得竖角，可以消除指标差的影响。

若将此两式相减，则可得

$$x=\frac{1}{2}[(L+R)-360^{\circ}] \tag{3-8}$$

这就是竖盘指标差的计算公式。

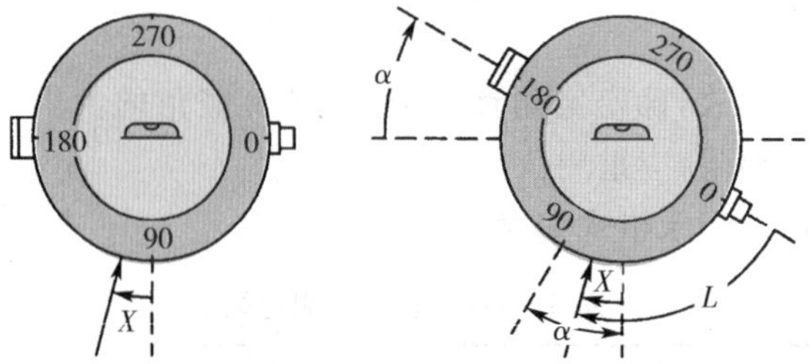

盘左

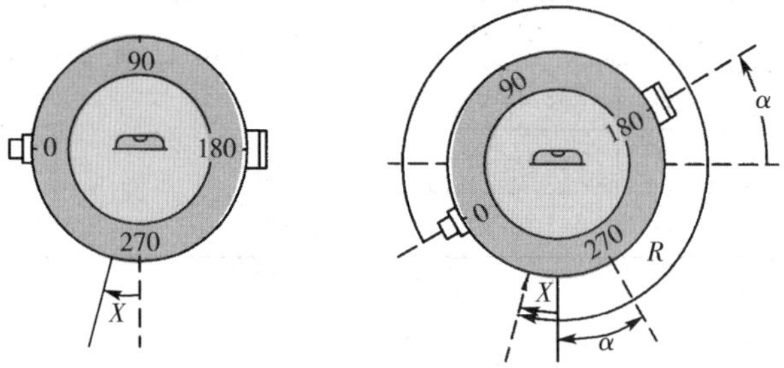

盘右

图 3-17　竖盘指标差

对一架仪器而言,在同一段时间内其指标差变化很小,可视为定值。但由于仪器误差、观测误差及外界条件的影响,使计算出的指标差往往发生变化。所以通常规范规定了两倍指标差的变化容许范围,如果超限,则应该重测。例如一般规定 J6 经纬仪指标差的变化容许范围为 $\pm 15''$,则两倍指标差的变化容许值为 $\pm 30''$。表 3-3所举算例的成果是合格的。

3. 竖盘指标的自动归零补偿原理

对竖角进行测定时,竖盘指标水准管气泡居中是很重要的,若水准管气泡不居中,则指标位置不正确,读数就不正确。然而每次都必须使竖盘指标水准管气泡严格居中是十分费事的,所以不少经纬仪的竖盘指标都已采用自动归零补偿装置。

所谓自动归零补偿装置,就是当经纬仪有微量倾斜时,这种装置会自动地调整光路,使读数为水准管居中时的数值,正常情况下,这时的指标差为零。竖盘自动归零补偿装置的基本原理与自动安平水准仪的补偿装置原理相同。

3.5　电子经纬仪的测角原理

目前,大多电子经纬仪都与测距仪一起构成全站型电子速测仪(简称全站仪)。与光学经纬仪不同的是,电子经纬仪采用电子测角的方法,通过光电转换,以光电信号的形式来表达角度测量的结果。不同厂家生产的电子经纬仪在结构、操作方法上有着一定的差异，但其基本功能、基本原理，以及野外数据采集的程序大致是相同的。

1. 电子经纬仪的主要功能

与传统的光学经纬仪相比较，电子经纬仪除具有传统光学经纬仪所具有的功能外，主要有以下几方面的不同：

(1)自动显示、存储数据功能

电子经纬仪利用光电转换自动读数并显示于读数屏，由传统的观测者判读观测值及手工记录变为直接读数、记录，避免了人为读数误差，且大部分电子经纬仪都有存储设备，具有存储记录测量数据的功能，然后通过数据接口将数据导入计算机或其他数据处理设备。

(2)与测距仪连接，组合成全站仪

电子经纬仪大都可与各类测距仪联机，组合成“组合式全站仪”，既可组合，也可分离，用户可根据实际工作的要求，选择合适的测角、测距设备进行组合，使用方便。

(3)测量成果数字化

随着数字化测图技术的发展与完善，电子经纬仪以及其与测距仪组合的全站仪已成为数字化测图主要数据采集设备。电子经纬仪野外测量可以直接得到数字化的成果，是数字化成图系统的理想数据采集设备。而其与测距仪组合而成全站仪，更是建立起了三维数据同时采集的测量系统。

2. 电子经纬仪的测角原理

电子测角仍然是采用度盘来进行，与光学经纬仪不同的是，电子测角是从度盘上获取电信号，然后根据电信号再转换成角度。根据获取电信号的方式的不同可分为编码度盘测角和光栅度盘测角。

(1)编码度盘测角

如图 3-18 所示，为一个四码道度盘的示意图。整个圆周被均匀地分成 16 个区间，每个区间中码道的黑色部分为透光区(导电区)，白色部分为不透光区(非导电区)。设透光区(导电区)为 1，不透光区(非导电区)为 0，当望远镜的照准方向落在某一区间时，读数设备反映出的电信号则对应该区间的相对唯一的二进制编码。各区间的编码见表 3-4。依据任意两区间的不同二进制代码，便可测出该两区间的夹角。

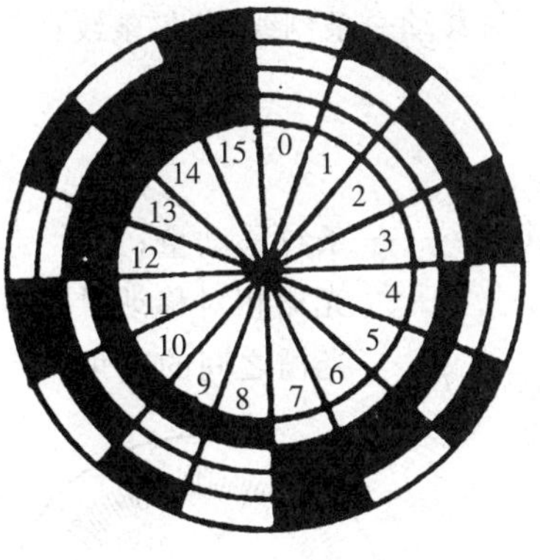

图 3-18　四码道度盘

表 3-4　四码道度盘的二进制编码

区间	二进制编码	区间	二进制编码	区间	二进制编码	区间	二进制编码
0	0000	4	0100	8	1000	12	1100
1	0001	5	0101	9	1001	13	1101
2	0010	6	0110	10	1010	14	1110
3	0011	7	0111	11	1011	15	1111

识别望远镜的照准方向落在哪一个区间是编码度盘测角的关键设备，一般有机电读数系统和光电读数系统两种，其原理此不赘述。但无论哪种读数系统，其输出端的电信号都是望远镜照准方向所在区间的二进制编码。比如望远镜照准一个目标输出端的电信号状态为 0110，然后照准第二个目标输出端的电信号状态为 1101，那么此两目标间的角值就是由 0110 与 1101 所反映出的 6 至 13 区间的角度。

可以看出这种编码度盘所得到的角度分辨率 δ 与区间数 s 有关：$\delta=\dfrac{360°}{s}$。而区间数 s 又取决于码道数 n（$s=2^n$）。由此可知，四码道编码度盘的角度分辨率为 22.5°。如果将码道增加到 9，角度分辨率也只有 42.19′。如果想提高分辨率，继续增加码道数，那么最里一圈的码道在一个区间的弧长将非常小。比如半径为 80mm 的度盘，码道数为 16，道宽为 1mm 时，最里一圈的码道在一个区间的弧长只有 0.006mm。制作这样小的接收元件是很困难的。所以直接利用编码度盘不易达到较高的测角精度。

(2)光栅度盘测角

光栅度盘测角使用较为广泛，现对其原理作简单介绍。

在光学玻璃上均匀地刻划出很密的平行细纹就构成了光栅，在玻璃圆盘的径向上刻划而形成的光栅度盘，如图 3-19 所示。将两块间隔相同的光栅重叠并形成很小的交角，在垂直于光栅构成的平面方向上就形成莫尔干涉条纹，如图 3-20 所示。莫尔条纹按正弦周期性变化；且光栅相对移动时，莫尔条纹在与其垂直的方向上移动（光栅每相对移动一条刻线，莫尔条纹在与其垂直的方向上正好移动一周期）。其关系式为：

$$y=\frac{x}{\tan\varphi} \tag{3-9}$$

式中：y——条纹移动量；

x——光栅相对移动量；

φ——光栅之间的夹角。

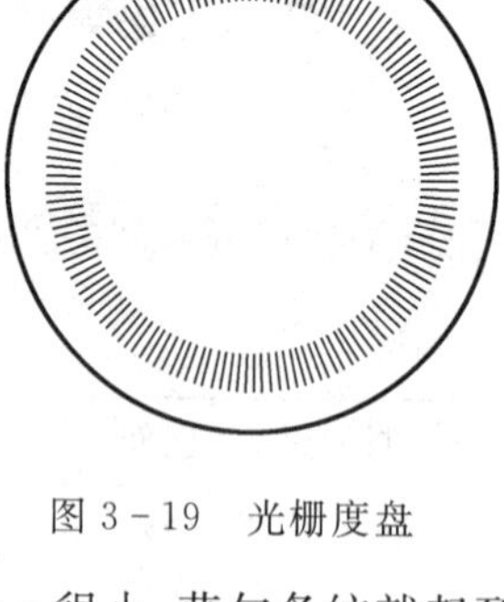

图 3-19　光栅度盘

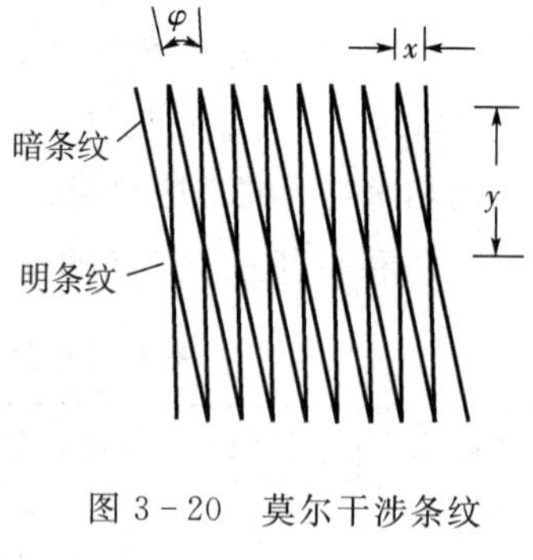

图 3-20　莫尔干涉条纹

由于 φ 很小，莫尔条纹就起到了放大移动量的作用。光栅度盘测角就是利用这一性质来提高测角的分辨率。

如图 3-21 所示为光栅度盘的测角原理示意图。发光管、指示光栅和光电管的位置固定，由发光管发出的光信号通过光栅度盘和指示光栅形成的莫尔条纹落到光电管上。光栅度盘随照准部转动，度盘每转动一条光栅，莫尔条纹就变化一周期，通过莫尔条纹的光信号强度也变化一周期，光电管输出的电流也变化一周期。当望远镜照准起始方向时，使计数器处于0°状态，那么照准第二个目标时，光电管输出电流的周期数就是两方向之间的光栅数。由于光栅之间的夹角是已知的，所以经过处理就可得到两方向之间的夹角。如果在输出电流的每个周期内再均匀内插 n 个脉冲，对脉冲进行记数，则相当于光栅刻线增加了 n 倍，即角度分辨率提高了 n 倍。

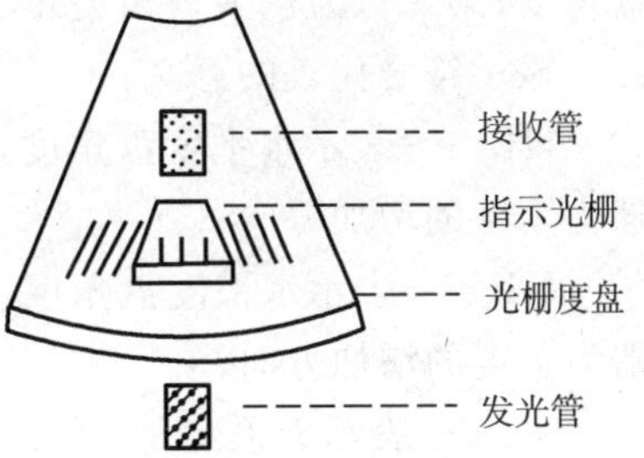

图 3－21　光栅测角原理

3.6　激光准直经纬仪

激光由于具有亮度高、方向性强、单色性好、相干性强等特点，在工程、医疗等方面得到了广泛的应用。以激光束作基准线精度在±1mm 以内的作业，称为激光准直。激光准直，需要激光发射角控制得很小，使光束尽量集中，以获得尽可能长的准直距离。激光经纬仪主要用于准直测量，准直测量就是定出一条标准的直线，作为土建安装等施工放样的基准线。激光准直经纬仪又分为激光光学经纬仪和激光电子经纬仪。

3.6.1　激光准直电子经纬仪简介

激光电子经纬仪除了能保持电子经纬仪的测角精度外，还可向天顶方向垂直发射激光束，作一台激光垂准仪。若配置弯管读数目镜，则可根据竖盘读数对垂直角进行测量。当望远镜照准轴精细调成水平后，又可作激光水准仪及激光扫平仪用。如图3－22是苏州一光仪器有限公司生产的 LT2 激光电子经纬仪，各结构名称注记如图所示。

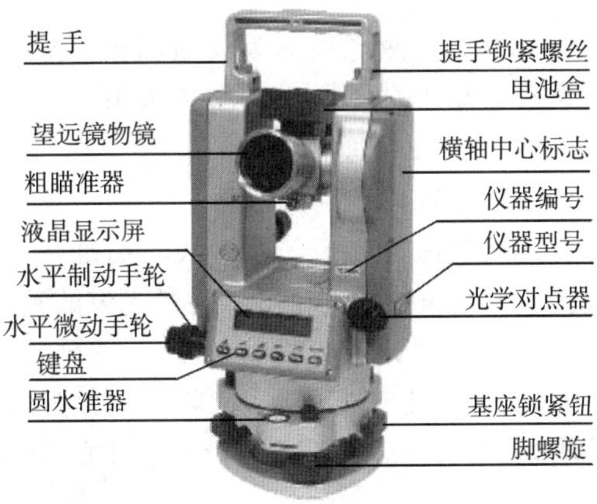

图 3－22　LT2 激光电子经纬仪外形图

1. 仪器结构

图 3－23 是液晶显示屏的外形图。液晶显示屏共显示两行文字：第一行为垂直

盘角度；第二行为水平盘角度和电池容量。

显示符号代表的意义：

HR——表示水平度盘角度，且顺时针转动仪器为角度的增加方向；

HL——表示水平度盘角度，且逆时针转动仪器为角度的增加方向；

Vz——表示天顶距；

V%——表示坡度；

——表示电池容量，黑色填充越多表示容量越足。

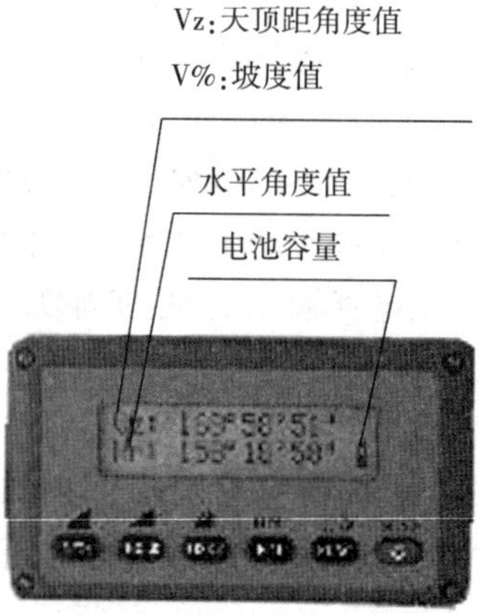

图 3-23　液晶显示屏

2. 仪器操作

激光电子经纬仪的操作与电子经纬仪基本相同，在此不再赘述。下面仅说明激光部分的使用。

(1)定向测量

以已知的两点为基准，找出这两点连线之间的其他点称为激光定向测量。操作步骤为：先将仪器对中并且整平，松开水平制动手轮和垂直制动手轮，通过粗瞄准略瞄准目标，旋紧水平制动手轮和垂直制动手轮，利用水平微动手轮和垂直微动精确瞄准目标。打开激光器电源开关，发射激光束，要找出两点连线上的其他点，要在需要处竖一屏，让激光束聚焦即可。由于红色激光的可见性，很快就可以完成定向测量工作。

(2)布设角度

以两点的连线为基准，按要求做出一个水平角，称为布设角度。操作步骤为：在基准点上将仪器对中并整平，先通过望远镜照准另一基准点，将水平盘置零，然后转动仪器，使得水平盘读数为所要求的角度值。打开激光器电源开关，激光束就会按与基准线成一个固定夹角射出。

(3)天顶测量

以一点为基准，向上垂直出射激光束称为天顶测量。操作步骤为：先将仪器精确对中并整平，打开激光器电源开关，使激光束射向天顶。

可用下述两种方法使激光束处于垂直位置：

竖盘读数为 0 时，即表示垂直；

转动调焦手轮，是目标处的激光光斑最小。旋转照准部，利用垂直微动手轮用法使光斑在目标处晃动最小，光斑晃动的中心即为激光束的垂直位置。

(4)水准测量

先将仪器对中、整平，然后测出仪器指标差，将望远镜调到水平位置，并扣除指标差，旋紧垂直止动手轮，利用垂直微动手轮调整到要求的读数处，这样射出的激光即可以作为水准线使用。

3.6.2　激光准直经纬仪的应用

激光准直电子经纬仪用于较高精度的角度坐标测量和定向准直测量场合，如：

（1）大型船舶的制造；

（2）中小型水坝的坝体位移测量；

（3）重型机器的窗身校正，机件变形测量；

（4）港口、桥梁工程；

（5）大型管道、管线的铺设；

（6）隧道、井巷工程；

（7）高层建筑、大型塔架；

（8）飞机机架安装；

（9）天顶方向的垂线测量；

（10）水准测量。

例如，在开凿地下隧道工程中，过去用普通光学经纬仪等仪器，在人工照明条件下，设立桩标，建立基准线。这种方法一方面需要不断停工，影响掘进速度；另一方面在照明不足、粉尘浓度大的情况下，测程短，需要测的次数多，质量也不易得到保证。而在地铁、隧道工程中，应用激光准直，激光束可达 300 米远，并且亮度大，看得清楚；也便于用光电检测自动控制调整掘进机的方向。在大型掘进中，还可增加激光束的数量，当激光束较多时，可形成开掘面的轮廓，保证工程质量。

3.7　光学经纬仪的检验与校正

根据角度观测原理，经纬仪安置完毕后应满足两个条件：即水平度盘应处在水平位置；视准面，即视准轴绕横轴的旋转面应为竖直平面。其中，第一个条件可以通过整平来实现。为了能够整平仪器，照准部水准管轴必须垂直于竖轴。

在第二个条件中，首先，为了使视准面成为平面，视准轴必须与横轴垂直。否则，视准面将成为锥面。其次，为了使视准面成为竖直平面，横轴必须垂直于竖轴。这样，当竖轴竖直时横轴必然水平，而与横轴垂直的视面也就是竖直平面。

综上所述，经纬仪各轴线之间应当满足下列关系：照准部水准管轴垂直于竖轴；视准轴垂直于横轴；横轴垂直于竖轴。

此外，为了工作方便起见，经纬仪的十字丝竖丝还必须垂直于横轴。

在使用经纬仪之前，必须对上述各项关系依次进行检验，如不满足，应进行校正或采用正确的观测方法消除其误差的影响。

1. 照准部水准管轴的检验与校正

此项检验校正的方法及原理与水准仪所述圆水准器的检验校正相仿。

（1）检验方法

①在土质坚实的地面安置仪器，大致整平。

②使照准部水准管平行于任意两脚螺旋的连线，调此两脚螺旋使气泡精确居中。若水准管轴不垂直于竖轴，交叉成 α 角，如图 3－24(a)所示，此时竖轴必然也偏斜 α 角。

③松开照准部，旋转 180°，若气泡仍然居中，表示条件满足。若气泡偏离中心，如图 3－24(b)，则需校正。此时，水准轴与水平线的交角为 2α。

(2)校正方法

先用脚螺旋将气泡调回偏离格数的一半(图 3－24(c)),再用校正针拨水准管校正螺丝使气泡完全居中(图 3－24(d))。

校正后,应再将照准部旋转 180°,若气泡仍不居中,应按上法再进行校正。如此反复进行,直至条件满足。

照准部圆水准器的检验,可用已校正的水准管将仪器严格整平后观察圆气泡是滞居中来进行。若不居中,可直接调圆水准器校正螺丝将气泡调至居中。

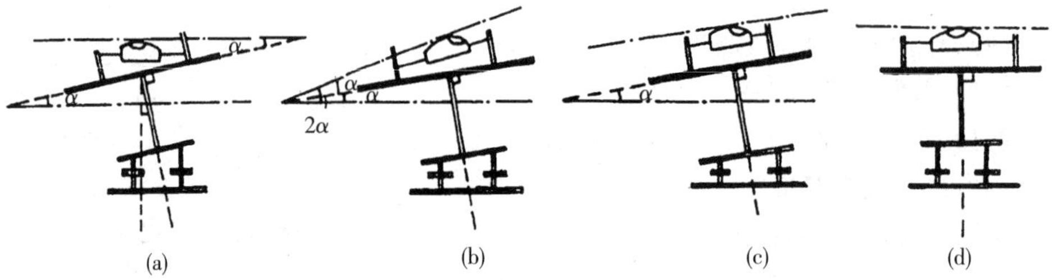

图 3－24　照准部水准管轴的检验与校正

2. 十字丝的检验与校正

观测时,瞄准应以十字丝交点为准。但当十字丝处于正确位置时,用竖丝上任意一点瞄准同一目标时水平度盘读数应不变,用横丝上任意一点瞄准同一目标时竖直度盘读数也应不变,这能给观测工作提供方便。所以,在观测前应对此项条件进行检验。

(1)检验方法

整平仪器后用十字丝交点瞄准一明显目标,固定照准部,调节望远镜微动螺旋使望远镜徐徐转动,若所瞄目标始终沿着竖丝移动,则条件满足(如图 3－25(b)所示)。否则说明竖丝不垂直于横轴 HH(如图 3－25(c)所示),应进行校正。

(2)校正方法

松开十字丝环的压环螺丝(如图 3－25(a)所示),转动十字丝环使条件满足(如图 3－25(d)所示),再将压环螺丝上紧。

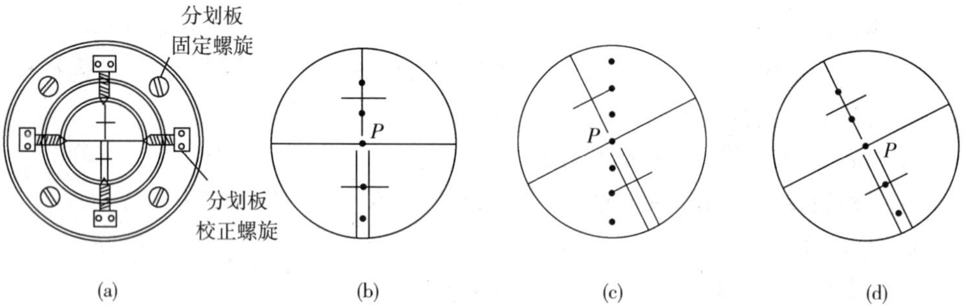

图 3－25　十字丝的检验与校正

(3)误差消除方法

如果每次都用十字丝交点瞄准目标,即可避免此项误差的影响。

3. 视准轴的检验与校正

视准轴是物镜光心与十字丝交点的连线。仪器的物镜光心是固定的,而十字丝交点的位置是可能变动的。因此，视准轴是否垂直于横轴，取决于十字丝交点是否处于正确的位置。当十字丝交点偏向一边时，视准轴不与横轴垂直，形成视准误差，常用 c 表示。

(1)检验方法

整平仪器，以盘左瞄准大致水平方向的远处明显目标 A，读取水平度盘读数，设为 $m_{左}$。

将仪器变换为盘右位置，仍瞄准目标 A，读取水平度盘读数，设为 $m_{右}$。若 $m_{左}=m_{右}\pm180$，说明视准轴垂直于横轴；否则，说明条件未能满足，其差值为二倍视准差，即 $2C$。

如图 3-26，视准轴不垂直于横轴。盘左时(图 3-26(a))，因视准轴偏于正确位置的左侧，使 $m_{左}$ 比正确读数大了 C 值。盘右时(图 3-26(b))，因视准轴偏于正确位置的右侧，使 $m_{右}$ 比正确读数小了 C 值。设盘左时的正确读数为 m，则

$$m_{左}=m+c$$

$$m_{右}=m\pm180-c$$

由上两式可得：

$$m=\frac{1}{2}[m_{左}+(m_{右}\pm180^{\circ})]$$

$$2c=m_{左}-(m_{右}\pm180^{\circ})$$

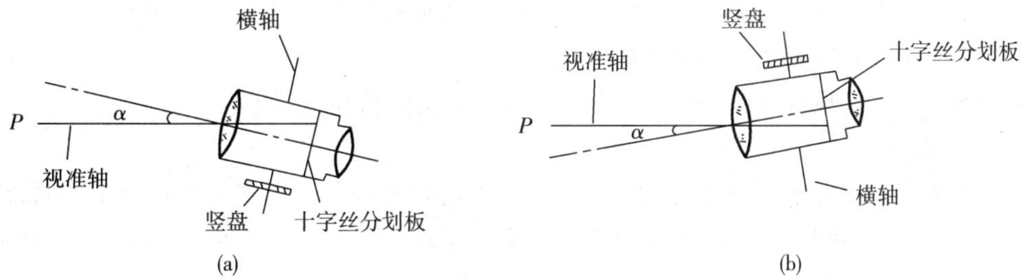

图 3-26　视准轴检验与校正

(2)校正方法

求得正确读数 m，在检验时的盘右位置，调节水平微动螺旋，使度盘读数为 $m\pm180^{\circ}$。此时，十字丝交点必偏离目标 P。因为 $m\pm180^{\circ}$ 是盘右 $C=0$ 时的正确读数，所以只要调十字丝环左右两校正螺丝，使十字丝交点对准目标，视准轴即处于与横轴垂直的位置。

此项检验校正，也需重复进行，才能达到目的。

(3)误差消除方法

只要用盘左、盘右进行观测，取观测结果的平均值，即可求得消除视准误差影响

的正确结果。

4. 横轴的检验与校正

(1)检验方法

①在离墙不远的地方安置仪器,以盘左瞄准高处一点 M,固定照准部,将望远镜大致调至水平,指挥另一人在墙上标出十字丝交点的位置,设为 m_1(图 3-27(a))。

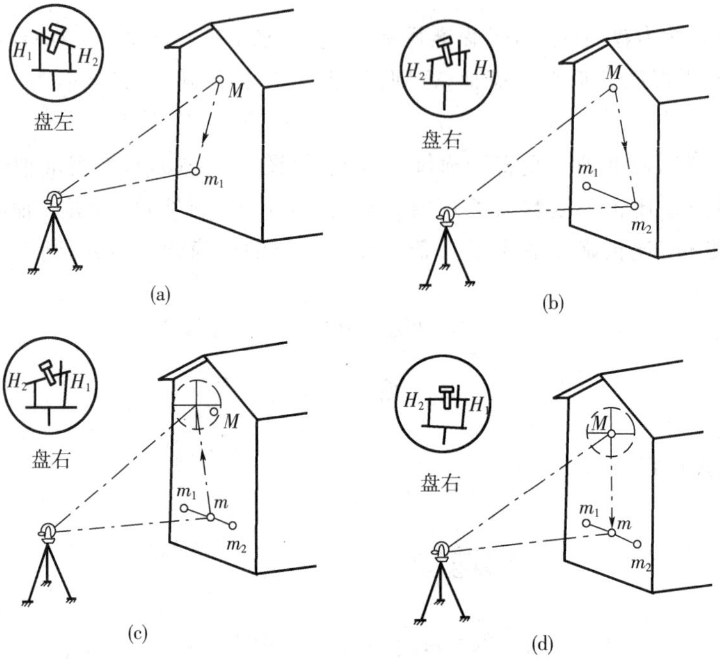

图 3-27　横轴的检验与校正

②将仪器变换为盘右,仍瞄准 M 点,再将望远镜大致置于水平,用同法在墙上又一次标出十字丝交点的位置,设为 m_2(图 3-27(b))。

若 m_1 与 m_2 重合,则表示条件满足;否则,存在横轴倾斜误差。

(2)校正方法

如果仪器的横轴不垂直于竖轴,当竖轴竖直时横轴必不水平,此时,即使视准轴垂直于横轴,视准面也不是竖直面而是倾斜面,如果盘左时视准面偏于竖直面的某一侧,盘右时必然等量地偏于另一侧。显然,其平均位置即为正确位置。

校正时,使仪器瞄准 m_1 与 m_2 的中点 m,固定照准部,旋转望远镜瞄向 M 点,此时 M 点必不在十字丝交点上(图 3-27(c)),调节横轴的偏心板(游标经纬仪为校正螺丝),令其一端抬高或降低,使十字丝交点对准 M 点(图 3-27(d)),横轴即处于与竖轴垂直的位置。

光学经纬仪的横轴是密封的,一般仪器均能保证横轴垂直于竖轴的正确关系。若发现较大的横轴误差,应送检修部门进行校正。

(3)误差消除方法

用盘左、盘右进行观测,取观测结果的平均值,即可获得消除了横轴倾斜误差影响的正确结果。

3.8 水平角测量误差分析

水平角测量中有各种各样的误差来源，下面就水平角观测中的主要误差来源及其对测角精度的影响加以分析说明。

1. 仪器误差

仪器误差的来源有两个方面，一是属于仪器制造方面的，如度盘偏心、度盘刻划误差等；另一方面是由于仪器校正不完善而存在的残余误差，如竖轴与照准部水准管轴不完全垂直、视准轴与横轴的残余误差等。经严格检校过的仪器，这些误差一般都很小，在容许的范围内，对测角精度影响不大。有的可通过采用适当的观测方法来消除或减弱其影响，如采用盘左、盘右两个位置进行观测、多测回变换度盘位置等。

2. 观测误差

(1)仪器对中误差与目标偏心误差

如图 3-28 所示，O 为测站中心，O'为仪器中心，β'为有仪器对中误差时的角度(即实测角度)，β 为正确的角度，则

$$\beta=\beta'-(\delta_1+\delta_2)$$

而：

$$\delta_1=\frac{e\cdot\sin\theta}{S_1}\rho$$

$$\delta_2=\frac{e\cdot\sin(\beta'+\theta)}{S_2}\rho$$

所以，

$$d\beta=\beta'-\beta=\delta_1+\delta_2=e\cdot\rho\left(\frac{\sin\theta}{S_1}-\frac{\sin(\beta'+\theta)}{S_2}\right)$$

实际上，如图 3-28，O'的位置可在以 O 为圆心，e 为半径的圆周上的任意位置，即 θ 角每变化一个 $d\theta$ 就有一个 $d\beta$。按中误差的定义，可得 β 角的中误差：

$$m_{中}^2=\frac{[d\beta\cdot d\beta]}{\frac{2\pi}{d\theta}}$$

$$=\rho^2\cdot\frac{e^2}{d\pi}\int_0^{2\pi}\left(\frac{\pi}{s_1^2}+\frac{\pi}{s_2^2}-2\,\frac{\pi\cos\beta'}{s_1 s_2}\right)$$

推导可得：

$$m=\frac{\rho\cdot e}{\sqrt{2}}\cdot\frac{s_{AB}}{s_1\cdot s_2} \qquad (3-10)$$

图 3-28 为仪器对中误差。

目标偏心如图 3-29 所示，目标偏心对水平角的影响如式 3-11，此不详述。

$$m_{偏}=\sqrt{m_{偏A}^2+m_{偏B}^2}$$

$$=\frac{1}{\sqrt{2}}\rho\cdot\sqrt{\frac{e_1^2}{s_1^2}+\frac{e_2^2}{s_2^2}} \tag{3-11}$$

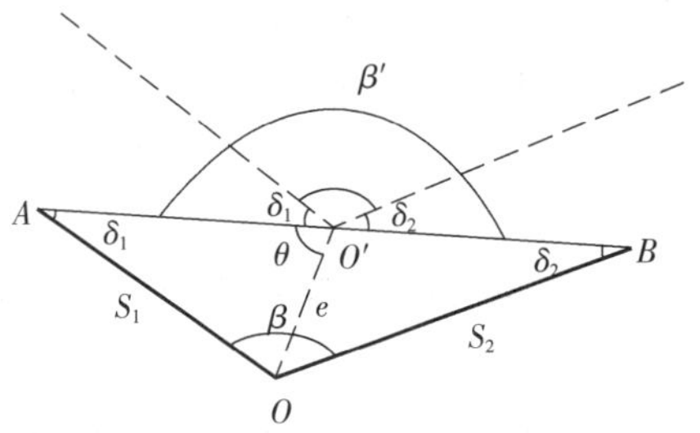

图 3-28　仪器对中误差

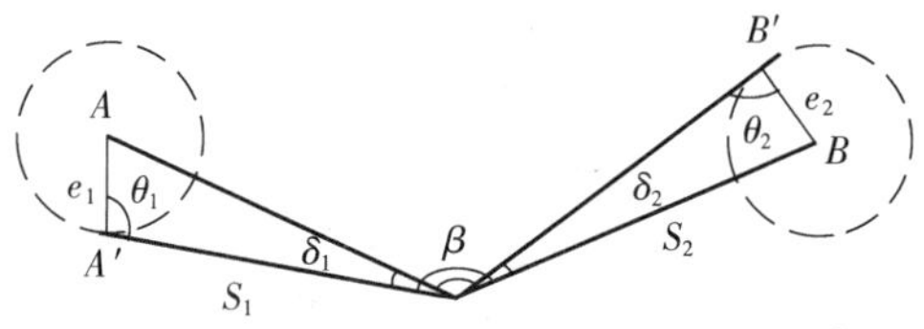

图 3-29　目标偏心误差

由式(3-10)可知，仪器对中误差对水平角的影响与两目标之间的距离 S_{AB} 成正比，即水平角在 180°时最大(此时 $S_{AB}=s_1+s_2$)；而与测站至目标的距离 s_1 和 s_2 的乘积成反比，距离越短，影响越大。

由式(3-11)可知，目标偏心误差对水平角的影响与测站至目标的距离 s_1 和 s_2 有关，距离越短，影响越大，但与 β 的大小无关。

仪器对中误差和目标偏心误差均属于“对中”性质的误差。为了减弱这两种误差的影响，对于短边的角度应特别注意对中，瞄准目标时要尽量瞄准目标的下部。

(2)照准误差与读数误差

这两项误差主要取决于仪器的构造及设计精度，但与观测者的技术水平也是密不可分的。例如 J6 光学经纬仪(测微尺读数装置)的读数误差可以不超过 6″，但如果观测者技术不熟练，调焦不佳，估读误差可能大大超过此数。因此，观测者除应认真仔细的观测外，还要努力提高自己的操作技术水平。

3. 外界条件影响

同水准测量一样，来自外界条件影响的因素很多，如大气透明度会影响照准精度、温度变化会影响仪器的正常状态等，要完全避免这些影响是不可能的。野外作业时应尽量选择有利的观测条件而避开不利的条件，从而将这些外界条件的影响降低到“最小”。

实际上，水平角的观测精度与上述各种误差的综合影响有关。为保证测角的精度，应对仪器定期进行检校，观测时严格遵守规范规定，采用合理的观测方法。

思考题与习题

1. 水平角、竖直角是如何定义的？如何测定水平角、竖直角？

2. 什么是竖盘指标差？如何检验并消除指标差？

3. 简单叙述测回法和方向观测法测量水平角的方法和步骤。

4. 设在 O 点安置经纬仪，利用盘左观测，观测左目标 A 的读数为 300°30′00″，观测右目标 B 的读数为 10°30′12″，求水平角∠AOB 等于多少？

5. 整理表 3-5 和表 3-6 水平角观测记录和竖直角观测记录。

表 3-5　水平角观测记录(测回法)

测站	目标	竖盘位置	水平度盘读数			半测回角值			一测回角值			备注
			°	′	″	°	′	″	°	′	″	
O	A	左	347	16	30							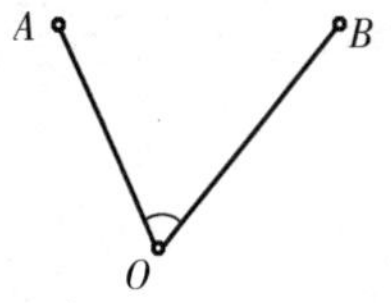
	B		48	34	24							
	A	右	167	15	42							
	B		228	33	54							

表 3-6　竖直角观测记录

测站	目标	竖盘位置	竖直度盘读数			半测回角值			一测回角值			备注
			°	′	″	°	′	″	°	′	″	
O	A	左	72	18	18							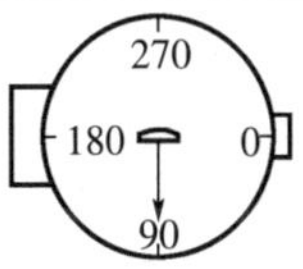
		右	287	42	00							
	B	左	96	32	48							
		右	263	27	30							

6. 利用经纬仪测量竖直角时，在每次读数之前都要调节竖盘指标水准管微倾螺旋使气泡居中，为什么？

7. 用 J6 级经纬仪观测一目标，盘左竖盘读数为 81°44′24″，盘右读数为 278°15′24″，试计算竖直角和经纬仪的竖盘指标差。如果仍然使用该仪器在盘左位置观测另一目标，得竖盘读数为 99°58′12″，则此时正确的竖直角是多少？

8. 经纬仪主要有哪些轴线？应该满足哪些重要条件？

9. 电子经纬仪与光学经纬仪有什么不同点和相同点？

10. 水平角测量的误差主要有哪些？在测量中应该注意什么？

第4章

光电测距

[本章导读]

本章主要介绍光电测距的原理及测距仪的使用。通过本章的学习，读者能初步掌握测距仪使用的方法。

[知识目标]

1. 掌握光电测距原理。
2. 掌握全站仪及其使用。
3. 掌握光电测距成果整理。
4. 了解距离测量的误差分析及注意事项。

[能力目标]

1. 掌握全站仪的使用方法。
2. 掌握光电测距的计算。

[重点难点]

1. 全站仪的使用。
2. 光电测距技术要求。

4.1 测距原理

4.1.1 概述

在前面的有关章节中我们提到，地面点位的确定，是通过测定高程、角度和距离三个基本要素来实现的。高程通常采用水准测量和三角高程测量的方法确定；角度采用经纬仪测量水平角和竖直角确定。本章讲述距离的测量方法。

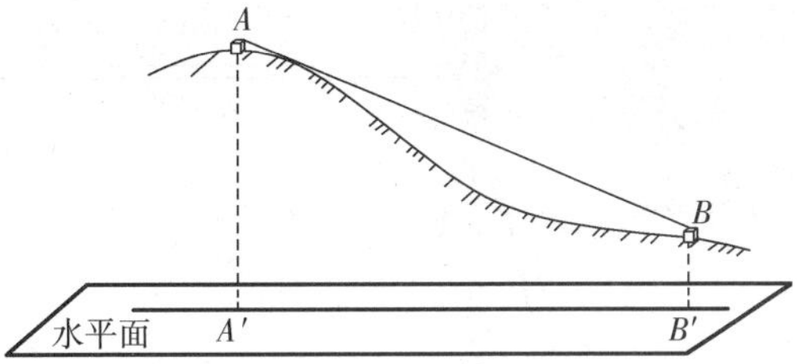

图 4－1　两点间的水平距离

测量上要求的距离是指两点间的水平距离（简称平距），如图 4－1 中，$A'B'$的长度就代表了地面点 A、B 之间的水平距离。若测得的是倾斜距离（简称斜距），如图 4－1 中的 AB 长，则还须将其改算为平距。

图 4－2　钢尺量距

水平距离测量的方法很多，按所用测距工具的不同，测量距离的方法一般有钢尺量距、视距测量和电磁波测距等。

钢尺量距是利用检定好的钢尺，直接测量待测两点间的直线距离的一种量距方法（如图 4－2）。钢尺量距原理简单，操作简便，测量工具价格便宜。在距离不长，精度要求不是很高的情况下，钢尺量距是距离测量首选的方式。但其缺点在于劳动强度大、效率低，不适宜于长距离高精度的测距要求，在复杂的地形条件下甚至无法工作。

视距测量是根据几何光学和三角测量的原理，利用水准仪或经纬仪望远镜内分划板上的上、下视距丝，配合视距尺，可以同时测定距离 D、高差 h（如图 4－3）。视距测量可以在进行水准测量或角度测量的同时进行，操作相对简单快捷；但由于受到大气折射的外部环境影响，测距精度较低，还不及钢尺量距的精度高，无法满足高精度的测距

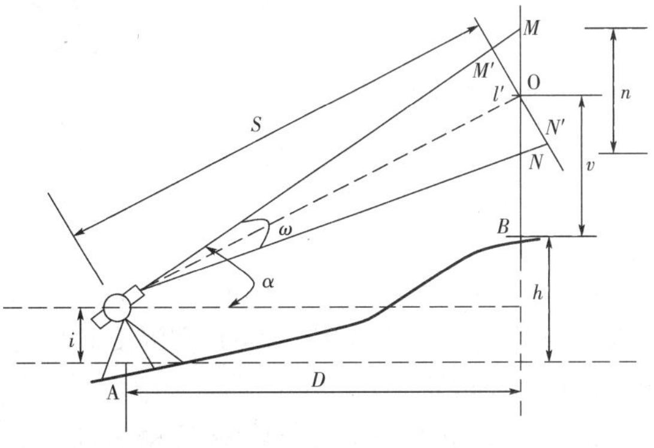

图 4－3　视距测量示意图

需求。

20世纪40年代，人们研制出了以红外线作为测距介质的光电测距仪，其工作原理如图4-4所示。60年代，随着激光技术的出现及电子计算机技术的发展，各种类型的电磁波测距仪相继出现。到了90年代，又出现了将测距仪和电子经纬仪的功能集成于一体的电子全站仪，除了可自动显示角度、距离数据外，它还可以通过仪器内部的微处理器，直接得到地面点的空间坐标。

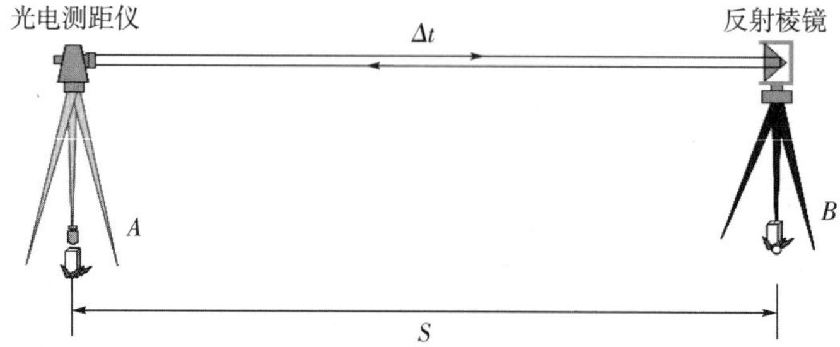

图4-4 光电测距

电磁波测距仪的出现，克服了高精度测距这一测量工程中的瓶颈。与钢尺量距的麻烦和视距测量的低精度相比，电磁波测距具有测程长、精度高、操作简便、自动化程度高的优越特点。根据测距介质的不同，电磁波测距可分为利用微波作载波的微波测距和利用光波作载波的光电测距。在工程测量中，广泛采用的是利用光电测距原理生产的光电测距仪，利用微波测距原理生产的微波测距仪大多用于军事测绘上。

经过几十年的发展，目前光电测距原理及技术都已相当成熟，光电测距产品在测绘领域的应用也已普及，越来越多的测绘工作者，已经采用光电测距代替了普通钢尺量距和视距法距离测量。为顺应社会发展要求，突出重点，本章略去对钢尺量距和视距测量的详细介绍，而重点介绍光电测距。

4.1.2 光电测距原理

通过测量光波在待测距离上往返一次所经历的时间，来确定两点之间的距离。如图4-4所示，在A点安置测距仪，在B点安置反射棱镜，测距仪发射的调制光波到达反射棱镜后又返回到测距仪。设光速c为已知，如果调制光波在待测距离S上的往返传播时间为t_{2S}，则距离S为

$$S=\frac{1}{2}c\,t_{2S} \tag{4-1}$$

式中：$c=c_0/n$，其中c_0为真空中的光速，其值为299792458m/s，n为大气折射率，它与光波波长λ，测线上的气温T、气压P和湿度e有关。因此，测距时还需测定气象元素，对距离进行气象改正。

由(4-1)式可知，测定距离的精度主要取决于时间t_{2S}的测定精度，即$\mathrm{d}S=\frac{1}{2}c\mathrm{d}t_{2S}$。当要求测距误差$\mathrm{d}S$小于1cm时，时间测定精度$\mathrm{d}t$要求准确到$6.7\times10^{-11}$

秒，这是很难做得到的。因此，dt_{2S}的测定一般采用间接的方式来实现。间接测定dt_{2S}的方法有如下两种：

1. 相位法测距

相位法测距是通过测量连续的调制光波在待测距离上往返传播所产生的相位变化来间接测定传播时间，从而求得被测距离。红外光电测距仪就是典型的相位式测距仪。

目前市面上红外光电测距仪的红外光源通常是由砷化镓(GaAs)发光二极管产生的。如果在发光二极管上注入一恒定电流，它发出的红外光光强则恒定不变，如图 4-5(a)。若在其上注入频率为 f 的高变电流(高变电压)，则发出的光强随着注入的高变电流呈正弦变化，如图 4-5(b)所示，这种光称为调制光。

测距仪在 A 点发射的调制光在待测距离上传播，被 B 点的反射棱镜反射后又回到 A 点而被接收机接收，得到调制光在待测距离上往返传播所引起的相位偏移 φ，其相应的往返传播时间为 t_{2S}。如果将调制波的往程和返程展开，则有如图 4-6 所示的波形。

设调制光的频率为 f(每秒振荡次数)，其周期 $T=\frac{1}{f}$(每振荡一次的时间(s))，则调制光的波长为

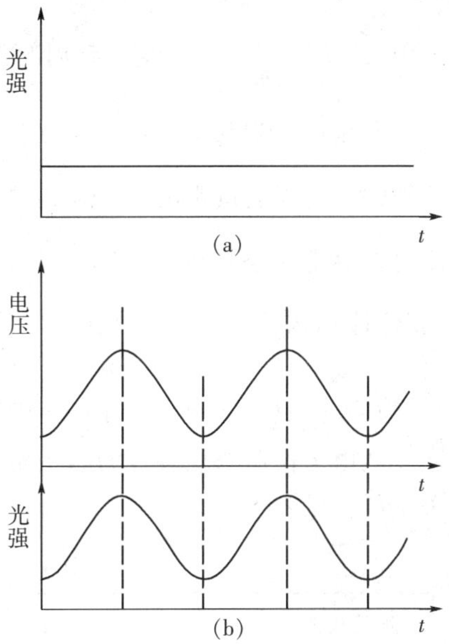

图 4-5　光的调制

$$\lambda=c\cdot T=\frac{c}{f} \tag{4-2}$$

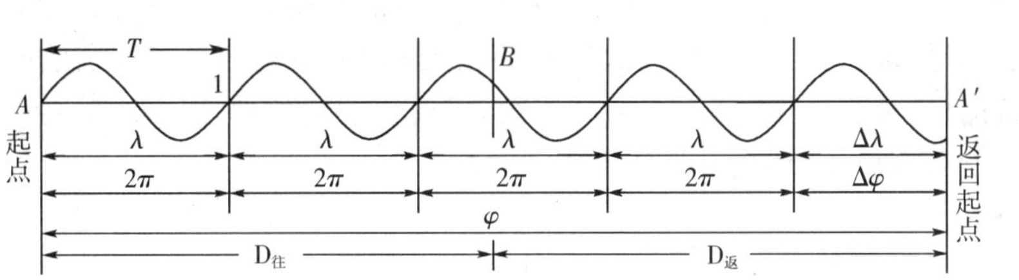

图 4-6　相位式测距原理

从图中可看出，在调制光往返的时间 t_{2S}内，其相位变化了 N 个整周(2π)及不足一周的余数 $\Delta\varphi$，而对应 $\Delta\varphi$ 的时间为 Δt，距离为 $\Delta\lambda$，则有

$$t_{2S}=NT+\Delta t \tag{4-3}$$

由于变化一周的相位差为 2π，因此不足一周的相位差 $\Delta\varphi$ 与时间 Δt 的对应关

系为

$$\Delta t=\frac{\Delta\varphi}{2\pi}\cdot T \tag{4-4}$$

于是得到相位测距的基本公式：

$$S=\frac{1}{2}c\cdot t_{2S}=\frac{1}{2}c\cdot(NT+\frac{\Delta\varphi}{2\pi}T)=\frac{1}{2}c\cdot T(N+\frac{\Delta\varphi}{2\pi})=\frac{\lambda}{2}(N+\Delta N) \tag{4-5}$$

式中：$\Delta N=\frac{\Delta\varphi}{2\pi}$——不足一整周的小数。

在相位测距基本公式(4－5)中，常将$\frac{\lambda}{2}$看做是一把“光尺”的尺长；测距仪就是用这把“光尺”去丈量距离的。N 为整尺段数，ΔN 为不足一整尺段之余数。两点间的距离 S 就等于整尺段总长$\frac{\lambda}{2}\cdot N$ 和余尺段长度$\frac{\lambda}{2}\cdot\Delta N$ 之和。测距仪的测相装置(相位计)只能测出不足整周(2π)的尾数 $\Delta\varphi$，而不能测定整周数 N，因此(4－5)式将会产生多值解。只有当所测距离小于光尺长度时，才能有确定的数值。例如，“光尺”为 10m，只能测出小于 10m 的距离；“光尺”为 1000m，则可测出小于 1000m 的距离。又由于仪器测相装置的测相精度一般为 1/1000，故测尺越长测距误差越大，其关系可参见表 4－1。

表 4－1　测尺长度与测距精度

测尺长度($\lambda/2$)	10m	100m	1km	2km	10km
测尺频率(f)	15MHz	1.5MHz	150kHz	75kHz	15kHz
测距精度	1cm	10cm	1m	2m	10m

为了解决扩大测程与提高精度的矛盾，目前的测距仪一般采用两个调制频率，即两把“光尺”进行测距。用长测尺(称为粗尺)测定距离的大数，以满足测程的需要；用短测尺(称为精尺)测定距离的尾数，以保证测距的精度。将两者结果衔接组合起来，就是最后的距离值，并自动显示出来。

例如：

粗测尺结果 0320
精测尺结果　　3.817

显示距离值　0323.817m

若想进一步扩大测距仪器的测程，可以多设几个测尺。目前工程测量应用中以相位法测距的红外光电测距仪占绝大多数，它们的测程在一公里到几公里的范围不等，测距精度都在毫米级。图 4－7 列出了红外光电测距仪的应用情景。

图 4-7　红外测距仪应用情景图

2. 脉冲法测距

由测距仪发出的光脉冲经反射棱镜反射后，又回到测距仪而被接收系统接收，测出这一光脉冲往返所需时间间隔 t 的光脉冲个数，进而求得距离图 4-8 是脉冲法测距的工作原理框图。

测距开始，由光脉冲发生器发射出一束光脉冲，经发射光学系统投射到被测目标上；与此同时，由取样棱镜取出一小部分光脉冲送入接收光学系统，并由光电接收器转换为电脉冲(称为主波脉冲)，作为计时起点。从被测目标反射回来的光脉冲通过接受光学系统后，也被光接收器接收，并转换为电脉冲(也称为回波脉冲)，作为计时终点。由此可见，主波脉冲和回波脉冲之间的时间间隔就是光脉冲在测线上往返转播的时间 t_{2S}，而 t_{2S} 是由时标脉冲振荡器不断产生的具有时间间隔 t 的电脉冲来决定的。

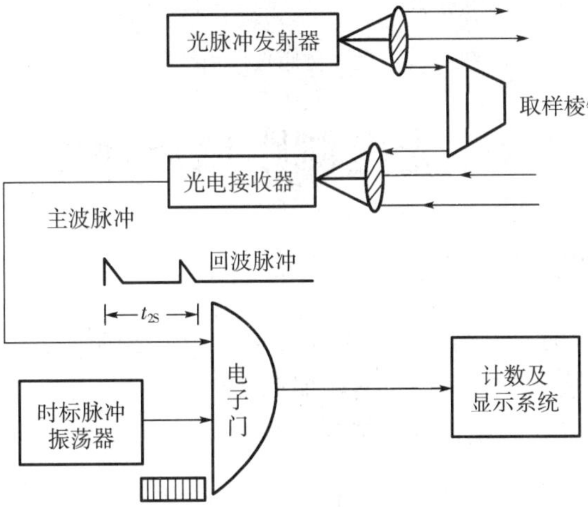

图 4-8　脉冲法测距的工作原理框图

由于：

$$t_{2S}=nt$$

因此：

$$S=\frac{1}{2}c\times t_{2S}=\frac{1}{2}c\times nt=nd \qquad (4-6)$$

式中：n——时标脉冲的个数；

$d=\frac{1}{2}ct$——指在时间 t 内光脉冲往返所走的一个单位距离。

只要事先选定一个 d 值(如 10m，5m，1m 等)，记下送入计数系统的脉冲数目，就可以直接把所测距离($S=nd$)用数码管显示出来。

在测距之前,“电子门”是关闭的,时标脉冲不能进入计数系统。测距开始,在光脉冲发射的同一时间,主波脉冲把“电子门”打开,时标脉冲就一个一个经过“电子门”进入计数系统,计数系统开始记录脉冲数目;当回波脉冲到达把“电子门”关上后,计数系统停止计数。此时计数系统记录下来的光脉冲数目,就代表了被测的距离值。

脉冲式光电测距仪一般用固体激光器作光源,能发射高频率的激光脉冲,可以不用反射棱镜作为合作目标,直接用被测目标对激光脉冲产生的漫反射进行测距,通常称之为无棱镜或免棱镜激光测距。使用激光免棱镜测距可以免除跑尺的工作,从而减轻测绘工作的劳动强度,提高作业效率。激光免棱镜测距尤其适合在房屋室内墙面、悬挂物、电线杆、高大建筑楼壁等不便架设棱镜以及不适合人员进入的危害性环境中进行测量(如图 4-9)。

图 4-9 激光测距仪应用情景图

4.2 光电测距仪及使用

4.2.1 光电测距仪的分类

目前国内外生产的光电测距仪型号众多,为了研究和使用上的便利,需要对光电测距仪进行分类,表 4-2 按“测定测距时间 t 的方法”、“测程”、“测距光源”和“测距精度”四种分类标准对测距仪进行了分类。

表 4-2 光电测距仪分类表

分类标准	类型		备注
	名称	标准	
测定测距时间 t 的方法	脉冲式测距仪	测定发射和接收光脉冲的时间差	
	相位式测距仪	测定调制光波往返传播产生的相位差	
测程	远程测距仪	测程>15km	
	中程测距仪	测程在 3～15km 之间	
	短程测距仪	测程<3km	

（续表）

分类标准	类型		备注
	名称	标准	
测距光源	激光测距仪	用激光作为测距光源	
	红外测距仪	用红外光作为测距光源	
测距精度	I 级测距仪	$m_S \leqslant 5mm$	测距仪精度公式： $m_S = A + B \times S$ A：固定误差 B：比例误差系数 S：测距长度
	II 级测距仪	$5mm < m_S \leqslant 10mm$	
	III 级测距仪	$10mm < m_S \leqslant 20mm$	

4.2.2 光电测距仪的使用

目前在工程测量领域应用最普遍的测距仪，是按测程分类的中短程测距仪，尤其以短程测距仪应用最广。近年来，光电测距仪朝着轻便、多功能、高精度和自动化的方向发展，随着电子测角技术的出现及成熟，集成了光电测距和电子测角功能的全站型电子速测仪（简称全站仪），在工程测绘领域已得到了普及应用。除了测程在一百到几百米的手持激光测距仪外，测程在一公里以上的短程测距仪已经很少单独生产和使用，而是集成在全站仪的测距功能部件中了。因此，下面分别介绍手持激光测距仪和全站仪的使用。

4.2.2.1 手持激光测距仪的使用

1. 概述

手持激光测距仪是脉冲式激光测距仪中的一种，是自 20 世纪 90 年代才发展起来的一种新型激光测距仪。手持激光测距仪体积小、重量轻，有的只有移动电话大小。它采用数字测相脉冲展宽细分技术，无需合作目标，测距精度可达到毫米级，测程在几十米到几百米不等，能够快速准确地直接显示距离。

手持式激光测距仪是短程精密工程测量、房屋建筑面积测量中一种新型的长度计量标准器具，目前已经广泛应用于房地产测绘、建筑施工测量、室内装潢测量、电力线路测量、地下工程测量以及工业安装测量等。

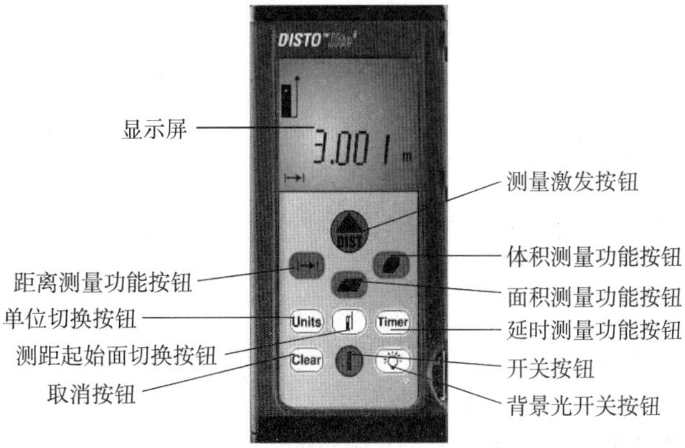

图 4－10 Disto Lite5 手持激光测距仪外观

目前应用最多的是瑞士莱卡（Leica）公司生产的迪士通（DISTO）系列手持激光测距仪（如图 4－10）。该品牌的手持激光测距仪具有以下一些特点：

(1)用可见的激光束照准目标，按键即进行测量，并显示测量结果。

(2)激光测距精度高，可达 1.5～5mm/100m，测程 20cm～100m；配合反射板可达 300m。

(3)可以进行跟踪测量，无需按键，指向哪个方向就测向哪个方位。

(4)与北光、苏一光、西光、南方、大地等厂家的经纬仪连接，可做半站仪使用，非常方便；用它可进行等外导线测量、碎部放样、大面积扫平、工程量验收等；它既可以直接测量，也可以利用反射板测量。

(5)利用微机可实现远距离的自动控制，进行定点测量、数据传输、数据处理、定时测量、开关机等。

下面简要介绍 Leica Disto 激光测距仪中的基本型号 Lite5 手持激光测距仪的使用方法。

2. Leica Disto Lite5 手持激光测距仪的使用

表 4-3 所列是 Disto Lite5 手持激光测距仪的主要技术指标。

表 4-3　Disto Lite5 手持激光测距仪主要技术指标表

指标名称	指标值	指标名称	指标值
测程范围	0.05m～200m	测距精度	±3mm(30m 以内) <±5mm(200m 以内)
激光等级	II 级	最小显示单位	1mm
防水防尘性能	IP54 级，防尘防溅水	工作温度	使用：－10℃～50℃ 储存：－25℃～70℃
体积	142×73×45mm	重量(含电池)	290g

下面简要介绍仪器的操作方法：

(1)开机/关机

按下“开关按钮”，打开测距仪；再次按下“开关按钮”，关闭测距仪。仪器在开机状态下默认处于“距离测量功能”状态。

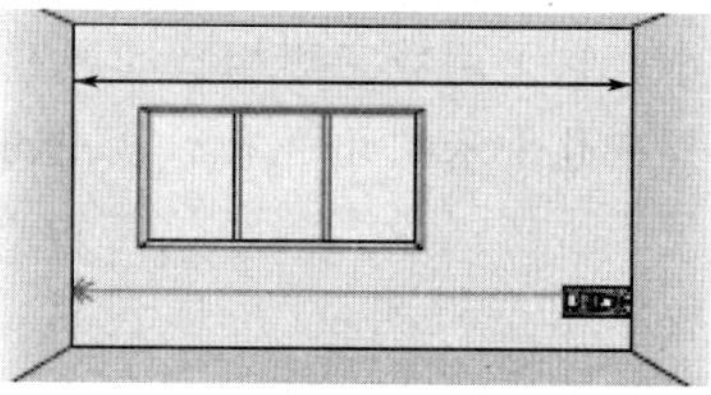

图 4-11　距离测量示意图

(2)测距离

如图 4-11，安置好仪器，按下“测量激发”按钮，此时仪器发射红色的测距激光；再次按下“测量激发”按钮。测距结束，屏幕显示出测距距离。

(3)面积测量

如图 4-12，按下“面积测量功能”按钮，此时仪器处于面积测量功能状态，显示屏提示开始测量。按下“测量激发”按钮，测出一边的距离长度；再次按下“测量激发”按钮，测出另一边的距离长度。屏幕随即显示由这两边组成的矩形的面积大小值。

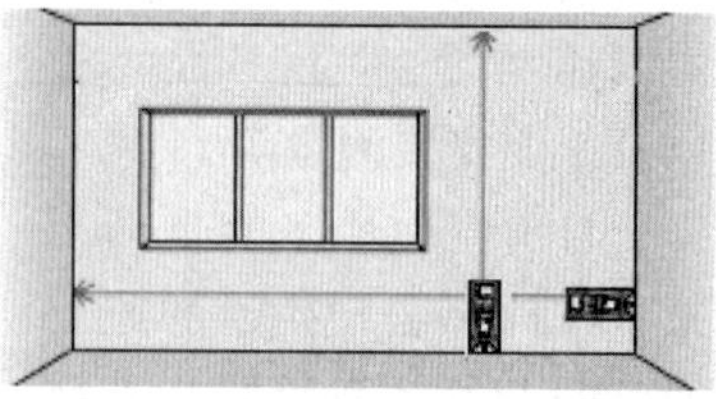

图 4-12　面积测量示意图

(4)体积测量

如图 4-13,按下“体积测量功能”按钮,此时仪器处于体积测量功能状态,显示屏提示开始测量。按下“测量激发”按钮,测出一边的距离长度;再按一下“测量激发”按钮,测出第二条边的距离长度;第三次按下“测量激发”按钮,测出第三条边的距离长度。屏幕随即显示由三边组成的长方体的体积大小值。

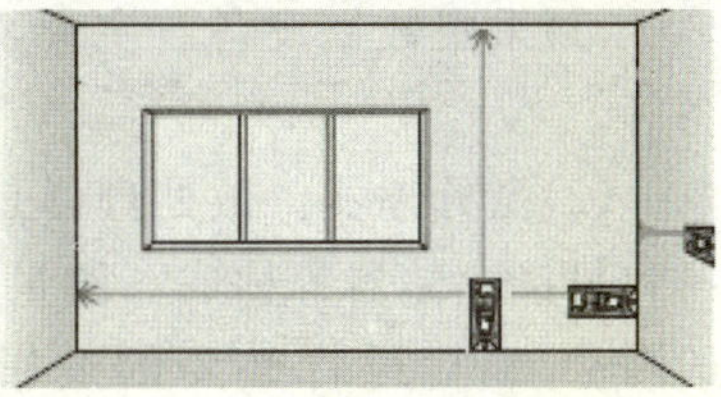

图 4-13　体积测量示意图

(5)延时测量

如图 4-14,按下“延时测量功能”按钮不放,此时仪器处于延时测量功能状态,选取需要延迟测量的时间(最长 60 秒),松开“延时测量功能”按钮,仪器将在经过设定的时间后发射测距激光,获得距离值。

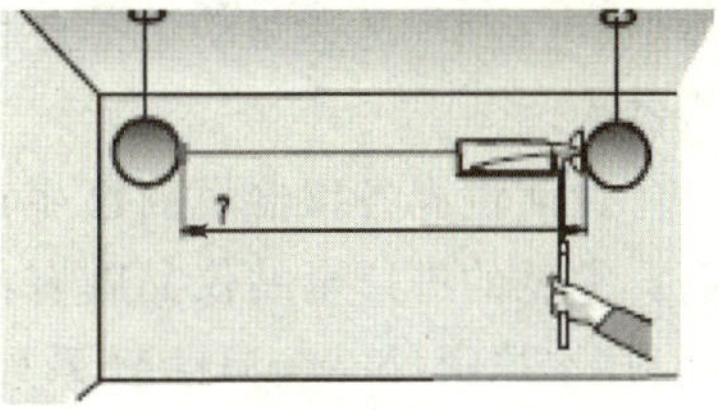

图 4-14　延时测量示意图

(6)仪器设置

按下“单位切换”按钮,可以在“m”和“ft”两种距离单位模式下切换;按下“测距起始面切换”按钮,设置测距起始参考面是以仪器后端平面还是前端平面作为距离测量的起算面。连续按下“测距起始面切换”按钮在两种模式下循环切换,如图 4-15。按下“取消”按钮,清零上次测量的结果值,为下一次测量做准备。按下“背景光开关按钮”,若此时仪器处于“背景光照明”状态,则关闭背景光;若处于“背景光关闭”状态,则打开背光照明。

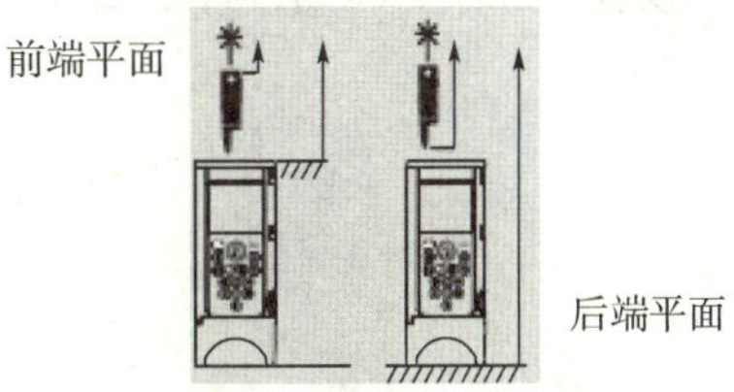

图 4-15　测距起始面设置示意图

3. Disto Lite5 手持激光测距仪使用注意事项

(1)Disto Lite5 使用的是二级激光,不要通过光学镜片(如目镜、望远镜等)直视激光束,否则会对眼睛造成危害;

(2)不要把激光束直接打到抛光物体表面(如镜面、光滑金属表面等),反射回来的激光束可能会意外地损伤眼睛;

(3)不能用 Disto Lite5 测量运动中的物体,所测距离成果不可靠;

(4)要尽所能使激光束垂直于所测物体表面,并且所测物体表面颜色不能太深(如黑色),以确保测距成果的精度;

(5)不要在雨雪天气测量,雨点、雪花的反射会使测距成果不可靠;在测距路径上尽量避免有障碍物,障碍物对激光的反射干扰也会使得测距成果不可靠。

4.2.2.2　全站仪的使用

1. 概述

全站型电子速测仪是由电子测角、电子测距、电子计算和数据存储等单元组成的三维坐标测量系统。它能自动显示测量结果,能与外围设备交换信息的多功能测量仪器。由于仪器较完善地实现了测量和处理过程的电子一体化,所以人们通常称之为全站型电子速测仪或简称全站仪。

全站仪由以下两大部分组成：

(1)采集数据设备。主要有电子测角系统、电子测距系统、还有自动补偿设备等。

(2)微处理器。微处理器是全站仪的核心装置，主要由中央处理器，随机储存器和只读存储器等构成。测量时，微处理器根据键盘或程序的指令控制各分系统的测量工作，进行必要的逻辑和数值运算以及数字存储、处理、管理、传输、显示等。

随着计算机技术的不断发展与应用以及用户的特殊要求，还出现了防水型、防爆型、电脑型、马达驱动型等各种类型的全站仪，以及能够自动跟踪测量目标的测量机器人。

目前世界各仪器厂商已生产出各种型号的全站仪，品种越来越多，精度越来越高。常见的进口全站仪品牌有：瑞士徕卡(Leica)TPS 系列、美国天宝(Trimble)S 系列、日本尼康(Nikon)DTM 系列、拓普康(Topcon)GTS 系列、宾得(Pentax)R 系列、索佳(Sokkia)SET 系列；我国生产的全站仪有：广州南方测绘仪器公司的 NTS 系列、广州科力达测绘仪器公司的 KTS 系列、北京博飞仪器股份有限公司(原北京光学仪器厂)的 BTS 系列(如图 4-16)。

图 4-16　常见进口、国产全站仪品牌

国产品牌的电子全站仪和进口品牌的全站仪相比，在实现的测量功能上基本没有什么差别，有的甚至更符合国内测绘工作者的工作习惯。但是在仪器本身的稳定性、操作的舒适性以及设计的人性化方面，却还有不小的差距。

全站仪的使用可以分为：

(1)观测前的准备工作；

(2)基本测量工作(角度测量、距离测量)；

(3)专门测量工作(坐标测量、坐标放样、导线测量、交会定点等)。

由于电子全站仪的核心功能都是测角测距，因此虽然品牌型号不同，但在使用方法上是大同小异的。下面以广州南方测绘仪器公司生产的 NTS－322 为例介绍全站仪的基本使用方法。

2. 南方 NTS－322 全站仪的使用

图 4－17 所示为该全站仪的外形和外部构件名称。

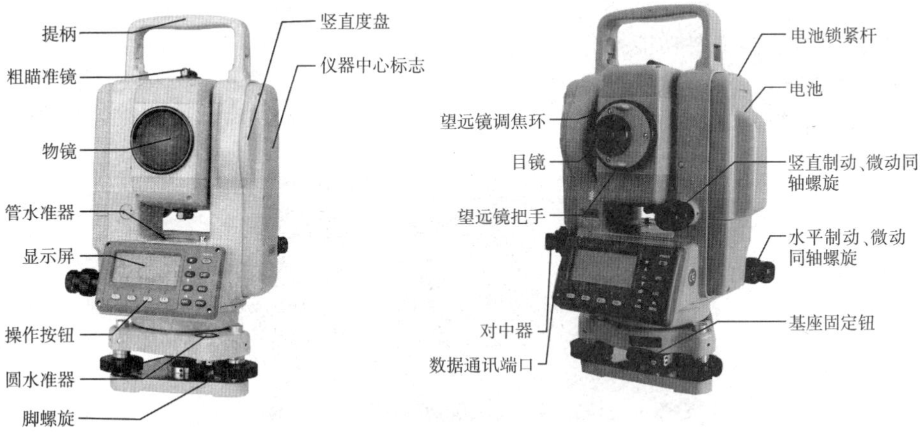

图 4－17　NTS－322 全站仪的外形

NTS－322 是一种 2″级全站仪，角度最小显示为 1″，测距精度为 $\pm(3+2\text{ppm}\times D)$mm，单棱镜测程 1800m，最小显示 1mm，具有温度、气压输入自动改正功能。

该仪器具有下列一些特点：

具备丰富的测量程序，同时具有数据存储功能、参数设置功能。

操作按键采用了软键盘的方式，按键少，操作提示直观，易学易用。

采用具有内存的程序模块，可同时存储测量数据和坐标数据 3440 点以上；可以方便地进行内存管理，可对数据进行增加、删除、修改、传输。

野外自动化的数据采集程序，可以自动记录测量数据和坐标数据，可直接与计算机传输数据，实现真正的数字化测量。

在具备常用的基本测量模式(角度测量、距离测量、坐标测量)之外，还具有特殊的测量程序，可进行悬高测量、偏心测量、对边测量、距离放样、坐标放样，设置新点，后方交会，面积计算等。

采用中文操作界面，大屏幕显示，人性化设计，字体更清晰，美观。

表 4－4 为 NTS－322 全站仪的主要技术指标。

表 4-4　NTS-322 全站仪主要技术指标

指标名称	指标值	指标名称	指标值
测角精度	2″	最小显示	1″
测距精度	±(3+2ppm×D)mm	测程范围	1800m/单棱镜
望远镜成像	正像	望远镜放大倍率	30 倍
气象改正	有	大气折光和曲率改正	有
竖轴补偿范围	±3′	竖轴补偿精度	1″
屏幕显示	LCD,四行,图形式	数据传输	RS232 串行传输
随机电池类型	可充电镍一氢电池	电池容量	8h
防水防尘性能	防尘防飘雨	工作温度	-20℃～45℃
体积	160×150×330mm	重量(含电池)	6.5kg

下面介绍仪器主要功能操作方法。

(1)键盘功能与信息显示

键盘功能与信息显示如图 4-18 所示。

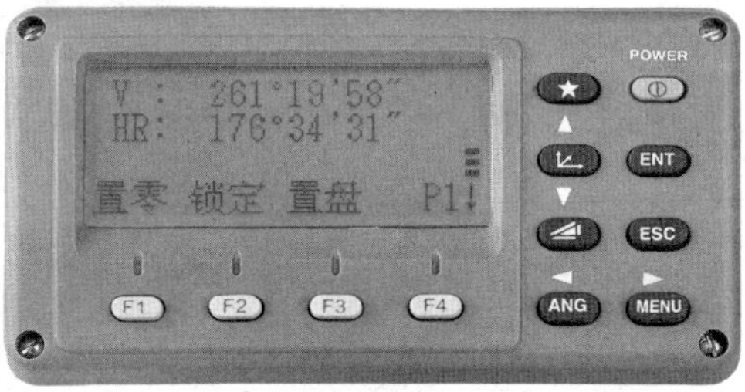

图 4-18　NTS-322 全站仪的操作面板

面板中各按键的功能说明见表 4-5。

表 4-5　NTS-322 全站仪操作面板按钮功能说明

按键	名 称	功 能
	坐标测量键	进入坐标测量模式(▲上移键)
	距离测量键	进入距离测量模式(▼下移键)
ANG	角度测量键	进入角度测量模式(◀左移键)
MENU	菜单键	在菜单模式和测量模式间进行切换(▶右移键)
ESC	退出键	返回上一级状态或返回测量模式
POWER	电源开关键	电源开关
F1 — F4	软键(功能键)	对应于显示的软键信息
ENT	回车键	确认
★	星键	进入星键模式

(2)观测前准备工作

①取出仪器

轻轻放下仪器箱,仪器箱盖朝上。打开箱子的锁栓,开箱盖,取出仪器。

②装入电池

进行测量工作之前,应将电池充电充足。把电池底部定位导块插入仪器电池导孔,电池顶部固定卡栓按入卡槽,电池装配完毕。按下开机按钮,打开仪器,仪器显示如图 4-19 的测量屏幕。

HR:	170° 30′ 20″		
HD:	235.343 m		
VD:	36.551 m		
测量	模式	S/A	P1↓

图 4-19 测量屏幕

要注意查看屏幕中显示的电池电量信息。显示是三格表示电量充足;两格表示电量尚可使用约 1 小时;如果还有一格表示电量不足,应及时更换电池或充足电后再行观测。

③安置仪器

将仪器安装在三脚架上,精确对中、整平(操作方法同普通光学经纬仪)。为确保测量成果的精度,应使用与仪器配套的专用三脚架。

④开机,在相应的功能界面下开始工作。

(3)角度测量

角度测量包括水平角测量和竖直角测量,二者的观测值可以同时显示在 LCD 屏幕上。按下测角功能键"ANG",使仪器处于测角功能状态下,然后按表 4-6 操作步骤进行操作,即可完成角度测量工作。角度测量操作步骤表见表 4-6。

表 4-6 NTS-322 全站仪角度测量操作步骤

操作过程	操作	屏幕显示
①照准第一个目标 A	照准目标 A	V: 82° 09′ 30″ HR: 90° 09′ 30″ 置零 锁定 置盘 P1↓
②设置目标 A 的水平角为 0°00′00″,按 F1 键(置零)和 F3 键(是)	F1 F3	水平角置零 >OK? — — [是] [否] V: 82° 09′ 30″ HR: 0° 00′ 00″ 置零 锁定 置盘 P1↓
③照准第二个目标 B,显示目标 B 的 V/HR	照准目标 B	V: 92° 09′ 30″ HR: 67° 09′ 30″ 置零 锁定 置盘 P1↓

(4)距离测量

在进行距离测量前,需要确认大气改正设置棱镜常数的设置以及回光信号的检测,然后进行距离测量。

①大气改正设置

全站仪发射红外光的光速随大气的温度和压力而改变,仪器一旦设置了大气改正值即可自动对测距结果实施大气改正。

南方 NTS 系列全站仪标准气象条件(即仪器气象改正值为 0 时的气象条件)为气压等于 1013hPa, 温度等于 20°C。表 4-7 列出了 NTS-322 全站仪大气改正设置操作步骤。

大气改正计算公式:

$$\Delta S=273.8-\frac{0.2900P}{1+0.00366T}(\text{ppm}) \qquad (4-7)$$

式中:ΔS——距离改正系数(单位 ppm);

P——气压(单位 hPa);

T——温度(单位℃)。

表 4-7 NTS-322 全站仪大气改正设置操作步骤

操作	操作过程	显示
按键	进入距离测量模式	HR: 170° 30′ 20″ HD: 235.343 m VD: 36.551 m 测量 模式 S/A P1↓
按键[F3]	进入设置 由距离测量或坐标测量模式预先测得测站周围的温度和气压	设置音响模式 PSM:0.0 PPM:2.0 信号:[│││││] 棱镜 PPM T-P —
按键[F3]	按键[F3]执行[T-P]	温度和气压设置 温度:-> 15.0℃ 气压: 1013.2 hPa 输入 — — 回车
按键[F1]输入温度、气压,回车确认	按键[F1]执行[输入],输入温度、气压 按[F4]执行[回车],确认输入	温度和气压设置 温度:-> 25.0℃ 气压: 1017.5 hPa 输入 — — 回车

②棱镜常数设置

南方 NTS 系列全站仪的棱镜常数的出厂设置为－30，若使用棱镜常数不是－30的配套棱镜，则必须设置相应的棱镜常数。一旦设置了棱镜常数，仪器关机后该常数仍被保存。表 4－8 列出了 NTS－322 全站仪棱镜常数设置的操作步骤。

表 4－8　NTS－322 全站仪棱镜常数设置操作步骤

操作	操作过程	显示
F3	①由距离测量或坐标测量模式按 F3(S/A)键	设置音响模式 PSM：－30.0　PPM：0.0 信号：[｜｜｜｜｜] 棱镜　PPM　T－P　—
F1	②按 F1 (棱镜)键	设置音响模式 PSM：　0.0　mm 输入　—　—　回车
F1 输入数据 F4	③按 F1 键(输入)，输入棱镜常数改正值，按 F4 确认，显示屏返回到设置模式	设置音响模式 PSM：0.0　PPM：0.0 信号：[｜｜｜｜｜] 棱镜　PPM　T－P　—

③回光信号检测

NTS－322 全站仪可显示电子距离测量(EDM)时接收到的光线强度(信号水平)，一旦仪器接收到来自棱镜的反射光，仪器即发出蜂鸣声，同时显示屏幕上会显示回光信号的强度，以便仪器操作人确认是否可以进行测距。当目标难以寻找时，使用该功能还能容易地照准目标。表 4－9 列出了检测回光信号的操作步骤。

表 4－9　NTS－322 全站仪回光信号检测操作步骤

操作	操作过程	显示
	①确认进入距离测量模式第 1 页屏幕	HP：170°　30′　20″ HD：　235.343 m VD：　36.551 m 测量　模式　S/A　P1↓
F3	②按 F3 (S/A)键，模式变为参数设置，显示棱镜常数改正(PSM)，大气改正值(PPM)和反射光的强度(信号)。	设置音响模式 PSM：0.0　PPM：mm 信号：[｜｜｜｜｜] 棱镜　PPM　T－P　—

④完成上述三项测距前的设置、检测工作后，即可开始距离测量的操作，操作步骤见表4－10。

表4－10　NTS－322全站仪测距操作步骤

操作过程	操作	屏幕显示
①照准棱镜中心	照准	V：　90°　10′　20″ HR：　170°　30′　20″ H—蜂鸣　R/L　竖角　P3↓
②按键，距离测量开始		HR：　170°　30′　20″ HD＊[r]　≪m VD：　m 测量　模式　S/A　P1↓ HR：　170°　30′　20″ HD＊　235.343m VD：　36.551m 测量　模式　S/A　P1↓
显示测量的距离 再次按键，显示变为水平角(HR)、垂直角(V)和斜距(SD)。可以方便的切换显示斜距、平距、高差数值		V：　90°　10′　20″ HR：　170°　30′　20″ SD＊　241.551m 测量　模式　S/A　P1↓

以上介绍的只是最基本的测角、测距功能。事实上，NTS－322全站仪随机内置了功能强大的专门测量程序，如三维坐标测量、坐标放样、偏心测量、对边测量、悬高测量、面积测量等，可以以电子文件的方式管理测量成果，然后导出到电子计算机中，同时也可以把三维坐标数据从电子计算机上传到全站仪中。理想状态下，整个测量过程都可以以电子文件的方式实现无纸化作业，这就是所谓的“数字化测绘”。

因为本章重点在于介绍距离测量，而坐标测量、坐标放样等功能在后续章节中予以介绍。所以尽管NTS－322测量功能强大(而且实际工作中用得最普遍的也是坐标测量、坐标放样等专门的测量程序)，此处也不做详细介绍。读者在实际应用中如果需要详细了解相应的功能说明，请翻阅该仪器的说明书。

3. 全站仪的等级与检测

全站仪作为一种光电测距与电子测角和微处理器综合的外业测量仪器，其主要的精度指标为测距标准差 m_D 和测角标准差 m_β。仪器根据测距标准差(即测距精度)，按国家标准分为三个等级：小于5mm为Ⅰ级仪器；标准差大于5mm、小于10mm为Ⅱ级仪器；大于10mm、小于20mm为Ⅲ级仪器。

全站仪设计中，关于测距和测角的精度一般遵循等影响的原则，即

$$\frac{m_D}{D}=\frac{m_\beta}{\beta}\text{或}\frac{m_\beta}{\beta}=2\times\frac{m_D}{D}$$

全站仪是一种现代化的计量工具，必须依法对其进行计量检定，以保证量度的统一性、标准性、合格性。检定周期最多不能超过一年。对全站仪的检定分为三个方面：对测距性能的检测、对测角性能的检测和对数据记录、数据通讯及数据处理功能的检查。图 4－20 所示为仪器检修人员在检校仪器。

图 4－20　仪器检校情景图

光电测距单元性能按国家技术监督局制定的规程进行，其主要项目包括：调制光相位均匀性、周期误差、内符合精度、精测尺频率，加、乘常数及综合评定其测距精度。必要时，还可以在较长的基线上进行测距的外符合检查。

电子测角系统的检测主要项目包括：光学对中器和水准管的检校，照准部旋转时仪器基座方位稳定性检查，测距轴与视准轴重合性检查，仪器轴系误差（照准差 C，横轴误差 i，竖盘指标差 x）的检定，倾斜补偿器的补偿范围与补偿准确度的检定，一测回水平方向指标差的测定和一测回竖直角标准偏差测定。

数据采集与通讯系统的检测包括检查内存中的文件状态，检查贮存数据的个数和剩余空间；查阅记录的数据；对文件进行编辑、输入和删除功能的检查；数据通讯接口、数据通讯专用电缆的检查等。

4.3　光电测距成果整理

光电测距仪直接测出来的是仪器机内距离起算点到光波返回点的初始倾斜距离，要想得到最终需要的地面两点间的平面距离，还要经过仪器常数改正、气象改正和倾斜改正等三个处理过程。

1. 仪器常数改正

仪器常数有加常数 K 和乘常数 R 两项。

由于仪器的发射中心、接收中心与仪器旋转竖轴不一致而引起的测距偏差值，称为仪器加常数（如图 4－21），用 K_t 表示。实际上，仪器加常数还包括由于反射棱镜的组装（制造）偏心或棱镜等效反射面与棱镜安置中心不一致引起的测距偏差，称为棱镜加常数用 K_r 表示。

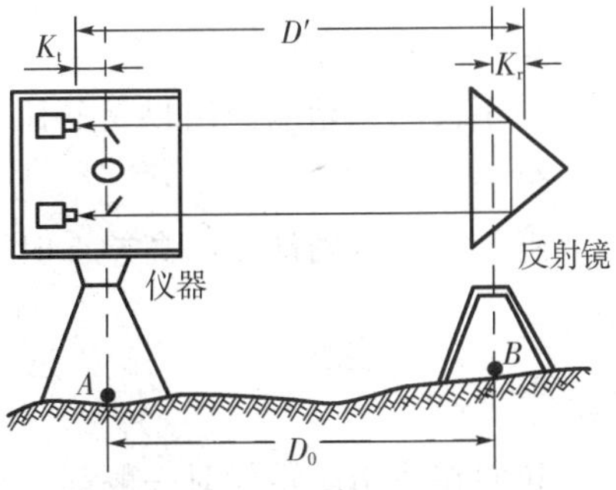

图 4－21　仪器加常数示意图

仪器的加常数改正值 σ_K 与距离无关，仪

器出厂时可预置于机内作自动改正。但由于仪器在搬运过程中的震动、电子元器件的老化，仪器的加常数还是会变化的，这时候就会产生所谓的剩余加常数，需要经过仪器检定部门的检定求出，从而加以改正。同时需要注意，配合仪器使用的反射棱镜，不同厂家不同型号的棱镜加常数是不一样的。若要在实际应用中交换使用具有不同棱镜加常数的反射棱镜，需要明确各个棱镜的棱镜加常数，然后在仪器内置操作软件中加以正确设置改正，否则会给测距成果带来系统性的测距误差。

仪器乘常数主要是由于测距频率偏移而产生的。测距仪的测尺长度与仪器振荡频率有关，仪器在经过一段时间的使用后，内置元器件会老化，致使测距时仪器的晶振频率与设计时的频率产生偏移，从而产生与测距距离成正比的系统误差。该系统误差与测距距离间的比例因子，我们称之为仪器的测距乘常数，用 R 表示。仪器乘常数也需要经过仪器检定部门的检定求出，然后加以改正。在有些测距仪中可预置乘常数作自动改正。

仪器常数改正的最终式可写成：

$$\Delta S_C = \sigma_K + \sigma_S = K + R \times S \tag{4-8}$$

2. 气象改正

仪器的测尺长度是在一定的气象条件下推算出来的。野外实际测距时的气象条件不同于制造仪器时确定仪器测尺频率所选取的基准（参考）气象条件，故测距时的实际测尺长度就不等于标称的测尺长度，使测距值产生与距离长度成正比的系统误差。所以在测距时应同时测定当时的气象元素：温度和气压，利用厂家提供的气象改正公式计算距离改正值。如某测距仪的气象改正公式为

$$\Delta S_{P,t} = \left(278.70 - \frac{0.290P}{1 + 0.0037t}\right) \times S \tag{4-9}$$

式中：P——气压（hPa）；

t——温度（℃）；

S——距离测量值（km）。

目前，几乎所有的测距仪都可将气象参数预置于机内，在测距时自动进行气象改正。

3. 倾斜改正

测距仪的原始测距结果是斜距，还要进行距离的倾斜改正，才能最终得到测线水平距离。

当已知测线两端点的高差 h 时，倾斜改正值为

$$\Delta S_S = -\frac{h^2}{2S} - \frac{h^4}{8S^3} \tag{4-10}$$

我们在使用测距仪时一般都会与经纬仪配合使用，测距的同时可以测出两测点连线的竖直角 α，此时距离的倾斜改正值为

$$\Delta S_S = -(S - S \times \cos\alpha) \tag{4-11}$$

4. 光电测距最终结果

经过上述仪器常数改正、气象改正和倾斜改正等三个处理过程，得到两测点连线的最终水平距离：

$$HD=S+\Delta S_C+\Delta S_{P,t}+\Delta S_S \tag{4-12}$$

4.4 光电测距精度分析与注意事项

4.4.1 测距误差的主要来源

按相位测距的基本公式，兼顾仪器的加常数 K，可得如下的测距公式：

$$S=\frac{\lambda}{2}(N+\frac{\Delta\varphi}{2\pi})+K=\frac{c_0}{2nf}(N+\frac{\Delta\varphi}{2\pi})+K \tag{4-13}$$

公式中的各符号意义与前相同。

由式 4-13 可知，测距误差是由 c_0、n、f、$\Delta\varphi$ 及 K 的误差项引起的。这些误差项可以认为是相互独立的。根据误差传播定律，我们对式 4—13 取全微分，转换成中误差的表达公式如下：

$$m_S^2=\left(\frac{\partial S}{\partial c_0}\right)^2 m_{c_0}^2+\left(\frac{\partial S}{\partial n}\right)^2 m_n^2+\left(\frac{\partial S}{\partial f}\right)^2 m_f^2+\left(\frac{\partial S}{\partial\Delta\varphi}\right)^2 m_{\Delta\varphi}^2+\left(\frac{\partial S}{\partial K}\right)^2 m_K^2$$

$$=(\frac{m_{c_0}^2}{c_0^2}+\frac{m_n^2}{n^2}+\frac{m_f^2}{f^2})S^2+(\frac{\lambda}{4\pi})^2 m_{\Delta\varphi}^2+m_K^2 \tag{4-14}$$

式中：m_{c_0}——光在真空中的速度的测定中误差；

m_n——光在传播介质即大气中的折射率测定中误差；

m_f——测距频率中误差；

$m_{\Delta\varphi}$——相位测定中误差；

m_K——仪器加常数测定中误差；

$\lambda=\frac{c_0}{f}$——测距调制波的波长。

由公式 4-14 可以知道，测距误差可以分为两部分：一部分是与距离 S 成比例的误差，即光速测定误差 m_{c_0}、大气折射率测定误差 m_n 和测距频率误差 m_f，称之为比例误差；另一部分是与距离 S 无关的误差，即测相误差 $m_{\Delta\varphi}$ 和仪器加常数误差 m_K，称之为固定误差。

此外，理论研究及实践表明，还有由于仪器内部电信号串扰产生的周期误差 m_A，仪器的对中误差 m_{g1} 和反射棱镜的对中误差 m_{g2} 等三类误差，对测距误差产生影响，它们对测距误差的影响与距离 S 无关，属于固定误差。因而测距误差较为完整的表达式为

$$m_S^2=(\frac{m_{c_0}^2}{c_0^2}+\frac{m_n^2}{n^2}+\frac{m_f^2}{f^2})S^2+(\frac{\lambda}{4\pi})^2 m_{\Delta\varphi}^2+m_K^2+m_A^2+m_{g1}^2+m_{g2}^2 \tag{4-15}$$

由上述对光电测距的误差来源分析可知，可以将光电测距的精度表达式写为

$$m_S = \pm(A + B \times S) \tag{4-16}$$

式中：A——固定误差；

B——比例误差系数；

S——所测距离。

例如，某测距仪的标称精度为

$$\pm(2\text{mm} + 2\text{ppm} \times S)\text{mm}$$

则该测距仪的固定误差 $A=2\text{mm}$，比例误差系数 $B=2\text{mm/km}(2\text{ppm})$，$S$ 的单位为km。若用该台测距仪测量 1km 的距离长，测距中误差为：$\pm(2\text{mm}+2\times1\text{mm})=\pm4\text{mm}$。

4.4.2 测距误差分析及测距注意事项

1. 固定误差

(1)测相误差

测相误差是测定测距光波相位时产生的误差。测相误差是影响测距精度的主要因素之一，应该尽量减少此项误差。

测相误差包括测相系统误差、幅相误差、照准误差和噪音引起的误差。测相系统的误差可通过提高电路和测相装置的质量来解决。幅相误差是由于接收信号强弱不同引起的测距误差，现代光电测距仪一般都设有自动光强调整系统，可以调节信号的强度，因此此项误差对测距影响较小。照准误差是发光二极管所发射的光束相位不均匀，以不同部位的光束照射反射棱镜时，测距结果不一致而产生的误差。此项误差主要取决于发光二极管的质量，此外还可采用一些光学措施，如混相透镜等，在观测时采用电瞄准的方法，减小照准误差。噪音引起的误差是大气抖动及光电信号的干扰而产生噪音，降低了仪器对测距信号的辨别能力而产生的误差。可以采用增大测距信号强度的方法来减少噪音的影响。该项误差是随机的，采用增加检相次数而取平均值的方法，可以减弱噪音误差的影响。

(2)仪器加常数误差

仪器加常数在仪器出厂前都已经过检测，预置在仪器中，对所测距离自动进行改正。但在仪器的使用和搬运过程中，仪器加常数也是可能发生变化的。因此应定期到仪器检定部门进行检测，将检测所得新的常数值置于仪器中，以取代原先的值。

(3)仪器和棱镜的对中误差

用光电测距仪进行精密测距时，测量前应对光学对中器进行严格校正；观测时应仔细对中，对中误差一般可以小于 2mm。

(4)周期误差

周期误差是由于仪器内部电信号的串扰而产生的，周期误差在仪器的使用过程中也可能发生变化，所以应定期进行测定，必要时可以对测距结果进行改正。如果周期误差过大，需送厂检修。现代光电测距仪采用了大规模集成电路，有良好的屏蔽措施，周期误差一般很小。

2. 比例误差

(1)真空中光速值的测定误差

目前真空中光速值的测定精度已经相当高。1975 年 8 月,国际大地测量学会第 16 届全会建议采用 $c_0=(299792458\pm1.2)$m/s,由此计算得相对误差为 $\frac{1}{25\times10^7}$,对测距的影响已相当小,可以忽略不计了。

(2)频率误差

光电测距仪的调制频率是由石英晶体振荡器产生的。调制频率决定“光尺”的长度,因此频率的测定误差对测距的影响是系统性的,与所测距离长度成正比。频率误差产生的原因有两个方面:一是振荡器设置的调制频率有误差;二是由于温度变化、晶体老化等原因使振荡器的频率发生漂移。对于前者,可选用高精度的频率计进行校准,以减弱误差影响;对于后者,可选用高质量的石英晶体,并采用恒温装置及稳定的电源,减少该项误差影响。

(3)大气折射率测定误差

大气折射率的测定误差主要来源于测定气温和气压的误差。要使测距精度达到百万分之一的数量级,温度的测定误差应小于 1℃,气压的测定误差应小于 3.3mbar。对于精密的距离测量,在测量前应对所使用的温度计、气压计进行检验。此外,所测的气温、气压应该要能够准确代表测距光线所经过路程的气象条件,这是一个较为复杂的问题,一般不能达到理想的理论状态值,实践中通常采用如下措施:

①在测线两端分别量取温度和气压,然后取平均值;

②选择有利的观测时间。一天中上午日出后半小时至一个半小时,下午日落前 3 小时至半小时为最佳观测时间;阴天、有微风时,全天都可以观测。

3. 测距仪使用注意事项

(1)光电测距仪是结构复杂、精致的精密设备,在仪器的使用过程中,要注意轻拿轻放,以免产生大的震动和过分晃动;同时在搬运和存储时,要注意做好防潮防尘和防超高或超低温等环境处理工作;

(2)电池是测距仪的动力来源,在使用过程中要注意及时充电。各种型号测距仪所使用的电池类型不一,有镍氢电池,有锂电池;有专用电池,也有通用电池。因此与电池配套使用的充电器也是型号各异,通常情况下不能混用,否则会有损坏电池及充电器的危险。最好的方法是详细阅读随机电池使用说明书,在明了电池的使用方法后再行充电。

(3)在使用光电测距仪进行测距作业时,如果阳光高照,请记得要撑伞遮阳,防止阳光或其他强光直接照射到测距仪的接收物镜上,以免烧坏了光敏二极管;倘若偶遇雨雪,则最好中断作业,等天气适合测距时再行工作。实非得以需持续工作,要注意不要让雨雪沾湿了测距仪,以免发生电路短路,烧坏仪器。

(4)使用光电测距仪进行距离测量,测线两侧应避开诸如玻璃、抛光平面等强反射物体,以免这些障碍物的反射信号进入测距仪的信号接收系统,产生干扰噪声信号,使得测距结果含有较大误差。在架设测距仪时要尽可能地避开高压线、高压变压器等强电场干扰源,以保障测距结果的准确性。

(5)对于使用激光作为测距介质的测距仪，特别注意不要瞄准人的眼睛进行测距操作，否则将极有可能出现致人失明的严重伤害后果。

(6)在使用无棱镜激光测距仪时，要注意不同颜色的反射物体以及倾斜度不同的物体表面对测距激光的反射效果是不同的，在不理想的情况下会出现测距结果失真，即所谓的"飞点"情况的出现。因此需要在适宜的环境下使用无棱镜测距仪进行测距操作。

思考题与习题

1. 简述光电测距的基本原理。
2. 写出相位法测距的基本公式，并说明公式中各符号的意义。
3. 红外测距仪为什么要采用精尺和粗尺两把"光尺"？
4. 影响光电测距仪测距精度的因素有哪些？采取什么措施可以提高测距精度？
5. 什么是光电测距仪的仪器常数？
6. 在使用光电测距仪测距时，事先应进行哪些项目的检验？
7. 用相位式光电测距，在成果计算时，要加入哪些改正？写出其改正公式。
8. 光电测距仪在使用过程中有哪些注意事项？

第5章

观测误差与测量平差

[本章导读]

本章主要介绍测量平差的基本概念、偶然误差的规律性及衡量精度的指标。通过本章的学习，读者能初步掌握测量平差基本知识并进行观测值的精度评定。

[知识目标]

1. 掌握测量平差的基本概念。
2. 掌握偶然误差的规律性。
3. 掌握衡量精度的指标。
4. 掌握观测值的算术平均值及改正数。
5. 了解误差传播律及其应用。
6. 了解加权平均值及其中误差。

[能力目标]

1. 掌握中误差、相对误差和极限误差等衡量精度指标的计算。
2. 掌握观测值的精度评定。

[重点难点]

1. 利用观测值的改正数计算中误差。
2. 加权平均值及其中误差。

5.1 概　述

5.1.1　观测

测量工作的实践表明，对于某一客观存在的量，如地面某两点之间的距离或高差、某三点之间构成的水平角等，尽管采用了合格的测量仪器和合理的观测方法，测量人员的工作态度也是认真负责的，但是多次重复测量的结果总是有差异，这说明观测值中存在测量误差，或者说，测量误差是不可避免的。产生测量误差的原因，概括起来有以下三个方面：

1. 仪器的原因

测量工作是需要用测量仪器进行的，而每一种测量仪器只具有一定的精确度，因此，使测量结果受到一定的影响。例如用 J_6 级经纬仪，它的水平度盘分划误差可能达到 3″，由此使所测的水平角产生误差。另外，仪器结构的不完善，如水准仪的视准轴不平行于水准管轴，也会使观测的高差产生误差。

2. 观测者的原因

由于观测者的感觉器官的鉴别能力存在局限性，所以，对于仪器的对中、整平、瞄准和读数等操作都会产生误差。例如在厘米分划的水准尺上，由观测者估读毫米数，则 1mm 以下的估读误差是完全有可能产生的。另外，观测者技术熟练程度也会给观测成果带来不同程度的影响。

3. 外界环境的影响

测量工作进行时所处的外界环境中的空气温度、风力、日光照射、大气折光、烟雾等客观情况时刻在变化，使测量结果产生误差。例如，温度变化使钢尺产生伸缩，风吹和日光照射使仪器的安置不稳定，大气折光使望远镜的瞄准产生偏差等。

人、仪器和环境是测量工作得以进行的必要条件，但是，这些观测条件都有其本身的局限性和对测量的不利因素。因此，测量成果中的误差是不可避免的。观测条件相同的各次观测称为“等精度观测”，观测条件不相同的各次观测称为“不等精度观测”。

5.1.2　观测误差

测量误差按其产生的原因和对观测结果影响性质的不同，可以分为系统误差和偶然误差两类。

1. 系统误差

在相同的观测条件下，对某一量进行一系列的观测，如果出现的误差在符号和数值上都相同，或按一定的规律变化，这种误差称为“系统误差”。例如用名义长度为 30m 而实际正确长度为 30.005m 的钢卷尺量距，每量一尺段就有使距离量短了 0.005m 的误差，其量距误差的符号不变，且与所量距离的长度成正比。因此，系统误差具有积累性。

系统误差对观测值的影响具有一定的数学或物理上的规律性。如果这种规律性能够被找到，则系统误差对观测值的影响可加以改正，或者用一定的测量方法加以抵消或削弱。

2. 偶然误差

在相同的观测条件下，对某一量进行一系列的观测，如果出现的误差在符号和数值上都不相同，从表面上看没有任何规律性，这种误差称为“偶然误差”。偶然误差是由人力所不能控制的因素或无法估计的因素（如人眼的分辨能力、仪器的极限精度和气象因素等）共同引起的测量误差，其数值的正负、大小纯属偶然。例如，在厘米分划的水准尺上读数，估读毫米数时，有时估读过大，有时估读过小；大气折光使望远镜中目标成像不稳定，使瞄准目标时有时偏左、有时偏右。因此，多次重复观测，取其平均数，可以抵消掉一些偶然误差。

偶然误差是不可避免的。在相同的观测条件下观测某一量，所出现的大量偶然误差具有统计的规律，或称之为具有概率论的规律。关于这方面的内容，以后再作进一步分析。

5.1.3 测量平差

在测量工作中，除了上述两种误差以外，还可能发生错误。如瞄错目标、读错大数等。

错误是一种特别大的误差，是由于观测者的粗心大意所造成的。错误应该可以避免，包含有错误的观测值应该舍弃，并重新进行观测。为了防止错误的发生和提高观测成果的精度，在测量工作中，一般需要进行多于必要的观测，称为“多余观测”。例如，一段距离采用往返丈量，如果将往测作为必要观测，则返测就属于多余观测；又如，由三个地面点构成一个平面三角形，在三个点上进行水平角观测，其中两个角度属于必要观测，则第三个角度的观测就属于多余观测。有了多余观测，就可以发现观测值中的错误，以便将其剔除或重测。由于观测值中的偶然误差不可避免，有了多余观测，观测值之间必然产生矛盾（往返差、不符值、闭合差）。根据差值的大小，可以评定测量的精度。差值如果大到一定程度，就认为观测值中有错误（不属于偶然误差），称为误差超限，应予重测（返工）。差值如果不超限，则按偶然误差的规律加以处理，称为闭合差的调整，以求得最可靠的数值。

至于观测值中的系统误差，应该尽可能按其产生的原因和规律加以改正、抵消或削弱。例如用钢卷尺量距时，按其检定结果，对量得长度进行尺长改正；用经纬仪测角时，采用盘左、盘右观测，以抵消视准轴误差、水平轴误差和垂直度盘指标差；用中间法水准测量，以削弱水准仪的 i 角误差对水准尺读数的影响。但是，在观测值中也有可能存在情况不明的系统误差，无法加以改正或削弱，则观测结果将同时受到偶然误差和系统误差的影响。不同时间的多次观测，有可能削弱部分情况不明的系统误差的影响。

5.2 偶然误差的规律性

测量误差理论主要讨论具有偶然误差的一系列观测值中如何求得最可靠的结果和评定观测成果的精度。为此，需要对偶然误差的性质作进一步的讨论。

设某一量的真值为 X，对此量进行 n 次观测，得到的观测值为 $l_1, l_2, \cdots, l_n$，在每次观测中产生的偶然误差（又称“真误差”）定义为 $\Delta_1, \Delta_2, \cdots, \Delta_n$，则有

$$\Delta_i = l_i - X \quad (i=1,2,\cdots,n) \tag{5-1}$$

从单个偶然误差来看，其符号的正负和数值的大小没有任何规律性。但是，如果观测的次数很多，观察其大量的偶然误差，就能发现隐藏在偶然性下面的必然规律。进行统计的数量越大，规律性也越明显。下面，结合某观测实例，用统计方法进行分析。

在某一测区，在相同的观测条件下共观测了 358 个三角形的全部内角。由于每个三角形内角之和的真值（180°）为已知，因此，可以按式（5－1）计算每个三角形内角之和的偶然误差 Δ_i（三角形闭合差），将它们分为负误差、正误差和误差绝对值，按绝对值由小到大排列次序。以误差区间 $\mathrm{d}\Delta = 3''$ 进行误差个数 k 的统计，并计算其相对个数 k/n（$n=358$），称为误差出现的频率，偶然误差的统计见表 5－1。

表 5－1 偶然误差的统计

误差区间	负误差		正误差		误差绝对值	
$d\Delta''$	k	k/n	k	k/n	k	k/n
0—3	45	0.126	46	0.128	91	0.254
3—6	40	0.112	41	0.115	81	0.226
6—9	33	0.092	33	0.092	66	0.184
9—12	23	0.064	21	0.059	44	0.123
12—15	17	0.047	16	0.045	33	0.092
15—18	13	0.036	13	0.036	26	0.073
18—21	6	0.017	5	0.014	11	0.031
21—24	4	0.011	2	0.006	6	0.017
24 以上	0	0	0	0	0	0
Σ	181	0.505	177	0.495	358	1.000

为了直观地表示偶然误差的正负和大小的分布情况，可以按表 5－1 的数据作图（见图5－1）。图中以横坐标表示误差的正负和大小，以纵坐标表示误差出现于各区间的频率（k/n）除以区间（$\mathrm{d}\Delta$），每一区间按纵坐标作成矩形小条，则每一小条的面积代表误差出现于该区间的频率，而各小条的面积总和等于 1。该图在统计学上称为“频率直方图”。

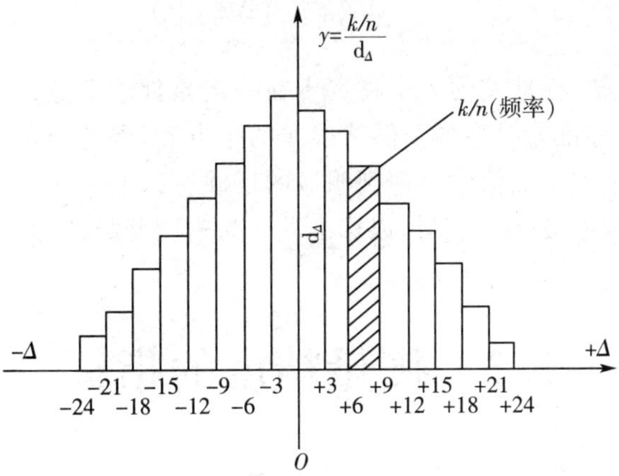

图 5-1 频率直方图

从表 5-1 的统计中,可以归纳出偶然误差的特性如下:

(1)在一定观测条件下,偶然误差的绝对值不会超过一定的限值;

(2)绝对值较小的误差比绝对值较大的误差出现的频率大;

(3)绝对值相等的正、负误差具有大致相等的频率;

(4)当观测次数无限增大时,偶然误差的理论平均值趋近于零,即偶然误差具有抵偿性。用公式表示为

$$\lim_{n\to\infty}\frac{\Delta_1+\Delta_2+\cdots+\Delta_n}{n}=\lim_{n\to\infty}\frac{[\Delta]}{n}=0 \tag{5-2}$$

式中:[]——取括号中数值的代数和,即$[\Delta]=[\Delta_1]+[\Delta_2]+\cdots[\Delta_n]$;

n——Δ 的个数。

根据 358 个三角形角度观测值的闭合差作出的误差出现频率直方图的基本图形,表现为中间高、两边低并向横轴逐渐逼近的对称图形,并不是一种特例,而是统计偶然误差时出现的普遍规律,并且可以用数学公式来表示。

若偶然误差的个数无限增大($n\to\infty$),同时又无限缩小的误差区间 dΔ,则图5-1中各小长条的顶边就逐渐成为一条光滑的曲线。该曲线在概率论中称为"正态分布密度曲线",它完整地表示了偶然误差出现的概率 P,即当($n\to\infty$)时,上述误差区间内误差出现的频率趋于稳定,成为误差出现的概率。

正态分布密度曲线的数学公式为

$$y=f(\Delta)=\frac{1}{\sqrt{2\pi}\sigma}e^{-\frac{\Delta^2}{2\sigma^2}} \tag{5-3}$$

式中:$\pi=3.1416$,为圆周率;

e=2.7183,为自然对数的底;

σ——标准差;标准差的平方 σ^2 称为方差。

方差为偶然误差平方的理论平均值

$$\sigma^2=\lim_{n\to\infty}\frac{\Delta_1^2+\Delta_2^2+\cdots+\Delta_n^2}{n}=\lim_{n\to\infty}\frac{[\Delta\Delta]}{n}=0 \tag{5-4}$$

标准差为

$$\sigma = \pm \lim_{n \to \infty} \sqrt{\frac{[\Delta\Delta]}{n}} \tag{5-5}$$

由(5－5)式可知，标准差的大小决定于在一定条件下偶然误差出现的绝对值的大小。由于在计算标准差时取各个偶然误差的平方和，因此当出现有较大绝对值的偶然误差时，在标准差的数值中会得到明显的反映。以上(5－3)式称为正态分布的密度函数，以偶然误差 Δ 为自变量，以标准差 σ 为密度函数的唯一参数，也是曲线拐点的横坐标值。

5.3 衡量精度的指标

5.3.1 精度

测量平差的主要任务之一，就是评定测量成果的精度。如何正确理解精度的含义以及怎样衡量精度的高低，这是本节所要讨论的主要内容。

为了阐述精度的含义，看下面两个直方图，图 5－2 和图 5－3 分别是在不同观测条件下所测得的误差的频率分布图(直方图)，图中每个长方条的面积就是误差出现于该区间内的频率。

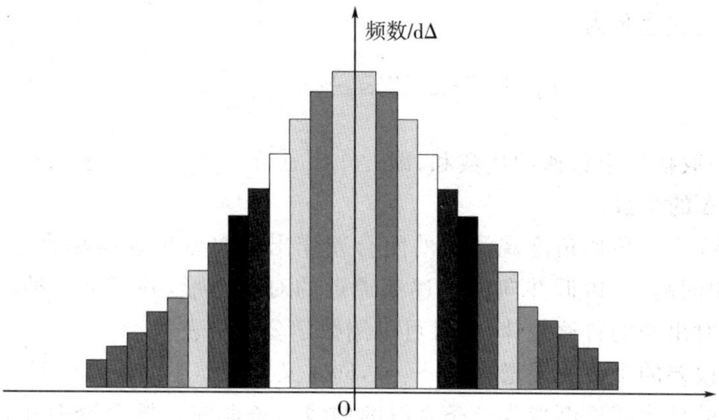

图 5－2 陡峭的误差频率分布图

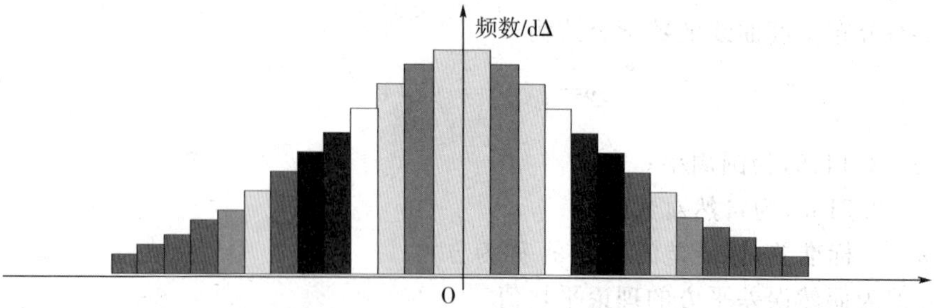

图 5－3 平缓的误差频率分布图

从直方图来看，误差分布较为密集的，其图形在纵轴附近的顶峰则较高，且由各长方条所构成的阶梯比较陡峭；而误差分布较为分散的图在纵轴附近的顶峰则较低，且其阶梯较为平缓。这个性质同样反映在误差分布曲线的形态上，即误差分布曲线（见图 5-2）较高而陡峭，误差分布曲线（见图 5-3）则较低而平缓。

在一定的观测条件下进行的一组观测，它对应着一种确定的误差分布。不难理解，如果分布较为密集，即离散度较小时，则表示该组观测质量较好，也就是说，这一组观测精度较高；反之，如果分布较为离散，即离散度较大时，则表示该组观测质量较差，也就是说，这一组观测精度较低。

因此，所谓精度，就是指误差分布的密集或离散的程度，也就是指离散度的大小，假如两组观测成果的误差分布相同，便是两组观测成果的精度相同；反之，若误差分布不同，则精度也就不同。

在相同的观测条件下所进行的一组观测，由于它们对应着同一种误差分布，因此，对于这一组中的每一个观测值，都称为是同精度观测值。例如，表 5-1 中所列的 358 个观测结果是在相同观测条件下测得的，各个结果的真误差彼此并不相等，有的甚至相差很大，但是，由于它们所对应的误差分布相同，因此，这些结果彼此是同精度的。

为了衡量观测值的精度高低，当然可以按上节的方法，把在一组相同条件下得到的误差，用组成误差分布表、绘制直方图或画出误差分布曲线的方法来比较。但在实际工作中，这样做比较麻烦，有时甚至很困难，而且人们还需要对精度有一个数字概念。这种具体的数字应该能够反映误差分布的密集或离散的程度，即应能够反映其离散度的大小，因此称它为衡量精度的指标。

衡量精度的指标有很多种，下面介绍几种常用的精度指标。

5.3.2 中误差

在一定观测条件下观测结果的精度，取标准差 σ 是比较合适的。但是在实际测量工作中，不可能对某一量作无穷多次观测，因此定义有限次观测的偶然误差（真误差）求得的标准差为中误差 m，即

$$m=\pm\sqrt{\frac{\Delta_1^2+\Delta_2^2+\cdots+\Delta_n^2}{n}}=\pm\sqrt{\frac{[\Delta\Delta]}{n}} \qquad (5-6)$$

实际上，中误差 m 是标准差 σ 的估值。

例如，某段距离用钢尺丈量了 6 次，观测值列于表 5-2 中。该段距离用因瓦基线尺量得的结果为 49.982m，由于其精度很高，可视为真值。试求用该 50m 钢尺丈量该距离一次的观测值中误差。

表 5-2　某钢尺距离测量中误差计算表

观测次序	观测值(m)	真误差 Δ(mm)	ΔΔ	计算
1	49.988	+6	36	$m=\pm\sqrt{\frac{[\Delta\Delta]}{n}}$ $=\pm\sqrt{\frac{131}{6}}$ $=\pm 4.7\text{mm}$
2	49.975	−7	49	
3	49.881	−1	1	
4	49.978	−4	16	
5	49.987	+5	25	
6	49.984	+2	4	
			131	

从表 5-2 的计算结果来看，该组等精度观测值的中误差 $m=\pm 4.7\text{mm}$。中误差与真误差不同，它只是表示上述的一组观测值的精度指标，并不等于任何观测值的真误差。由于其是等精度观测，故每个观测值的精度皆为 $m=\pm 4.7\text{mm}$。

从式(5-3)还可看出，当 $\Delta=0$ 时，它代表误差概率分布曲线的峰值，设有不同精度的两组观测值，对应的参数为 σ_1 和 σ_2，并设 $\sigma_1<\sigma_2$，则

$$y=f(0)=\frac{1}{\sqrt{2\pi}\sigma}$$

$$\frac{1}{\sigma_1\sqrt{2\pi}}>\frac{1}{\sigma_2\sqrt{2\pi}}$$

它们所对应的误差概率分布曲线为图 5-4 中的Ⅰ和Ⅱ。

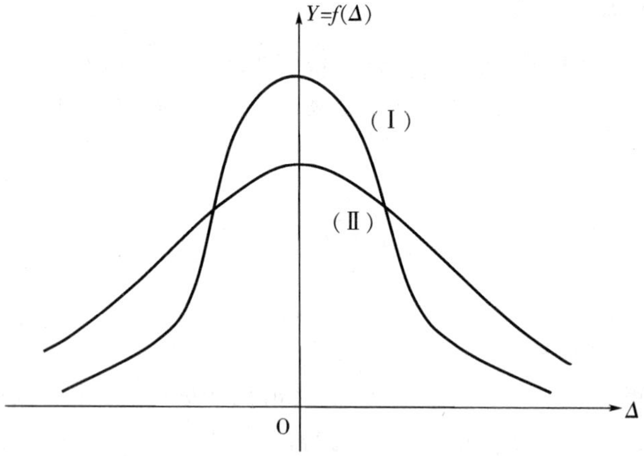

图 5-4　不同精度的误差分布曲线

下面进一步讨论以中误差作为观测精度指标的概率含义。对式(5-3)的概率分布曲线方程对 Δ 取二级导数，并令其为零，得

$$f''(\Delta)=\frac{1}{\sqrt{2\pi}\sigma^3}\left(\frac{\Delta^2}{\sigma^2}-1\right)e^{-\frac{\Delta^2}{2\sigma^2}}=0$$

由于 $\sigma>0, e^{-\frac{\Delta^2}{2\sigma^2}}$ 不为零，故上式只能得出：

即：

$$\frac{\Delta^2}{\sigma^2}-1=0$$

$$\Delta=\pm\sigma \tag{5-7}$$

由式(5－7)可知，$\pm\sigma$ 正是误差概率分布曲线中的两个拐点 a、b 的横坐标值(见图 5－5)。

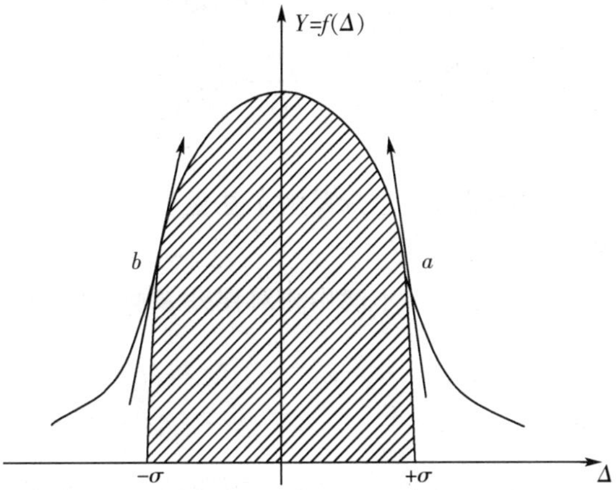

图 5－5　误差分布曲线与概率的关系

再看误差落在区间$[-\sigma,\sigma]$之内的概率值 $P\{-\sigma<\Delta<\sigma\}$，它等于图 5－5 中的阴影部分的面积，故：

$$P\{-\sigma<\Delta<\sigma\}=\int_{-\sigma}^{\sigma}f(\Delta)\mathrm{d}\Delta=\frac{1}{\sqrt{2\pi}\sigma}\int_{-\sigma}^{\pm\sigma}e^{-\frac{\Delta^2}{2\sigma^2}}d\Delta=0.683$$

即

$$P\{-\sigma<\Delta<\sigma\}=0.683\approx0.68 \tag{5-8}$$

式(5－8)说明，中误差 σ 的概率含义是：对任一观测值 l_i 的真误差 Δ_i，落在区间$[-\sigma,\sigma]$的概率为 0.68。或者说，当 $n=100$ 时，落在区间$[-\sigma,\sigma]$的真误差个数约有 68 个。当使用中误差这个精度指标时，应特别注意它的概率含义。

5.3.3　相对误差

中误差和真误差都是绝对误差。在衡量观测值精度时，单纯用绝对误差有时还不能完全表示精度的优劣。例如，分别丈量了长度为 100m 和 200m 的两段距离，其中误差皆为±0.02m，显然不能认为这两段距离的精度相同。此时，为了更客观地反映实际精度，还必须引入相对误差的概念。相对误差 K 是中误差的绝对值与相应观测值之比，常用分子为 1 的分式来表示。

$$K=\frac{|m|}{D}=\frac{1}{\frac{D}{|m|}} \tag{5-9}$$

式中：m——距离 D 的中误差；

K——为相对中误差。

在上例中：

$$K_1=\frac{|m_1|}{D_1}=\frac{0.02}{100}=\frac{1}{5000}, K_2=\frac{|m_2|}{D_2}=\frac{0.02}{200}=\frac{1}{10000}$$

用相对误差来衡量，就可容易地看出，后者比前者精度高。

在距离测量中，常用往返测量结果的较差率来进行检核。较差率为

$$\frac{D_{往}-D_{返}}{D_{平均}}=\frac{|\Delta D|}{D_{平均}}=\frac{1}{\frac{D_{平均}}{|\Delta D|}} \tag{5-10}$$

较差率是真误差的相对误差。它只反映了往返测的符合程度，以作为检核。显然，较差率愈小，观测结果愈可靠。

还应该指出，用经纬仪测角时，不能用相对误差来衡量测角精度，因为测角误差与角度大小无关。

5.3.4 极限误差

由偶然误差的第一个特性可知，在一定的观测条件下，偶然误差的绝对值不会超过一定限值。这个限值就是极限误差。怎样估计出极限误差呢？我们知道，观测值的中误差，只是衡量观测精度的一种指标，它并不能代表某一个别观测值的真误差的大小，但在统计意义上来讲，它们却存在着一定的联系。根据式(5-8)，得：

$$P\{-\sigma<\Delta<\sigma\}=\frac{1}{\sqrt{2\pi}\sigma}\int_{-\sigma}^{+\sigma}e^{-\frac{\Delta^2}{2\sigma^2}}d\Delta=0.683$$

上式即为真误差落在区间[$-\sigma,\sigma$]内的概率，同法可得：

$$P\{-2\sigma<\Delta<2\sigma\}=\frac{1}{\sqrt{2\pi}\sigma}\int_{-2\sigma}^{+2\sigma}e^{-\frac{\Delta^2}{2\sigma^2}}d\Delta=0.955$$

$$P\{-3\sigma<\Delta<3\sigma\}=\frac{1}{\sqrt{2\pi}\sigma}\int_{-3\sigma}^{+3\sigma}e^{-\frac{\Delta^2}{2\sigma^2}}d\Delta=0.997$$

上述诸式结果的概率含义是：在一组等精度观测值中，真误差的绝对值大于一倍 σ 的个数约占整个误差个数的 32%；大于两倍 σ 的个数约占整个误差个数的约占 4.5%；大于三倍 σ 的个数只占 0.3%。

大于三倍中误差的真误差的个数，即 1000 个真误差中，只有三个绝对值可能超过三倍。由于出现的概率很小，故可以认为，绝对值大于 3σ 的真误差实际上是不可能出现的。故通常以三倍中误差为真误差极限误差的估值，即：

$$\Delta_{极}=3\sigma\approx3|m|$$

在实际工作中，测量规范要求观测值中，不容许存在较大的误差，常以两倍或三倍中误差作为偶然误差的容许值，称为容许误差，即

$$|\Delta_{容}|=2\sigma\approx2|m|$$

$$|\Delta_{容}|=3\sigma\approx3|m|$$

前者要求较严，后者要求较宽。如果观测值中，出现了大于所规定的容许误差的偶然误差，则认为该观测值不可靠，应舍去不用或重测。

5.4 观测值的算术平均值及改正数

5.4.1 算术平均值

在相同的观测条件下，对某个量进行 n 次观测，其观测值分别为 $l_1, l_2, \cdots, l_n$，将这些观测值取算术平均值 $\overline{x}$，作为该量的最可靠的数值，称为“最或是值”。

$$\overline{x}=\frac{l_1+l_2+\cdots+l_n}{n}=\frac{[l]}{n} \tag{5-11}$$

多次获得观测值而取算术平均值的合理性和可靠性，可以用偶然误差的特性来证明：设某一量的真值为 X，各次观测值为 $l_1, l_2, \cdots, l_n$，其相应的真误差为 Δ_1、Δ_2、……、Δ_n。则：

$$\begin{aligned}\Delta_1&=l_1-X\\ \Delta_2&=l_2-X\\ &\vdots\\ \Delta_n&=l_n-X\end{aligned}$$

将上式取和再除以观测次数 n，得：

$$\frac{[\Delta]}{n}=\frac{[l]}{n}-X$$

根据偶然误差的第四个特性，当观测次数无限增多时，$\frac{[\Delta]}{n}$就会趋近于零，即：

$$\lim_{n\to\infty}\frac{[\Delta]}{n}=0$$

也就是说，当观测次数无限增大时，观测值的算术平均值趋近于该量的真值。但是，在实际工作中，不可能对某一量进行无限次观测，因此，就把有限个观测值的算术平均值作为该量的最或是值。

5.4.2 观测值的改正数

算术平均值与观测值之差称为观测值的改正值(v)：

$$v_1 = \overline{x} - l_1$$

$$v_2 = \overline{x} - l_2$$

$$\vdots$$

$$v_n = \overline{x} - l_n \tag{5-12}$$

将上列等式相加，得：

$$[v] = n\overline{x} - [l]$$

再根据(5－11)式，得到：

$$[v] = n\frac{l}{n} - [l] = 0$$

一组观测值取算术平均值后，其改正值之和恒等于零。这一公式可以作为计算中的校核。

对于一组等精度的观测值，取其算术平均值作为最或是值的合理性，还可以用各个改正值的平方和为最小值(称为最小二乘原则)，即：

$$[vv] = [(\overline{x} - l)^2] = \min$$

以此为条件来求待定值 $\overline{x}$，则令：

$$\frac{\mathrm{d}[vv]}{\mathrm{d}x} = 2[(\overline{x} - l)] = 0$$

得到：

$$n\overline{x} - [l] = 0$$

$$\overline{x} = \frac{[l]}{n}$$

上式即(5－11)式。由此可知，取一组等精度观测值的算术平均值作为最或是值，并据此得到各个观测值的改正值，符合$[vv]=\min$的“最小二乘原则”。

5.5 观测值的精度评定

观测值的精度最理想的是以标准差 σ 来衡量，其数学表达式见式(5－5)，但是在实际工作中不可能对某一量进行无穷多次观测，因此，只根据有限次观测用估算中误差 m 来衡量其精度，见式(5－6)。应用此式还需要具有观测对象的真值 X 已知、真误差 Δ_i 可以求得的条件。例如，用水准仪进行往返观测两点之间的高差，而返测高差应该等于往测高差，即往返观测高差之差的真值为零为已知；用经纬仪观测平面三角形的三个内角，每个三角形内角之和的真值 180°为已知。在一般情况下，观测值的真值 X 是不知道的，真误差也就无法求得，此时就不可能用(5－6)式求中误差。从上一节知道：在同样的观测条件下对某一量进行多次观测，可以取其算术平均值 $\overline{x}$ 作为最或是值，也可以算得各个观测值的改正值 v_i；并且还知道 $\overline{x}$ 在观测次数无限增多时将趋近于真值 X。对于有限的观测次数，以 $\bar{x}$ 代替 X 即相应于以改正值 v_i 代替真误差 Δ_i，参照(5－6)式，得到观测值的改正值计算观测值的中误差的公式：

$$m=\pm\sqrt{\frac{[vv]}{n-1}} \tag{5-13}$$

将上式与(5－6)式对照，可见除了以 $[vv]$ 代替 $[\Delta\Delta]$ 之外，还以 $(n-1)$ 代替 n，简单的解释为：在真值已知的情况下，所有 n 个观测值均为多余观测；在真值未知的情况下，则有一个观测值是必要的，其余 $(n-1)$ 个观测值是多余的。因此 n 和 $(n-1)$ 是分别代表真值已知和未知两种不同情况下的多余观测数。

式(5－13)可以根据偶然误差的特性来证明。根据(5－1)和(5－12)式：

$$\begin{aligned}
\Delta_1&=l_1-X, & v_1&=\bar{x}-l_1\\
\Delta_2&=l_2-X, & v_2&=\bar{x}-l_2\\
&\vdots & &\vdots\\
\Delta_n&=l_n-X, & v_n&=\bar{x}-l_n
\end{aligned}$$

将上列左右两式分别相加，得：

$$\begin{aligned}
-\Delta_1&=v_1+(X-\bar{x})\\
-\Delta_2&=v_2+(X-\bar{x})\\
&\vdots\\
-\Delta_n&=v_n+(X-\bar{x})
\end{aligned}$$

上列各式取其总和，并由 $[v]=0$，得：

$$-[\Delta]=n(X-\bar{x})$$

$$(X-\bar{x})=\frac{-[\Delta]}{n}$$

再取其平方和，得：

$$[\Delta\Delta]=[vv]+n(X-\bar{x})^2$$

即

$$(X-\bar{x})^2=\frac{[\Delta]^2}{n^2}=\frac{\Delta_1^2+\Delta_2^2+\cdots+\Delta_n^2}{n^2}+\frac{2(\Delta_1\Delta_2+\Delta_1\Delta_3+\cdots+\Delta_{n-1}\Delta_n)}{n^2}$$

上式中，右端第二项中 $\Delta_i\Delta_j\,(j\neq i)$ 为任意两个偶然误差的乘积，它仍然具有偶然误差的特性。根据偶然误差的第四个特性，有下式：

$$\lim_{n\to\infty}\frac{\Delta_1\Delta_2+\Delta_1\Delta_3+\cdots+\Delta_{n-1}\Delta_n}{n}=0$$

当 n 为有限值时，上式分子的值为一微小量，除以 n 后，更可以忽略不计，因此：

$$(X-\bar{x})^2=\frac{[\Delta]^2}{n^2}$$

$$[\Delta\Delta]=[vv]+\frac{[\Delta\Delta]}{n}$$

$$\frac{[\Delta\Delta]}{n}=\frac{[vv]}{n-1}=m^2$$

根据上式就可以将(5－1)式演化为(5－13)式。(5－13)式是对某一量进行多次观测而评定其精度的公式,是统计计算的常用公式之一。

5.6 误差传播定律及应用

5.6.1 误差传播定律

1. 观测值的函数

以上介绍某一量(例如一个角度、一段距离)直接进行多次观测,以求得其最或是值,计算观测值的中误差,作为衡量精度的标准。但是在测量工作中,有一些需要知道的量并非直接观测值,而是根据一些直接观测值用一定的数学公式(函数关系)计算而得,因此称这些量为观测值的函数。由于观测值中含有中误差,使函数受其影响而也含有误差,称之为误差传播。

一般,有下列一些函数关系:

(1)和差函数

例如,两点间的水平距离 D,共量 n 个尺段。各段量得的长度分别为 $l_1,l_2,\cdots,l_n$,则 $D=l_1+l_2+\cdots+l_n$,即距离 D 是各分段观测值 $l_1,l_2,\cdots,l_n$ 之和。又例如,一个水平角值是两个方向观测值之差。这些函数称为和差函数。

(2)倍函数

例如,用尺子在 1∶1000 的地形图上量得两点间的距离 d,其相应的实地距离 $D=1000d$,则 D 是 d 的倍函数。

(3)线性函数

例如,计算算术平均值的公式为

$$\bar{x}=\frac{1}{n}(l_1+l_2+\cdots+l)=\frac{1}{n}l_1+\frac{1}{n}l_2+\cdots\cdots+\frac{1}{n}l_n \qquad (5-14)$$

式中,在直接观测值 l_i 之前乘某一系数(不一定如上式一样是相同的系数),并取其代数和。因此可把算术平均值看成各个观测值的线性函数。和差函数和倍函数也属于线性函数。

(4)一般函数

例如,用三角高程测量方法得到两点间的高差 h,是通过测量斜距 S 和竖直角 α,按公式 $h=S\sin\alpha$ 计算而得。凡是在变量之间用数学运算符乘、除、乘方、开方、三角函数等组成的函数称为非线性函数。线性函数和非线性函数统称为一般函数。

根据观测值中误差求观测值函数的中误差，需要用误差传播定律。误差传播定律是根据函数的形式表达为一定的数学公式。

2. 一般函数的中误差

下面以一般函数关系来推导误差传播定律。

设有一般函数：

$$Z=F(x_1,x_2,\cdots,x_n) \tag{5-15}$$

式中：$x_1,x_2,\cdots,x_n$——可直接观测的未知量；

Z——不便于直接观测的未知量。

设 $x_i=(1,2,\cdots,n)$ 的独立观测值为 l_i，其相应的真误差为 Δ_{x_i}。由于 Δ_{x_i} 的存在，使函数 Z 亦产生相应的真误差 ΔZ。将式(5-15)取全微分：

$$\mathrm{d}Z=\frac{\partial F}{\partial x_1}\mathrm{d}x_1+\frac{\partial F}{\partial x_2}\mathrm{d}x_2+\cdots\cdots+\frac{\partial F}{\partial x}\mathrm{d}x_n$$

因误差 Δ_{x_i} 及 ΔZ 都很小，故在上式中，可近似用 Δ_{x_i} 及 ΔZ 代替 $\mathrm{d}x_i$ 及 $\mathrm{d}Z$，于是有：

$$\Delta Z=\frac{\partial F}{\partial x_1}\Delta x_1+\frac{\partial F}{\partial x_2}\Delta x_2+\cdots\cdots+\frac{\partial F}{\partial x_n}\Delta x_n \tag{5-16}$$

式：$\frac{\partial F}{\partial x_i}$中为函数 F 对各自变量的偏导数。将 $x_i=l_i$ 代入各偏导数中，即为确定的常数，设

$$\left(\frac{\partial F}{\partial x_1}\right)_{x_i}=f_i$$

则式(5-16)可写成

$$\Delta Z=f_1\Delta x_1+f_2\Delta x_2+\cdots+f_n\Delta x_n \tag{5-17}$$

为了求得函数和观测值之间的中误差的关系式，设想对 x_i 进行了 k 次观测，可写出 k 个类似于(5-17)的关系式。

$$Z^{(1)}=f_1\Delta x_1^{(1)}+f_2\Delta x_2^{(1)}+\cdots+f_n\Delta x_n^{(1)}$$

$$Z^{(2)}=f_1\Delta x_1^{(2)}+f_2\Delta x_2^{(2)}+\cdots+f_n\Delta x_n^{(2)}$$

$$\vdots$$

$$Z^{(n)}=f_1\Delta x_1^{(n)}+f_2\Delta x_2^{(n)}+\cdots+f_n\Delta x_n^{(n)}$$

将以上各式等号两边平方后，再相加，得：

$$[\Delta Z^2]=f_1^2[\Delta x_1^2]+f_2^2[\Delta x_2^2]+\cdots f_n^2[\Delta x_n^2]+\sum_{\substack{i,j=1\\ i\neq j}}^{n} f_i f_j[\Delta x_i\Delta x_j]$$

上式两端各除以 k：

$$\frac{\Delta Z^2}{k}=\frac{f_1^2[\Delta x_1^2]}{k}+\frac{f_2^2[\Delta x_2^2]}{k}+\cdots+\frac{f_n^2[\Delta x_n^2]}{k}+\frac{\sum\limits_{\substack{i,j=1\\ i\neq j}}^{n} f_i f_j[\Delta x_i\Delta x_j]}{k} \tag{5-18}$$

设对各 x_i 的观测值 l_i 为彼此独立的观测，则当 $i \neq j$ 时，$\Delta x_i \Delta x_j$ 应为偶然误差。根据偶然误差的第四个特性可知，当 $k \to \infty$ 时，式(5－18)的末项趋近于零，即

$$\lim_{k \to \infty} \frac{[\Delta x_i \Delta x_j]}{k} = 0$$

故式(5－18)可写为

$$\lim_{k \to \infty} \frac{[\Delta Z^2]}{k} = \lim_{k \to \infty} \left(\frac{f_1^2[\Delta x_1^2]}{k} + \frac{f_2^2[\Delta x_2^2]}{k} + \cdots + \frac{f_n^2[\Delta x_n^2]}{k} + \frac{\sum\limits_{\substack{i,j=1 \\ i \neq j}}^{n} f_i f_j [\Delta x_i \Delta x_j]}{k} \right)$$

根据中误差的定义，上式可写成：

$$\sigma_z^2 = f_1^2 \sigma_1^2 + f_2^2 \sigma_2^2 + \cdots + f_n^2 \sigma_n^2$$

当 k 为有限值时，可写为：

$$m_z^2 = f_1^2 m_1^2 + f_2^2 m_2^2 + \cdots + f_n^2 m_n^2 \tag{5-19}$$

即：

$$m_z = \pm \sqrt{\left(\frac{\partial F}{\partial x_1}\right)^2 m_1^2 + \left(\frac{\partial F}{\partial x_2}\right)^2 m_2^2 + \cdots + \left(\frac{\partial F}{\partial x_n}\right)^2 m_n^2} \tag{5-20}$$

上式即为计算函数中误差的一般形式。其他函数，如线性函数、和差函数、倍函数等，都是一般函数的特殊情况。应用上式时必须注意：各观测值必须是相互独立的变量，而当 l_i 为未知量 x_i 的直接观测值时，可认为各 l_i 之间满足相互独立的条件。

3. 线性函数和倍函数的中误差

设有线性函数：

$$Z = k_1 x_1 + k_2 x_2 + \cdots + k_n x_n \tag{5-21}$$

式中：k_1、k_2、…、k_n——任意常数；

x_1、x_2、…、x_n——独立变量，其中误差分别为 m_1、m_2、…、m_n。

按照误差传播定律，由于此时：

$$\frac{\partial F}{\partial x_1} = k_1, \frac{\partial F}{\partial x_1} = k_2, \cdots, \frac{\partial F}{\partial x_1} = k_n$$

得到线性函数的中误差：

$$m_z = \pm \sqrt{k_1^2 m_1^2 + k_2^2 m_2^2 + \cdots + k_n^2 m_n^2} \tag{5-22}$$

例如，对某一量进行 n 次等精度观测，其算术平均值可以写成(5－14)式。按式(5－22)得

$$m_{\bar{x}}=\pm\sqrt{\left(\frac{1}{n}\right)^2 m_1^2+\left(\frac{1}{n}\right)^2 m_2^2+\cdots+\left(\frac{1}{n}\right)^2 m_n^2}$$

由于是等精度观测，因此，$m_1=m_2=\cdots=m_n=m$，m 为观测值的中误差。由此得到按观测值的中误差计算算术平均值的中误差的公式：

$$m_{\bar{x}}=\pm\frac{m}{\sqrt{n}}=\pm\sqrt{\frac{[vv]}{n(n-1)}} \tag{5-23}$$

由此可见算术平均值的中误差是观测值中误差的 $1/\sqrt{n}$，再由于 $[vv]=\min$ 可知，对于某一量进行多次等精度观测而取其算术平均值，是提高观测成果精度的最有效的方法。

如果某线性函数只有一个变量：

$$Z=kx \tag{5-24}$$

则成为倍函数。按照误差传播定律，则倍函数的中误差为

$$m_z=km_x \tag{5-25}$$

例如：在比例尺为 1∶500 地形图上，量得某线段的平距为 $d_{AB}=51.2\text{mm}\pm0.2\text{mm}$，求 AB 的实地平距 D_{AB} 及其中误差 m_D。

函数关系为

$$D_{AB}=500\times d_{AB}=25.6\text{m}$$
$$m_D=500\times(\pm0.2\text{mm})=\pm0.1\text{m}$$

最后得 $D_{AB}=25.6\text{m}\pm0.1\text{m}$。

4. 和差函数的中误差

设有和差函数：

$$z=x_1\pm x_2\pm\cdots\pm x_n \tag{5-26}$$

式中：$x_1,x_2,\cdots,x_n$ 为独立变量，其中误差为 $m_1,m_2,\cdots,m_n$。和差函数也属于线性函数，因此可按式(5-22)计算，并顾及 $k_1=k_2=\cdots k_n=\pm1$，得到和差函数的中误差：

$$m_z=\pm\sqrt{m_1^2+m_2^2+\cdots+m_n^2} \tag{5-27}$$

和差函数的各个自变量如果具有相同的精度，则在(5-27)中有 $m_1=m_2=\cdots=m_n=m$，因此，等精度自变量的和差函数的中误差为

$$m_z=\pm m\sqrt{n} \tag{5-28}$$

例如，用 30m 长的钢尺丈量一段 300m 的距离 D，共量 10 尺段。设每一尺段丈量的中误差为±5mm，则丈量全长 D 的中误差为

$$m_D=\pm5\sqrt{10}\approx\pm16\text{mm}$$

和差函数的中误差是一种最简单的误差传播形式。

5.6.2 误差传播定律的应用

本节应用误差传播定律，讨论某些测量成果的精度及其限差规定的理论依据。

1. 距离测量的精度

用长度为 l 的钢尺丈量一段水平距离 d，共量 n 个尺段。设一尺段的量距中误差为 m，量得距离 D 的中误差为 m_D，则函数式为

$$D=l_1+l_2+\cdots+l_n$$

按照等精度和差函数的公式(5-28)，得

$$m_D=\pm m\sqrt{n}$$

用尺段数 $n=D/l$ 代入上式，得

$$m_D=\pm\frac{m}{\sqrt{l}}\sqrt{D}$$

用一定长度的钢尺，在一定的观测条件下量距，m 为一常数。令

$$\mu=\frac{m}{\sqrt{l}} \tag{5-29}$$

μ 称为"单位长度的量距中误差"，则距离 D 的量距中误差为

$$m_D=\pm\mu\sqrt{D} \tag{5-30}$$

由此可见，距离丈量的中误差与距离的平方根成正比。

2. 角度测量的精度

(1)水平角度观测的精度

用 DJ6 级经纬仪观测水平角，根据仪器的设计标准，一测回方向观测的中误差 $m=\pm6''$，角度为两个方向值之差，故一测回水平角观测(仅包含瞄准与读数)的中误差为

$$m_\beta=m\sqrt{2}=\pm6''\sqrt{2}=\pm8.5''$$

由于一测回的水平角值取盘左、盘右两个半测回角值的平均值，故半测回水平角值的中误差为

$$m_{\beta_半}=m_\beta\sqrt{2}=\pm12.0''$$

盘左、盘右水平角值之差的中误差为

$$m_{\Delta\beta}=m_{\beta_半}\sqrt{2}=\pm17.0''$$

取两倍中误差为极限误差，则为 34″。故用 DJ6 级经纬仪观测水平角，盘左、盘右分别测得水平角值之差允许值一般规定为±40″。

(2)多边形角度闭合差的规定

n 边形的内角(水平角 β)之和在理论上应为$(n-2)\times180°$，即：

$$\sum \beta_{理} = (n-2) \times 180° \tag{5-31}$$

由于观测水平角中存在偶然误差，使测得的内角之和$\sum \beta_{测}$不等于$\sum \beta_{理}$而产生角度闭合差：

$$f_\beta = \sum \beta_{测} - \sum \beta_{理} = \beta_1 + \beta_1 + \cdots + \beta_n - (n-2) \times 180° \tag{5-32}$$

由此可见，角度闭合差为各角之和的函数，角度闭合差的中误差即为各角之和的中误差。由于各个角度为等精度观测，其中误差为 m_β，因此各角之和的中误差为

$$m_{\sum \beta} = \pm m_\beta \sqrt{n} \tag{5-33}$$

如果以两倍中误差为极限误差，则允许的角度闭合差为

$$f_{\beta允} = \pm 2 m_\beta \sqrt{n} \tag{5-34}$$

例如，设水平角的测角中误差 $m_\beta = \pm 18''$，则三角形的角度闭合差：

$$2 m_\beta \sqrt{3} = 2 \times 18 \sqrt{3} \approx \pm 60''$$

3. 水准测量的精度

(1)两次高差时的误差规定

一次测定两点间高差的公式为

$$h = a - b$$

设前视或后视在水准尺上读数的中误差 $m = \pm 1\text{mm}$，则一次测定高差的中误差为

$$m_h = m\sqrt{2} = \pm 1.4\text{mm}$$

两次测定高差之差的计算公式为

$$\Delta_h = h_1 - h_2 = (a_1 - b_1) - (a_2 - b_2)$$

则高差之差的中误差为

$$m_{\Delta h} = m_h \sqrt{2} = \pm 2\text{mm}$$

如果以两倍中误差为极限误差，则为±4mm。另外考虑到在水准测量中还有水准管气泡置平误差的影响，故一般规定：用 DS3 级水准仪，两次测定高差之差不得超过±5mm。

(2)水准路线的高差测定误差

设在两水准点之间的一条水准路线上进行水准测量，共设 n 个测站，两点间的高差为各测站所测高差的总和：

$$\sum h = h_1 + h_2 + \cdots + h_n = (a_1 - b_1) + (a_2 - b_2) + \cdots + (a_n - b_n)$$

设每次在水准尺上读数的中误差为 m，设测站所测高差的中误差为 m_h，则高差总和的中误差为：

$$m_H = m_h\sqrt{n} = m\sqrt{2n}$$

设两水准点间的水准路线的长度为 L，各测站前视和后视的平均距离为 d，则测站数为

$$n = \frac{L}{2d}$$

代入前式，得

$$m_H = m\sqrt{\frac{L}{d}} = \frac{m}{\sqrt{d}}\sqrt{L}$$

令

$$m_0 = \frac{m}{\sqrt{d}}$$

则：

$$m_H = m_0\sqrt{L} \tag{5-35}$$

在上式中，如果 $L=1$，则 $m_H = m_0$，故 m_0 称为“单位长度的高差中误差”，决定于水准测量的等级(所用水准仪的级别和测量方法)。由此可见，一定等级的水准测量的高差中误差与水准路线长度的平方根成正比。

例如，设 1km 长的水准路线的高差中误差 $m_0 = \pm 10\text{mm}$，则 5km 长的水准路线的高差中误差则为

$$m_H = \pm 10\text{mm}\sqrt{5} = \pm 22\text{mm}$$

5.7 加权平均值及中误差

5.7.1 权的概念

在对某一未知量进行非等精度观测时，各观测结果的中误差也各不相同，各观测值便具有不同程度的可靠性。在求未知量的最可靠值时，就不能像等精度观测那样简单地取算术平均值。因为较可靠的观测值，应对最后结果产生较大的影响。

各非等精度观测值的可靠程度，可用一个数值来表示，称为各观测值的权。“权”是权衡轻重的意思，观测值的精度愈高，其权愈大。例如，设对某一未知量进行了两组非等精度观测，但每组内各观测值是等精度的。设第一组观测了四次，其观测值为 l_1, l_2, l_3, l_4；第二组观测了三次，观测值为 l'_1, l'_2, l'_3。这些观测值的可靠程度都相同，则每组分别取算术平均值作为最后观测值，即

$$L_1 = \frac{l_1 + l_2 + l_3 + l_4}{4}$$

$$L_2 = \frac{l'_1 + l'_2 + l'_3}{3}$$

对观测值 L_1、L_2来说，彼此是非等精度的观测，故观测值的最后结果应为

$$L=\frac{l_1+l_2+l_3+l_4+l'_1+l'_2+l'_3}{7}$$

上式计算实际是：

$$L=\frac{4L_1+3L_2}{4+3}$$

从非等精度的观点来看，观测值 L_1是四次观测值的平均值，L_2是三次观测值的平均值。L_1和 L_2的可靠性是不一样的，故可取 4 和 3 为其相应的权，以表示 L_1、L_2可靠程度的差别。由于上式分子、分母各乘同一常数，最后结果不变，因此，权只有相对意义，起作用的不是它们的绝对值，而是它们之间的比值。权通常以字母 P 表示，且为正值。

5.7.2 权与中误差的关系

一定的中误差，对应着一个确定的误差分布，即对应着一定的观测条件。观测结果的中误差愈小，其结果愈可靠，权就愈大。因此，也可以根据中误差来定义观测结果的权。设非等精度观测值的中误差分别为 m_1、m_2、…、m_n，则权可用下面的式子来定义：

$$P_1=\frac{\lambda}{m_1^2},P_2=\frac{\lambda}{m_2^2},\cdots,P_n=\frac{\lambda}{m_n^2} \tag{5-36}$$

其中：λ——任意大于零的常数。

根据前面所举的例子，l_1,l_2,l_3,l_4 和 l'_1,l'_2,l'_3 是等精度观测列，设其观测值的中误差皆为 m，则第一组算术平均值 L_1的中误差 m_1可以根据误差传播定律求得：

$$L_1=\frac{l_1+l_2+l_3+l_4}{4}=\frac{1}{4}l_1+\frac{1}{4}l_2+\frac{1}{4}l_3+\frac{1}{4}l_4$$

则：

$$m_1^2=\frac{1}{4^2}m^2+\frac{1}{4^2}m^2+\frac{1}{4^2}m^2+\frac{1}{4^2}m^2=\frac{1}{4}m^2$$

同理，设第二组算术平均值 L_2的中误差为 m_2，则有：

$$m_2^2=\frac{1}{3}m^2$$

根据权的定义，由式(5-36)L_1和 L_2的权：

L_1：
$$P_1=\frac{\lambda}{m_1^2}=\frac{\lambda}{\frac{1}{4}m^2}$$

L_2：
$$P_2=\frac{\lambda}{m_2^2}=\frac{\lambda}{\frac{1}{3}m^2}$$

式中：λ——任意正常数。

设 $\lambda=m^2$，则 L_1、L_2 的权为　　$P_1=4, P_2=3$。

由上可知，权与中误差的平方成反比。

例如，设以非等精度观测某角度，各观测结果的中误差分别为 $m_1=\pm 2.0''$、$m_2=\pm 3.0''$、$m_3=\pm 6.0''$，则其权各为

$$P_1=\frac{\lambda}{2^2}=\frac{\lambda}{4}, P_2=\frac{\lambda}{3^2}=\frac{\lambda}{9}, P_3=\frac{\lambda}{6^2}=\frac{\lambda}{36}$$

设 $\lambda=4$，则

$$P_1=1, P_2=\frac{4}{9}, P_3=\frac{1}{9}$$

设 $\lambda=36$，则

$$P_1=9, P_2=4, P_3=1$$

任意选择 λ 值，可以使权变为便于计算的数值。

例如，设对某一量进行了 n 次观测，求算术平均值的权。

设一测回角度观测值的中误差为 m，则由式(5-23)，算术平均值的中误差 $M=m/\sqrt{n}$。

由权的定义并设 $\lambda=m^2$，则一测回观测值的权为

$$P=\frac{\lambda}{m^2}=\frac{m^2}{m^2}=1$$

算术平均值的权为

$$P_L=\frac{\lambda}{\frac{m^2}{n}}=\frac{m^2}{\frac{m^2}{n}}=n$$

由上例可知，取一测回角度观测值之权为 1，则 n 个测回观测值的算术平均值的权为 n，故角度观测的权与其测回数成正比。在非等精度观测中引入"权"的概念，可以建立各观测值之间的精度比值，以便更合理地处理观测数据。例如，设每一测回的观测值的中误差为 m^2，其权为 P_0，并设 $\lambda=m^2$，则

$$P_0=\frac{m^2}{m^2}=1$$

等于 1 的权称为单位权，而权等于 1 的中误差称为单位权中误差，一般用 m_0（或 μ）表示。对于中误差为 m_i 的观测值（或观测值的函数），其权 P_i 为

$$P_i=\frac{m_0^2}{m_i^2}$$

则相应的中误差的另一表达式可写为

$$m_i=m_0\sqrt{\frac{1}{P_i}} \tag{5-37}$$

5.7.3 加权平均值及精度评定

设对同一未知量进行了 n 次非等精度观测，观测值为 l_1、l_2、…、l_n。其相应的权为观测值为 P_1、P_2、…、P_n，则加权算术平均值 L_0 为非等精度观测值的最可靠值，其计算公式可写为

$$L_0=\frac{p_1l_1+p_2l_2+\cdots+p_nl_n}{p_1+p_2+\cdots+p_n}$$

或：

$$L_0=\frac{[pl]}{[p]} \tag{5-38}$$

下面计算加权算术平均值的中误差 M_0。

式(5-38)可写为

$$L_0=\frac{[pl]}{[p]}=\frac{p_1}{[p]}l_1+\frac{p_2}{[p]}l_2+\cdots+\frac{p_n}{[p]}l_n$$

根据误差传播定律，可得 L_0 的中误差 M_0 为

$$M_0^2=\frac{1}{[p]^2}(p_1^2m_1^2+p_2^2m_2^2+\cdots+p_n^2m_n^2)$$

式中：m_1、m_2、…、m_n 相应为 l_1、l_2、…、l_n 的中误差。

由于 $p_1m_1^2=p_2m_2^2=\cdots=p_nm_n^2=m_0^2$（$m_0$ 为单位权中误差），故有

$$M_0^2=\frac{m_0^2}{[p]} \tag{5-39}$$

由

$$nm_0^2=p_1m_1^2+p_2m_2^2+\cdots+p_nm_n^2$$

可知当 n 足够大时，m_i 可用相应的观测值 l_i 的真误差 Δ_i 来代替，故

$$nm_0^2=[pm^2]=[p\Delta\Delta]$$

即可得单位权中误差 m_0 为

$$m_0=\pm\sqrt{\frac{[p\Delta\Delta]}{n}} \tag{5-40}$$

代入式(5-39)中，可得：

$$M_0=\pm\sqrt{\frac{[p\Delta\Delta]}{n[p]}} \tag{5-41}$$

式(5-41)即为用真误差计算加权算术平均值的中误差的表达式。

实用中常用观测值的改正数 $v_i=L_0-l_i$ 来计算中误差 M_0，有

$$m_0 = \pm \sqrt{\frac{[pvv]}{n-1}} \tag{5-42}$$

$$M_0 = \pm \sqrt{\frac{[pvv]}{[p](n-1)}} \tag{5-43}$$

思考题与习题

1. 偶然误差与系统误差有哪些不同？偶然误差有哪些特性？

2. 为什么观测值的算术平均值是最可靠值？

3. 某直线丈量了四次，其结果为：124.387m，124.375m，124.391m，124.385m。计算其算术平均值、观测值中误差、算术平均值中误差和相对误差。

4. 用J6级经纬仪对某水平角进行了五个测回观测，其角度分别为：132°18′12″，132°18′09″，132°18′18″，132°18′15″，132°18′06″。计算其算术平均值、观测值中误差和算术平均值中误差。

5. 在一个三角形中，观测了两个内角 α 和 β，其中误差为 $m_\alpha = \pm 6''$，$m_\beta = \pm 8''$，求第三个角度 γ 的中误差 m_γ。

6. 试述权的含义及权和中误差之间的关系。

7. 如图5-6所示，为了求得Q点的高程，从A、B、C三个水准点向Q点进行了同等级的水准测量，其结果列在表5-3中，各段高差的权与路线成反比，试求Q点的高程及其中误差。

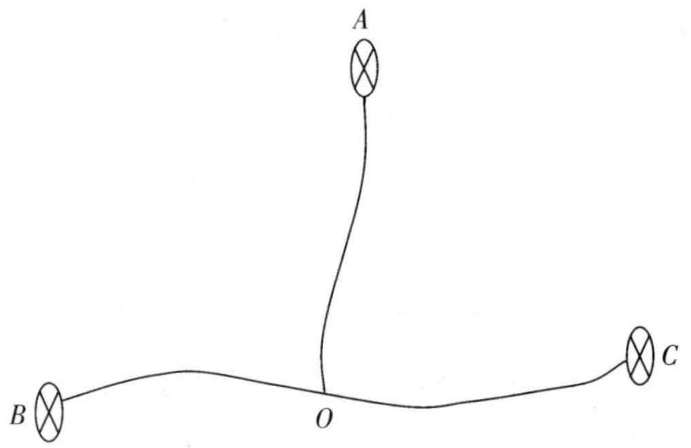

图5-6 习题7图

表5-3 水准路线测量数据表

水准点的高程(m)	观测高差(m)	水准路线长度(km)
A:20.145	AQ:+1.538	2.5
B:24.030	BQ:−2.330	4.0
C:19.898	CQ:+1.782	2.0

第6章

控制测量

[本章导读]

本章主要介绍导线测量和光电测距三角高程测量。通过本章的学习，读者能初步掌握平面和高程控制。

[知识目标]

1. 掌握导线测量(包括导线的布设、导线测量的外业工作、导线测量的内业计算)。
2. 掌握四等水准测量。
3. 掌握广电测距三角高程测量。
4. 了解交会定点。
5. 了解全球定位系统(GPS)测量。

[能力目标]

1. 掌握导线测量的计算。
2. 掌握光电测距三角高程测量的计算。

[重点难点]

1. 导线的布设、测边、测角及其内业计算。
2. 全球定位系统(GPS)测量。

6.1 概　述

6.1.1 控制测量及其布网原则

在地球表面上进行的各种测绘和测设工作，都需要一定数量点位坐标已知的、埋设稳固的固定点作为展开测量工作的基准点。测量上就把这些点称为控制点。建立这些控制点的工作称为控制测量。

控制测量的作用可以归纳为：

1. 控制测量是各项测量工作的基础

如在测图时，由控制测量提供测站点；又如在放样道路曲线时，由控制点提供标准方向，测设曲线偏角等。

2. 控制测量具有控制全局的作用

如统一坐标系统的控制网在测绘地形图时，保证各图幅之间的正确拼接；在大型设备安装时，可使各部件之间准确地安装到设计要求的相对位置。

3. 控制测量误差的传递和积累

任何测量都不可避免地带有误差。如水准测量、导线测量等，每站都会产生误差，这些误差会一站一站传递下去，累积起来，使后面点的位置误差变得越来越大。控制测量可以在整体上把测量误差的传递和积累控制在一定的范围之内。

控制测量就是通过建立控制网，精确测定控制点空间坐标的工作。用以确定点的平面位置 x、y 的控制网称为平面控制网；用以确定点的高程位置 H 的控制网称为高程控制网。在传统的以光学仪器为观测工具的控制测量中，平面控制网以三角网、导线网应用最多，此外还有三边网、边角网等；高程控制网以水准网为主，在布设水准网困难地区也可使用三角高程测量的方法传递高程。

全球定位系统(GPS)是美国国防部组织研制的“卫星授时测距导航/全球定位系统”，由于 GPS 定位技术具有高精度、全天候、无需通视等诸多优点，目前已基本取代传统测量方法，成为建立各级平面控制网的主要手段。关于 GPS 测量技术的原理及其在测量领域的应用，有专门的书籍论述。本章主要以介绍传统的控制测量为主，仅简要介绍 GPS 在现代控制测量工作中的应用。

为了在建网和使用过程中最大限度地节约人力、物力和时间等资源，满足不同地区经济建设对控制网精度、密度、急缓的不同需求，同时满足国家控制网对全国定位起到全局的、整体的、统一的基准作用，我国国家控制网的建设，应遵循如下建网原则：

(1)先整体、后局部，分级布网、逐级控制；

(2)要有足够的精度；

(3)要有足够的密度；

(4)要有统一的规格。

国家有关部门专门制定了各种测量规范，作为测绘工作的法规性文件，以保证上述原则的贯彻和实施。

6.1.2 国家基本控制网

1. 国家平面控制网

在全国范围内布设的平面控制网，称为国家平面控制网。国家平面控制网采用逐级控制、分级布设的原则，将平面控制网分为一等、二等、三等、四等 4 个等级。

一等平面控制以三角锁为主，在西部困难地区采用导线测量法。一等三角锁沿经线和纬线布设成纵横交叉的三角锁系，锁长 200～250 公里，构成许多锁环。一等三角锁内由近于等边的三角形组成，边长为 20～30 公里，如图 6-1 所示。

二等平面控制在一等锁环内布设成全面网，如图 6-2 所示，二等网的平均边长为 13 公里。一等锁的两端和二等网的中间，都要测定起算边长、天文经纬度和方位角，因此国家一、二等网合称为天文大地网。我国天文大地网于 1951 年开始布设，1961 年基本完成，1975 年修测补测工作全部结束，全网约有 5 万个大地点。

三、四等平面控制分别是上一级网的加密，如图 6-3、图 6-4 所示。

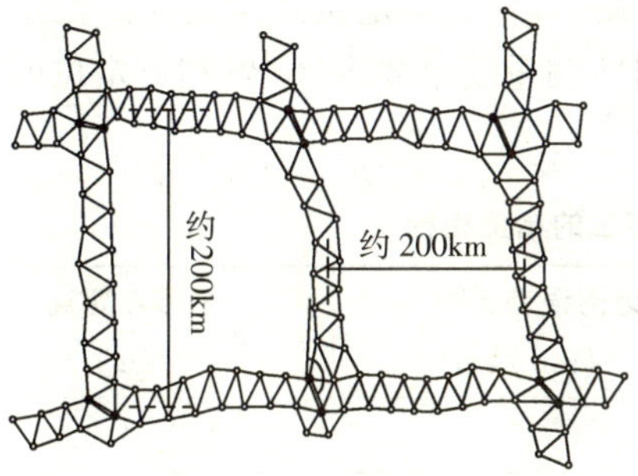

图 6-1　国家一等控制网(锁)

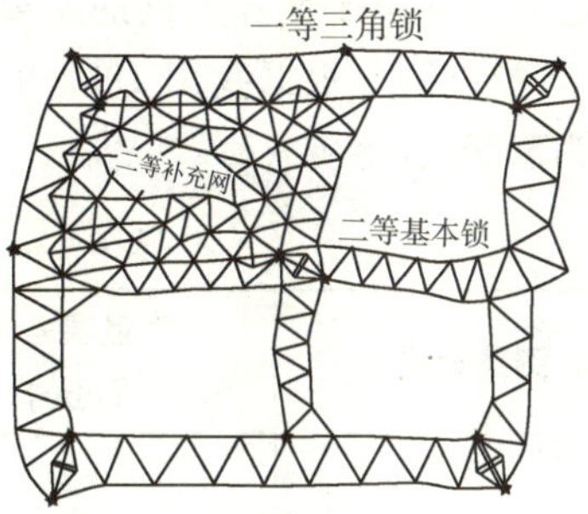

图 6-2　国家二等控制网(锁)

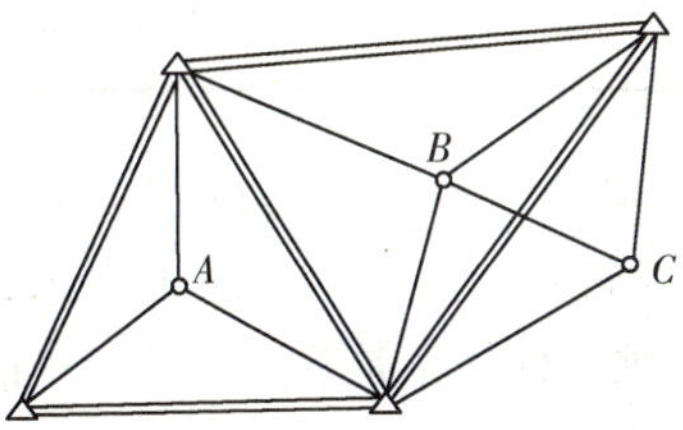

图 6-3　三、四等插点控制网

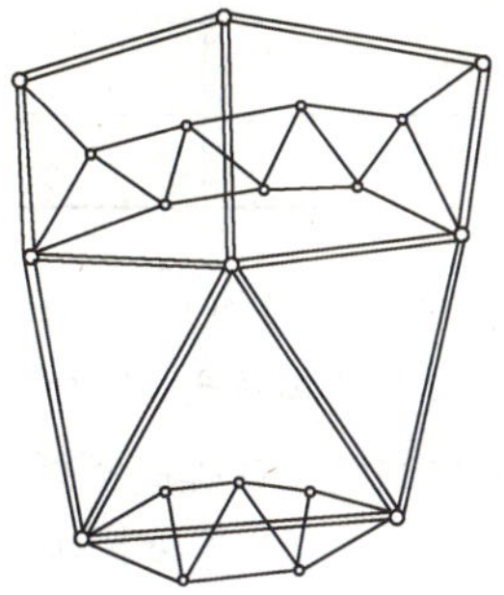

图 6-4　三、四等加密控制网

国家平面控制网的布设规格及其精度见表 6-1。

表 6-1　国家平面控制网的布设规格及其精度

等级	边长		图形强度限制				测角中误差	三角形最大闭合差	起算元素精度		最弱边边长相对中误差 m_s/S
	边长范围(km)	平均边长(km)	单三角形任意角	中点多边形任意角	大地多边形任意角	个别最小角			起算边长相对中误差 m_b/b	天文观测	
一	14—45	平原 20 山区 25	40°	30°	30°		±0.7″	2.5″	1∶350000	$m_\alpha \leqslant \pm 0.5''$ $m_\gamma \leqslant \pm 0.3''$ $m_\phi \leqslant \pm 0.3''$	1∶150000
二	10—18	13	30°	30°		25°	±1.0″	3.5″	1∶350000	与一等相同	1∶150000
三	5—12	8	30°	30°		25°	±1.8″	7.0″			1∶80000
四	2—6	4	30°	30°		25°	±2.4″	9.0″			1∶40000

20 世纪 80 年代末，全球卫星定位系统(GPS)开始在我国用于建立平面控制网，目前已成为建立平面控制网的主要方法。应用 GPS 卫星定位技术建立的控制网称为 GPS 控制网。根据我国 1992 年颁布的 GPS 测量规范要求，GPS 相对定位的精度划分为五级，如表 6-2。

表 6-2　GPS 相对定位的精度指标

测量分级	常量误差 a_0(mm)	比例误差系数 b_0(mm/km)	相邻点距离(km)
A	≤5	≤0.1	100～2 000
B	≤8	≤1	15～250
C	≤10	≤5	5～40
D	≤10	≤10	2～15
E	≤10	≤20	1～10

我国国家 A 级和 B 级 GPS 大地控制网分别由 30 个点和 800 个点构成。它们均匀地分布在我国大陆各省市，平均边长分别 650km 和 150km。它不仅在精度方面比已往的全国性大地控制网大体提高了两个数量级，而且其 3 维坐标体系是建立在具有严格动态定义的国际公认 ITRF 框架之内。

2. 国家高程控制网

国家高程控制网是按照国家水准测量规范建立起来的，也称为国家水准网。国家水准网布设成一等、二等、三等、四等 4 个等级。其布设原则也是采用由高级到低级，从整体到局部，分级布置，逐级加密的原则。国家水准网各等级水准网布设规格及精度要求见表 6-3。一等水准网是沿平缓的交通路线布设成周长约 1500km 的环形路线，是精度最高的高程控制网，它是国家高程控制的骨干，也是地学科研工作的主要依据。二等水准网布设在一等水准环线内，形成周长为 500～750km 的环线。它是国家高程控制网的全面基础。三、四等级水准网是直接为地形测图或工程建设提供高程控制点的专门网。三等水准网一般布置成附合在高级点间的附合水准路线，长度不超过 200km。四等水准网均为附合在高级点间的附合水准路线，长度不超过 80km。图 6-5 是国家一、二等水准路线布置示意图。

图 6-5　国家陆地一、二等水准路线布设示意图

表 6-3　我国各级水准网布设规格及精度

<table>
<tr><th colspan="2">等 级</th><th>环线周长
(km)</th><th>附合路线长
(km)</th><th>偶然中误差 M_Δ
(mm)</th><th>全中误差 M_ω
(mm)</th></tr>
<tr><td rowspan="2">一等</td><td>平原、丘陵</td><td>1000～1500</td><td>—</td><td rowspan="2">≤±0.5</td><td rowspan="2">≤±1.0</td></tr>
<tr><td>山 地</td><td>2000</td><td>—</td></tr>
<tr><td colspan="2">二 等</td><td>500～750</td><td>—</td><td>≤±1.0</td><td>≤±2.0</td></tr>
<tr><td colspan="2">三 等</td><td>300</td><td>200</td><td>≤±3.0</td><td>≤±6.0</td></tr>
<tr><td colspan="2">四 等</td><td>—</td><td>80</td><td>≤±5.0</td><td>≤±10.0</td></tr>
</table>

6.1.3　工程控制网

1. 工程平面控制

对于种类繁多、测区面积相差悬殊的工程测量，国家平面控制网的等级、密度往往显得不适应。因此《工程测量规范》GB 50026—2007 从工程实际出发规定了工程平面控制网的布设方案。工程平面控制网的布网原则与国家平面控制网相同，其布设规格和精度见表 6-4 和表 6-5。

与国家平面控制网相比，工程平面控制网具有如下特点：

(1)测网等级多；

(2)各等级控制网的平均边长较相应等级的国家网的短，即点的密度大；

(3)各等级控制网均可以作为首级控制；

(4)四等三角网起算的相对中误差，按首级网和加密网分别对待。这样，独立建网时，起始边精度与电磁波测距精度相适应；在上一级网的基础上加密建网时，可以利用上一级网的最弱边作为起始边。

表 6－4　三角测量主要技术要求

等级	平均边长	测角中误差(″)	起始边边长相对中误差	最弱边边长相对中误差	测回数			三角形最大闭合差(″)
					$DJ1$	$DJ2$	$DJ6$	
二等	9	1	≤1/250000	≤1/120000	12	—	—	3.5
三等	4.5	1.8	≤1/150000	≤1/70000	6	9	—	7
四等	2	2.5	≤1/100000	≤1/40000	4	6	—	9
一级	1	5	≤1/40000	≤1/20000	—	2	4	15
二级	0.5	10	≤1/20000	≤1/10000	—	1	2	30

表 6－5　导线测量的主要技术要求

等级	导线长度(km)	平均边长(km)	测角中误差(″)	测距中误差(mm)	测距相对中误差	测回数			方位角闭合差(″)	相对闭合差
						DJ1	DJ2	DJ6		
三等	14	3	1.8	20	≤1/150000	6	10	—	$3.6\sqrt{n}$	≤1/55000
四等	9	1.5	2.5	18	≤1/80000	4	6	—	$5\sqrt{n}$	≤1/35000
一级	4	0.5	5	15	≤1/30000	—	2	4	$10\sqrt{n}$	≤1/15000
二级	2.4	0.25	8	15	≤1/14000	—	1	3	$16\sqrt{n}$	≤1/10000
三级	1.2	0.1	12	15	≤1/7000	—	1	2	$24\sqrt{n}$	≤1/5000

2. 工程高程控制

较小区域的工程高程控制测量，根据《工程测量规范》GB50026—2007 分为二等、三等、四等、五等 4 个等级水准测量，其主要技术要求如表 6－6 所示。水准点间的距离，一般地区应为 1～3km，工厂区应不短于 1km。一个测区至少设立三个水准点。在山区无法进行水准测量时，也可以在一定数量水联点（水准联测点）的控制下，布设三角高程路线或三角高程网作为高程控制测量。

表 6－6　水准测量的主要技术要求

等级	每千米高差全中误差(mm)	路线长度(km)	水准仪的型号	水准尺	观测次数		往返较差、附合或环线闭合差	
					与已知点联测	附合或环线	平地(mm)	山地(mm)
二等	2	—	DS1	因瓦	往返各一次	往返各一次	$4\sqrt{L}$	—
三等	6	≤50	DS1	因瓦	往返各一次	往一次	$12\sqrt{L}$	$4\sqrt{n}$
			DS3	双面		往返各一次		
四等	10	≤16	DS3	双面	往返各一次	往一次	$20\sqrt{L}$	$6\sqrt{n}$
五等	15	—	DS3	单面	往返各一次	往一次	$30\sqrt{L}$	

3. 图根控制网

图根控制网是直接为地形测图提供控制点的控制网。建立图根控制网时，应尽可能与国家网、工程网相连接，形成统一的坐标系统。个别地区连接有困难时，也可以建立独立的图根控制网。图根点的密度和精度主要根据测图比例尺和测图方法确定。表 6－7 是对平坦开阔地区全站仪测图图根点密度所作的规定。对山地或通视困难，地貌、地物复杂地区，图根点密度可适当增大。图根控制测量的主要技术要求见表 6－8 和表 6－9。

表 6－7　图根点密度的规定

测图比例尺	1∶500	1∶1000	1∶2000	1∶5000
每幅图图根点个数	2	3	4	6

表 6－8　图根水准测量的主要技术要求

每千米高差全中误差(mm)	附合路线长度(km)	水准仪的型号	视线长度(m)	观测次数		往返较差、附合或环线闭合差(mm)	
				附合或闭合路线	支水准路线	平地	山地
20	≤5	DS_{10}	≤100	往一次	往返各一次	$40\sqrt{L}$	$12\sqrt{n}$

表 6－9　图根导线测量的主要技术要求

导线长度(m)	相对闭合差	边长	测角中误差(″)		方位角闭合差(″)	
			一般	首级控制	一般	首级控制
$\leqslant \alpha \times M$	$\leqslant 1/(2000 \times \alpha)$	≤1.5 测图最大视距	30	20	$60\sqrt{n}$	$40\sqrt{n}$

6.2　平面控制测量

6.2.1　平面控制网的定位和定向

6.2.1.1　平面控制网的布设形式

传统平面控制网的常用布设形式有三角网、三边网、边角网和导线网 4 种，如图 6－6 所示。

在地面上选定一系列点位 1、2、3、…，使需要观测的两点相互通视，然后把它们按三角形的形式连接起来，构成三角网。三角网中的观测量是网中的全部(或大部分)方向值，根据方向值即可推算出任意两个方向之间的夹角。如果在三角网中的观测量是两点间的边长，则把这样的三角网称之为三边网；若既观测方向值又观测边长值，则称之为边角网。导线网属于边角网的一种，它观测方向较少，除节点外每个测点只有两个观测方向，但对边长的量测精度要求较高，适合于障碍物较多的平坦地区或隐蔽地区的平面控制测量布网。

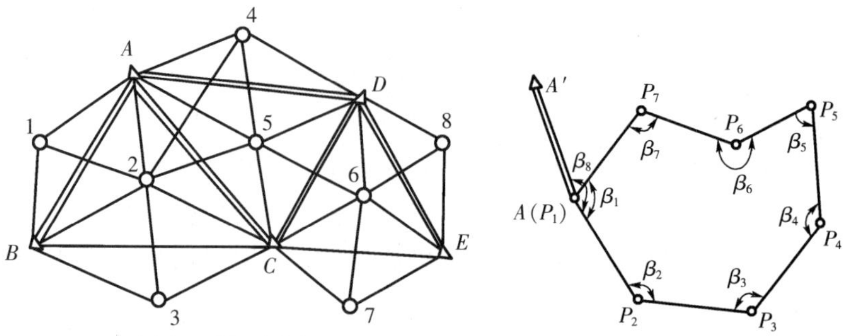

(a)三角网、三边网及边角网网型　　　　(b)导线网网型

图 6-6　平面控制网布设网型示意图

在上述的几种布网形式中，三角网早在 17 世纪即被采用，无论理论还是实践都已形成一套相当完善的控制测量方法。在电磁波测距仪问世之前，三角网是布设各级控制网的主要形式。随着电磁波测距仪的出现，性能上的完善以及使用上的普及，使得导线网和边角网逐渐得到了广泛的应用；尤其是导线网，目前在平原或隐蔽地区已经基本上代替了三角网作为等级控制网。

无论采用何种布网方式，要最终获得各个待测点的平面坐标，必须事先知道控制网中的一些已知数据，用以确定控制网的位置和方位。这些事先获知的已知数据，称之为控制网的起算数据，如网中某已知点的坐标(x_0, y_0)，某条边的边长 S_{AB}，某一边的坐标方位角 α_{AB} 等。这些起算数据是如何定义的？为什么一定要有这些起算数据？我们需要从直线的定向和坐标的计算开始讲起。

6.2.1.2　直线定向

1. 直线定向的概念

确定一条直线的方向称为直线定向。要进行直线定向，首先要选定一个标准方向，作为直线定向的依据；其次要有一定的方法来确定直线与基本方向之间的角度关系。在测量中，作为直线定向用的标准方向有如下三种：

(1)真子午线方向

过地球上某点及地球的北极和南极的半个大圆称为该点的真子午线。真子午线方向指出地面上某点的真北和真南方向。真子午线方向要用天文观测方法、陀螺经纬仪或 GPS 来测定。由于地球上各点的真子午线都向两极收敛而会集于两极，所以，虽然各点的真子午线方向都是指向真北和真南，然而在经度不同的点上，真子午线方向互不平行。两点真子午线方向间的夹角称为子午线收敛角，用 γ 表示(如图 6-7)。

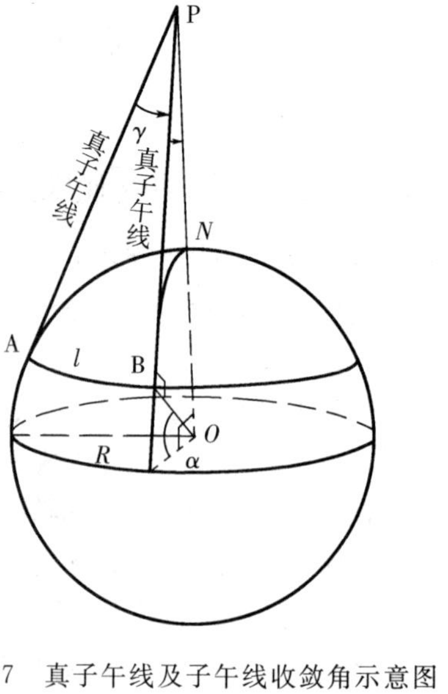

图 6-7　真子午线及子午线收敛角示意图

设 A、B 为同一纬度上的两点，其距离为 l，若 A、B 相距不太远，子午线收敛角 γ 可用如下近似公式计算：

$$\gamma=\frac{l}{BP}\rho \qquad (6-1)$$

在直角三角形 OBP 中，$BP=R\cot\varphi$，代入上式可得：

$$\gamma=\frac{l\rho}{R}\tan\varphi \qquad (6-2)$$

上两式中 $\rho=206\ 265''$。从式(6－2)可知，纬度越高，子午线收敛角越大；纬度越低，子午线收敛角越小，在赤道上为零。

(2)磁子午线方向

过地球上某点及地球南北磁极的半个大圆称为该点的磁子午线。自由旋转的磁针静止下来所指的方向，就是磁子午线方向。由于地磁的两极与地球的两极并不一致，北磁极约位于西经 100.0°，北纬 76.1°；南磁极约位于东经 139.4°南纬 65.8°。所以同一地点的磁子午线方向与真子午线方向不一致，其夹角称为磁偏角，用符号 δ 表示(如图 6－8 所示)。

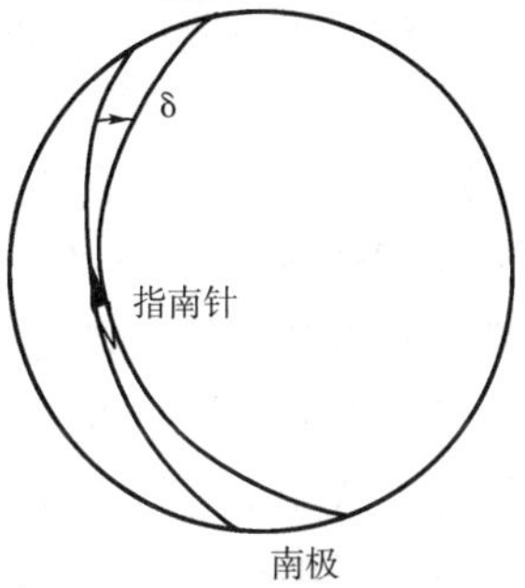

图 6－8　磁子午线及磁偏角示意图

磁子午线方向北端在真子午线方向以东时为东偏，δ 定为“＋”；在西时为西偏，δ 定为“－”。磁偏角的大小随地点、时间而异，在我国磁偏角的变化范围约在＋6°(西北地区)到－10°(东北地区)之间。由于地球磁极的位置不断地在变动，以及磁针受局部吸引等影响，所以磁子午线方向不宜作为精确定向的基本方向。但由于用磁子午线定向方法简便，在独立的小区域测量工作中仍可采用。

(3)坐标子午线方向

不同点的真子午线方向或磁子午线方向互不平行，这使得直线方向的计算很不方便。采用平面投影直角坐标系中的坐标纵轴(中央子午线)方向作为基本方向，则各点的基本方向都是平行的，方向的计算变得十分方便。图 6－9 中以过 O 点的真子午线方向作为坐标纵轴，任意点 A 或 B 的真子午线方向与坐标纵轴方向间的夹角，称为任意点 A 或 B 与 O 点间的平面子午线收敛角，用 γ 表示。当坐标纵轴方向的北端偏向真子午线方向以东时，γ 定为“＋”；偏向西时，γ 定为“－”。

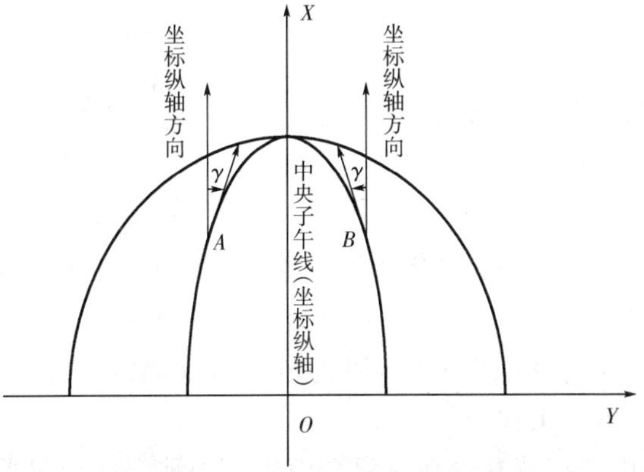

图 6－9　坐标子午线及平面子午线收敛角示意图

2. 直线定向的方法

(1)方位角的定义

测量中常用方位角表示直线的方向。当标准方向确定好之后,从标准方向开始,顺时针方向转到某一直线时,标准方向与该直线方向的水平夹角,称为该直线的方位角,用 A 表示。图 6-10 中,$O1$、$O2$、$O3$ 和 $O4$ 的方位角分别为 A_1、A_2、A_3 和 A_4,方位角的定义域为[0°,360°]。

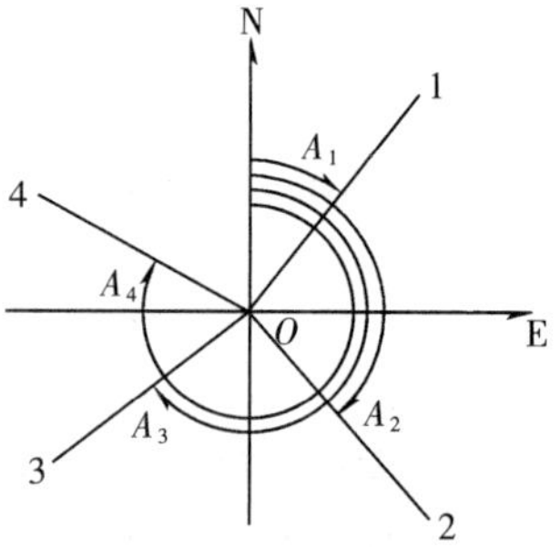

图 6-10　方位角定义示意图

在上述"直线定向的概念"中我们知道,常用的标准方向有三个:真子午线方向、磁子午线方向和坐标子午线方向。如果以真子午线方向作为基本方向,此时的方位角称真方位角,用 A 表示;如果以磁子午线方向为基本方向,则称为磁方位角,用 Am 表示;如果以坐标子午线方向为基本方向,则称为坐标方位角,用 α 表示。由于一点的真子午线方向与磁子午线方向的夹角是磁偏角 δ,真子午线方向与坐标纵轴方向的夹角是平面子午线收敛角 γ,从图 6-11 不难看出如下关系:

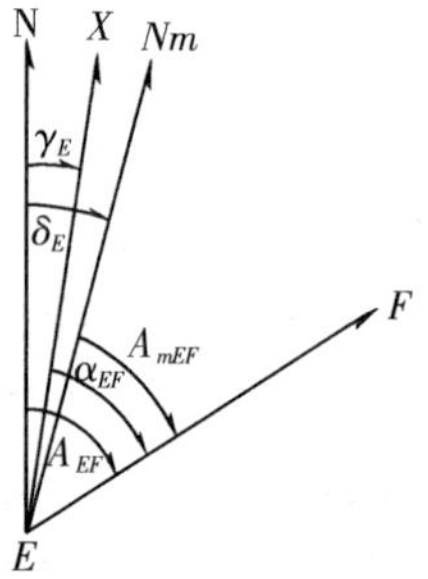

图 6-11　三北方位角关系示意图

①真方位角和磁方位角之间的关系

$$A_{EF}=A_{mEF}+\delta_E \tag{6-3}$$

②真方位角和坐标方位角的关系

$$A_{EF}=\alpha_{EF}+\gamma_E \tag{6-4}$$

(2)直线的正反方位角

直线在不同端点量测,所得的方位角是不同的。测量中把按直线前进的方向称为正方向,反之称为反方向。在图 6-12 中,假设 E 为 EF 直线的起点,F 为终点。则 EF 的正真方位角为 A_{EF},反真方位角为 A_{FE},正、反真方位角之间的关系为

$$A_{FE}=A_{EF}\pm180°+\gamma \tag{6-5}$$

γ_F 是 E、F 两点间的平面子午线收敛角,而 EF 的正反坐标方位角的关系为

$$\alpha_{FE}=\alpha_{EF}\pm180° \tag{6-6}$$

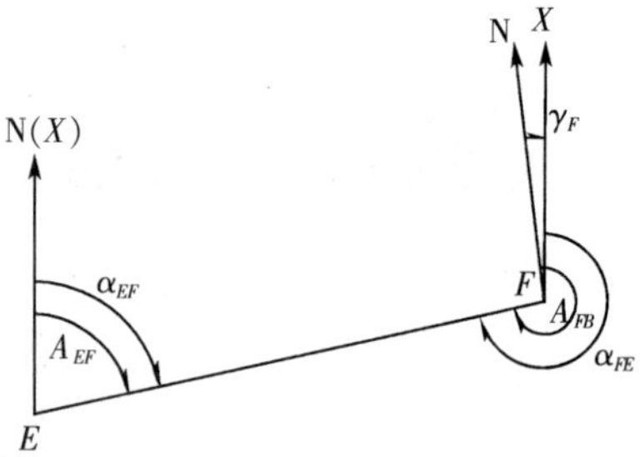

图 6-12　直线正反方位角示意图

(3)方位角的测定

真方位角的测定有天文观测法和陀螺经纬仪观测法两种,磁方位角的测定则一般用罗盘仪测定。

天文观测法测定真方位角在"大地测量学"有关内容中有详细的介绍,要深入了解的读者可以翻阅相关书籍。用天文方法测定真方位角受到天气、时间和地点等许多条件的限制,观测和计算也较麻烦,用陀螺经纬仪测定真方位角可以避免这些缺点,特别是用于某些地下工程中。

陀螺经纬仪是由陀螺仪和经纬仪组合而成的一种定向用仪器(如图 6-13)。陀螺是一个悬挂着的能作高速旋转的转子。当转子高速旋转时,陀螺仪有两个重要的

特性:一个是陀螺仪定轴性,即在无外力作用下,陀螺轴的方向保持不变;另一个是陀螺仪的进动性,即在陀螺轴受外力作用时,陀螺轴将按一定的规律产生进动。因此在转子高速旋转和地球自转的共同作用下,陀螺轴可以在测站的真北方向两侧作有规律的往复转动,从而可以得出测站的真北方向。

当前,已有结合陀螺仪和电子全站仪的陀螺全站仪面市(如图 6-14),其测量过程无须任何手工记录、计时或计算,所有工作通过对全站仪的全数字字母键盘或者配套的遥控键盘简单操作即可完成。至于陀螺经纬仪或陀螺全站仪是如何测定真方位角的,本文从略。

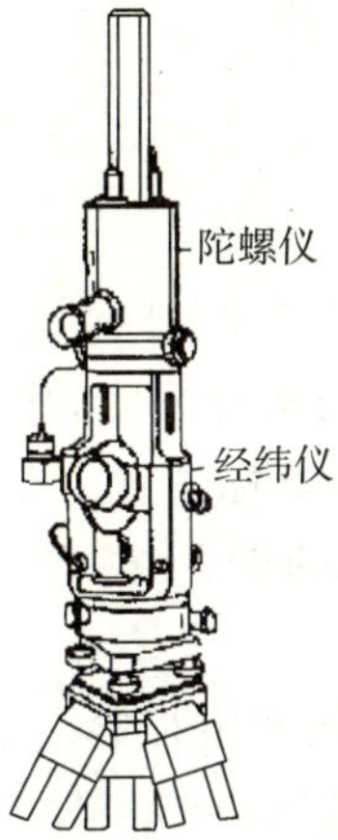

图 6-13 陀螺经纬仪

图 6-14 陀螺全站仪

罗盘仪是测量直线磁方位角或磁象限角的一种仪器,它主要由望远镜(或照准觇板)、磁针和度盘三部分组成(如图 6-15)。望远镜是照准用设备,它安装在支架上,而支架则连接在度盘盒上,可随度盘一起旋转。磁针支承在度盘中心的顶针上,可以自由转动,静止时所指方向即为磁子午线方向。为保护磁针和顶针,不用时应旋紧制动螺旋,可将磁针托起压紧在玻璃盖上。一般磁针的指北端染成黑色或蓝色,用来辨别指北或指南端。由于受两极不同磁场强度的影响,在北半球磁针的指北端向下倾斜,倾斜的角度称"磁倾角"。为使磁针水平,在磁针的指南端加上一些平衡物,这也有助于辨别磁针的指南或指北端。度盘安装在度盘盒内,随望远镜一起转动。度盘上刻有 1°或 0.5°的分划,其注记是自 0°起按逆时针方向增加至 360°。过 0°和 180°的直径和望远镜视准轴方向一致。这种标注方式可直接读出直线的磁方位角,所以称为方位罗盘仪(如图 6-16)。

用罗盘仪测量直线方向时,将罗盘仪安置在直线的起点。对中、整平后,照准直线的另一端,然后放松磁针,当磁针静止后,即可进行读数。如果观测时物镜靠近 0°,目镜靠近 180°,则用磁针的北端直接读出直线的磁方位角。反之则用磁针的南端读出。如图 6-16 所示,读得磁方位角为 40°。罗盘仪在使用时,不要使铁质物体接近罗盘,以免影响磁针位置的正确性。在铁路附近及高压线铁塔下观测时,磁针读数会受到很大影响,应尽量避免之。测量结束后,应该旋紧制动螺旋,将磁针升起,避免顶针磨损,以保护磁针的灵敏度。

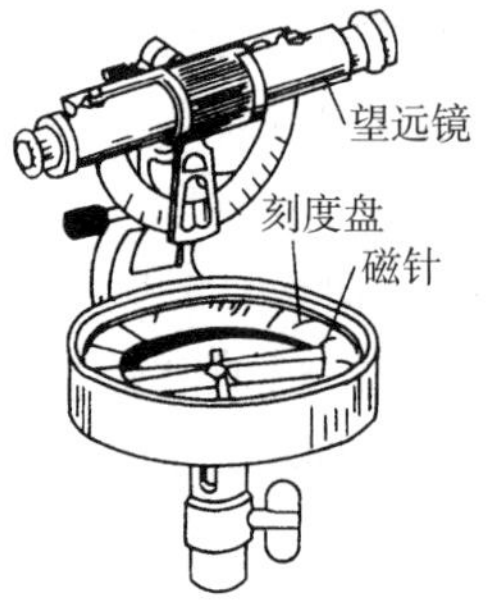

图 6-15 罗盘仪外部结构

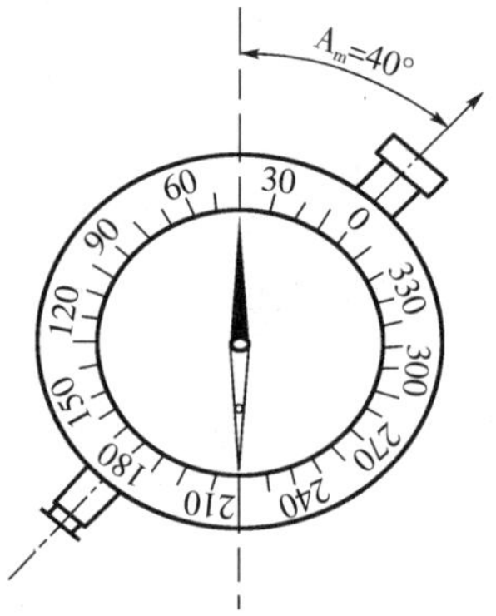

图 6-16 方位罗盘仪

6.2.1.3 坐标方位角的推算和坐标正、反算

在控制测量中，不管是采用三角网还是导线网，要完成控制网的定位和定向，必须要知道控制网中至少一条边的方位角，至少一个点的坐标位置，作为起算数据。然后根据观测到的角度、距离值，计算出每一个待测点的坐标位置。在这一过程中，有两类计算必不可少，一是坐标方位角的推算，二是坐标的正、反算，下面逐一介绍。

1. 坐标方位角的推算

为了统一整个测区坐标系统，测量工作中并不是直接测定控制网中每一条边的方位角，而是通过与已知点或已知边的联测，以推算出各边的坐标方位角。在图 6-17中，AB 边的坐标方位角 α_{AB} 为已知，通过联测得 $A-B$ 边和 $A-1$ 边得连接角为 β'，测出各点的左(或右)转角 β_A、β_1、β_2 和 β_3，现在需要推算 $A-1$、$1-2$、$2-3$ 和 $3-A$ 边的坐标方位角。左(或右)转角是指以位于以编号顺序为前进方向的左(或右)边的角度。在图 6-17 中，有：

$$\alpha_{A1}=\alpha_{AB}+\beta'$$

$$\alpha_{12}=\alpha_{1A}+\beta_1=\alpha_{A1}+180°+\beta_{1左}$$

$$\alpha_{23}=\alpha_{12}+180°+\beta_{2左}$$

$$\alpha_{2A}=\alpha_{23}+180°+\beta_{3左}$$

$$\alpha_{A1}=\alpha_{3A}+180°+\beta_{A左}$$

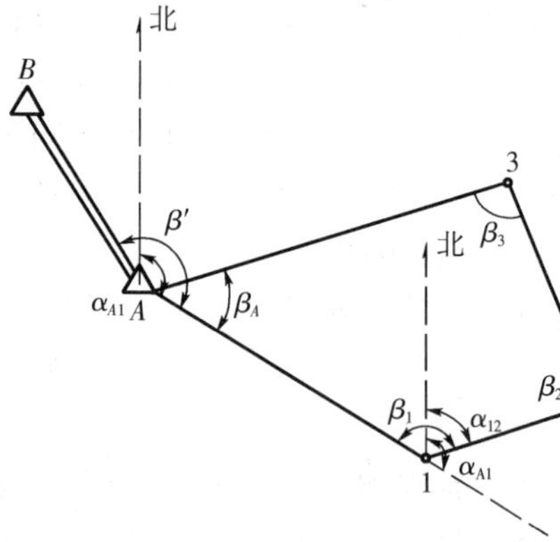

图 6-17 坐标方位角的推算

将两次计算所得 α_{A1} 比较，可以检核计算中有无错误。计算中，若 α 大于 360°，应减去 360°。

如果用右角推算，由图 6-17 可以看出：

$$\alpha_{12}=\alpha_{A1}+180°-\beta_{1右}$$

计算中如果 $\alpha+180°$小于 $\beta_{1右}$，应先加上 360°，再减去 $\beta_{右}$。由此可以写出推算坐标方位角的通用公式：

$$\alpha_{前}=\alpha_{后}+180°\pm\beta \qquad (6-7)$$

式中：β——左角取正号，右角取负号。

2. 坐标正、反算

已知边长和方位角，由已知点坐标计算待定点的坐标，这一计算过程称之为坐标正算。如图 6－18，A 为已知点，其坐标为 x_A，y_A。A 到坐标待定点 B 的边长为 S_{AB}（平距），方位角为 α_{AB}，则 B 点的坐标可以通过下面的坐标正算公式计算得到。

$$\left.\begin{aligned} x_B &= x_A + \Delta x_{AB} = x_A + S_{AB}\cos\alpha_{AB} \\ y_B &= y_A + \Delta y_{AB} = y_A + S_{AB}\sin\alpha_{AB} \end{aligned}\right\} \tag{6-8}$$

式中：Δx_{AB}，Δy_{AB}——B 点相对 A 点的坐标增量。

已知两点的坐标，推求两点连线的边长和方位角的计算过程，称之为坐标反算。在图 6－18 中，假设 A、B 两点的坐标已知，分别为 $A(x_A, y_A)$、$B(x_B, y_B)$，则 AB 的方位角及边长可由如下坐标反算公式计算得到。

$$R_{AB} = \arctan\frac{y_B - y_A}{x_B - x_A} = \arctan\frac{\Delta y_{AB}}{\Delta x_{AB}} \tag{6-9}$$

$$S_{AB} = \sqrt{\Delta x_{AB}^2 + \Delta y_{AB}^2} = \frac{\Delta x_{AB}}{\cos\alpha_{AB}} = \frac{\Delta y_{AB}}{\sin\alpha_{AB}} \tag{6-10}$$

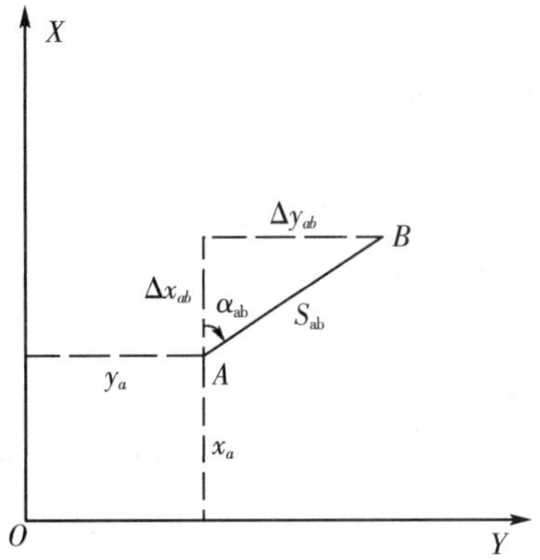

图 6－18　坐标正反算

这里需要注意，通过式(6－9)计算所得的角度是象限角(R)，要最终得到直线的方位角值，需要通过表 6－10 所列的方位角与象限角之间的关系将象限角变换成方位角。由于测量坐标的定义与数学坐标的定义不一样，象限的定义也不一样。图 6－19展示了测量坐标系中象限的定义，计算时需要注意。

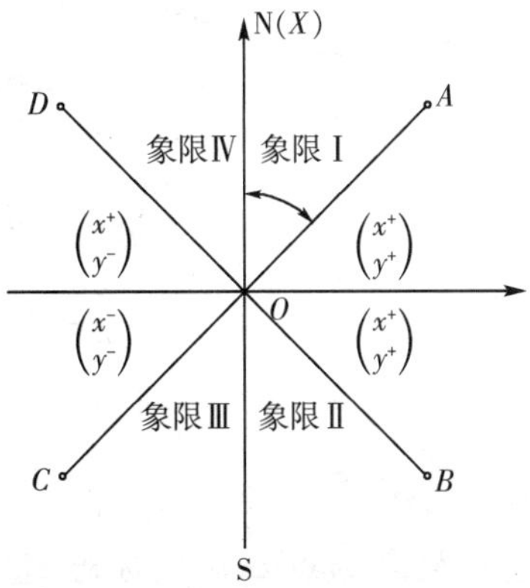

图 6－19　测量坐标系中的象限角

表 6-10　方位角和象限角的关系

象限	方位角→象限角	象限角→方位角
Ⅰ	$R=\alpha$	$\alpha=R$
Ⅱ	$R=180°-\alpha$	$\alpha=180°-R$
Ⅲ	$R=\alpha-180°$	$\alpha=180°+R$
Ⅳ	$R=360°-\alpha$	$\alpha=360°-R$

6.2.2　导线测量

6.2.2.1　导线测量概述

将测区内相邻控制点连成直线而构成的折线图形，称为导线；构成导线的控制点称为导线点。导线测量就是依次测定各导线边的长度和各转折角值，再根据起算数据，推算各边的坐标方位角，从而求出各导线点平面坐标的测量工作。

用经纬仪测量转折角，用钢尺测定导线的边长，称为经纬仪导线；若用光电测距仪测定导线边长，则称为光电测距导线。

导线测量是建立小地区平面控制网常用的一种方法。根据测区的具体情况，单一导线的布设有下列三种基本形式（如图 6-20 所示）：

1. 闭合导线

以高级控制点 C、D 中的 C 点为起始点，并以 CD 边的坐标方位角 α_{CD} 为起始坐标方位角，过 4、5、6、7 点仍回到起始点 C 形成一个闭合多边形的导线称为闭合导线。

2. 附合导线

以高级控制点 A、B 中的 B 点为起始点，以 AB 边的坐标方位角 α_{AB} 为起始坐标方位角，经 1、2、3 点，附合到另外两个高级控制点 C、D 中的 C 点，并以 CD 边的坐标方位角 α_{CD} 为终边坐标方位角，这样的导线称为附合导线。

3. 支导线

由已知点 2 出发延伸出去（如 2-1、2-2 两点）的导线称为支导线。由于支导线缺少对观测数据的检核，故对其边数及总长都有限制。

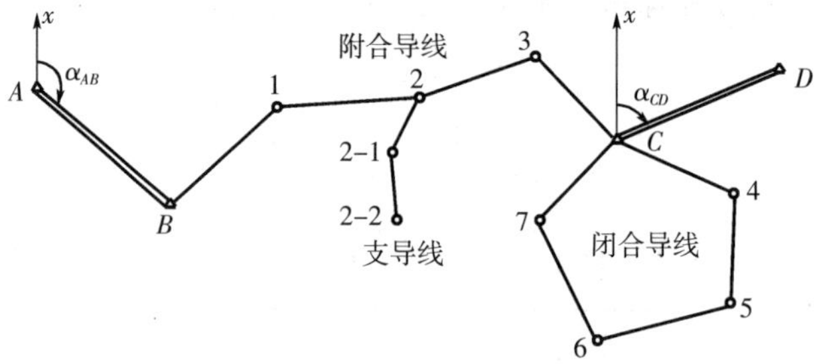

图 6-20　导线布设形式

6.2.2.2　导线测量的外业工作

导线测量的外业工作包括踏勘选点及建立标志、量边、测角和连测。现分述如下：

1. 踏勘选点及建立标志

在踏勘选点前，应调查收集测区已有地形图和高一级控制点的成果资料，把控制点展绘在地形图上，然后在地形图上拟定导线的布设方案，最后到野外去踏勘，实地核对、修改、落实点位。如果测区没有地形图资料，则需详细踏勘现场，根据已知控制点的分布、测区地形条件及测图和施工需要等具体情况，合理地选定导线点的位置。

实地选点时，应注意下列几点：

(1)相邻点间通视良好，地势较平坦，便于测角和量距；

(2)点位应选在土质坚实处，便于保存标志和安置仪器；

(3)视野开阔，便于施测碎部；

(4)导线各边的长度应大致相等，除特别情形外，对于二、三级导线，其边长应不大于 350m，也不宜小于 50m，平均边长参见表 6-5；

(5)导线点应有足够的密度，且分布均匀，便于控制整个测区。

导线点选定后，要在每个点位上打一大木桩(图 6-21)，桩顶钉一小钉，作为临时性标志；

若导线点需要保存的时间较长，就要埋设混凝土桩(图 6-22)，桩顶刻“十”字，作为永久性标志。

导线点应统一编号。为了便于寻找，应量出导线点与附近固定而明显的地物点的距离，绘一草图，注明尺寸，称为“点之记”，如图 6-23。

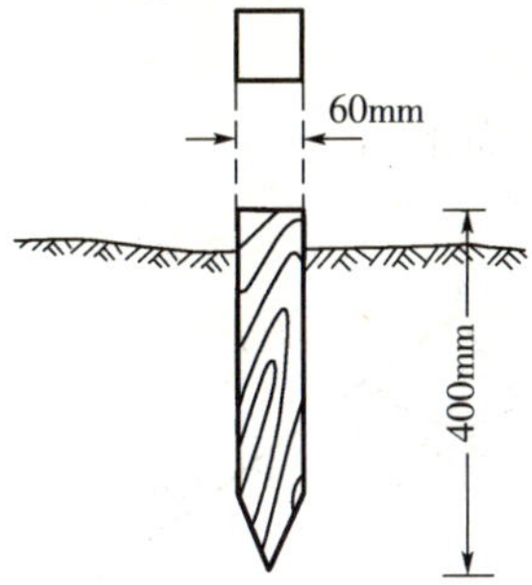

图 6-21　临时导线点的埋设

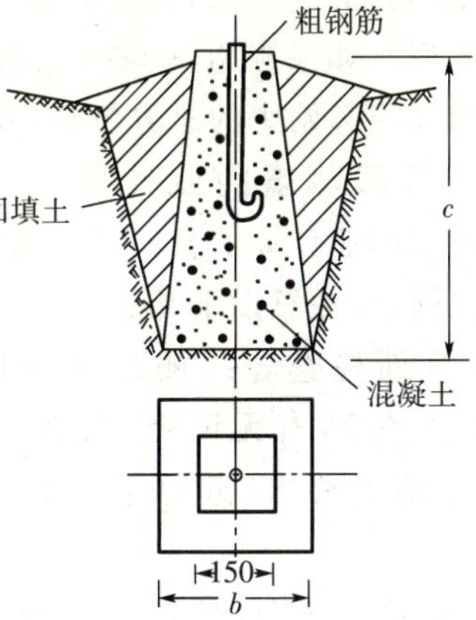

图 6-22　永久导线点的埋设

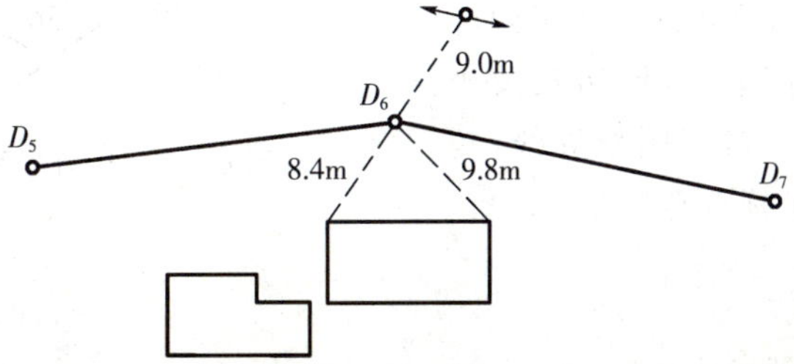

图 6-23　点之记

2. 量边

导线边长可用光电测距仪测定，测量时要同时观测竖直角，供倾斜改正之用。若用钢尺丈量，钢尺必须经过检定。对于一、二、三级导线，应按钢尺量距的精密方法进行丈量。

对于图根导线，用一般方法往返丈量，取平均值，并要求相对误差不大于1/3000。

3. 测角

用测回法施测导线左角(位于导线前进方向左侧的角)或右角(位于导线前进方向右侧的角)。一般在附合导线或支导线中，是测量导线的左角，在闭合导线中均测内角。若闭合导线按顺时针方向编号，则其内角就是右角。

不同等级的导线的测角主要技术要求已列入表 6－5 及表 6－9。对于图根导线，一般用 DJ6 级光学经纬仪观测一个测回。若盘左、盘右测得角值的较差不超过 40″，则取其平均值作为一测回成果。

测角时，为了便于瞄准，可用测钎、觇牌作为照准标志，也可在标志点上用仪器的脚架吊一垂球作为照准标志。

4. 连测

如图 6－24，导线与高级控制点连接，必须观测连接角 β_B、β_1，连接边 D_{B1}，作为传递坐标方位角和传递坐标之用。如果附近无高级控制点，则应使用罗盘仪施测导线起始边的磁方位角，并假定起始点的坐标作为起算数据。

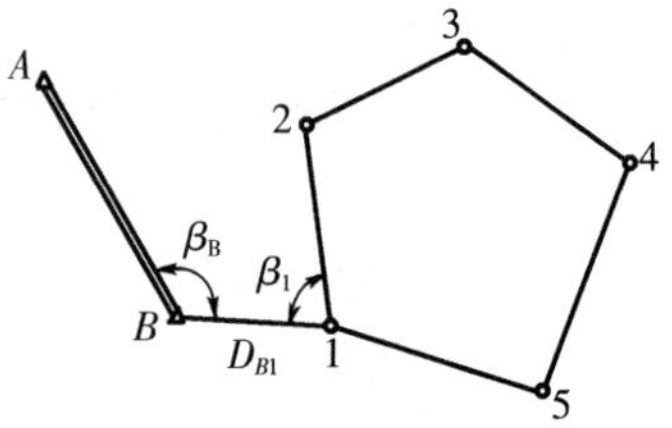

图 6－24　导线联测

6.2.2.3　导线测量内业计算

导线测量内业计算的目的就是求得各导线点的平面坐标。

计算之前，应注意以下几点：

(1)应全面检查导线测量外业记录，数据是否齐全，有无记错、算错，成果是否符合精度要求，起算数据是否准确；

(2)绘制导线略图，把各项数据标注于图上相应位置，如图 6－25 所示。

(3)确定内业计算中数字取位的要求。内业计算中数字的取位，对于四等以下各级导线，角值取至秒，边长及坐标取至毫米(mm)。对于图根导线，角值取至秒，边长和坐标取至厘米(cm)。

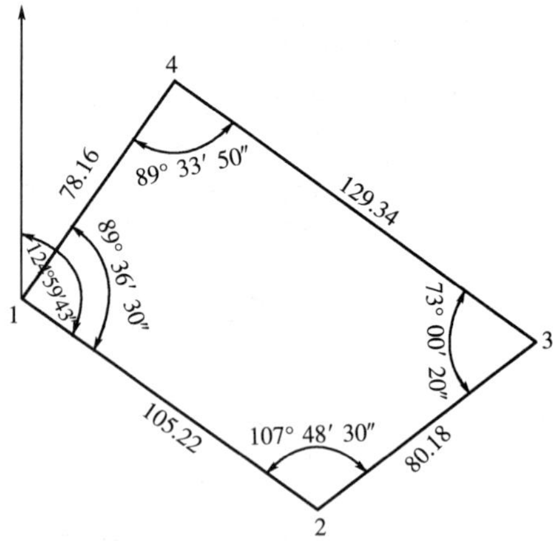

图 6－25　闭合导线实测数据

1. 闭合导线坐标计算

现以图 6－25 中的实测数据为例说明闭合导线坐标计算的步骤：

(1)准备工作

将校核过的外业观测数据及起算数据填入表 6－11“闭合导线坐标计算表”中，起算数据用双线标明。

(2)角度闭合差的计算与调整

n 边形闭合导线内角和的理论值为

$$\sum\beta_{理}=(n-2)\times180^\circ \qquad (6-11)$$

由于观测角度不可避免地含有误差，致使实测的内角之和 $\sum\beta_{测}$ 不等于理论值 $\sum\beta_{理}$，而产生角度闭合差 f_β，其计算式为

$$f_\beta=\sum\beta_{测}-\sum\beta_{理} \qquad (6-12)$$

各级导线角度闭合差的容许值 $f_{\beta容}$，见表 6－5 及表 6－9，f_β超过 $f_{\beta容}$，则说明所测角度不符合要求，应重新检测角度。若 f_β不超过 $f_{\beta容}$，可将角度闭合差反符号平均分配到各观测角度中。

改正后，内角和应为$(n-2)\times180^\circ$，本例应为 360°，以作计算校核。

(3)推算各边的坐标方位角

根据起始边的已知坐标方位角及改正后的水平角，按下列公式推算其他各前视导线边的坐标方位角：

$$\alpha_{后}=\alpha_{前}+180^\circ+\beta_{左} \qquad (6-13)$$

或：

$$\alpha_{后}=\alpha_{前}+180^\circ-\beta_{右} \qquad (6-14)$$

本例观测左角，按式(6－13)推算出导线各边的坐标方位角，列入表 6－11 的第(5)栏。在推算过程中必须注意：

①如果推算出的 $\alpha_{后}>360^\circ$，则应减去 360°。

②如果推算出的 $\alpha_{后}<0^\circ$，则应加上 360°。

③最后推算出的起始边坐标方位角应和起始边已知坐标方位角值相等，否则应重新检查计算。

(4)坐标增量的计算及其闭合差的调整

①坐标增量的计算

如图 6－25 所示，设点 1 的坐标(x_1,y_1)和 1—2 边的坐标方位角 α_{12}均为已知，水平距离 D_{12}也已测得，则点 2 的坐标为

$$x_2=x_1+\Delta x_{12}$$
$$y_2=y_1+\Delta y_{12}$$

式中，Δx_{12}、Δy_{12}称为坐标增量，也就是直线两端点的坐标值之差。

上式说明，欲求待定点的坐标，必须先求出坐标增量。根据图 6－26 中的几何关系，可写出坐标增量的计算公式(即坐标正算公式)：

$$\left.\begin{aligned}\Delta x_{12}&=D_{12}\cos\alpha_{12}\\ \Delta y_{12}&=D_{12}\sin\alpha_{12}\end{aligned}\right\}\qquad(6-15)$$

式中:Δx、Δy 的正负号,由 $\cos\alpha$ 及 $\sin\alpha$ 的正负号决定。

本例按式(6－15)所算得的坐标增量,填入表 6－11 中的第(7)、(8)两栏中。

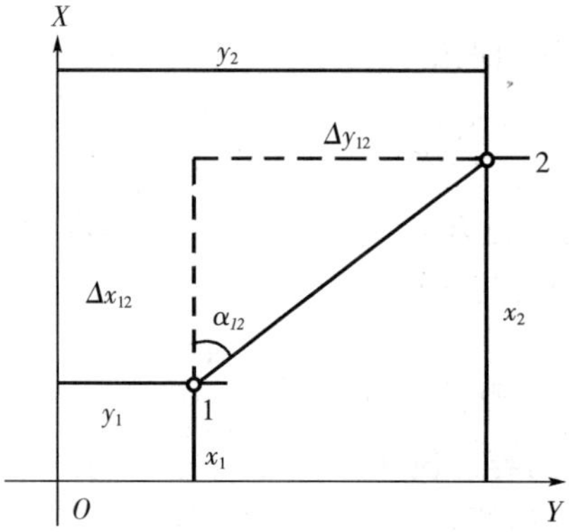

图 6－26　坐标增量的计算

②坐标增量闭合差的计算与调整

从图 6－27 可以看出,闭合导线纵、横坐标增量代数和的理论值应为零,即

$$\sum\Delta x_{理}=0;\sum\Delta y_{理}=0$$

实际上,由于量边的误差,往往使$\sum\Delta x_{测}$、$\sum\Delta y_{测}$ 不等于零,而产生纵坐标增量闭合差 f_x 与横坐标增量闭合差 f_y,即

$$\left.\begin{aligned}f_x&=\sum\Delta x_{测}-\sum\Delta x_{理}\\ f_y&=\sum\Delta y_{测}-\sum\Delta y_{理}\end{aligned}\right\}\qquad(6-16)$$

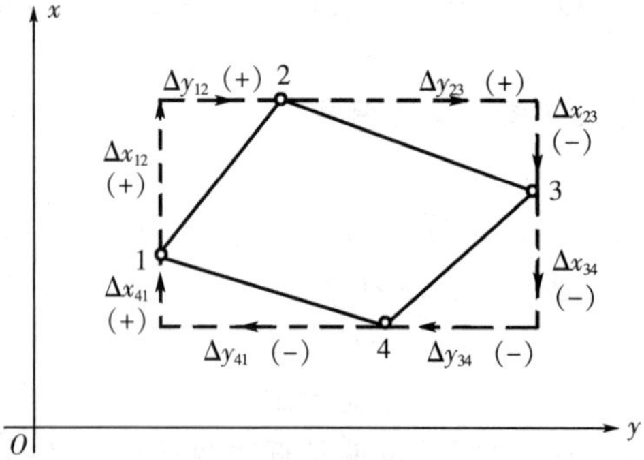

图 6－27　坐标增量闭合差

从图 6－28 明显看出，由于 f_x、f_y 的存在，使导线不能闭合，$1-1'$之长度 f_D 称为导线全长闭合差，并用下式计算：

$$f_D^2=f_x^2+f_y^2 \tag{6-17}$$

仅从 f_D 的大小还不能说明导线测量的精度是否满足要求，故应当将 f_D 与导线全长 $\sum D$ 相比，以分子为 1 的分数来表示导线全长相对闭合差，即：

$$k=\frac{f_D}{\sum D}=\frac{1}{\frac{\sum D}{f_D}} \tag{6-18}$$

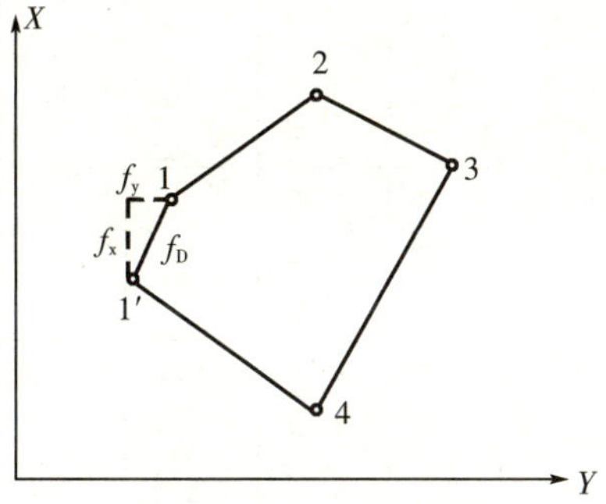

图 6－28　全长闭合差

即以导线全长相对闭合差 k 来衡量导线测量的精度，k 的分母值越大，精度越高。不同等级的导线全长对闭合差的容许值 $k_{容}$ 见表 6－5 和表 6－9。若 k 超过 $k_{容}$，则说明成果不合格，此时应首先检查内业计算有无错误，必要时重测导线边长。若 k 不超过 $k_{容}$，则说明成果符合精度要求，可以进行调整，将 f_x、f_y 反其符号按边长成正比例分配到各边的纵、横坐标增量中去。以 v_{xi}、v_{yi} 分别表示第 i 边的纵、横坐标增量改正数，即

$$\left.\begin{aligned} v_{xi}&=-\frac{f_x}{\sum D}\cdot D_i \\ v_{yi}&=-\frac{f_y}{\sum D}\cdot D_i \end{aligned}\right\} \tag{6-19}$$

纵横坐标增量改正数之和应满足下式：

$$\left.\begin{aligned} \sum v_{xi}&=-f_x \\ \sum v_{yi}&=-f_y \end{aligned}\right\} \tag{6-20}$$

计算出的各边坐标增量改正数填入表 6－11 中的第(7)、(8)两栏坐标增量计算值的右上方(如－3、＋2 等)。各边坐标增量值加改正数，即得各边改正后坐标增量，填入表 6－11 中的第(9)、(10)两栏。改正后纵、横坐标增量之代数和应分别为零，以做计算校核。

表 6－11　闭合导线坐标计算表

点号	观测角(左角)(° ′ ″)	改正数(″)	改正后角值(° ′ ″)	坐标方位角(° ′ ″)	边长(m)	坐标增量(m)		改正后坐标增量(m)		坐标(m)	
						$\Delta x'$	$\Delta y'$	Δx	Δy	x	y
(1)	(2)	(3)	(4)	(5)	(6)	(7)	(8)	(9)	(10)	(11)	(12)
1										500.00	500.00
				124 59 43	105.22	−3 −60.34	+2 +86.20	−60.37	+86.22		
2	107 48 30	+13	107 48 43							439.63	586.22
				52 48 26	80.18	−2 +48.47	+2 +63.87	+48.45	+63.89		
3	73 00 20	+12	73 00 32							488.08	650.11
				305 48 58	129.34	−3 +75.69	+2 −104.88	+75.66	−104.86		
4	89 33 50	+12	89 34 02							563.74	545.25
				215 23 00	78.16	−2 −63.72	+1 −45.26	−63.74	−45.25		
1	89 36 30	+13	89 36 43							500.00	500.00
				124 59 43							
2											
Σ	359 59 10	+50	360 00 00		392.90	−0.10	+0.07	0.00	0.00		

辅助计算：

$f_\beta=\sum\beta-(4-2)\times180=-50''$　$f_{限}=40''\sqrt{n}=40''\sqrt{4}=80''$

$f_x=\sum\Delta x_{测}=+0.1$　$f_y=\sum\Delta y_{测}=-0.07$　$f_D=\sqrt{f_x^2+f_y^2}=0.12$

$k=\frac{f_D}{\sum D}=\frac{0.12}{392.90}\approx\frac{1}{3200}<k_{容}=\frac{1}{2000}$

导线略图

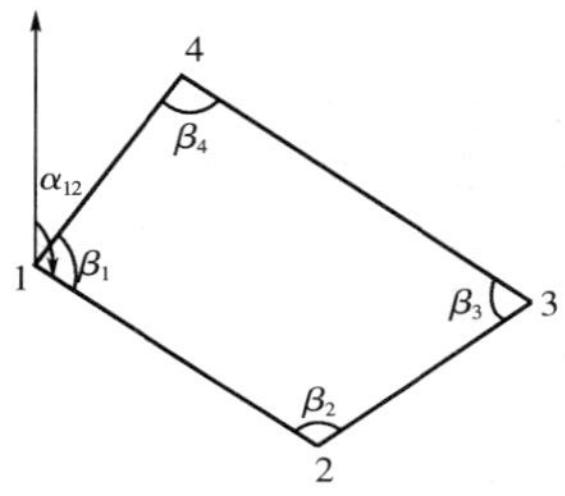

(5)计算各导线点坐标

根据起点 1 的已知坐标(本例为假定值 $x_1=500.00\text{m}$，$y_1=500.00\text{m}$)及改正后各边坐标增量，用下式推算 2、3、4 点的坐标：

$$\left.\begin{aligned}x_{前}&=x_{后}+\Delta x_{改正}\\y_{前}&=y_{后}+\Delta y_{改正}\end{aligned}\right\}\tag{6-21}$$

算得的坐标值填入表 6-11 中的(11)、(12)两栏，其值应与原有的已知值相等，以作校核。

2. 附合导线坐标计算

附合导线的外业布设如图 6-29 所示，与闭合导线是不同的。附合导线坐标计算步骤与闭合导线相同，角度闭合差与坐标增量闭合差的计算公式和调整原则也与闭合导线相同，即式(6-12)和式(6-16)：

$$f_\beta=\sum\beta_{测}-\sum\beta_{理}$$

$$f_x=\sum\Delta x_{测}-\sum\Delta x_{理}$$

$$f_y=\sum\Delta y_{测}-\sum\Delta y_{理}$$

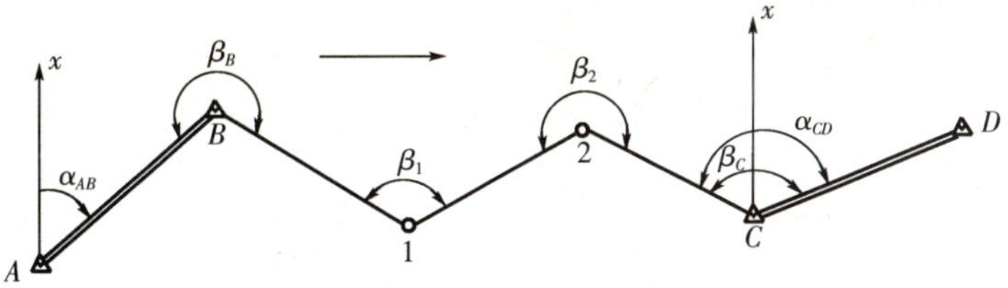

图 6-29 附合导线布设示意图

但对于附合导线，闭合差计算公式中的$\sum\beta_{理}$、$\sum\Delta x_{理}$、$\sum\Delta y_{理}$与闭合导线有所不同。下面着重介绍其不同点：

(1)角度闭合差中$\sum\beta_{理}$的计算

设有附合导线如图 6-29 所示，已知起始边 AB 的坐标方位角 α_{AB} 和终边 CD 的坐标方位角 α_{CD}，观测所有左角(包括连接角 β_B 和 β_C)，由式(6-7)有：

$$\alpha_{B1}=\alpha_{AB}-180°+\beta_B$$

$$\alpha_{12}=\alpha_{B1}-180°+\beta_1$$

$$\alpha_{2C}=\alpha_{12}-180°+\beta_2$$

$$\alpha_{CD}=\alpha_{2C}-180°+\beta_C$$

将以上各式左右分别相加，得：

$$\alpha_{CD}=\alpha_{AB}-4\times180^{\circ}+\sum\beta_{左}$$

写成一般公式为

$$\alpha_{终}=\alpha_{始}-n\times180^{\circ}+\sum\beta_{左} \tag{6-22}$$

式中：n——水平角观测个数。

满足上式的 $\sum\beta_{左}$ 即为其理论值。将上式整理可得：

$$\sum\beta_{理}^{左}=\alpha_{终}-\alpha_{始}+n\times180^{\circ} \tag{6-23}$$

若观测右角，同样可得(请读者自行推导)：

$$\sum\beta_{理}^{右}=\alpha_{始}-\alpha_{终}+n\times180^{\circ} \tag{6-24}$$

(2) 坐标增量闭合差中 $\sum\Delta x_{理}$、$\sum\Delta y_{理}$ 的计算

对图 6-29 的附合导线，有：

$$\Delta x_{B1}=x_1-x_B;\Delta x_{12}=x_2-x_1;\Delta x_{2C}=x_C-x_2$$

将以上各式分别相加，得：

$$\sum\Delta x_{理}=x_C-x_B \tag{6-25}$$

同样可得：

$$\sum\Delta y_{理}=y_C-y_B \tag{6-26}$$

附合导线的坐标增量代数和的理论值应等于终、始两点的已知坐标值之差。

附合导线的全长闭合差，全长相对闭合差和容许相对闭合差的计算，以及增量闭合差的调整等，均与闭合导线相同。

附合导线坐标计算的全过程，见表 6-12 的算例。

3. 支导线的坐标计算

支导线中没有多余观测值，因此也没有闭合差产生，导线转折角和计算的坐标增量均不需要进行改正。

支导线的计算步骤如下：

(1)根据观测的转折角推算各边的坐标方位角；

(2)根据各边的坐标方位角和边长计算坐标增量；

(3)根据各边的坐标增量推算各点坐标。

以上各计算步骤的计算方法同闭合导线。

表 6-12　附合导线坐标计算表

点号	观测角(左角) (° ′ ″)	改正数 (″)	改正后角值 (° ′ ″)	坐标方位角 (° ′ ″)	边长 (m)	坐标增量(m) Δx′	Δy′	改正后坐标增量(m) Δx	Δy	坐标(m) x	y
(1)	(2)	(3)	(4)	(5)	(6)	(7)	(8)	(9)	(10)	(11)	(12)
B											
				93 56 15							
A	186 35 22	−3	186 35 19							167.81	219.17
				100 31 34	86.09	−15.73	−1 +84.64	−15.73	+84.63		
1	163 31 14	−4	163 31 10							152.08	303.80
				84 02 44	133.06	+13.80	−1 +132.34	+13.80	+132.33		
2	184 39 00	−3	184 38 57							165.88	436.13
				88 41 41	155.64	−1 +3.55	−2 +155.60	+3.54	+155.58		
3	194 22 30	−3	194 22 27							169.42	591.71
				103 04 08	155.02	−35.05	−2 +151.00	−35.0	+150.98		
C	163 02 47	−3	163 02 44							134.37	742.69
				86 06 52							
D											
Σ	892 10 53	−16	982 10 37		529.81	−33.43	+523.58	−33.44	+523.52		

辅助计算：

$f_\beta = \alpha_{BA} + \sum\beta - n\times180 - \alpha_{CD} = +16''$　$f_{限} = 40''\sqrt{n} = 40''\sqrt{5} = 89''$

$f_x = \sum\Delta x_{测} - \sum\Delta x_{理} = +0.01$　$f_y = \sum\Delta y_{测} - \sum\Delta y_{理} = +0.06$

$f_D = \sqrt{f_x^2 + f_y^2} = 0.06$

$k = \dfrac{f_D}{\sum D} = \dfrac{0.06}{530} \approx \dfrac{1}{8800} < k_{容} = \dfrac{1}{2000}$

导线略图

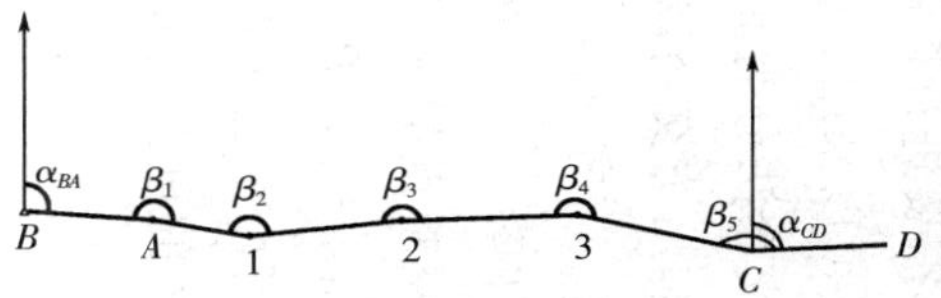

6.2.2.4 平面控制点的加密

在进行平面控制测量时,如果导线点或三角点的密度不能满足测图或工程的要求时,需要进行控制点加密。控制点的加密除了可以采用导线测量和小三角测量以外,还可以采用交会法进行单点加密。

交会法分为测角交会和测边交会两种。常用的测角交会法又有前方交会、侧方交会和后方交会以及距离交会等4种方法。下面分别介绍:

1. 前方交会

如图6-30,在已知点 A、B 上设站测定待定点 P 与控制点的夹角 α、β,即可得到 AP 边的方位角 $\alpha_{AP}=\alpha_{AB}-\alpha$,$BP$ 边的方位角 $\alpha_{BP}=\alpha_{BA}+\beta$。$P$ 点的坐标可由两已知直线 AP 和 BP 交会求得,直线 AP 和 BP 的点斜式方程为

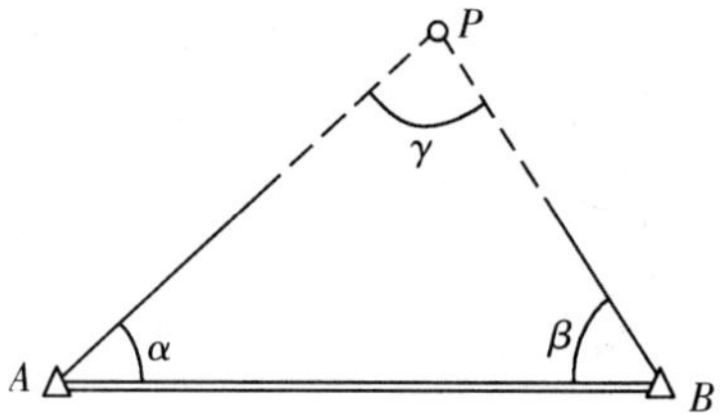

图6-30 前方交会原理图

$$x_P-x_A=(y_P-y_A)\cot\alpha_{AP}$$

$$x_P-x_B=(y_P-y_B)\cot\alpha_{BP}$$

上两式分别移项展开可得:

$$x_P=y_P\cot\alpha_{AP}-y_A\cot\alpha_{AP}+x_A$$

$$x_P=y_P\cot\alpha_{BP}-y_B\cot\alpha_{BP}+x_B$$

上两式相减,整理可得:

$$\left.\begin{aligned}y_P&=\frac{y_B\cot\alpha_{BP}-y_A\cot\alpha_{AP}-(x_B-x_A)}{\cot\alpha_{AP}-\cot\alpha_{BP}}\\x_P&=(y_P-y_A)\cot\alpha_{AP}+x_A\end{aligned}\right\}\tag{6-27}$$

还有一种便于计算机编程计算的直接求解 P 点坐标的公式(推导略),如下:

$$\left.\begin{aligned}x_P&=\frac{x_A\cot\beta+x_B\cot\alpha+(y_B-y_A)}{\cot\alpha+\cot\beta}\\y_P&=\frac{y_A\cot\beta+y_B\cot\alpha-(x_B-x_A)}{\cot\alpha+\cot\beta}\end{aligned}\right\}\tag{6-28}$$

前方交会中,由未知点至相邻两起始点方向间的夹角称为交会角。交会角过大或过小,都会影响 P 点位置测定精度,一般要求交会角大于30°并小于150°。测量中,一般都布设三个已知点进行交会,如图6-31。这时可分两组计算 P 点坐标,设两组计算 P 点坐标分别为(x_P^1,y_P^1)和(x_P^2,y_P^2)。当两组计算 P 点的坐标较差 ΔD 在容许限差内,即当 $\Delta D=\sqrt{(x_P^2-x_P^1)^2+(y_P^2-y_P^1)}$ 小于等于 $0.2M$ 时,取平均值作为 P 点的最后坐标。

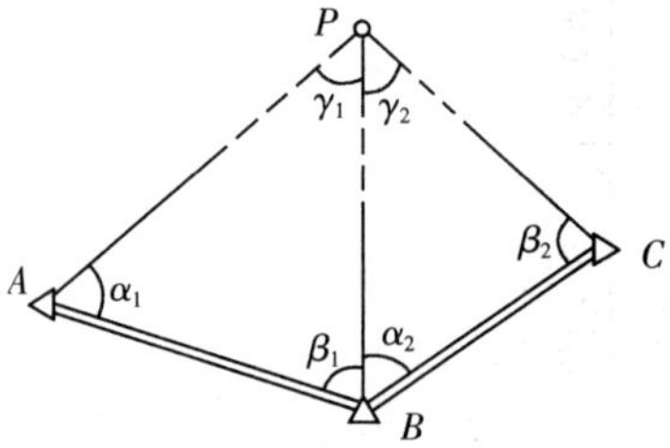

图6-31 前方交会实测示意图

式中，M 为测图比例尺的分母，ΔD 以 mm 为单位。

2. 侧方交会

在图 6－32 中，A、B 两个已知点中有一个不便设站，而待求点 P 便于设站，这时可以把站设到 P 和 A、B 两个已知点中的其中一个上。假设设站在 P 点和 A 点上，观测得 α 和 γ，这样也可以计算获得 P 点的坐标，这就是侧方交会法。计算的思路是：根据观测到的 α 和 γ，由 $\beta=180°-(\alpha+\gamma)$ 计算出 β，从而利用“前方交会法”的计算过程，可以计算出 P 点坐标。

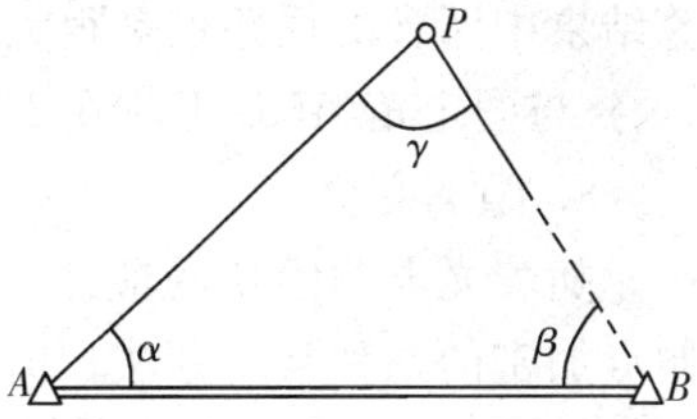

图 6－32　侧方交会原理图

3. 后方交会

(1)交会原理

后方交会的图形如图 6－33。它的特点是仅在未知点 P 上设站，向三个已知点 A、B、C 进行观测，测得 $\angle\alpha$ 和 $\angle\beta$。然后根据 A、B、C 三点坐标和 $\angle\alpha$、$\angle\beta$ 计算 P 点坐标。后方交会的优点是不必在多个已知点上设站观测，野外工作量少。因此当已知点不易到达时，可以采用后方交会确定待定点坐标。

后方交会计算工作量较大，计算公式很多，此处介绍一种思路较为简单的方法。

过未知点 P 及两个已知点 A、B 作一圆(图 6－33)。连接 P、C 两点，延长后与圆周交于 Q 点。根据同一圆弧上圆周角相等的定理，得

$$\angle ABQ=\angle APQ=180°-\alpha$$

$$\angle BAQ=\angle BPQ=180°-\beta$$

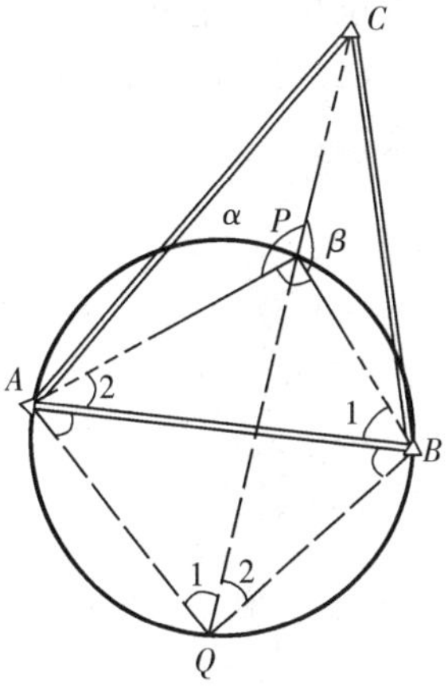

图 6－33　后方交会原理图

因此可由 A、B 两已知点按前方交会的式(6－28)计算 Q 点坐标 x_Q、y_Q。之后由 Q、C 两点坐标反算求得坐标方位角 α_{QC}。同样由坐标反算求得坐标方位角 α_{QA}、α_{QB}。则：

$$\angle 1=\alpha_{QC}-\alpha_{QA}$$

$$\angle 2=\alpha_{QB}-\alpha_{QC}$$

根据同一圆弧上圆周角相等的定理，得：

$$\angle ABP=\angle 1$$

$$\angle BAP=\angle 2$$

再次按式(6－28)，由 A、B 两点计算出 P 点的坐标。这种方法主要是借助了辅助点 Q，因而称为辅助点法。

(2)后方交会的危险圆

当待定点 P 位于三个已知点 A、B、C 的外接圆时(如图 6－34)，无论 P 点位于该圆周上的任何位置，当仪器架设在 P 点，观测 A、B、C 三点时，所得的方向夹角 γ_1、γ_2 都是一样的，并不会由于 P 点的不同而不同，由此知道 P 点位置无法求知。此时称该外接圆为后方交会观测法的“危险圆”。

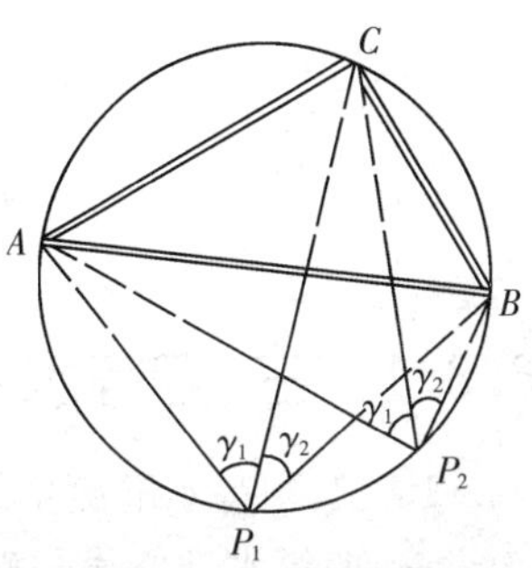

图 6－34　后方交会危险圆

实际工作中，P 点位于危险圆上的情况是极其偶然的，但是在危险圆附近时，计算结果中所含的误差也是很大的。为了避免 P 点落在危险圆附近，规定后方交会角 γ_1、γ_2 与固定角 ACB 不应在 160°～180°之间，否则应该重新选择点位。

4. 距离交会

随着光电测距仪的应用，距离交会也成为控制点加密的一种常用方法(如图 6－35)。在两个已知点 A、B 上分别量至待定点 P_1 的边长 S_a、S_b，求解 P_1 点的坐标的计算方法，称为距离交会法。

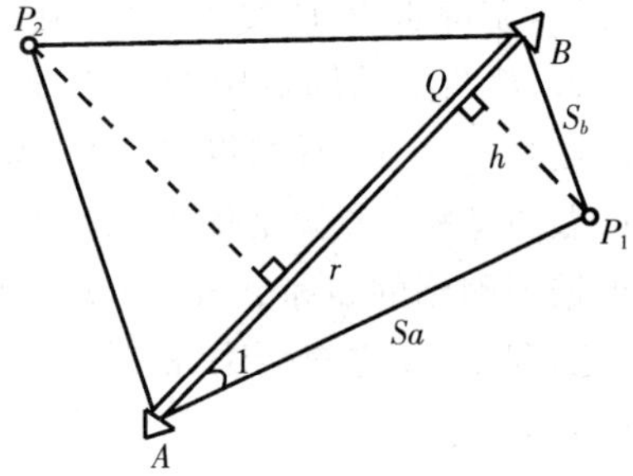

图 6－35 距离交会原理图

利用距离交会法计算 P_1 点的坐标步骤如下：

(1)通过坐标反算公式，由 A、B 已知坐标求出方位角 α_{AB} 和边长 S_{AB}；

(2)过 P_1 点作 AB 的垂线，垂足为 Q。垂距 P_1Q 为 h，AQ 为 r，则由余弦定理，可求得：

$$\cos\angle 1=\frac{S_{AB}^2+S_a^2-S_b^2}{2S_{AB}S_a} \tag{6-29}$$

$$r=S_a\cos\angle 1=\frac{S_{AB}^2+S_a^2-S_b^2}{2S_{AB}} \tag{6-30}$$

$$h=\sqrt{S_a^2-r^2} \tag{6-31}$$

(3)计算 P_1 点坐标：

$$\left.\begin{aligned}x_{P_1}&=x_A+r\cos\alpha_{AB}-h\sin\alpha_{AB}\\ y_{P_1}&=y_A+r\sin\alpha_{AB}+h\cos\alpha_{AB}\end{aligned}\right\} \tag{6-32}$$

上式是 P_1 点位于 AB 线段右侧时的计算公式(A、B、P_1 顺时针构成三角形)；若位于 AB 线段的右侧(如图 6－35 中的 P_2)，则计算公式为

$$\left.\begin{aligned}x_{p_2}&=x_A+r\cos\alpha_{AB}+h\sin\alpha_{AB}\\ y_{p_2}&=y_A+r\sin\alpha_{AB}-h\cos\alpha_{AB}\end{aligned}\right\} \tag{6-33}$$

6.3 高程控制测量

6.3.1 三、四等水准测量的观测和计算

1. 三、四等水准测量的主要技术要求

三、四等水准路线一般沿道路布设，尽量避开土质松软地段，水准点间的距离一般为 2～4km，在城市建筑区为 1～2km。水准点应选在地基稳固，能长久保存和便于观测的地方。

三、四等水准测量的主要技术要求参见表 6－6。对每一站的技术要求如表 6－13所示。

表 6－13　三、四等水准测量测站技术要求

等级	视线长度(m)	视线高度(m)	前后视距离差(m)	前后视距累积差(m)	红黑面读数差(尺常数误差)(mm)	红黑面所测高差之差(mm)
三等	≤65	≥0.3	≤3	≤6	≤2	≤3
四等	≤80	≥0.2	≤5	≤10	≤3	≤5

2. 观测方法

三、四等水准测量的观测应在通视良好、望远镜成像清晰稳定的情况下进行。若用普通 DS3 水准仪观测，则每次读数前都应精平(使水准管气泡居中)；如果使用自动安平水准仪，则无需精平(水准测量原理详见第 2 章)，工作效率可大为提高。

以下介绍用双面水准尺法在一个测站的观测程序：

(1)后视水准尺黑面，读取上、下视距丝和中丝读数，记入记录表(表 6－14)中(1)、(2)、(3)；

(2)前视水准尺黑面，读取上、下视距丝和中丝读数，记入记录表中(4)、(5)、(6)；

(3)前视水准尺红面，读取中丝读数，记入记录表中(7)；

(4)后视水准尺红面，读取中丝读数，记入记录表中(8)。

这样的观测顺序简称为“后→前→前→后”，其优点是可以减弱仪器下沉误差的影响。概括起来，每个测站共需读取 8 个读数，并立即进行测站计算与检核，满足三、四等水准测量的有关限差要求后方可搬站。

表 6－14　四等水准测量记录表

测站编号	点号 视距差 $d/\sum d$	后尺 上丝 下丝 视距	前尺 上丝 下丝 视距	方向	中丝读数 黑面	红面	黑＋K红(mm)	平均高差(mm)	高程(mm)
		(1)	(4)	后	(3)	(8)	(14)	(18)	
		(2)	(5)	前	(6)	(7)	(13)		
	(11)/(12)	(9)	(10)	后→前	(15)	(16)	(17)		
1	BM.1—BM.2	1329	1173	后	1080	5767	0	＋0.1475	17.438
		0831	0693	前	0933	5719	＋1		
	＋1.8/＋1.8	49.8	48.0	后→前	＋0.147	＋0.048	－1		17.5855
2	TP.1—TP.2	2018	2467	后	1779	6567	－1	－0.4435	
		1540	1978	前	2223	6910	0		
	－1.1/＋0.7	47.8	48.9	后→前	－0.444	－0.343	－1		17.142

[注] 表中所示的(1)、(2)……(18)表示读数、记录和计算的顺序。

3. 测站计算与检核

(1)视距计算与检核

根据前、后视的上、下视距丝的读数，计算前、后视的视距。

后视距离：(9)＝100×{(1)－(2)}；

前视距离：(10)＝100×{(4)－(5)}；

计算前、后视距差(11)：(11)＝(9)－(10)；

计算前、后视距离累积差(12)：(12)＝上站(12)＋本站(11)。

以上计算得前、后视距、视距差及视距累积差均应满足表 6－14 中的要求。

(2)尺常数 K 检核

尺常数为同一水准尺黑面与红面读数差。尺常数误差计算式为

$$(13)=(6)+K_i-(7)$$

$$(14)=(3)+K'_i-(8)$$

K_i为双面水准尺的红面分划与黑面分划的零点差（A 尺 4687mm；B 尺 4787mm）。对于三等水准测量，尺常数误差不得超过 2mm；对于四等水准测量，不得超过 3mm。

(3)高差计算与检核

按前、后视水准尺红、黑面中丝的读数，分别计算该站高差

黑面高差：(15)＝(3)－(6)；

红面高差：(16)＝(8)－(7)；

红黑面高差之误差：(17)＝(14)－(13)。

对于三等水准测量，(17)不得超过 3mm；对于四等水准测量，不得超过 5mm。

红黑面高差之差在容许范围以内时取其平均值，作为该站的观测高差：

$$(18)=\{(15)+[(16)\pm 100\text{mm}]\}/2$$

上式计算时，当(15)＞(16)，100mm 前取正号计算；当(15)＜(16)，100mm 前取负号计算。

总之，平均高差(18)应与黑面高差(15)很接近。

(4)每页水准测量记录计算校核

每页水准测量记录应作总的计算校核。

高差校核：$\sum(3)-\sum(6)=\sum(15)$

$\sum(8)-\sum(7)=\sum(16)$

$\sum(15)+\sum(16)=2\sum(18)$　　(偶数站)

或 $\sum(15)+\sum(16)=2\sum(18)\pm 100\text{mm}$　　(奇数站)

视距差校核：$\sum(9)-\sum(10)$＝本页末站(12)－前页末站(12)

本页总视距：$\sum(9)+\sum(10)$

4. 三、四等水准测量成果整理

四等水准测量的闭合线路或附合线路的成果整理首先应按表 6－6 的规定，检验测段（两水准点之间的线路）往返测高差不符值（往、返测高差之差）及附合线路或闭

合线路的高差闭合差。如果在容许范围以内，则测段高差取往、返测的平均值，线路的高差闭合差则反其符号按测段的长度成正比例进行分配。

6.3.2 三角高程测量

当地形高低起伏较大不便于水准测量时，由于光电测距仪和全站仪的普及，可以用光电测距三角高程测量的方法测定两点间的高差，从而推算各点的高程。

1. 三角高程测量的原理

如图 6-36 所示，已知 A 点的高程 H_A，要测定 B 点的高程 H_B，可安置全站仪（或经纬仪配合测距仪）于 A 点，量取仪器高 i_A；在 B 点安置棱镜，量取其高度称为棱镜高 v_B；用全站仪中丝瞄准棱镜中心，测定竖直角 α_{AB} 再测定 AB 两点间的水平距离 D（注：全站仪可直接获得平距），则 AB 两点间的高差计算式为

$$h_{AB}=D\tan\alpha_{AB}+i_A-v_B \quad (6-34)$$

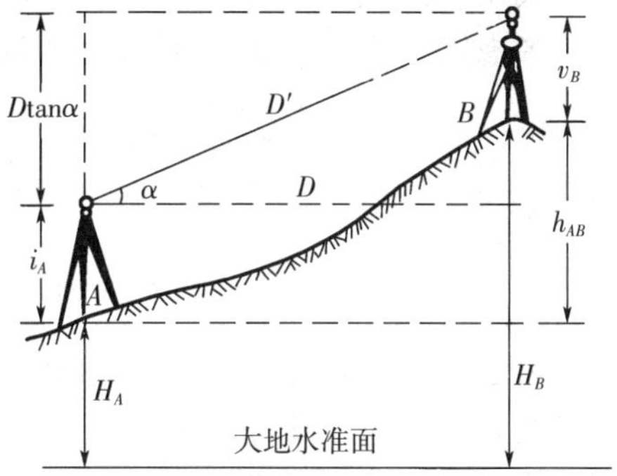

图 6-36 三角高程测量原理

如果用经纬仪配合测距仪测定 AB 的斜距 D' 及竖直角 α_{AB}，则 AB 两点高差计算式为

$$h_{AB}=D'\sin\alpha_{AB}+i_A-v_B \quad (6-35)$$

求得高差 h_{AB} 后，按下式计算 B 点高程：

$$H_B=H_A+h_{AB} \quad (6-36)$$

2. 地球曲率和大气折光对高差的影响

在三角高程测量公式(6-34)、(6-35)的推导中，假设大地水准面是平面（见图 6-36），但事实上大地水准面是一曲面，因此由三角高程测量公式(6-34)、(6-35)计算的高差应进行地球曲率影响的改正，称为球差改正 f_1，如图 6-37 所示。

$$f_1=\Delta h=\frac{D^2}{2R} \quad (6-37)$$

式中：R——地球平均曲率半径，一般取 $R=6371\text{km}$。

另外，由于视线受大气垂直折光影响而成为一条向上凸的曲线，使视线的切线方向向上抬高，测得的竖直角偏大，如图 6-37 所示。因此还应进行大气折光影响的改正，称为气差改正 f_2（f_2 恒为负值）。

气差改正 f_2 的计算公式为

$$f_2=-k\frac{D^2}{2R} \quad (6-38)$$

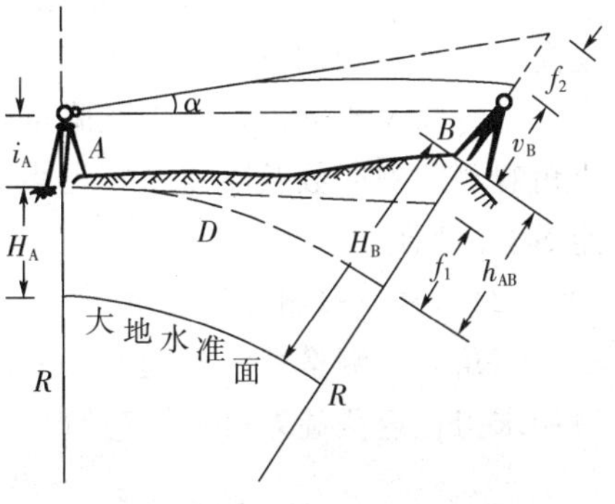

图 6-37 地球曲率及大气折光影响

式中：k——大气垂直折光系数。

球差改正和气差改正合称为球气差改正。

$$f=f_1+f_2=(1-k)\frac{D^2}{2R} \tag{6-39}$$

大气垂直折光系数 k 随气温、气压、日照、时间、地面情况和视线高度等因素而改变，一般取其平均值，令 $k=0.14$。在表 6-15 中列出了水平距离 D100m 至 1000m 的球气差改正值 f，由于 $f_1>f_2$，故 f 恒为正值。

考虑球气差改正时，三角高程测量的高差计算公式为

$$h_{AB}=D\tan\alpha_{AB}+i_A-v_B+f \tag{6-40}$$

或

$$h_{AB}=D'\sin\alpha_{AB}+i_A-v_B+f \tag{6-41}$$

由于折光系数的不确定性，使球气差改正中的气差改正具有较大的误差。但是如果在两点间进行对向观测，即测定 h_{AB} 及 h_{BA} 而取其平均值，则由于 f_2 在短时间内不会改变，而高差 h_{BA} 必须反其符号与 h_{AB} 取平均，因此 f_2 可以抵消；因为 f_1 是常数，因此 f_1 也可以抵消；故 f 的误差就不起作用，所以作为高程控制点进行三角高程测量时必须进行对向观测。

表 6-15　三角高程测量地球曲率和大气折光改正($k=0.14$)

D(m)	f(mm)	D(m)	f(mm)	D(m)	f(mm)	D(m)	f(mm)
100	1	350	8	600	24	850	49
170	2	400	11	650	29	900	55
200	3	450	14	700	33	950	61
250	4	500	17	750	38	975	64
300	6	550	20	800	43	1000	67

3. 三角高程测量的观测和计算

(1)三角高程测量的观测

在测站上安置经纬仪(或全站仪)，量取仪器高 i；在目标点上安置棱镜，量取棱镜高 v。i 和 v 用小钢卷尺量两次取平均，读数至 1mm。

用经纬仪望远镜盘左中丝瞄准目标，将竖盘水准管气泡居中，读取竖盘读数，竖直角观测的测回数及限差规定见表 6-16。然后用测距仪(或全站仪)测定两点间斜距 S'(或平距 D)。

(2)三角高程测量的计算

三角高程测量往测和返测高差的计算按(6-40)式或(6-41)式计算。由对向观测所求得往返测高差(经球气差改正)之差 $f_{\Delta h}$ 的容许值为

$$f_{\Delta h}=\pm 0.1D(\text{m}) \tag{6-42}$$

式中：D——两点间平距，以 km 为单位。

表 6-16　竖直角观测测回数与限差

项目	一、二、三级导线		图根导线
	DJ2	DJ6	DJ6
测回数	1	2	1
各测回竖直角互差	15″	25″	25″
各测回指标差互差	15″	25″	25″

图 6-38 所示为三角高程测量实测数据略图。在 A、B、C 三点间进行三角高程测量，构成闭合路线。已知 A 点高程为 56.432m，数据及观测数据注明于图上，在表 6-17 中进行高差计算。

由对向观测所求得高差平均值，计算闭合环线或附合线路的高差闭合差的容许值为

$$f_{h容} = \pm 0.05\sqrt{\sum D^2}\,(\mathrm{m}) \tag{6-43}$$

式中：D 以 km 为单位。

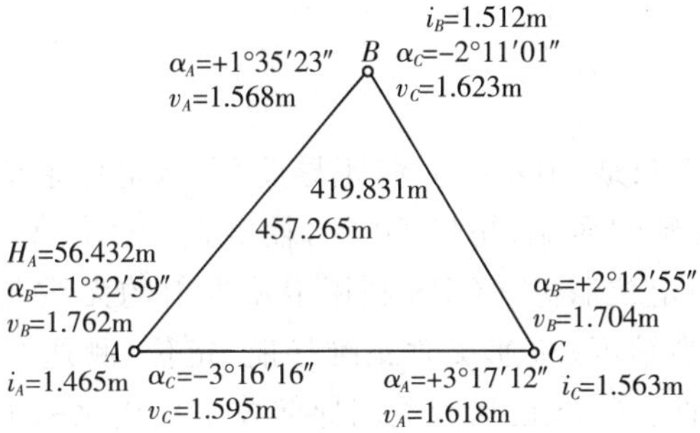

图 6-38　三角高程测量实测数据略图

本例的三角高程测量闭合线路的高差闭合差计算、高差调整及高程计算在表 6-18中进行。高差闭合差按两点间的距离成正比反号分配。

表 6-17　三角高程测量高差计算

测站点	A	B	B	C	C	A
目标点	B	A	C	B	A	C
水平距离 D	457.265	457.265	419.831	419.831	501.772	501.772
竖直角 α	−1°32′59″	+1°35′23″	−2°11′01″	+2°12′55″	−3°17′12″	−3°16′16″
测站仪器高 i	1.465	1.512	1.512	1.563	1.563	1.465
目标棱镜高 v	1.762	1.568	1.623	1.704	1.618	1.595
球气差改正 f	0.014	0.014	0.012	0.012	0.017	0.017
单向高差 h	−12.654	+12.648	−16.107	+16.111	+28.777	−28.791
平均高差 h	−12.651		−16.109		+28.784	

表 6－18　三角高程测量成果整理

点 号	水平距离(m)	观测高差(m)	改正值(m)	改正后高差(m)	高程(m)
A					56.432
	457.265	−12.651	−0.008	−12.659	
B					43.773
	419.831	−16.109	−0.007	−16.116	
A					27.657
	501.772	+28.784	−0.009	+28.775	
C					56.432
$\sum$	1378.868	+0.024	−0.024	0.000	
备注	$f_h=+0.024\text{m}$，　$\sum D^2=0.6371$ $f_{h容}=\pm0.05\sqrt{\sum D^2}=\pm0.040\text{m}$，　$f_h\leqslant f_{容}$，合格				

6.4　全球定位系统(GPS)测量

6.4.1　概述

全球定位系统(GPS)是“卫星授时测距导航/全球定位系统”的简称。该系统由美国国防部于1973年组织研制，历经20年，耗资近300亿美元，于1993年建设成功，主要为军事导航与定位服务。GPS利用卫星发射的无线电信号进行导航定位，具有全球性、全天候、高精度、快速实时三维导航、定位、测速和授时功能，并具有良好的保密性和抗干扰性。GPS已成为美国导航技术现代化的重要标志，被称为本世纪继阿波罗登月计划之后的又一重大航天技术。

GPS不但可以用于军事上各兵种和武器的导航定位，在民用上也具有广泛的应用。如智能交通系统中的车辆导航、车辆管理和救援；民用飞机、船只的导航及姿态测量；气象观测中的大气参数测试；电力和通讯系统中的时间控制；地震和地球板块运动检测等。在测绘领域，如大地测量、城市和矿山控制测量、建构筑物变形监测以及水下地形测量等方面也得到广泛的应用。与传统测绘方法相比，GPS测绘具有定位速度快、成本低、不受天气影响、点间无需通视、不用建标等优点，而且仪器设备小巧轻便，操作简单便捷。GPS定位技术的引入，引发了测绘技术的一场革命，使得测绘领域步入了一个崭新的时代。

6.4.2　全球定位系统(GPS)的组成

全球定位系统(GPS)由三部分(见图6－39)组成：空间卫星星座、地面监控系统和用户设备。

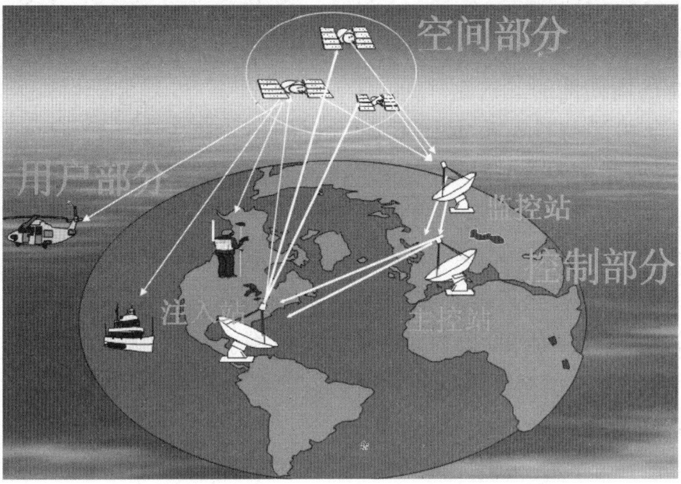

图 6-39 GPS 组成示意图

1. 空间卫星星座

(1)GPS 卫星星座构成

GPS 卫星星座由 24 颗卫星组成(如图 6-40),其中 21 颗工作卫星,3 颗备用卫星;均匀分布在围绕地球的 6 个近圆形轨道上,每个轨道上有 4 颗卫星;GPS 卫星离地球表面的高度约为 20200km,运行周期为 11 小时 58 分钟。这样的布设方案,可以确保在地球表面任何位置、任何时候,都可以随机地观测到 4～11 颗卫星高度角在 15°以上的 GPS 卫星,满足用户的定位和导航需求。

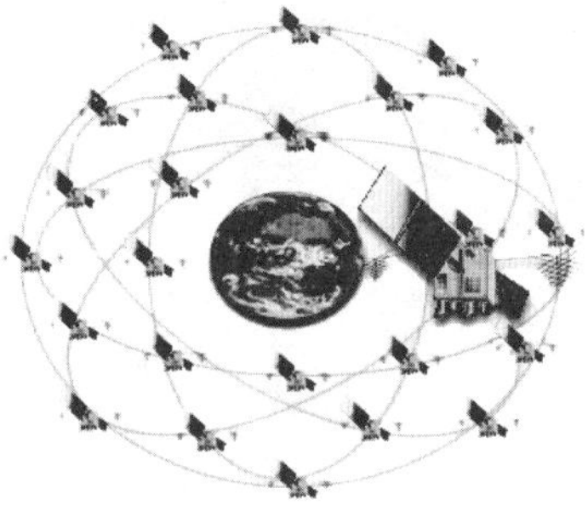

图 6-40 GPS 卫星星座示意图

(2)GPS 卫星及其功能

GPS 卫星主体呈圆柱形,直径为 1.5m,重约 774kg。卫星两侧有双叶太阳能板(如图6-41),能自动对日定向,从而为卫星提供正常工作所需要的电源。GPS 卫星的主要功能是接收并存储地面监控站发来的导航信息,接收并执行主控站发来的控制命令,向 GPS 用户发送导航定位所需的信息等。

图 6-41 GPS 卫星外形

(3)GPS 卫星信号的组成

GPS 卫星发射的信号由载波、测距码及导航电文 3 部分组成。可运载调制信号的高频振荡波称为载波。GPS 卫星所用的载波目前有两个,分别为 $L1$ 载波和 $L2$ 载波(如图 6-42)。采用两个不同频率载波的主要目的是为了较完善地消除电离层延迟的影响。测距码是用于测定从卫星到 GPS 接收机的距离的二进制码。GPS 卫星所用的测距码是由若干个多级反馈移位寄存器所产生的 m 序列经平移、截短、求模二和等一系列复杂处理后形成的，从性质上讲属于伪随机噪声码。它们看似一组杂乱无章的随机噪声码，其实是按照一定规律编排起来的、可以复制的周期性的二进制序列，具有类似于随机噪声码的自相关特性。根据性质和用途的不同，测距码可分为粗码(C/A 码)和精码(P 码或 Y 码)两类。导航电文是由 GPS 卫星向用户播发的一组反映 GPS 卫星在空间的位置、卫星的工作状态、卫星钟的修正参数、电离层延迟修正参数等重要数据的二进制代码，也称数据码(D 码)。它是用户利用 GPS 进行导航定位时一组必不可少的数据。

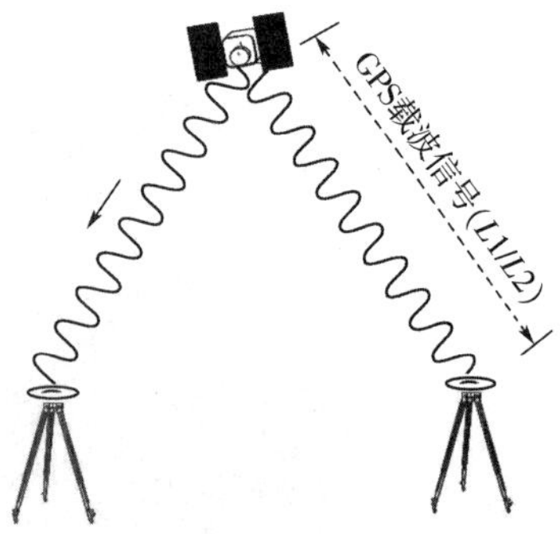

图 6-42　GPS 卫星信号示意图

2. 地面监控系统

GPS 地面监控系统由 5 个地面站组成，如图 6-43 所示。按功能分类，地面站分类为主控站、监控站和注入站 3 类，由相应的通信和辅助系统连成一个整体。

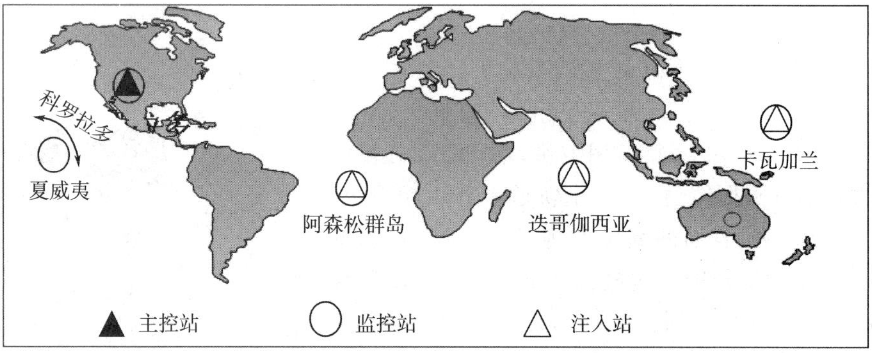

图 6-43　GPS 地面监控系统地理分布示意图

(1) 主控站

主控站是整个地面监控系统的管理中心和技术中心，位于美国本土的科罗拉多州的联合空间工作中心。主控站的主要作用如下：

①管理、协调地面监控系统各部分的工作；

②根据各个监控站发来的资料，计算、预报卫星轨道和卫星钟改正数，按规定格式编制成导航电文送往注入站；

③调整卫星轨道和卫星钟读数，当卫星出现故障时负责修复或启用备用器件以维持卫星的正常工作；无法修复时，则调用备用卫星替代故障卫星，维护整个系统正常工作。

(2) 监控站

监控站是无人值守的数据自动采集中心，分别设在科罗拉多州(美国本土)、阿松森群岛(大西洋)、迭哥伽西亚(印度洋)、卡瓦加兰和夏威夷岛(太平洋)。监控站的主要作用如下：

①对监控站所能监控的卫星进行伪距测量；

②通过气象传感器自动测定并记录气温、气压、相对湿度等气象条件；

③对伪距观测值进行改正后进行编辑、平滑和压缩，发送到主控站。

(3)注入站

GPS 注入站有 3 个，分别设在阿松森群岛、迭哥伽西亚、卡瓦加兰。其主要功能是向 GPS 卫星输入导航电文和其他控制命令。注入站能够将收到的导航电文或控制命令存储在微机当中，当卫星通过上空时，通过大口径发射天线将它们分别注到卫星中。

3. 用户设备

GPS 用户设备主要是指 GPS 接收机(如图 6－44)。通过 GPS 接收机，可以捕获 GPS 卫星信号，同时对信号进行处理，以实现导航、定位和授时等工作。GPS 接收机由接收天线、信号处理部件、输入输出部件、电源及微处理器等部件组成。根据用途的不同，可以分类为导航型、测地型、授时型等 3 个类别；按所能接收的信号频率数，又可以分为单频和双频两类。

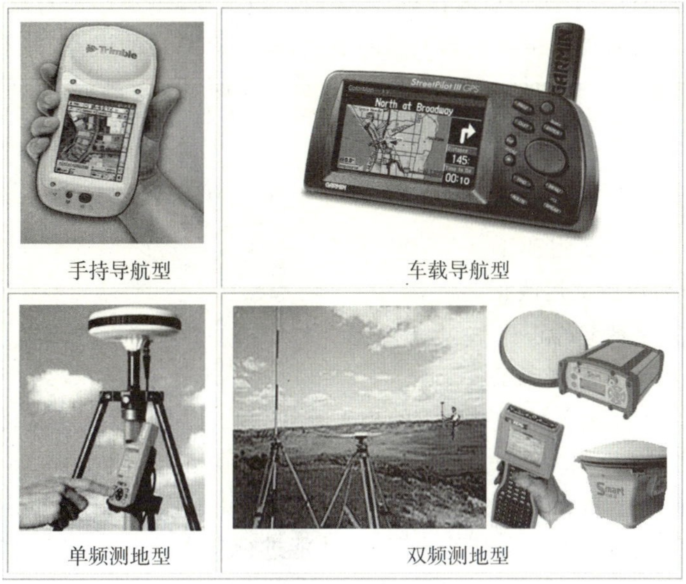

图 6－44　不同类型的 GPS 接收机

6.4.3　全球定位系统(GPS)定位的基本原理

全球定位系统(GPS)的定位基本原理(如图 6－45)，是空间距离交会定点原理。假设在地面上有 3 个无线电信号发射台，其位置坐标已知，用(x_i, y_i, z_i)(其中 $i=1, 2, 3$)表示。用户接收机在某一时刻采用无线电测距的原理测得接收机到 3 个无线电发射台的距离 $R_i (i=1,2,3)$，则只需以 3 个发射台为球心，以所测距离为半径，即可用距离交会原理计算出用户接收机的空间位置(x_p, y_p, z_p)。其数学模型如下：

$$R_i=\sqrt{(x_i-x_p)^2+(y_i-y_p)^2+(z_i-z_p)^2} \tag{6-44}$$

如果只有两个无线电发射台，则可根据用户接收机的概略位置交会出接收机的平面位置。这种通过无线电测距交会定点的方法是目前仍在使用的飞机、轮船的导航定位方法。现在将无线电信号发射台从地面搬到位于空间中的卫星之上，组成一个卫星导航定位系统，应用无线电测距交会的原理，便可由 3 个以上地面已知点交会出卫星的空间位置；反之，利用 3 个以上卫星的已知空间位置，又可以交会出地面上未知点的空间位置。这就是 GPS 卫星定位的基本原理。

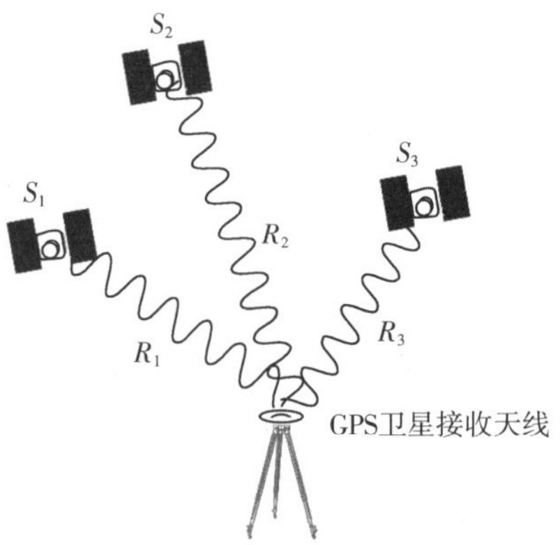

图 6-45　GPS 卫星定位原理示意图

GPS 卫星的空间位置是由卫星发射的导航电文给出的，卫星到用户接收机的距离则是通过接收卫星测距信号并与接收机内时钟进行相关处理求定的。由于卫星接收机大都采用石英晶体振荡器作为计时装置，精度较低；从卫星发出的无线电信号经过 2 万多公里的传输，中间经过电离层、平流层和对流层等大气层，会产生时延，由此获得的接收机到卫星的距离，就含有一定的误差，并不是真实的卫星到接收机的距离。我们把含有误差的距离称为伪距，用 ρ_p^i 表示。接收机到卫星的真实距离 R_i 与伪距 ρ_p^i 的关系如下式所示：

$$R_i=\rho_p^i+\delta_{\rho I}+\delta_{\rho T}-c\delta_t^S+c\delta_{\tan} \tag{6-45}$$

式中：$\delta_{\rho I}$——电离层延迟改正；

$\delta_{\rho T}$——对流层延迟改正；

δ_t^S——卫星钟差改正；

$\delta_{\tan}$——接收机钟差改正。

这些误差中，$\delta_{\rho I}$、$\delta_{\rho T}$ 可以用相应的模型修正，S_t^S 可用卫星星历文件中提供的卫星钟修正参数改正。由式(6-45)可以看出，要确定卫星接收机的空间位置(x_p，y_p，z_p)，有 4 个未知量 x_p、y_p、z_p、$\delta_{\tan}$ 需要求出，所以运用 GPS 进行空间三维定位，至少需要同时观测 4 个卫星，建立 4 个方程式，才能进行解算。

全球定位系统(GPS)定位方法，主要有伪距法定位、载波相位测量定位和 GPS 差分定位。对于待定点，根据其运动状态，可以分为静态定位和动态定位。静态定位是指用 GPS 测定相对于地球不运动的点位。GPS 接收机安置在这些点上，接收数分钟甚至更长时间，以确定其三维坐标。动态定位是指用 GPS 测定诸如飞机、轮船和车辆等运动物体的位置。若将两台或以上的 GPS 接收机分别安置在固定不变的待定点上，通过同步接收卫星信号，以确定待测点之间的相对位置，称为差分定位。

6.4.4　全球定位系统(GPS)测量的实施

本节主要讲述 GPS 在工程平面控制网建立中的应用。与传统平面控制测量一样，按照作业工序，GPS 平面控制测量包括控制网的设计、选点造标、外业观测、内业处理和成果提交等 5 个部分的工作。

6.4.4.1　GPS 控制网的设计

GPS 控制网的技术设计是进行 GPS 测量的基础。它应根据用户提交的任务书或测量合同所规定的测量任务进行设计。其内容包括测区范围、测量精度、完成时间等。设计的技术依据是国家测绘局颁发的《全球定位系统(GPS)测量规范》及建设部颁发的《全球定位系统城市测量技术规程》。其主要内容如下:

1. GPS测量精度指标

GPS网的精度指标通常是以网中相邻点之间的距离误差 m_D 来表示的:

$$m_D = a + b \times 10^{-6} \tag{6-46}$$

式中:D——相邻点间距离;

a——固定误差;

b——比例误差。

不同用途的GPS网其精度要求也不一样。地壳形变和国家基本控制网为 A、B 级,见表6-19;城市及工程控制网精度指标见表6-20。

表6-19 国家基本GPS控制网精度指标

级别	主要用途	固定误差 a(mm)	比例误差 $b(10^{-6}D)$
A	地壳形变测量及国家高精度GPS网建立	≤5	≤0.1
B	国家基本控制测量	≤8	≤1

表6-20 城市及工程GPS控制网精度指标

等级	平均距离	a(mm)	$b(10^{-6}D)$	最弱边相对中误差
二等	9	≤10	≤2	1/13万
三等	3	≤10	≤5	1/8万
四等	2	≤10	≤10	1/4.5万
一级	1	≤10	≤10	1/2万
二级	<1	≤15	≤20	1/1万

具体工作中精度标准的确定要根据工作实际需要,以及具备的仪器条件,恰当地确定GPS网的精度等级。布网可以分级布设,也可越级布设,或布设同级全面网。

2. 网形设计

常规控制测量中,控制网的图形设计十分重要。而在GPS测量时由于不需要点间通视,因此图形设计灵活性比较大。GPS网设计主要考虑以下几个问题:

(1)网的可靠性设计。GPS测量有很多优点,如测量速度快,测量精度高等,但是由于是无线电定位,受外界环境影响大,所以在图形设计时应重点考虑成果的准确可靠和有较可靠的检验方法。GPS网一般应通过独立观测边构成闭合图形,以增加检核条件,提高网的可靠性。GPS网的布设通常有点连式、边连式及边点混合连接等多种方式。

①点连式

是指相邻同步图形(多台仪器同步观测卫星获得基线构成的闭合图形)仅用一个公共点连接,如图 6-46(a)。以这种方式布网所构成的图形几何强度很弱,没有或极少有非同步图形闭合条件,一般不单独使用。

②边连式

是指同步图形之间由一条公共边连接,见图 6-46(b)。这种方案所布的 GPS 网形几何强度较高,有较多的复测边和非同步图形闭合条件。但是在相同的仪器台数条件下,观测时段比点连式大大增加,效率较低。

③边点混合连接

是指将点连接和边连接有机结合起来,组成 GPS 网的一种布网方式,如图 6-46(c)。这种布网方式既能保证网的几何强度,提高网的可靠指标,又能减少外业工作量,降低成本,是一种较为理想的布网方法。

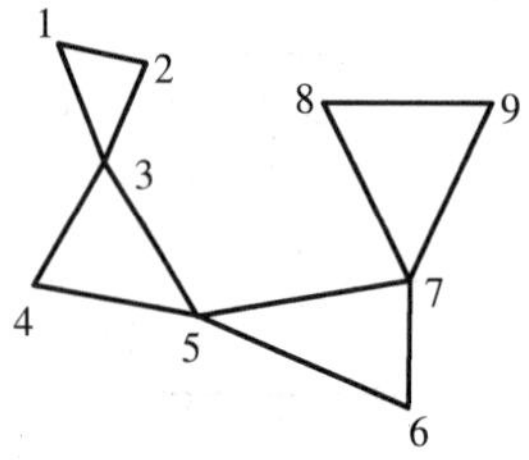

(a)点连式(4个三角形)

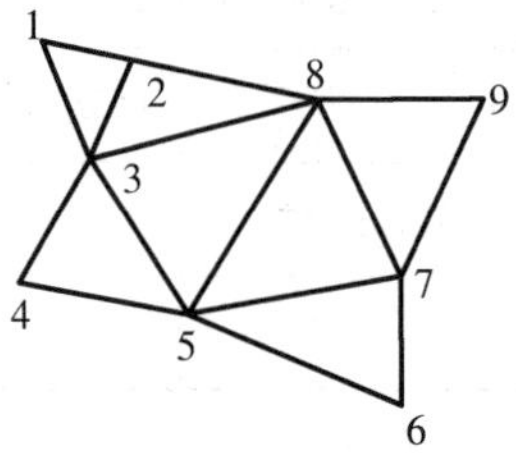

(b)边连式(7个三角形)

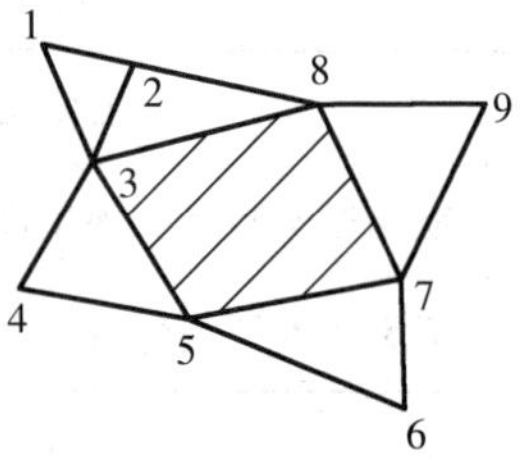

(c)边点混合式(5个三角形)

图 6-46 GPS 布网方案

(2)GPS 点虽然不需要通视,但是为了便于与常规方法联测和扩展,要求控制点至少与一个其他控制点通视,或者在控制点附近 300m 外布设一个通视良好的方位点。以便建立联测方向。

(3)为了求定 GPS 网坐标与原有地面控制网坐标之间的坐标转换参数,要求至少有三个 GPS 控制网点与地面控制网点重合。

(4)为了利用 GPS 进行高程测量,在测区内 GPS 点应尽可能与水准点重合,或者进行等级水准联测。

(5)GPS 点尽量选在天空视野开阔、交通方便地点,并要远离高压线、变电所及微波辐射干扰源。

6.4.4.2 选点、造标

1. 选点

GPS 测量时,观测站之间不要求相互通视,网的图形结构比较灵活,选点工作要比常规控制测量的选点要简便。由于点位的选择对于保证观测工作的顺利进行和保证测量结果的可靠性有着重要的意义,因此在选点工作开始前,除了收集和了解有关测区的地理情况和原有测量控制点分布及标架、标型、标石的完好情况以及决定适宜的点位外,选点工作还应遵守以下原则:

(1)点位应设在易于安置接收设备、视野开阔的较高点上;

(2)点位目标要显著,视场周围 15°以上不应有障碍物,以减小 GPS 信号被遮挡或障碍物吸收；

(3)点位应远离大功率无线电发射源(如电视台、微波站等)，其距离不小于200m；远离高压输电线，其距离不小于50m。避免电磁场对GPS信号的干扰；

(4)点位附近不应有大面积水域，以减弱多路径效应的影响；

(5)点位应选在交通方便，有利于其他观测手段扩展与联测的地方；

(6)地面基础稳定，易于点的保存；

(7)当利用已有旧点时，应对旧点的稳定性、完好性，以及觇标是否安全可用性作一检查，符合要求方可利用；

(8)为了利用GPS进行高程测量，选点时应尽可能与水准点重合，或者进行等级水准联测。

2. 造标

GPS网点一般应埋设具有中心标志的标石，以精确标志点位。点的标石和标志必须稳定、坚固，以利于长久保存和利用。在基岩露头地区，也可直接在基岩上嵌入金属标志。每一个GPS点位标石埋设结束后，应按表6－21填写点之记，并提交以下资料：点之记、GPS网选点网图、土地占用批准文件与测量标志委托保管书、选点与造标工作技术总结。

表6－21　GPS点点之记

日期：　　年　　月　　日　　　记录者：　　　　绘图者：　　　　校核者：

<table>
<tr><td rowspan="4">点名及种类</td><td rowspan="2">GPS点</td><td>点名</td><td></td><td rowspan="2">土质</td><td rowspan="2"></td></tr>
<tr><td>点号</td><td></td></tr>
<tr><td rowspan="2">相邻点(点名、点号、里程、通视)</td><td colspan="2" rowspan="2"></td><td>标石说明</td><td></td></tr>
<tr><td>旧点名</td><td></td></tr>
<tr><td colspan="2">所在地</td><td colspan="4"></td></tr>
<tr><td colspan="2">交通路线</td><td colspan="4"></td></tr>
<tr><td colspan="2">所在图符号</td><td colspan="4"></td></tr>
<tr><td colspan="6">(略图)</td></tr>
<tr><td>备注</td><td colspan="5"></td></tr>
</table>

6.4.4.3　外业观测

1. 外业观测计划设计

(1)编制GPS卫星可见性预报图。利用卫星预报软件，输入测区中心点概略坐标、作业时间、卫星截止高度角≥15°等，利用不超过20天的星历文件即可编制卫星预报图；

(2)编制作业调度表。应根据仪器数量，交通工具状况，测区交通环境及卫星预报状况制定调度表。作业表应包括：①观测时段(测站上开始接收卫星信号到停止观测所经过的时间段)，需注明开、关机时间；②测站号、测站名；③接收机号、作业员；④车辆调度表。

2. 野外观测

野外观测应严格按照技术设计要求进行。

(1)安置天线。天线安置是 GPS 精密测量的重要保证，要仔细对中、整平、量取仪器高。仪器高要用钢尺在互为 120°方向量三次，互差小于 3mm，取平均值后输入 GPS 接收机；

(2)按规定时间打开 GPS 接收机，输入测站名，卫星截止高度角，卫星信号采样间隔等。一般 GPS 接收机开机约 3 分钟即可锁定卫星进行定位；若仪器长期不用，存储在仪器内的卫星星历过期，则开机后仪器要重新捕获卫星星历，成为重新初始化，此时耗时较长，约要十多分钟。GPS 接收机自动化程度很高，仪器一旦跟踪卫星进行定位，接收机自动将观测到卫星星历、导航文件以及测站输入信息以文件形式存入接收机内。作业员只需要定期查看接收机工作状况，发现故障及时排除，并做好记录。在接收机正常工作过程中不要随意开关电源，更改设置参数，关闭文件等；

(3)一个时段测量结束后要查看仪器高和测站名是否输入，确保无误再关机迁站；

(4)GPS 接收机记录的数据有：GPS 卫星星历和卫星钟参数；观测历元的时刻及伪距观测值和载波相位观测值；GPS 绝对定位结果；测站信息。

3. 观测数据下载及数据预处理

观测成果的外业检核是确保外业观测质量和实现定位精度的重要环节，外业观测数据在测区时就要及时进行严格检查。对外业预处理成果，按规范要求进行严格检查、分析，根据情况进行必要的重测和补测，确保外业成果无误方可离开测区。

6.4.4.4 内业处理

1. 基线解算

对于两台及两台以上接收机同步观测值进行独立基线向量(坐标差)的平差计算，称为基线解算，也称观测数据预处理。其主要过程如图 6－47 所示。

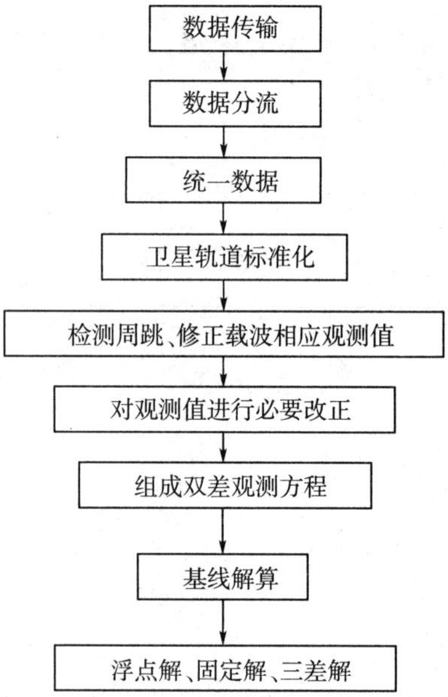

图 6－47　GPS 基线解算数据处理流程图

2. 观测成果检验

(1)同步环检验

同一时段多台仪器组成的闭合环，

坐标增量闭合差应为零。由于观测会有误差，故在检核中应检查一切可能的环闭合差。其闭合差分量要求：

$$\left.\begin{aligned} &\omega_x \leqslant \frac{\sqrt{n}}{5}\sigma \\ &\omega_y \leqslant \frac{\sqrt{n}}{5}\sigma \\ &\omega_z \leqslant \frac{\sqrt{n}}{5}\sigma \\ &\omega = \sqrt{\omega_x^2+\omega_y^2+\omega_z^2} \end{aligned}\right\} \tag{6-47}$$

环闭合差限差：

$$\omega \leqslant \frac{\sqrt{3n}}{5}\sigma \tag{6-48}$$

式中：σ——规范中规定的中误差；

n——同步环的点数。

(2)重复边检验

一条基线在不同时段观测多次，有多个独立基线值，这些边称为重复边。任意两个时段所得基线差应小于相应等级规定精度的 $2\sqrt{2}$ 倍。

(3)异步环检验

在构成多边形环路的基线向量中，只要有非同步观测基线，则该多边形环路称为异步环。

异步环检验应选择一组完全独立的基线构成环进行检验，应符合下式要求：

$$\left.\begin{aligned} &\omega x \leqslant 2\sqrt{n}\sigma \\ &\omega y \leqslant 2\sqrt{n}\sigma \\ &\omega z \leqslant 2\sqrt{n}\sigma \\ &\omega \leqslant 2\sqrt{3n}\sigma \end{aligned}\right\} \tag{6-49}$$

3. GPS 网平差

在各项检查通过之后，得到个独立基线向量和相应的协方差阵，在此基础上便可以进行平差计算。平差计算包括的内容有：

(1)GPS 网无约束平差

利用基线处理结果和协方差阵，以网中一个点的 WGS－84 三维坐标为起算值，在 WGS－84 坐标系中进行网整体无约束平差。平差结果提供各控制点在 WGS－84 坐标系中的三维坐标、基线向量和三个坐标差，以及基线边长和相应的精度信息。

值得注意的是，由于起始点坐标往往采用 GPS 单点定位结果，其值与精确 WGS－84 地心坐标有较大偏差，所以平差后得到的各点坐标不是真正 WGS－84 地心坐标。

无约束平差基线向量改正数绝对值应满足：

$$\left.\begin{array}{l}V_{\Delta x}\leqslant 3\sigma\\V_{\Delta y}\leqslant 3\sigma\\V_{\Delta z}\leqslant 3\sigma\end{array}\right\}\qquad(6-50)$$

(2)坐标参数转换或与地面网联合平差

在工程中常采用国家坐标系或城市、矿区地方坐标系，需要将 GPS 网平差结果进行坐标转换。若 GPS 网无约束平差时起始点选用国家基础 GPS 控制网上的点，则可用国家 A、B 级网求定的坐标转换参数进行转换得到国家坐标系坐标。如无上述条件，可以利用网中联测时选用的原有地面控制网坐标进行三维约束平差或二维约束平差。原有点已知坐标、已知距离及已知方位角作为强制约束条件。平差结果应是在国家坐标系或地方坐标系中的三维或二维坐标。

无约束平差后，应用网中不参与约束平差的各控制点，将其坐标与平差后该点坐标求差，进行校核。若发现有较大误差应检查原地面点是否有误。约束平差后的基线向量改正数与该基线无约束平差改正数的较差应符合下式要求：

$$\left.\begin{array}{l}d_{cx}\leqslant 2\sigma\\d_{cy}\leqslant 2\sigma\\d_{cz}\leqslant 2\sigma\end{array}\right\}\qquad(6-51)$$

6.4.4.5 成果提交

1. 技术总结

GPS 测量工作结束后，需按要求编写技术总结报告，其内容包括：

(1)测区范围与位置，自然地理条件，气候特点，交通及电讯、电源等情况；

(2)任务来源，测区内已有测量情况，项目名称，施测目的和基本精度要求；

(3)施测单位，施测迄止时间，技术依据，作业人员情况；

(4)接收设备类型、数量和检验情况；

(5)选点所遇障碍物和环境影响的评价，埋石与重合点情况；

(6)观测方法要点与补测、重测情况，野外作业发生、存在问题的说明；

(7)野外数据检核，起算数据情况和数据预处理内容、方法和软件情况；

(8)工作量、工日及定额计算；

(9)方案实施与规范执行情况；

(10)提交成果尚存问题和需要说明的其他问题；

(11)各种附表与附图。

2. 提交成果

GPS 测量任务完成后，应提交下列成果：

(1)测量任务书与专业设计书；

(2)点之记、环视图和测量标志委托管理书；

(3)卫星可见性预报表和观测计划；

(4)外业观测记录(包括原始记录的存储介质及其备份)、测量手簿和其他记录(包括偏心观测);

(5)接收设备、气象及其他仪器的检验资料;

(6)外业观测数据质量分析及野外检核计算资料;

(7)数据加工处理钟生成的文件(含电子文件)、资料和成果表;

(8)GPS 网展点图;

(9)技术总结和成果验收报告。

思考题与习题

1. 控制测量的作用是什么?建立平面控制和高程控制的主要方法有哪些?

2. 国家平面及高程控制网是怎样布设的?

3. 直线定向的基本方向有哪几种?它们之间存在什么关系?

4. 坐标方位角的定义是什么?用它来确定直线的方向有什么优点?

5. 已知 1—2 边坐标方位角为 A_{12} 及各转点处的水平角,如图 6-48,试推算各边的坐标方位角。

6. 根据图 6-49 所注 AB 边坐标方位角及多边形各内角,分别计算 BC、CD、DA 边的坐标方位角。

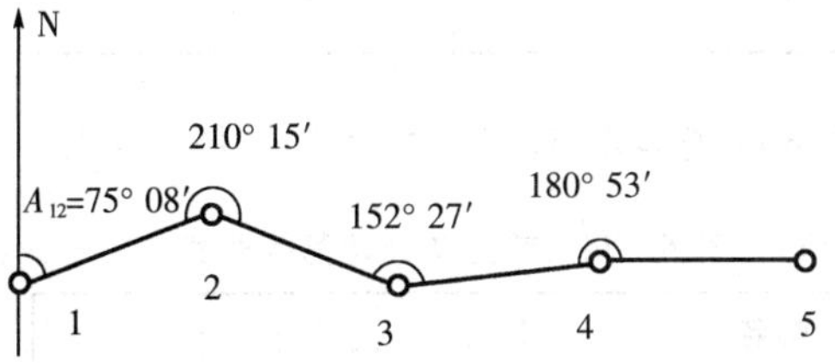

图 6-48 习题 5 图

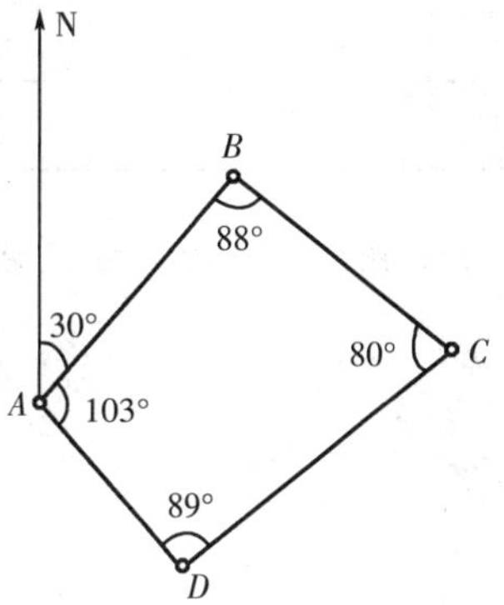

图 6-49 习题 6 图

7. 布设导线有哪几种形式?对导线布设有哪些基本要求?

8. 闭合导线和附合导线计算有哪些异同点?

9. 已知闭合导线数据如表 6-22,计算闭合导线各点的坐标(点号按顺时针编排)。

表 6-22 闭合导线计算数据表

点号	内角观测值 (° ′ ″)	坐标方位角 (° ′ ″)	边长(m)	坐标(m)	
				x	y
1				500.00	500.00
2	60 33 15	143 07 15	155.55		

（续表）

点号	内角观测值 (°　′　″)	坐标方位角 (°　′　″)	边长(m)	坐标(m)	
				x	y
3	156　00　45		25.77		
4	88　58　00		123.68		
5	95　23　30		76.57		
1	139　05　00		111.09		

10. 已知下列数据，计算附合导线个点的坐标。

表 6-23　附合导线计算数据表

点号	外角观测值 (°　′　″)	坐标方位角 (°　′　″)	边长(m)	坐标(m)	
				x	y
B					
A	231　02　30	127　20　30	40.51	3509.58	2675.89
1	64　52　00		79.04		
2	182　29　00		59.12		
C	138　42　30			3529.00	2801.54
D		24　26　45			

11. 图 6-50 为前方交会示意图，已知数据如表 6-24，求待定点 P 的坐标。

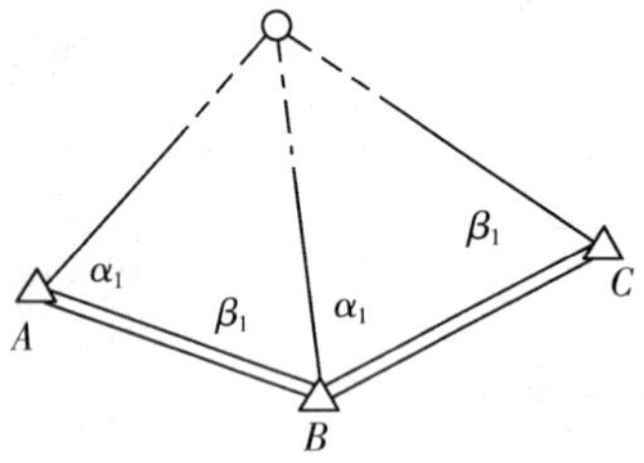

图 6-50　习题 11 图

表 6-24　前方交会计算数据表

点名	x (m)	y (m)
A	3646.350	1054.540
B	3873.960	1772.680
C	4538.450	1862.570
观测角	α(°　′　″)	β(°　′　″)
1	64　03　30	59　46　40
2	55　30　36	72　44　47

12. 三、四等水准测量与等外水准测量相比，在应用范围、观测方法、技术指标及所用仪器方面有哪些差别？

13. 三角高程控制适用于什么条件？其优缺点如何？

14. 根据表 6-25 计算三角高程测量的高差值。

表 6-25　三角高程计算数据表

测站	A	B
目标	B	A
竖直角 α	$+4°30'$	$-4°18'$
水平距离 D	375.11	375.11
$\tan\alpha$		
$D\tan\alpha$		
仪器高 I	1.50	1.40
目标高 Ht	1.80	2.40
两差改正 f		
高差 h		
平均高差		

15. 与传统测绘方法相比，GPS 定位技术具有什么优点？并简述 GPS 定位的基本原理。

16. GPS 有哪些部分组成？各部分的作用是什么？

17. GPS 控制网常用布设方式有哪几种？简要描述之。

18. 简要叙述 GPS 控制测量实施的流程。

第7章

地形测量

[本章导读]

本章主要介绍地形图的基本知识和地形测图。通过本章的学习，读者能初步掌握野外数据采集与成图。

[知识目标]

1. 掌握地形图的基本知识(包括地形图比例尺、地形图图示、地形图分幅与编号、地形图图外注记)。

2. 掌握图根点的布设。

3. 掌握地形测图(包括碎部点的选择、地物点平面位置的测定方法、高程点的测定、地形图绘制、地形图的检查和整饰)。

4. 掌握电子全站仪数字化测图。

[能力目标]

1. 掌握地形图数字化测绘的方法。

2. 掌握野外数据采集和数据通讯。

3. 掌握地形图图形编辑和绘制。

4. 掌握绘图软件。

[重点难点]

1. 地形图图示。

2. 全站仪数字化测图。

3. 数字地形测量的技术设计和总结。

7.1 地形图的基本知识

7.1.1 地形图的基本概念

地图作为工作、生活中的工具之一，为我们所熟悉。地图(Maps)以特有的数学基础、图形符号和抽象概括法则表现地球或其自然表面的时空现象，反映人类的政治、经济、文化和历史等人文现象的状态、联系和发展变化。

地形图(Topographic Maps)是地图的一种。它是详细表示地表上居民地、道路、水系、境界、土质、植被等基本地理要素，并用等高线表示地面起伏的按统一规范生产的一种普通地图。

地形图可以这样定义:按一定的比例，用规定的符号表示地物、地貌的平面位置和高程的正射投影图。

地形图上不仅表示了地物的平面位置，还用特定的符号表示了地貌。若不用特定的符号表示地貌，仅注用少量的有代表性的高程点，而主要表示地物的平面位置正射投影图，则称为地物平面图，简称平面图。

7.1.2 地形图的特性

1. 可量测性

由于采用了地形图的投影、地形图的比例尺和地形图定向等特殊数学法则，可以在地形图上精确量测点的坐标、线的长度和方位、区域面积、物体的体积、地面坡度等。

2. 直观性

地形图符号系统号称为地形图的语言，是表达地理事物的工具。地图符号系统由符号、色彩及相应的文字注记构成，能够准确表达地理事物的位置、范围、数量和质量特征、空间分布规律以及它们之间的相互联系和动态变化，准确、直观地提供了地形图的信息。

3. 一览性

地形图是缩小了的地理表象，不可能表达出地面上所有的地理事物，需要通过取舍概括的方法表示出重要的物体、舍去次要的物体(即制图综合)。制图综合能使地面上任意大的区域缩小成图，正确表达出读者感兴趣的重要内容，使读者能一览无余。

图 7-1 所示为一地形图局部示意图。

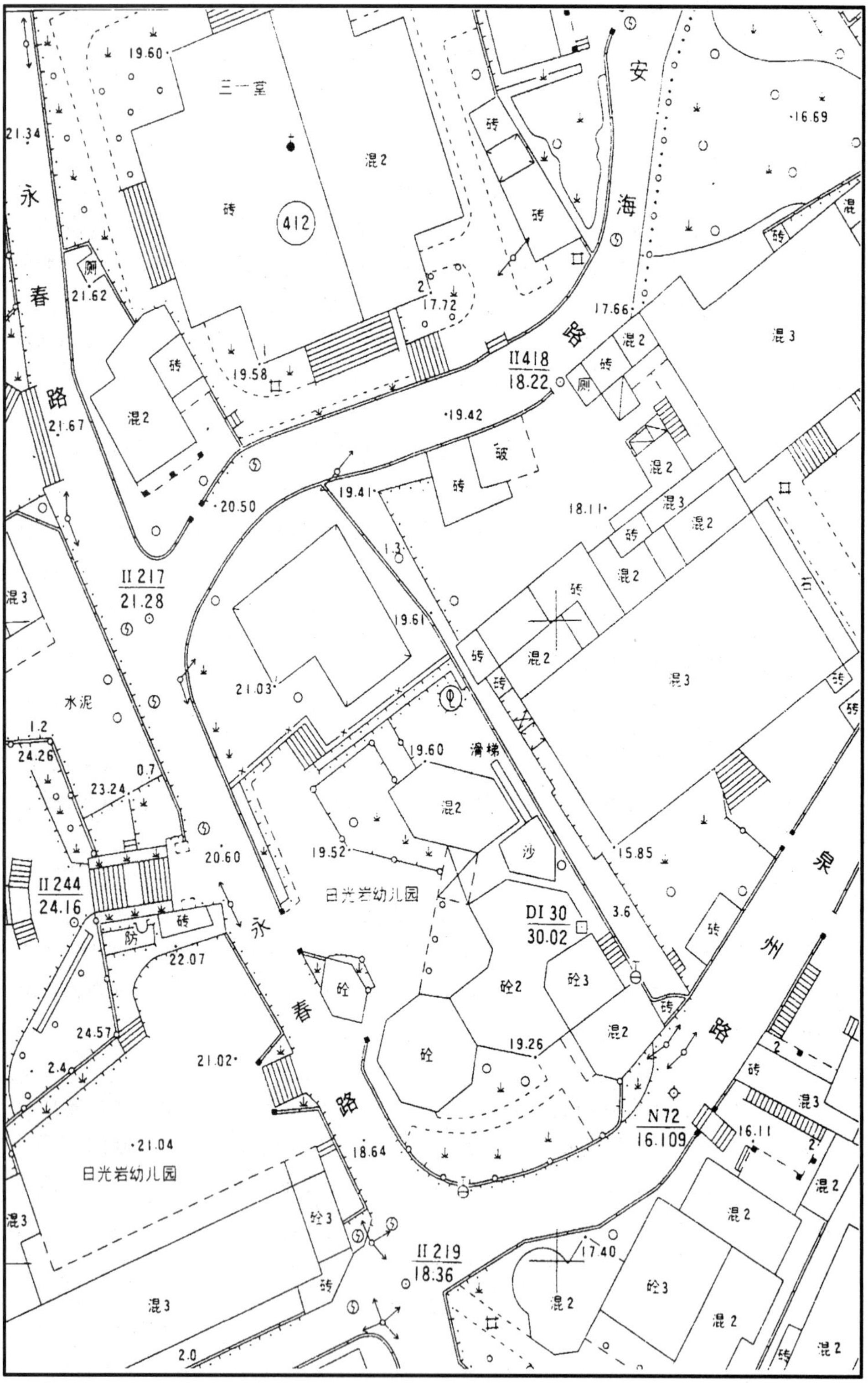

图 7-1　地形图局部示意图

7.1.3 地形图的比例尺

1. 比例尺的定义与表示方法

地形图上任一线段的长度与其相对应的实地水平距离之比，称为地形图的比例尺。其表示方法主要有以下两种。

(1)数字比例尺

用分子为1，分母为整数的分数形式表示的比例尺，称为数字比例尺。一般写成1∶M的形式(其中M为比例尺的分母)。设图上一线段的长度为d，其相对应的实地水平距离为D，则该图比例尺为

$$\frac{d}{D}=\frac{1}{M} \tag{7-1}$$

地形图比例尺的大小是以比例尺的比值来衡量的。比例尺的分母M越小，比值越大，比例尺也就越大；反之，M越大，比值越小，比例尺也就越小。通常称1∶500、1∶1000、1∶2000和1∶5000为大比例尺；1∶1万、1∶2.5万、1∶5万、1∶10万为中比例尺；1∶25万、1∶50万、1∶100万为小比例尺。其中，1∶5000、1∶1万、1∶2.5万、1∶5万、1∶10万、1∶25万、1∶50万、1∶100万这八种比例尺地形图为我国基本比例尺系列地形图。

(2)图示比例尺

为了用图方便和避免因图纸伸缩变形引起的距离量测误差，一般在绘制地形图的同时，在图上加绘一条与测图比例尺一致的图示比例尺，如图7-2所示。绘制时，首先在地形图上绘两条平行线，然后在其上截取若干相等的线段(称为比例尺的基本单位，一般取2cm)，再将第一个基本单位分成10等份；在第一个基本单位的右端的分划线上注以"0"字，在其他基本单位的分划线上分别注以相应比例尺的实地长度。应用时，用分规的两脚尖分别对准图上待量测线段的两个端点，然后将分规移放在的图示比例尺上，使右脚尖对准图示比例尺上某一基本分划，左脚尖落在0分划线左侧的基本单位内进行读数，不足一个分划的可用目估。这样，所量测的距离就等于分规两个脚尖所示长度。如图7-2中所示的一段距离为23.0m。

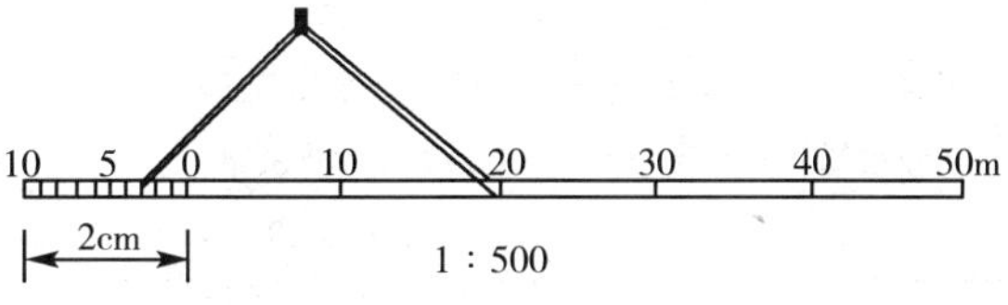

图7-2 图示比例尺示意

2. 比例尺精度

人们用肉眼能分辨的图上最小距离为0.1mm。这也就是说，当某一线段的长度小于0.1mm时，用肉眼将无法分辨而且在图纸上也无法表示出来。一般在图上量度或者实地测图描绘时，就只能达到图上0.1mm的正确性。因此，把各种比例尺图上0.1mm的实地水平距离称为比例尺精度。显然，比例尺越大，其比例尺精度也越高。几种常见比例尺图的比例尺精度见表7-1所示。

表 7-1 比例尺精度

比例尺	1∶500	1∶1000	1∶2000	1∶5000	1∶10000
比例尺精度(m)	0.05	0.1	0.2	0.5	1.0

比例尺的精度对测图和用图有着重要的意义。根据比例尺精度可参考决定：

(1)测图时丈量地物应准确到什么程度。例如，在测绘 1∶1000 比例尺地形图时，由表 7-1 知，其比例尺精度为 0.1mm×1000＝0.1m，因此丈量地物时只需精确到 10cm 以内即可。

(2)当设计规定了要表示于图纸上的地物的最短长度时，根据比例尺精度，可参考选定测图的比例尺的大小。例如，如果表示在图纸上的地物最短长度时为 5cm，则选取 0.1mm/5cm＝1∶500的比例尺为宜。

在工程建设中选用比例尺的一般原则为：

(1)图面上所显示地物、地貌的详尽程度和明晰程度能否满足设计要求；

(2)图上平面点位和高程的精度能否满足设计要求；

(3)图幅的大小应便于总图设计布局的需要；

(4)在满足以上要求的条件下，尽可能选用较小的比例尺测图。

比例尺越大，比例尺精度也就越高；精度越高，表示地面的状况也就越详细，测图时所花费的人力、费用和时间也将随之增加。因此，工作中一定要从实际需要出发，不要盲目地认为比例尺越大越好，要按照经济合理的原则，进行综合考虑。

7.1.4 地形图的图示

7.1.4.1 《地形图图式》简介

在地形图上，地物和地貌是用各种符号表示的。地形图的符号是提供地理信息的最重要的要素之一。这些符号由国家测绘局等部门统一制定成为《地形图图式》并颁布实施。《地形图图式》是测绘、使用、编制和出版地形图的基本依据之一。各种比例尺《地形图图式》的制定、修订情况见表 7-2。

表 7-2 《地形图图式》制定、修订情况一览表

图式比例尺	制定、修订的部门及年代		备　注
	国家测绘局或与总参谋部测绘局共同制定	国家测绘局制定正式作为国家或行业标准发布	
1∶500～1∶2000	1964、1977	1987、1995、2007	
1∶5000～1∶1 万	1958、1961、1974	曾于 1999 年进行修订，后暂停	
1∶2.5 万～1∶10 万	1952、1958、1965、1968、1971	曾于 1999 年进行修订，后暂停	
1∶25 万		1985、1995	1995 年版本未正式出版
1∶50 万		1987	(包括测绘规范)
1∶100 万		1979、1993	(包括测绘规范)

成图的比例尺不同，相应《地形图图式》中符号的形状、大小以及表示的详略程

度也不同，但一般都可以将其符号划分为地物符号、地貌符号两大类。

7.1.4.2 地物符号

地物是指地表上固定性的物体，有明确的轮廓，如人工建造的房屋、体育场、道路和河流、湖泊等。在测、编绘地形图时，必须按《地形图图式》中规定的地物符号来表示其地表轮廓线在水准面上铅垂投影的情况。根据地物和测图比例尺的大小以及描绘方法的不同地物符号一般分为比例符号、非比例符号、半比例符号及地物注记符号。

1. 比例符号

比例符号，又称轮廓符号或面状符号，是指按测图比例尺缩小绘制的地物符号。如：房屋、桥梁、田地、湖泊等。比例符号的特点是，既可在图上表示出地物的相对位置，也可在图上反映出地物的大小和形状，是地面地物的相似图形。

2. 非比例符号

非比例符号，又称不依比例符号或点状符号，是不依照测图比例尺缩小所绘制的符号，其形状、大小是人为规定的，并不代表实际地物的形状和大小。当地物轮廓较小，按测图比例尺缩小后，无法将其平面形状和大小描绘在图上，但该地物又很重要时，则采用非比例符号。如：控制点、旗杆、路灯等。

非比例符号中表示地物中心位置的点，称为定位点。非比例符号不仅其形状和大小不按比例绘制，而且其定位点的位置也随地物不同而异。在测图、读图、用图时，应加以注意。

(1)单个规则的几何图形符号，其定位点在其几何图形的中心。

(2)底部为直角形的符号，其定位点在该符号底部直角的顶点。

(3)宽底符号，其定位点在该符号底线的中点。

(4)几种几何图形组合的符号，其定位点在下方图形的中心点。

(5)不规则的几何图形、又没有底线或直角的符号，其定位点在符号下方两端的中心。

3. 半比例符号

半比例符号，又称线性符号，是指地物长度按测图比例尺缩绘表示，而宽度不按比例尺缩绘表示的符号。半比例符号的中心线一般表示实际线状地物的中心线位置，如围墙、管线、栅栏、小路等。

4. 注记符号

有些地物除了用相应的符号表示外，对于地物的属性、名称等在图上还需要用文字和数字等进行标注，这类符号称为注记。如：房屋的结构和层数、地名、路名、等高线和地形点的高程以及河流的水深、流速等。

在地形图上，对于某一地物究竟是采用比例符号还是非比例符号，主要由测图比例尺和地物轮廓大小来确定。通常，测图比例尺越大，用比例符号表示的地物就越多；测图比例尺越小，则用非比例符号表示的地物就越多。因此，同一地物在地形图上的表示符号与测图比例尺的大小有关，即使同一地物在不同比例尺地形图上，其符号可能不同。因此，在测图、读图和用图时应选用相应比例尺的《地形图图式》。

表 7-3 摘录了《国家基本比例尺地图图示第一部分：1∶500　1∶1000　1∶2000地形图图式》(GB/T 20257—2007)中部分地物符号，以供参考(表中所注尺寸，单位均为 mm)。

表 7-3 部分地物符号列表

编号	符号名称	符号式样		
		1∶500	1∶1000	1∶2000
4.1.1	三角点 a. 土堆上的张湾岭、黄土岗——点名 156.718、203.623——高程 5.0——比高			
4.1.3	导线点 a. 土堆上的 I16、I23——等级、点号 84.46、94.40——高程 2.4——比高	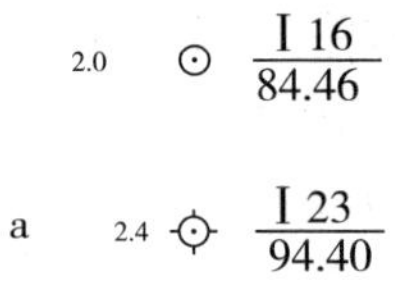		
4.1.4	埋石图根点 a. 土堆上的 12、16——点号 275.46、175.64——高程 2.5——比高	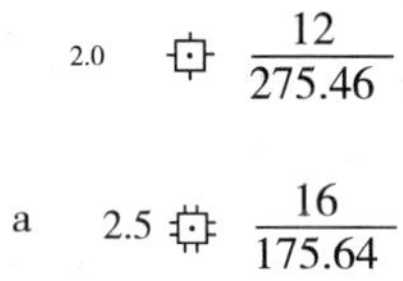		
4.1.5	不埋石图根点 19——点号 84.47——高程	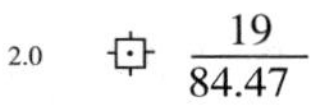		
4.1.6	水准点 Ⅱ——等级 京石 5——点名点号 32.805——高程	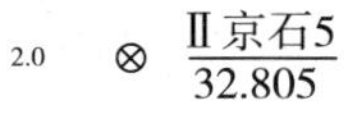		
4.1.7	卫星定位等级点 B——等级 14——点号 495.263——高程	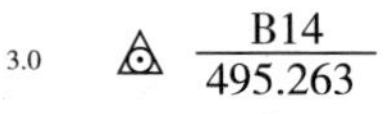		
4.2.13	涵洞 a. 依比例尺的 b. 半依比例尺的	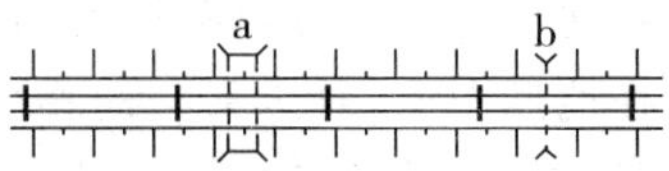		
4.2.16	池塘	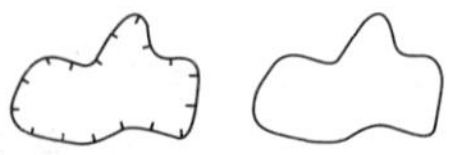		

（续表）

编号	符号名称	符号式样		
		1∶500	1∶1000	1∶2000
4.3.1	单幢房屋 a. 一般房屋 b. 有地下室的房屋 c. 突出房屋 d. 简易房屋 混、钢——房屋结构 1、3、28——房屋层数 —2——地下房屋层数	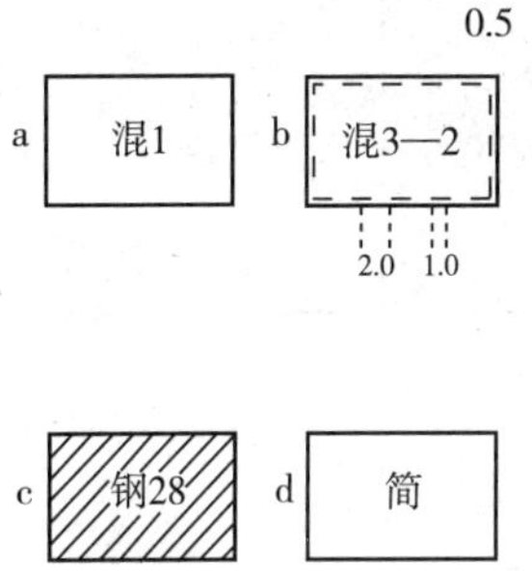		
4.3.2	建筑中房屋	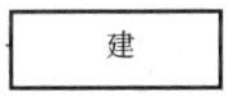		
4.3.3	棚房 a. 四边有墙的 b. 一边有墙的 c. 无墙的	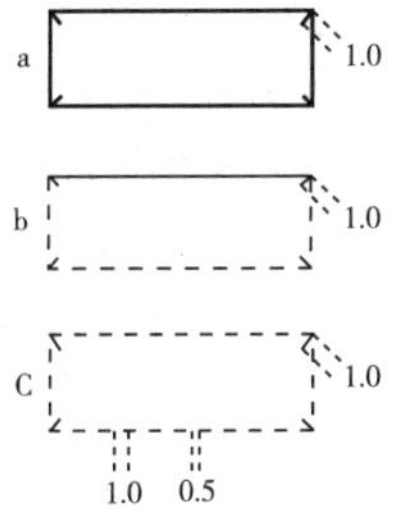		
4.3.4	破坏房屋	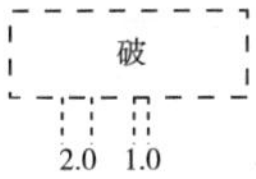		
4.3.87	围墙 a. 依比例尺的 b. 不依比例尺的	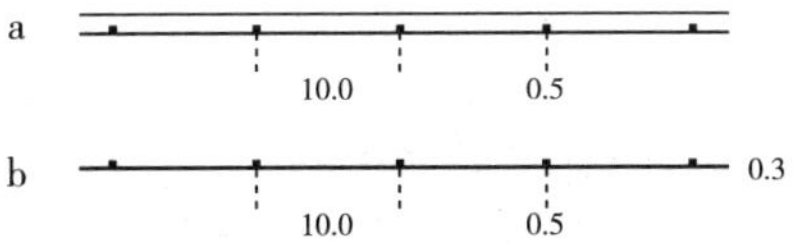		
4.3.88	栅栏、栏杆	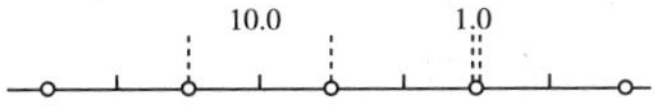		
4.3.89	篱笆	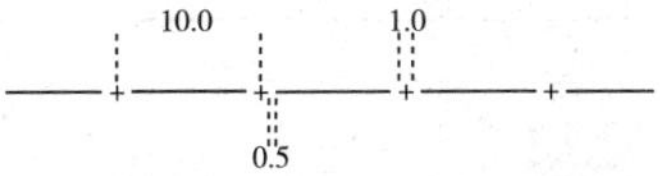		

（续表）

编号	符号名称	符号式样		
		1∶500	1∶1000	1∶2000
4.3.90	活树篱笆	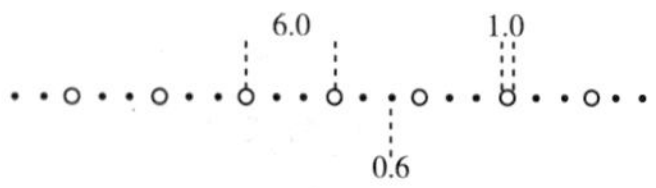		
4.3.101	台阶	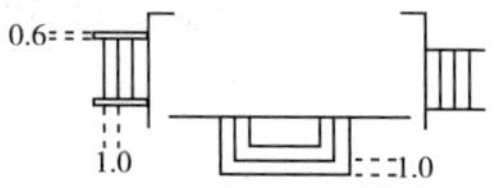		
4.3.102	室外楼梯 a. 上楼方向	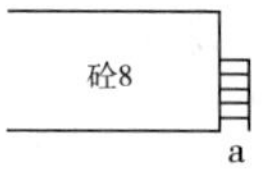		
4.3.103	院门 a. 围墙门 b. 有门房的	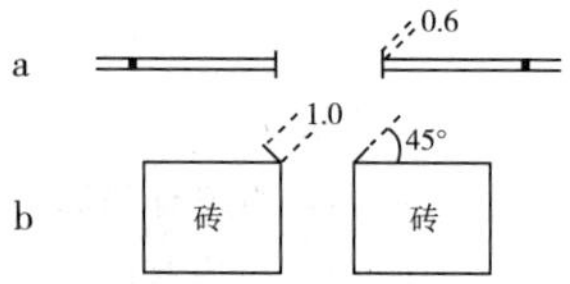		
4.3.104	门墩 a. 依比例尺的 b. 不依比例尺的	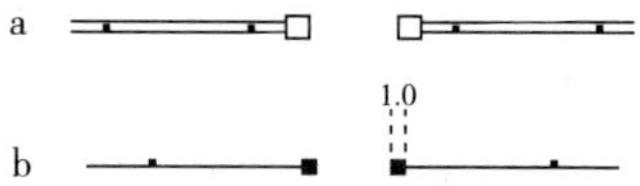		
4.3.106	路灯			
4.3.108	岗亭、岗楼 a. 依比例尺的 b. 不依比例尺的			
4.3.110	喷水池			

（续表）

编号	符号名称	符号式样		
		1∶500	1∶1000	1∶2000
4.4.8	县道、乡道及其他公路 a. 有路肩的 b. 无路肩的 ⑨——技术等级代码 (X301)——县道代码及编号 c. 建筑中的	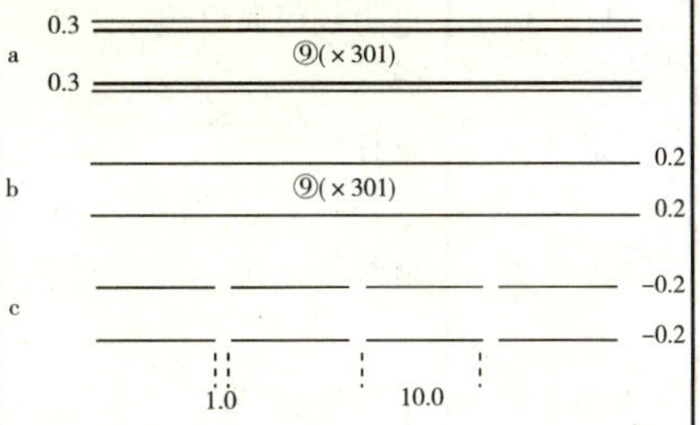		
4.4.14	街道 a. 主干路 b. 次干路 c. 支路			
4.4.15	内部道路	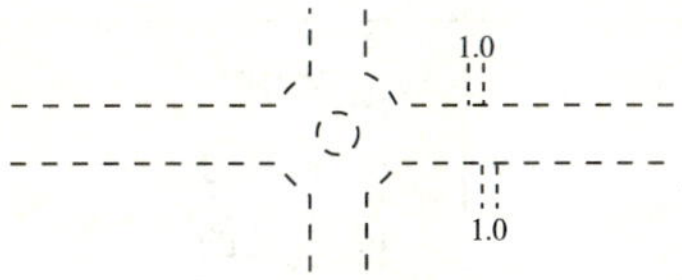		
4.5.1 4.5.1.1 4.5.1.2 4.5.1.3	高压输出电线 架空的 a. 电杆 35——电压(kV) 地面下的 a. 电缆标 输电线入地口 a. 依比例尺的 b. 不依比例尺的	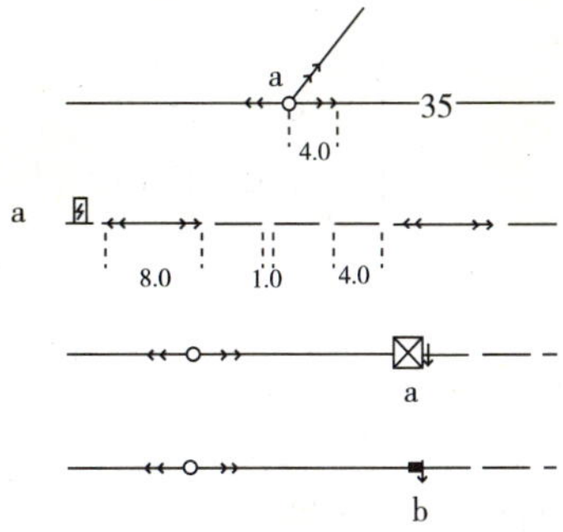		
4.5.2 4.5.2.1 4.5.2.2 4.5.2.3	配电线 架空的 a. 电杆 地面下的 a. 电缆标 配电线入地口	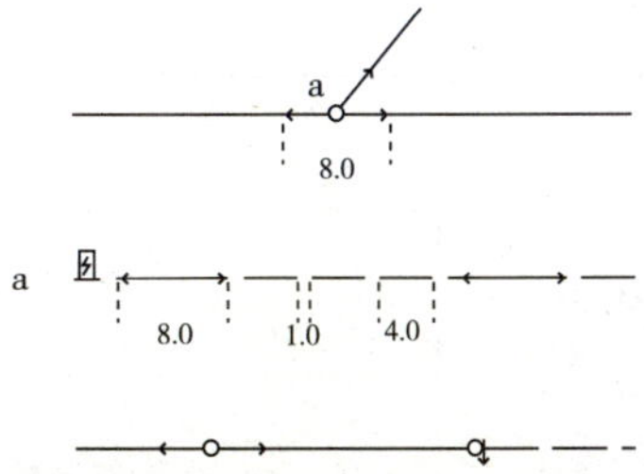		

（续表）

编号	符号名称	符号式样 1∶500	符号式样 1∶1000	符号式样 1∶2000
4.5.3	电力线附属设施	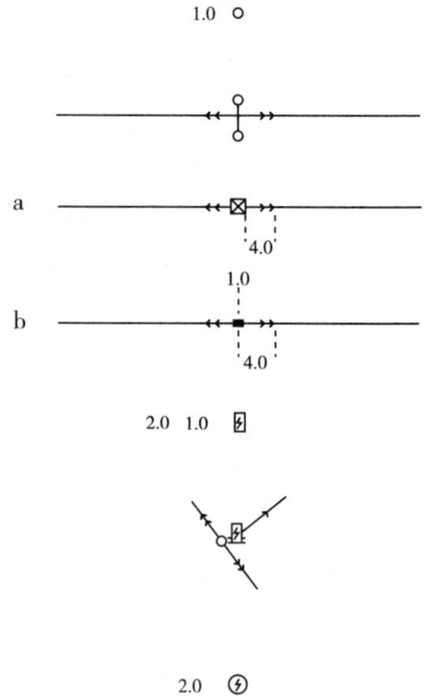		
4.5.3.1	电杆			
4.5.3.2	电线架			
4.5.3.3	电线塔(铁塔) a. 依比例尺的 b. 不依比例尺的			
4.5.3.4	电缆标			
4.5.3.5	电缆交接箱			
4.5.3.6	电力检修井孔			
4.5.4	变电室(所) a. 室内的 b. 露天的			
4.5.5	变压器 a. 电线杆上的变压器			
4.8.1	稻田 a. 田埂	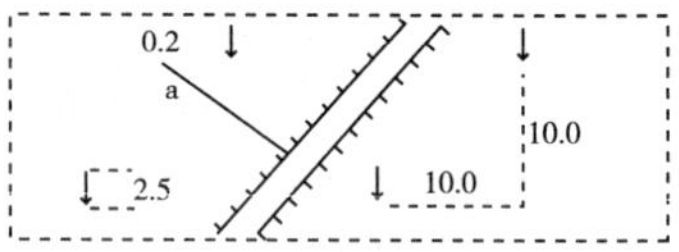		
4.8.2	旱地	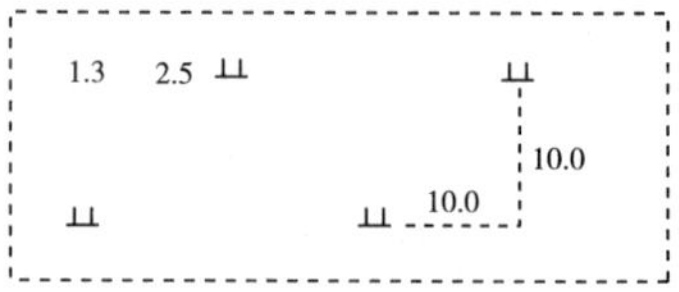		

（续表）

编号	符号名称	符号式样		
		1∶500	1∶1000	1∶2000
4.8.3	菜地	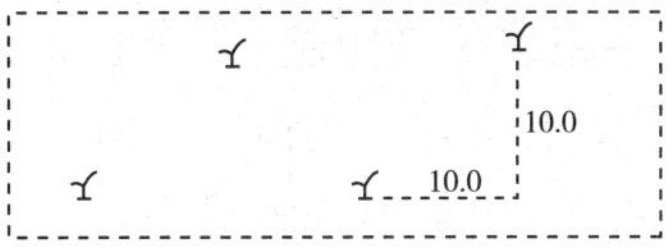		
4.8.4	水生作物地 a. 非常年积水的菱——品种名称	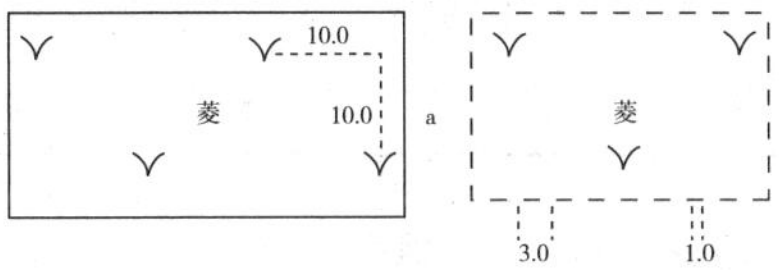		

7.1.4.3　地貌符号

地貌是指地面高低起伏的形态，是地形图反映的重要内容。在地形图上除一些特殊地貌如陡坎、冲沟等用特定的符号外，目前多用等高线来表示地貌。用等高线来表示地貌不仅能真实地表示出地面高低起伏的形态，而且还能科学地表示出地面的坡度和地面点的高程。

1. 等高线表示地貌的基本原理

用等高线表示地貌的基本原理如图 7－3 所示。假定某山地，被高差间隔为 h 的几个水平面 P_1、P_2、P_3 所截，这些截平面必然与地表面相交而形成一些闭合的曲线，将这些曲线垂直投影到同一水平面 M 上，就形成一圈套一圈的闭合曲线。如果将这些闭合曲线依比例缩绘在图纸上，在地形图上就形成表示该山地地貌的等高线。因此，等高线是指地面上高程相等的各相邻点连续形成的闭合曲线，也就是水平面与地面相交的曲线。

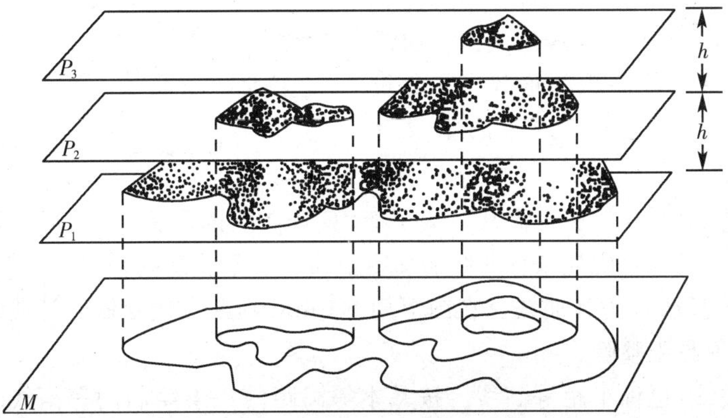

图 7－3　等高线表示地貌的基本原理示意图

2. 等高距及等高线平距

等高线是一定高程的水平面与地面相交的交线。水平面的高程不同，等高线的高程也不同。地形图上高程不同的相邻两条等高线之间的高差称为等高距，如图7-3中的等高距为 h。在一幅地形图中，等高距是相同的。

相邻两高程不同的等高线垂直投影到同一平面后，二者之间的水平距离称为等高线平距。等高距越小，则图上等高线越密集，地貌显示就越详细、确切。等高距越大，则图上等高线越稀疏。但不能由此得出结论，以为等高距越小越好，事物总是一分为二的，如果等高距很小，等高线非常密集，不仅影响地形图图面的清晰，而且使用也不方便，同时使测绘工作量加大。因此，等高距的选择必须依据地形高低起伏程度、测图比例尺大小和使用地形图的目的等因素。

测量规范规定了地形图的基本等高距(见表7-4)，表中等高距单位为米。

表7-4 几种比例尺地形图的基本等高距

地形类别	地面倾角	比例尺			
		1∶500	1∶1000	1∶2000	1∶5000
平地	<3°	0.5	0.5	0.5、1	2
丘陵地	3°～10°	0.5	0.5、1	1	1、2
山地	10°～25°	0.5、1	1	2	2、5
高山地	≥25°	1	1、2	2	5

表7-4中所给出的等高距，称为基本等高距。为了使用方便，通常一个测区的同一种比例尺地形图应采用同一等高距。但在进行大面积测图工作时，有时地面坡度相差过大，允许以图幅为单位采用不同的等高距。

3. 等高线的种类

为了能恰当而完整地显示地貌的细部特征，又能保证地形图的清晰易读，便于识图和用图，地形图上主要采用下列4种等高线(如图7-4所示)。

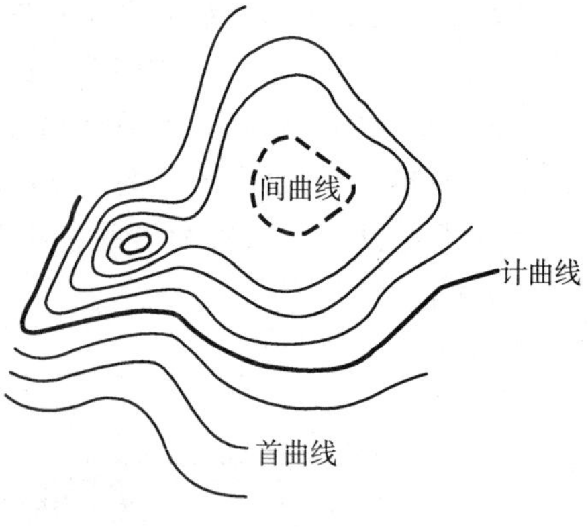

图7-4 首曲线、计曲线和间曲线示意图

(1)首曲线，也称基本等高线。按表7-4中规定的基本等高距绘制的等高线，在图上用0.1mm的细实线绘制。首曲线的高程应为基本等高距的倍数。首曲线是地形图中表示地貌的形态的主要等高线。

(2)计曲线，也称加粗等高线。为了查、算等高线的高程，规定从高程的起算面(0m等高线)起算，每隔四条首曲线而加粗描绘的一条等高线，并标注该等高线的高程值，这种等高线称为计曲线。在图上用0.3mm的粗实线绘制。计曲线的高程可被5倍基本等高距整除。

(3)间曲线，也称半距等高线。按基本等高距的一半绘制的等高线。在图上用0.15mm的细长虚线绘制。

(4)助曲线，也称辅助等高线。即按基本等高距的四分之一绘制的等高线，在图上用 0.15mm 的短虚线绘制。间曲线和助曲线用来显示首曲线不能表示的地貌特征，或平地首曲线间隔太大、难于显示的地貌特征。描绘时可不闭合，但一般应对称。

为了保持图面的清晰度，一般仅在计曲线上注记高程数字，其他等高线的高程不作注记。在计曲线上注记高程时，计曲线断开，字头朝向高处(如图 7-5 所示)。

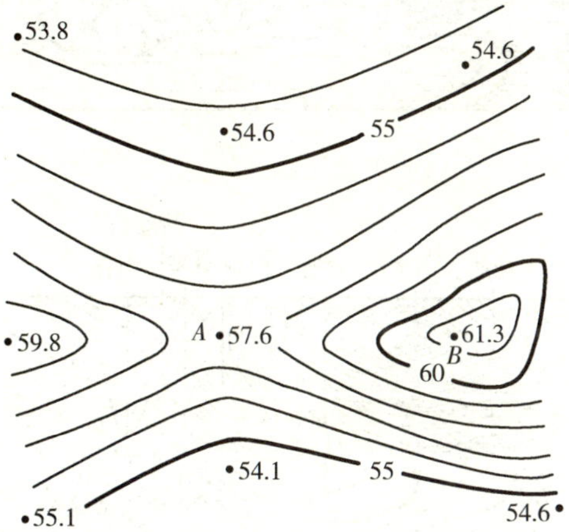

图 7-5　高程注记示意图

4. 几种典型地貌的等高线

地貌是地形图要表示的重要地理信息之一。地貌形态虽然千变万化，但可综合归纳成以下几种典型的地貌。在地形图上表示地貌可采用不同的方法，等高线是使用最为常见的表示地貌的方法。如图 7-6(a)、(b)分别为某地的山地地貌和相应的等高线。

(1)山头：地面上隆起高于周边的地貌称为山，山的最高部分称为山头或山顶。

(2)盆地：周围高而中间低洼的地貌称为盆地。

(3)山脊：由山顶向下延伸的隆起地带叫山脊(山梁)；山脊上最高点的连线称为山脊线(分水线)。

(4)山谷：两山脊之间狭长的凹部地带称为山谷(山沟)；两侧称为谷坡，两谷坡相交部分叫谷底，谷底最低点的连线叫山谷线(合水线)。

(5)鞍部：相邻两个山头之间最低处、形似马鞍状的地形称之为鞍部；有道路通过的鞍部叫垭口，是山区公路必经之地，也是两山脊和两山谷汇合的地方。

(6)陡崖：坡度在 45°以上、70°以下的山坡叫陡坡；坡度在 70°以上叫陡崖；下部凹入的陡崖形成悬崖。

典型地貌用等高线表示，如图 7-6(b)所示。山头和盆地的等高线都是一组闭合曲线。可通过注记高程来区分，如果等高线上没有高程注记，则用示坡线表示。

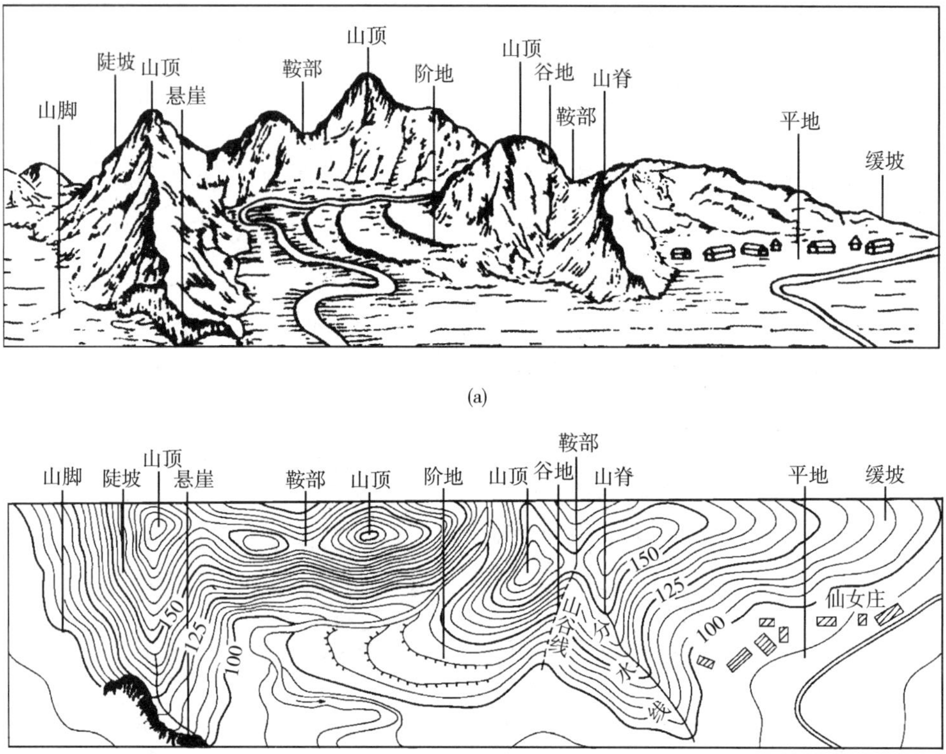

(b)

图 7-6　典型地貌及等高线示意

示坡线是一条垂直于等高线而指示坡度降低方向的短线，如图 7-7 所示。示坡线从里圈指向外圈，说明中间高，四周低，为一山丘；示坡线从外圈指向里圈，说明中间低，四周高，为一盆地。

山脊是顺着一个方向延伸的高地，其等高线为一组向低处凸出的曲线；山谷则是沿着一个方向延伸的洼地，位于两山脊之间，其等高线为一组向高处凸出的曲线。如图 7-6 所示。

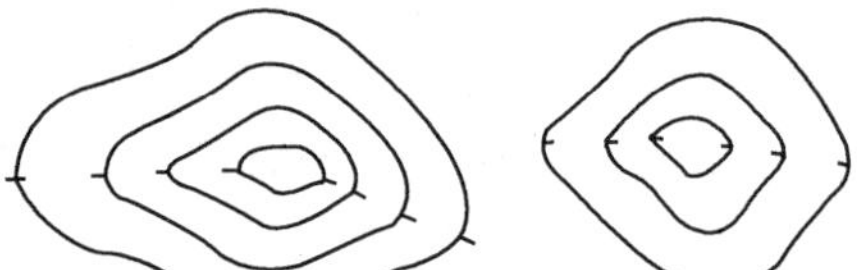

(a)山丘　　(b)盆地

图 7-7　示坡线示意

鞍部等高线的特点：在一组大的闭合曲线内，套有两组小的闭合曲线。

由于悬崖的特殊性，等高线会出现相交的情况，此时，应用虚线表示。

5. 等高线的特性

根据等高线表示地貌的原理和典型地貌等高线图，可以得出以下几点等高线的特性：

(1)在同一条等高线上的各点的高程相等。因为等高线是水平面与地表面相交的交线，而在一个水平面上的高程是一样的。

(2)等高线是闭合的曲线。一个无限伸展的水平面与地表面相交，形成的一定是一个闭合曲线。

(3)不同高程的等高线不能相交。因为不同高程的水平面是不会相交的。

(4)等高线在过山脊或山谷时,应与山脊线或山谷线成正交,山谷等高线应凸向高处,山脊等高线应凸向低处。

(5)等高线间平距的大小与地面坡度的大小成反比。在同一等高距的情况下,如果地面坡度越小,则等高线在图上的平距越大;反之,如果地面坡度越大,则等高线在图上的平距越小。换一句话说,坡度陡的地方,等高线就密;坡度缓的地方,等高线就稀。

7.1.5 地形图的分幅与编号

为了便于测绘、保管、检索和使用,所有的地形图须按规定的大小进行统一分幅,并进行有系统的编号。地形图的分幅方法有两种:一种是按经纬线分幅的梯形分幅法,另一种是按坐标格网线分幅的矩形分幅法。

7.1.5.1 梯形分幅与编号

1. 1∶100 万比例尺地形图的分幅方法

采用国际统一的规定。每幅 1∶100 万比例尺地形图的范围是经差 6°、纬差 4°。从赤道起向南向北,每纬差 4°为一行,至北纬 88°分为 22 行,用大写拉丁字母(字符码)A,B……V 表示其相应行号。从 180°经线起,自西向东每经差 6°为一列,依此用阿拉伯数字(数字码)1,2,3……60 表示其列号。

由此可见,每一幅 1∶100 万比例尺地形图是由纬差 4°的纬圈和经差 6°的子午线围成的梯形,如图 7-8 所示。

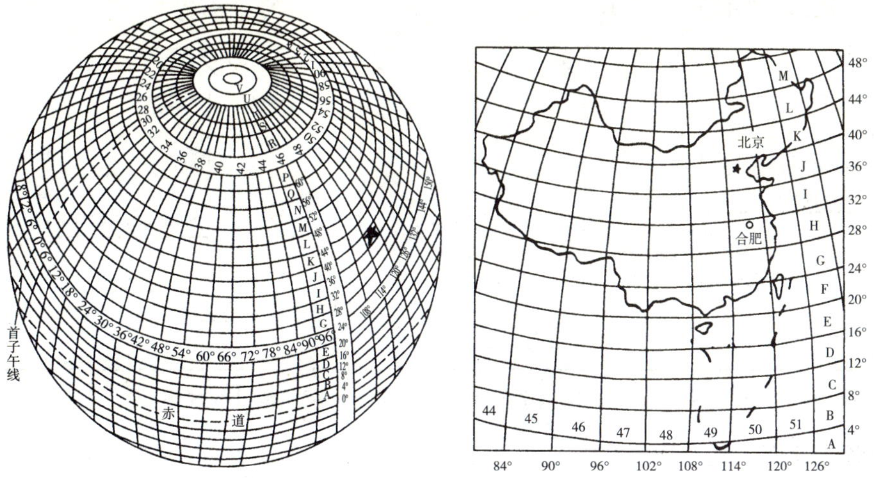

图 7-8 梯形分幅示意

一幅 1∶100 万比例尺地形图的编号由该图所在的行号与列号组合而成。如某地的纬度为北纬 39°54′30″,经度为东经 122°28′25″,其所在 1∶100 万比例尺地形图的内图廓线为东经 120°、东经 126°和北纬 36°、北纬 40°,则该 1∶100 万比例尺地形图的编号为 J—51。

2. 新的国家基本比例尺地形图的分幅与编号

为了适应计算机管理和检索,1992 年国家标准局发布了新的《国家基本比例尺地形图分幅与编号》(GB/T 13989—92)国家标准。

新标准仍以1∶100万比例尺地形图为基础，即1∶100万比例尺地形图的分幅与编号采用国际1∶100万地图的分幅与编号标准，它们的编号由其所在的行号(数字码)与列号(数字码)组合而成，如北京所在地的1∶100万地形图的编号为J—50。

将每幅1∶100万地形图划分为2行、2列共4幅1∶50万地形图，每幅1∶50万地形图的分幅为经差3°，纬差2°。

每幅1∶100万地形图划分为4行、4列共16幅1∶25万地形图，每幅1∶25万地形图的分幅为经差1°30′，纬差1°。

每幅1∶100万地形图划分为12行、12列共144幅1∶10万地形图，每幅1∶10万地形图的分幅为经差30′，纬差20′。

每幅1∶100万地形图划分为24行、24列共576幅1∶5万地形图，每幅1∶5万地形图的分幅为经差15′，纬差10′。

每幅1∶100万地形图划分为48行、48列共2304幅1∶2.5万地形图，每幅1∶2.5万地形图的分幅为经差7′30″，纬差5′。

每幅1∶100万地形图划分为96行、96列共9216幅1∶1万地形图，每幅1∶1万地形图的分幅为经差3′45″，纬差2′30″。

每幅1∶100万地形图划分为192行、192列共36864幅1∶5000地形图，每幅1∶5000地形图的分幅为经差1′52.5″，纬差1′15″。

1∶50万～1∶5000地形图的编号均以1∶100万比例尺地形图为基础，采用行、列编号方法，由其所在1∶100万比例尺地形图的图号、比例尺代码和图幅的行列号共10码组成，如图7-9所示。

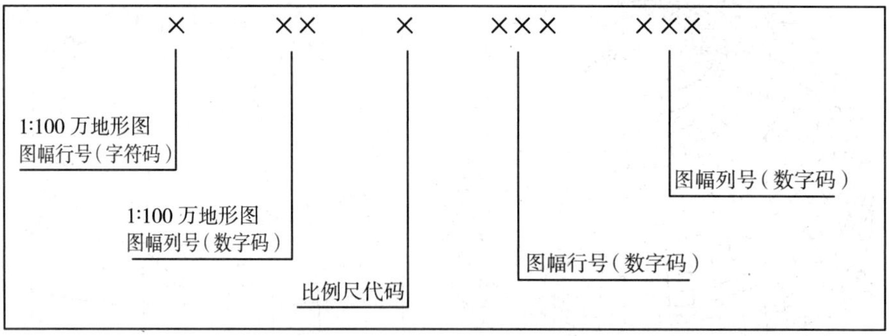

图7-9　国家基本比例尺地形图的分幅与编号的规则

各种比例尺代码见表7-5。

表7-5　比例尺代码表

比例尺	1∶50万	1∶25万	1∶10万	1∶5万	1∶2.5万	1∶1万	1∶5000
代码	B	C	D	E	F	G	H

新的国家基本比例尺地形图分幅编号关系见表7-6。

表 7-6　新的国家基本比例尺地形图分幅编号关系表

比例尺		1∶100 万	1∶50 万	1∶25 万	1∶10 万	1∶5 万	1∶2.5 万	1∶1 万	1∶5000
图幅范围	经差	6°	3°	1°30′	30′	15′	7′30″	3′45″	1′52.5″
	纬差	4°	2°	1°	20′	10′	5′	2′30″	1′15″
行列数量关系	行数	1	2	4	12	24	48	96	192
	列数	1	2	4	12	24	48	96	192
图幅数量关系		1	4	16	144	576	2304	9216	36864
			1	4	36	144	576	2304	9216
				1	9	36	144	576	2304
					1	4	16	64	256
						1	4	16	64
							1	4	16
								1	4

[例 7-1]　1∶50 万地形图的编号(图 7-10(a))。

[解]　晕线所示图号为 J50B001002。

[例 7-2]　1∶25 万地形图的编号(图 7-10(b))。

[解]　晕线所示图号为 J50C003003。

[例 7-3]　1∶10 万地形图的编号(图 7-11)。

[解]　45°晕线所示图号为 J50D010010。

[例 7-4]　1∶5 万地形图的编号(图 7-11)。

[解]　135°晕线所示图号为 J50E017016。

[例 7-5]　1∶2.5 万地形图的编号(图 7-11)。

[解]　黑块所示地形图的图号 J50F042002。

其余比例尺地形图的编号可以以此类推。

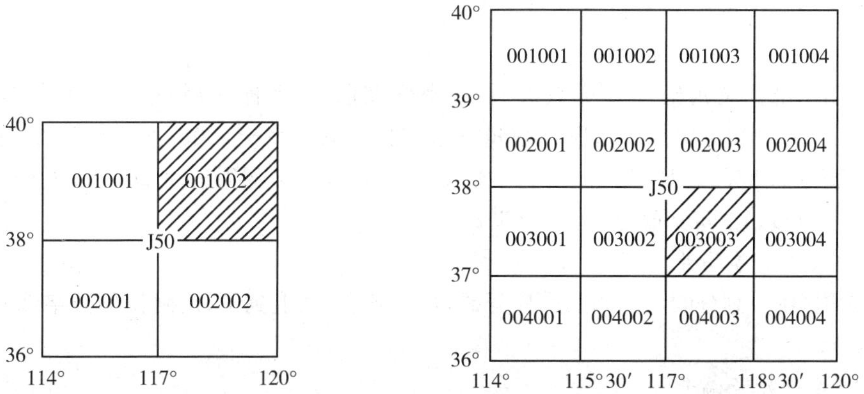

(a) 1:50 万地形图编号　　(b) 1:25 万地形图编号

图 7-10　1∶50 万、1∶25 万地形图的编号

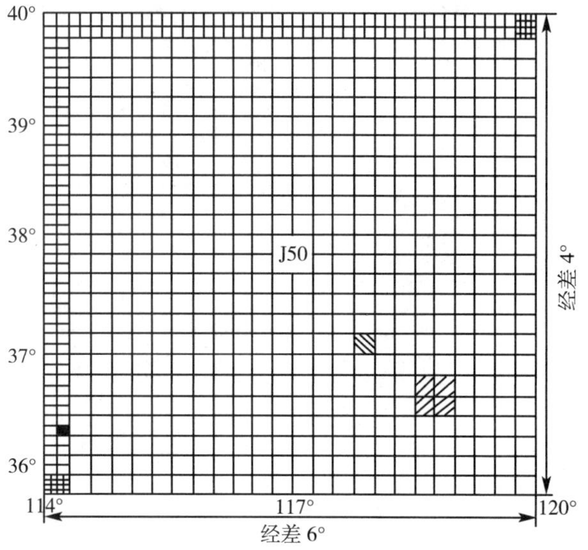

图 7－11　1∶10 万～1∶5000 地形图编号

7.1.5.2　矩形分幅与编号

大比例尺地形图的图幅通常采用矩形分幅，图幅的图廓线是平行于坐标轴的正交坐标格网线，以整公里（或百米）坐标进行分幅。图幅大小可分为 40cm×40cm、40cm×50cm、50cm×50cm 几种。图幅大小规定如表 7－7 所示。

表 7－7　几种大比例尺地形图的图幅大小

比例尺	图幅大小（cm×cm）	实地面积/km^2	1∶5000 内的分幅数
1∶5000	40×40	4	1
1∶2000	50×50	1	4
1∶1000	50×50	0.25	16
1∶500	50×50	0.0625	64

矩形分幅图的编号有以下几种方式：

（1）按图廓西南角坐标编号

采用图廓西南角坐标公里数编号：x 坐标在前，y 坐标在后，中间用短线连接。例如某幅1∶1000比例尺地形图西南角图廓点的坐标 x＝83500m，y＝15500m，则该图幅的编号为 83.5—15.5。图号的小数 1∶5000 取至公里数；1∶2000、1∶1000 取至 0.1 公里数；1∶500 取至 0.01 公里数。

（2）按流水号编号

按测区统一划分的各图幅的顺序号码，从左到右，从上到下，用阿拉伯数字编号，图 7－12(a)。

（3）按行列号编号

将测区内图幅按行和列分别单独排出序号，再以图幅所在的行和列序号作为该图幅图号，图 7－12(b)。

(4)以 1∶5000 比例尺图为基础编号

如果整个测区测绘有几种不同比例尺的地形图,则地形图的编号可以 1∶5000 比例尺图为基础。以某 1∶5000 比例尺地形图图幅西南角坐标值编号,如图 7-12(c)中 1∶5000 图幅编号为“32—56”,此图号就作为该图幅内其他较大比例尺地形图的基本图号,编号方法见图 7-12(d)。

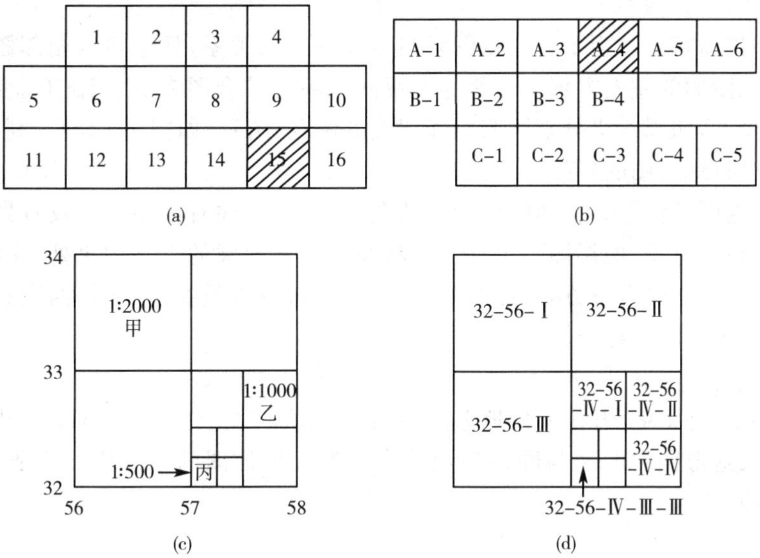

图 7-12　矩形分幅图的编号示意图

7.1.5.3　图廓注记

1. 矩形分幅图的图外注记

一幅完整的大比例尺地形图的图廓与图外注记主要包括以下内容(如图 7-13 所示):

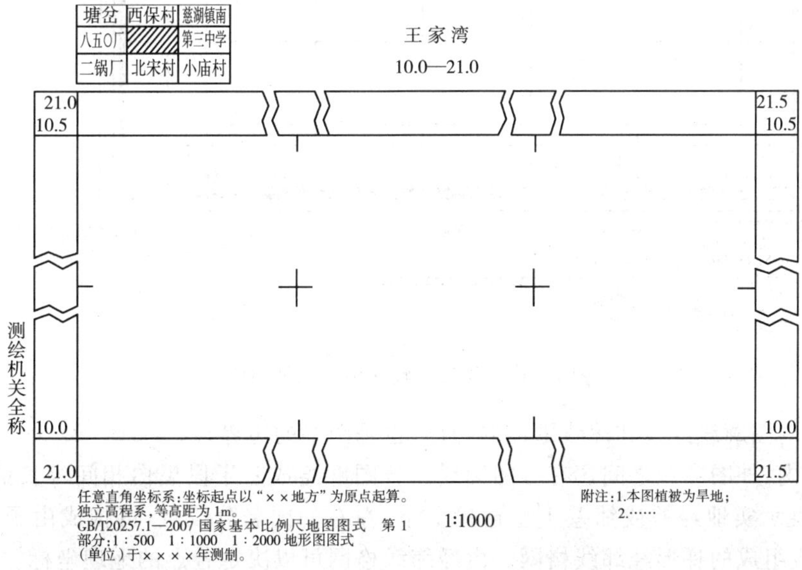

图 7-13　大比例尺地形图图廓及图外注记

(1)图廓与坐标格网线。图廓有内图廓、外图廓之分。内图廓线是地形图的边界线。外图廓线用 0.5mm 的粗线画出，起装饰作用。内、外图廓一般相距 12mm。在其四周，注有以公里为单位的坐标值。

(2)图名与图号。图名即本幅图的名称，一般以本幅图内最主要的地名来命名。图号标注在图名的下方，图名与图号应标注在北图廓线上方正中央处，如图 7－13 所示。

(3)邻接图幅表。为了说明本图幅与相邻图幅的关系，便于索取相邻图幅，通常在图幅外北图廓的左上方列出与相邻图幅间关系的结合图表，中间画有斜线的代表本幅图的位置，四周八格分别注明相邻图幅的图名、图号(如图 7－13)。利用邻接表可迅速地进行地形图的拼接。

(4)其他图外注记。在图幅南图廓的左下方，还应注有测图方法及日期、坐标系统、高程度系统以及《地形图图示》版别等；在图幅南图廓的下方中央处，应注写比例尺；在图幅南图廓的右下方，应注有测量、绘图和检查人员签名；图幅西图廓的下方，应注明测绘单位的全称。

2. 梯形分幅图的图外注记

图 7－14 是 1∶1 万比例尺地形图的图廓与图外注记样图的一部分。由此可见，中小比例尺地形图的图廓与图外注记与大比例尺地形图的不同之处主要表现在以下几个方面。

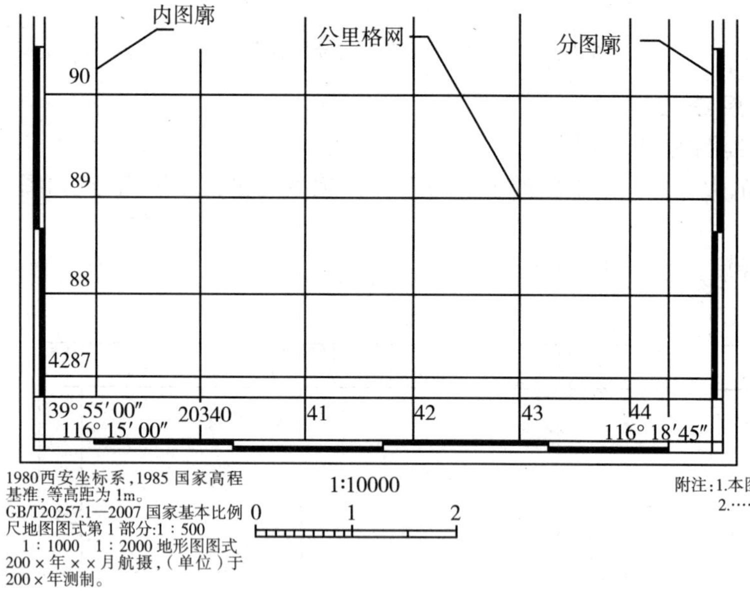

图 7－14　梯形分幅法中的内外图廓

(1)内图廓线经线和纬线围成的梯形，也是图幅的边界线。

(2)内、外图廓线之间还有分图廓线。分图廓绘成若干段黑白相间等长的线段，其长度表示实地经差或纬差 1′。连接上下、左右的同名分段点，可构成由子午线和平行纬线组成的梯形经纬线格网。由经纬线格网可以决定各点的地理坐标。

(3)在分图廓与内图廓之间，四角处注有经、纬度。如图 7－14 中西图廓经线为东经 116°15′00″；南图廓纬线是北纬 39°55′00″。

(4)图幅内绘有间隔 1km 的坐标格网，也称公里格网，并在分图廓与内图廓之间、图幅四周公里格网对应处注记了以公里为单位的高斯平面直角坐标值。如图 7－14中 4287 表示该图幅最南边公里格网线的纵坐标 x 为 4287km（从赤道起算，）其余的 88、89 等，表示相应的公里格网的纵坐标 x 分别为 4288km、4289km 等。而其坐标公里数的千百位 42 从略；20340 表示该图幅最西边公里格网线的横坐标 y，其中 20 为该图幅所在的高斯投影带带号，340 表示该公里格网线的横坐标公里数（由此可知该线位于中央子午线以西 160km 处）。由公里格网可以决定各点的高斯平面直角坐标。

(5)在许多中、小比例尺地形图的南图廓右下方，还绘有真子午线 N、磁子午线 N′和纵坐标轴三者的角度关系图，称为三北方向图。

(6)在外图廓的下方，绘有图示比例尺。

(7)在南图廓外，还应绘出图示坡度尺，如图 7－15 所示。

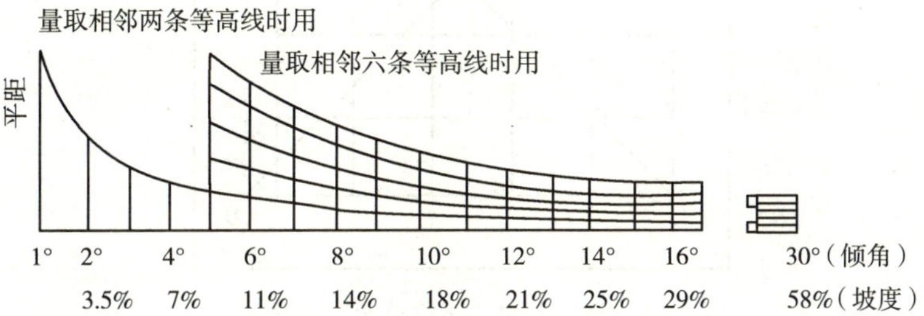

图 7－15　图示坡度尺

7.2　地形图的测绘

传统的大比例尺地形图测绘方法主要有平板仪测图、经纬仪测图等。在图根控制测量工作完成后就可以着手进行大比例尺地形图的测绘工作。传统测绘方法的实质是图解法测图，通过测量点的位置将碎部点展绘在图纸上，以手工的方式描绘地物和地貌。

7.2.1　测图前的准备工作

测图前除了做好仪器、工具及相关数据资料的准备外，还需做好图纸的准备。

1. 图纸的选用

地形图测绘一般选用聚酯薄膜（涤纶薄膜），正面打毛，其厚度约为 0.07～0.1mm，经过热定型处理，其伸缩率小于 0.2‰。聚酯薄膜图纸坚韧耐湿，玷污后可洗，便于野外作业，在图纸上着墨后，可直接复晒蓝图。但聚酯薄膜易燃，有折痕后不能消失，在测图、使用、保管时要注意。

2. 绘制坐标方格网

为了准确地把图根控制点展绘在图纸上，首先要精确绘制直角坐标方格网，每个方格为 10cm×10cm。在测绘商店可买到印制好坐标方格的图纸。坐标方格网可采用绘图仪进行绘制，也可使用坐标仪或坐标格网尺等专用仪器工具绘制。在无专用设备的情况下，也可按下述对角线法进行绘制。

如图 7-16 所示，沿图纸的四个角，用长尺绘出两条对角线交于 O 点；由 O 点起在对角线上按一定距离截取 A、B、C、D 四点，得到 OA、OB、OC、OD 四段相等的长度，连接 $A \to B \to C \to D \to A$ 得一矩形。从 A、B 两点起沿 AD 和 BC 向右每隔 10mm 截取一点；再从 A、D 两点起沿 AB 和 DC 向上每隔 10mm 截取一点。而后连接相应各点，即得到由 10cm×10cm 的正方形组成的坐标格网。

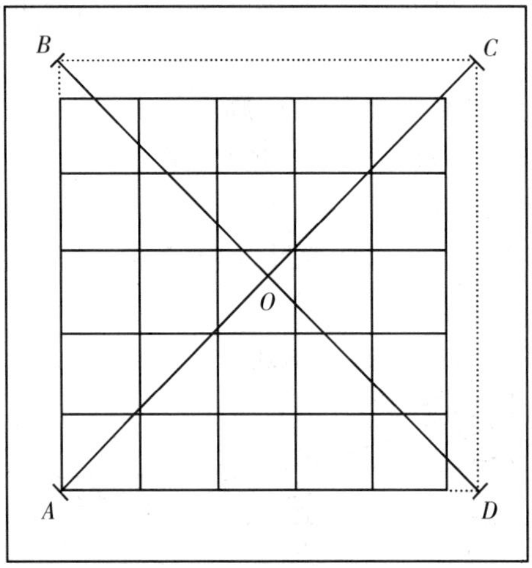

图 7-16　对角线法绘制坐标方格网

在绘好坐标格网以后，应进行检查：各方格边长与 10cm 相比，偏离不应大于 0.2mm；再检查各个方格的对角线长度应为 14.14mm；允许误差为±0.3mm。超过允许值时，应对方格网进行修改和重绘。

坐标方格网绘制好后，擦去多余的线条，在方格网的四角及方格网边缘的方格顶点上根据图纸的分幅位置及图纸的比例尺，注明坐标，单位取至 0.1 km。

图 7-17 所示为绘制好的 40 cm×50 cm 图幅的方格网示意图。

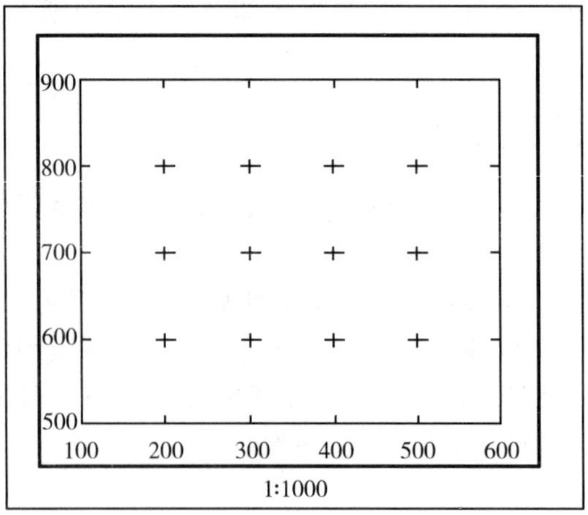

图 7-17　坐标方格网示意图

3. 展绘图根控制点

在展绘图根控制点时，应首先根据控制点的坐标确定控制点所在的方格，然后再根据测图比例尺用卡规在比例尺(复式比例尺或三棱尺)上分别量取该方格西南角点到控制点的纵、横向坐标增量；再分别以方格的西南角点及东南角点为起点，以量取的纵向坐标增量为半径，在方格的东西两条边线上截点，以方格的西南角点及西北角点为起点，以量取的横向坐标增量为半径，在方格的南北两条边线上截点，并在对应的截点间连线，两条连线的交点即为所展控制点的位置。控制点展绘完毕后，应进行检查，用比例尺量出相邻控制点之间的距离。与所测量的实地距离相比较，差值应不大于 0.3 mm；如果超限，应重新展点。当控制点的平面位置展绘在图纸上，经检查无误后，还应按《地形图图式》要求用相应符号表示，并按《地形图图式》要求注明图根控制点的名称和高程，如图 7－18 所示。

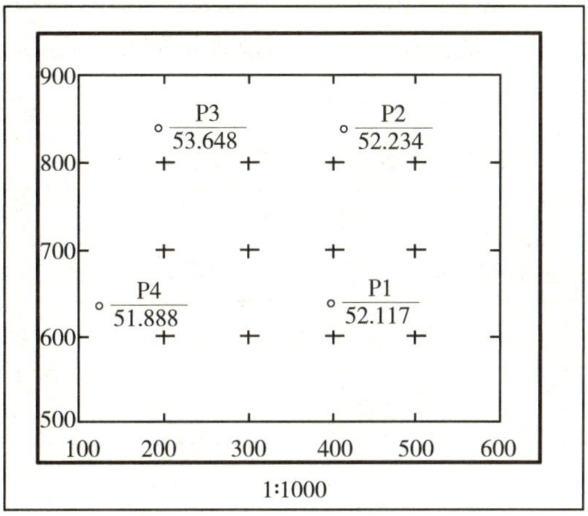

图 7－18　控制点展绘

方格网的绘制及导线点的展绘完成后，首先将浸泡后的大张白图纸裱糊在图板上。注意用卷成筒状的湿毛巾在裱糊在图板上的图纸面上擀，挤出图纸与图板间的空气，固定后晾干。然后将展有控制点的聚酯薄膜用胶带纸固定在白纸面上。

7.2.2　经纬仪测绘法

在完成图根控制测量及各项准备工作以后，就可进入碎部测量阶段。

在采用经纬仪测绘法进行碎部测量时，测绘小组可根据实际情况安排人员：一般是观测员 1 人，记录计算 1 人，绘图员 1 人，跑尺 1～2 人。

根据测站周围的地形情况，集体商定跑尺路线，可由近及远，再由远及近，按顺时针方向行进，合理有序，能防止漏测，保证工作效率，并方便绘图。提出对一些无法观测到的碎部点处理的方案。

1. 碎部点的选择

测绘地形图时，只需要测绘出地物和地貌的特征点，即碎部点，也就是地物和地貌在平面上的方向转折点和坡度变化点等。把测绘到图上的特征点结合图示规定的符号就可表示地物和地貌。

(1)地物点的选择

对于在图上能按比例尺绘出形状和大小的地物，主要是测出地物轮廓线上的转折点，如房角、道路河流拐弯处等，连接这些特征点便得到与实地地物相似的地物形状。有些地物形状极不规则，按规定在图上垂距小于 0.4mm 的曲线线段可以按直线测绘。对于在图上按非比例符号表示的地物，则应按《地形图图示》要求测出其特征点的位置；对于线状地物则应测出其中线位置，再按《地形图图式》规定的符号表示。

(2)地形点的选择

最能反映地形特征的是地性线，因此地形点应选在地性线上，如山脊线(分水线)、山谷线(合水线)上。在测绘地形图时，一定要把地性线上的一些特征点测绘出来，如山丘的最高点、坡度陡缓变化点，鞍部、山脚等处都必须选点测绘。在山地，这些地形点不能选得太少。除了测出坡度变化的地形点外，在坡度一致处，还要参考表 7-8 列出的间距，测定足够的地形点。碎部点的间距应根据地形简繁的程度来确定，在平坦地区和地形简单地区可适当放宽。

表 7-8　最大视距与碎部点最大间距

比例尺	最大视距(m)		碎部点最大间距
	主要碎部点	次要碎部点	
1∶500	50	70	15
1∶1000	70	100	30
1∶2000	120	200	50
1∶5000	200	300	100

2. 经纬仪测绘法实施步骤

(1)仪器的安置。图根控制点 A(如图 7-19 所示)上安置(对中、整平)经纬仪，量取仪器高 i，做好记录。

(2)经纬仪望远镜盘左位置照准控制点 B(如图 7-19 所示)，水平度盘读数配置为 $0°00'00''$，即以 AB 方向作为水平角的始方向(零方向)。

(3)跑尺员按事先商定的跑尺路线依次在碎部点上立尺。注意尺身应竖直，零点朝下。

(4)望远镜盘左位置瞄准控制点 C，读出水平读盘读数，该方向值即为$\angle BAC$。用半圆仪在量取图上$\angle BAC$，对两个角度进行对比，进行测站检查。

(5)将图板固定在三脚架上，架设在测站旁边，目估定向，以便对照实地绘图。在图上绘出 AB 方向线，将小针穿过半圆仪(大量角器)的圆心小孔，扎入图上已展出的 A 点。

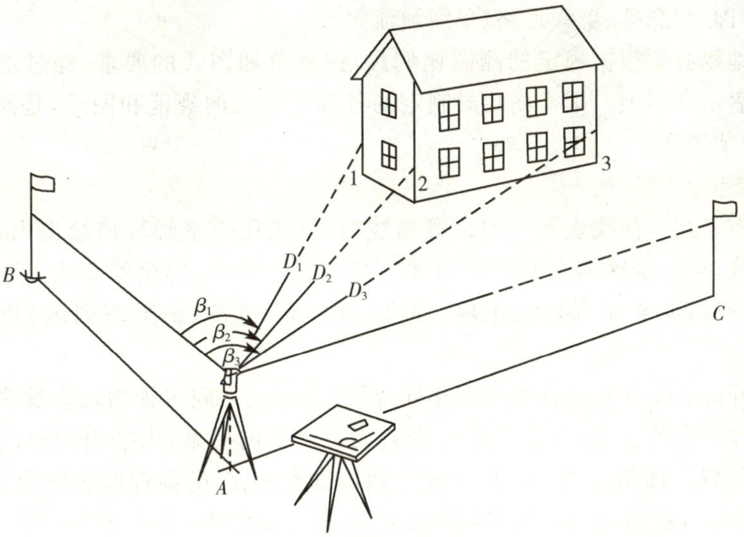

图 7-19　经纬仪测绘法

(6)经纬仪盘左位置瞄准碎部点上的标尺，读取水平度盘读数 β；使中丝读数处在 i(仪器高)值附近，读取下丝读数 b、上丝读数 a；再将中丝读数对准 i 值，转动竖盘指标水准管微倾螺旋，使竖盘指标水准管气泡居中，读取竖盘读数 L，做好记录。

(7)计算视距尺间隔 $l=b-a$，竖直角 $\alpha=90°-L$ 或 $\alpha=L-90°$，用计算器计算出碎部点的距离($D=kl\cos^2\alpha$)及碎部点的高程$\left(H=H_A+\frac{1}{2}kl\sin2\alpha\right)$，将水平角度值 β、距离、碎部点的高程报告给绘图员。

(8)绘图员按所测的水平角度值 β，将半圆仪(大量角器)上与 β 值相应的分划线位置对齐图上的 AB 方向线，则半圆仪(大量角器)的直径边缘就指向碎部点方向，在该方向上根据所测距离按比例测出碎部点，并在点的右侧标注高程。高程注记至分米，字头朝北。所有地物、地貌应在现场绘制完成。

(9)每观测 20～30 个碎部点后，应重新瞄准起始方向检查其变化情况，起始方向读数偏差不得超过 4′。当一个测站的工作结束后，还应进行检查，在确认地物、地貌无测错或测漏时才可迁站。当仪器在下一站安置好后，还应对前一站所测的个别点进行观测，以检查前一站的观测是否有误。

3. 地物的绘制

绘图地物时应对照实地，边测边绘。地物测绘主要是将地物的形状特征点测定下来。如地物的转折点、交叉点、曲线上的弯曲变换点、独立地物的中心点等。地物一般可分为两大类：一类是自然地物，如河流、湖泊、森林、草地、独立岩石等；另一类是人工地物，如房屋、高压输电线、铁路、公路、水渠、桥梁、田地等。所有这些地物都要在地形图上表示出来。将这些地物的特征点测定下来后，用平滑的线条连接相邻的特征点，便得到与实地一致的地物形状。

地物在地形图上的表示原则是：凡是能依比例尺表示的地物，则将它们投影后的图形按比例描绘在地形图上；对于不能依比例尺表示的地物，可根据《地形图图示》中规定的符号表示，在地形图上以相应的地物符号表示在地物的中心位置即可，如水塔、烟囱、纪念碑、单线道路、单线河流等。

测绘地物必须根据规定的测图比例尺，按规范和图式的要求，经过综合取舍将各种地物表示在图上。国家测绘局制定的各种比例尺的规范和图式，是测绘地形图的依据，必须遵守。

4. 地貌的绘制

地貌应采用等高线表示。勾绘等高线时，首先用铅笔轻轻描绘出山脊线、山谷线等地性线，再根据碎部点的高程内插等高线通过的点，勾绘等高线。不能用等高线表示的地貌，如悬崖、峭壁、土堆、冲沟、雨裂等，应按《地形图图示》规定的符号表示。

由于碎部点是选在地面坡度变化处，因此相邻点之间可视为均匀坡度。这样可在两相邻碎部点的连线上，按平距与高差成正比例的关系，内插出两点间各条等高线通过的位置。如图7－20所示，地面上两碎部点 C、A 的高程度分别为 202.8m 及 207.4m，若取等高距为 1m，则其间有高程为 203、204、205、206、207m 等 5 条等高线通过。根据平距与高差成正比例的原理，先目估定出高程为 203m 的 m 点和高程为 207m 的 q 点，然后将 mq 距离四等分，定出高程为 203、204、205、206m 的 n、o、p 点。同法定出其他相邻两碎部点间等高线应通过的位置。

将高程相等的相邻点用光滑的曲线连接起来，即得到等高线，如图 7－21 所示。

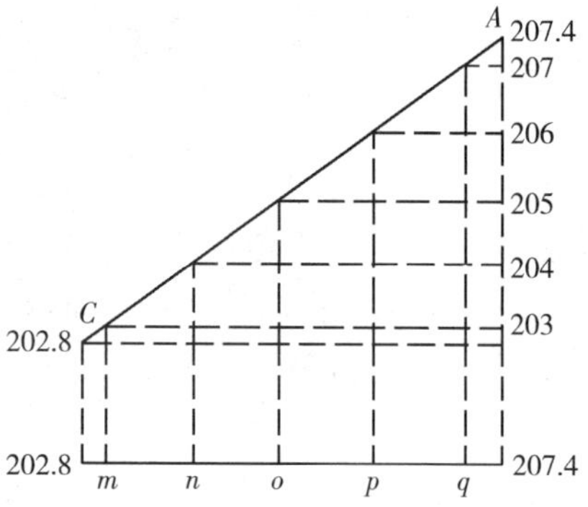

图 7－20　高程点的内插

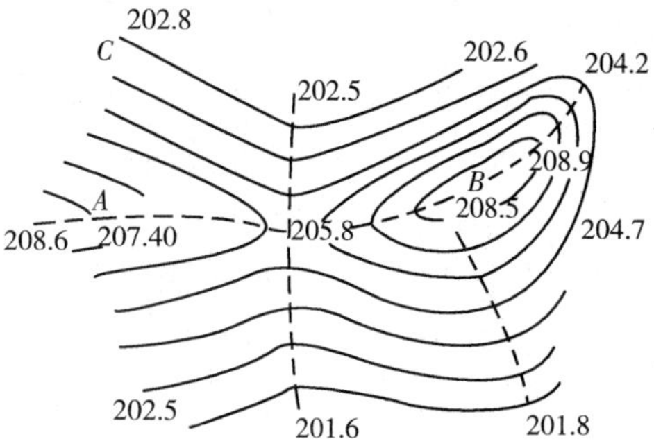

图 7－21　等高线的勾绘

勾绘等高线时，要对照实地情况，先画计曲线，后画首曲线，并注意等高线通过山脊线、山谷线的走向。地形图等高距的选择与测图比例尺和地面起伏及使用目的有关，参见表 7－4。

7.2.3　地形图的拼接、检查和整饰

1. 地形图的拼接

当测区面积超过一幅图的范围时，必须分幅测图。在相邻图幅的接边处，由于测量和绘图的误差，使地物轮廓线和等高线都不完全吻合。如图 7－22 所示，两幅图上、下拼接处的道路、房屋和等高线都有偏差，因此有必要进行修正。

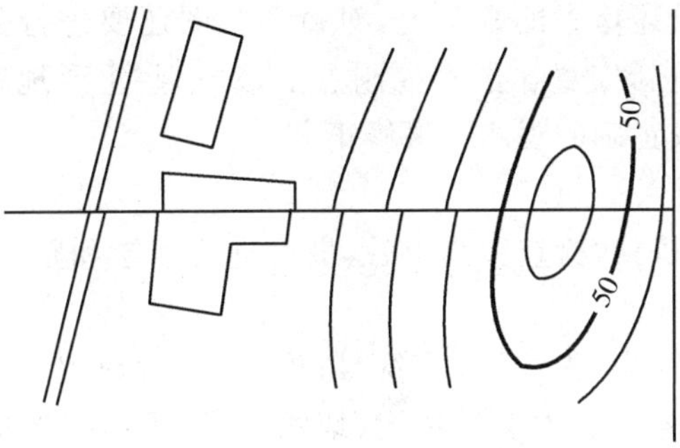

图 7-22　地形图的拼接示意

为了图纸的拼接，规定测图时，每幅图的四边应测出图框外 1cm，使相邻图幅有一条重叠带，便于拼接检查。对于半透明的聚酯薄膜图纸，只需将相邻图幅的边缘重叠，坐标格网线对齐，就可以检查接边处的地物和等高线的符合情况。

图纸拼接误差不应大于规定的细部点平面、高程中误差的 $2\sqrt{2}$ 倍。在大比例尺测图中，关于细部点的平面位置和按等高线内插求得高程的中误差如表 7-9 和表 7-10所示。

表 7-9　地物点点位中误差

地区分类	点位中误差(图上尺寸 mm)
建筑区、平地及丘陵地	0.5
山地及旧街坊内部	0.75

表 7-10　等高线插求点的高程的中误差

地形分类	平地	丘陵地	山地	高山地
高程中误差(等高距)	1/3	1/2	2/3	1

因此，对于建筑地区地物的接边允许偏差为 $0.5\times2\sqrt{2}=1.4$mm，而丘陵地区接边时，等高线的允许偏差为 $0.5h\times2\sqrt{2}=1.4h$，即为等高距 h 的 1.4 倍。小于上述限差时，可以平均配赋(即在两幅图上各改正一半)；改正时，应保持地物、地貌相互位置和走向的正确性。拼接误差超限时，应到实地检查后再改正。

2. 检查和整饰

(1)地形图的检查

地形图的检查包括图面检查、野外巡视和设站检查。

①图面检查：检查图面线条、符号、注记是否合理，有无遗漏等。检查中发现问题要做出记号，经实地检查修改。

②野外巡视：到测区现场将图面内容与实地的地物、地貌进行全面核对，相邻地物点的间距、地物长、宽可以用卷尺实量检查。野外巡视中发现的问题，应当场在图上进行修正或补充。

③设站检查：在上述检查的基础上，对每一幅图还要进行部分图幅内容的设站检查，即把测图仪器重新安置在图根控制点上，对一些主要地物进行重测。如果发现点位误差超限，应按正确的观测结果修正。

(2)地形图的整饰

地形图经过上述拼接、检查和修正后，最后进行清绘和整饰，使图面清晰、美观，才能作为地形原图保存。

地形图整饰的原则为：先注记、后符号；先地物、后地貌；先图内、后图外。后绘符号不得叠在先绘符号上。图上的注记、地物符号、等高线等应按《地形图图式》规定的格式进行描绘和书写。图框外按《地形图图式》要求进行注记。

7.3 电子全站仪数字化测图

7.3.1 数字化测图概念与数字测图系统

信息技术、电子技术、计算机技术在测量中的应用，促进地形测量的自动化和数字化。地形测量从图解法测图改进为数字化测图是一种根本性的变革，测量成果不但是可以绘制在图纸上的地形图（即以图纸为载体的地形信息），而主要是以计算机磁盘为载体的地形信息。其提交的成果是可供计算机处理、远距离传输、各方共享的数字化地形图。数字化测图是一种全解析的机助成图方法，与图解法测图相比，具有明显的优越性和广阔的发展前景，它将成为迈向信息化时代不可缺少的地理信息系统（GIS）的重要组成部分。

数字测图系统是以计算机为核心，连接测量仪器的输入、输出设备，在硬、软件的支持下对地形空间数据进行采集、输入、编辑、成图、输出绘图、管理的测绘系统，数字测图系统的综合框图如图 7－23 所示。

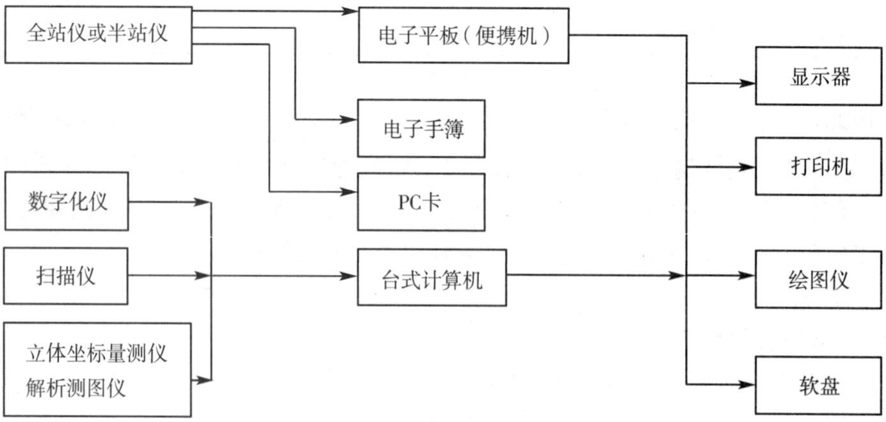

图 7－23　数字测图系统的综合框图

用全站仪在地面设站进行数字化测图，又称地面数字测图。由于用全站仪直接测定地物点和地形点的精度很高，所以地面数字测图是几种数字测图方法中精度最高的一种，也是城市大比例尺地形图最主要的测图方法。

若测区已有地形图，则可利用数字化仪或扫描仪将其数字化，然后再利用数字测图系统将其修测或更新，得到与现状相符的数字地形图。

对于大面积的测图，通常可采用航测的方法或数字摄影测量方法，通过解析立体测图仪或数字摄影测量系统得到数字地形图。

本章主要介绍地面数字测图的内容。

7.3.2 地面数字化测图的基本特点

数字化测图是一种全解析的、机助测图的方法，与白纸测图相比具有如下特点。

1. 数字化测图使大比例尺测图走向了自动化

数字化测图使野外测量自动记录、自动解算处理、自动成图、绘图，并向用图者提供可以处理的数字地图软盘。数字化测图自动化的效率高，劳动强度小，错误几率少，绘得的地形图精确、美观、规范。

2. 数字化测图使大比例尺测图走向了数字化

软盘提供的数字地图，可以传输、处理和多用户共享；可以自动提取点位坐标，两点距离、方位以及地块的面积；通过接口，数字地图可以传输给工程 CAD 使用；可供建立各种数据库和信息系统使用；可以根据软件的性能，方便地进行各种处理，从而绘制各种专题图；只要进行局部的更新，就可以做到局部修测、局部更新，始终保持数字地图整体的现势性。

3. 数字化测图使大比例尺测图实现了高精度

全站仪测量的数据作为电子信息，可以自动传输、记录、存储、处理、成图、绘图。在这全过程中，原始测量数据的精度毫无损失，从而获得高精度测量成果。因此，数字地图较好地体现了外业测量的精度。

7.3.3 地面数字化测图的基本配置

1. 硬件配置

(1)野外测量数据采集系统。包括全站仪、电子手簿、与微机的通讯接口等。

(2)内业计算机辅助制图系统。包括微型计算机、自动绘图仪、打印机等。

2. 软件配置

(1)系统软件

包括操作系统和操作计算机所需要的其他软件，主要用于管理计算机系统资源的使用。

(2)应用软件

除了系统软件以外的其他软件都可称为应用软件。应用软件是为处理某种专门类型的数据或实现特定功能的程序，如文字编辑程序、数值计算程序、数据库管理程序和机助成图程序等。

7.3.4 地面数字化测图的基本作业过程

数字化测图的基本作业过程分为数据采集、数据处理和成果输出三个阶段。

1. 数据采集

野外地面测量中，利用全站仪对图上所有需要表示的地形点进行测量和计算它们的坐标，并用代码给出点的连接关系和地图符号信息，然后借助数据通讯软件传输给计算机。

2. 数据处理

数据处理，是指在数据采集和成果输出这两个阶段之间所要进行的各种处理。它是大比例尺数字化测图的一个重要环节，直接影响到最后输出的图解地图的图面质量和数字地图在数据库中的管理，外业记录的原始数据经过计算机处理，生成图块文件，在计算机屏幕上显示图形，然后在人机交互方式下进行地图的编辑，生成数字地图的图形文件。

3. 成果输出

人机交互编辑形成的数字地图的图形文件可以用磁盘储存，也可以通过自动绘图仪绘制出纸质地图。其他一些成果可以利用打印机输出。

7.3.5 地面数字化测图的主要模式

1. 数字测记法模式

数字测记法模式：野外测记，室内成图。即先在野外用全站仪测量，电子手簿记录，同时配以人工画草图和编码系统；然后到室内将野外测量数据从电子手簿直接传输到计算机中，再配以成图软件，根据编码系统以及参考草图编辑成图，并由绘图仪绘制出地形图。使用的电子手簿可以是全站仪原配套的电子手簿，也可以是专门的记录手簿，或者直接利用全站仪具有的存储器和存储卡作为记录手簿。测记法成图的软件也有多种，并日趋完善。

2. 电子平板模式

电子平板模式：将电子平板带到野外，边测边绘、实时显示，现场编辑成图。所谓电子平板测量，即将全站仪与装有成图软件的便携机联机，在测站上全站仪实测地形点，便携计算机屏幕现场显示点位和图形，并可对其进行编辑（修改、补充、删除等），满足要求后将其存盘。这样，相当于在现场就得到了一张平板仪测绘的地形图，因此无需画草图。同时，可在现场和实地相对照，如果有错误和遗漏，也能得到及时纠正。

7.3.6 野外数据采集

数据采集是数字测图的主要工作，涉及数据采集的设备、原理、作业方法与步骤，以及野外数据的记录格式。

1. 野外数据采集的设备

地面数字化测图的数据采集的设备，主要有电子全站仪、GPS 接收机和电子手簿。全站仪和 GPS 接收机用于空间位置数据的采集；电子手簿用于观测数据的记录、处理和计算结果的储存。

利用全站仪和 GPS 技术测定地面点的位置在前面有关部门章节已进行了介绍，下面仅就电子手簿做一介绍。

作为数字化测图的电子手簿应具有以下基本功能。

(1)基础图根观测数据的记录

该项记录用于基础图根水平方向、竖直角和斜距的观测,记录观测值的平均值,并对超限的观测值提示和补测。

(2)自由设站的坐标计算

该程序用于碎部测量中在未知坐标的测站点上设站,通过对已知点进行方向、竖直角和斜距的观测,计算测站点的坐标和高程,并提示点位精度。这一功能作为图根加密极为方便,在未知点上设站,迅速求得站点坐标后即可进行碎部测量。

(3)导线测量和坐标计算

利用该程序,在整条导线观测结束后即可计算出导线点的坐标和高程,并储存在手簿中供碎部测量使用。

(4)极坐标法碎部测量

该程序用于碎部测量的测站定向和定向检查,极坐标法进行碎部点测量。计算碎部点的坐标和高程,并能对已测碎部点进行检查,给出测量的位置误差。

(5)碎部点间接计算坐标

该程序包括多种间接计算碎部点坐标的方法,如前方交会法,边长交会法,支距法等。计算中当需要已知碎部点坐标时,只需输入点号即可调用,坐标计算极为方便。

(6)碎部点图形信息编码

该程序可在电子手簿上完成碎部点的图形信息编码。编码输入可按每个点记录输入,包括对每个点的编码进行修改;也可按一个图块,对图块上各点进行编码。

(7)数据输入和输出

通过电缆将电子手簿与计算机连接,进行数据双向传输,少量的控制点坐标也可用手工键入手簿。基础图根观测数据输入计算机,即可进行图根网的平差计算。碎部点记录输入计算机,即可进行人机交互图形编辑,最终生成数字地图。

2. 野外数据采集的基本原理

野外采集的数据可通过接口电缆直接输入计算机中,由计算机软件自动处理,其间完成识别、检索、连接、自动调用图式符号等,控制数控绘图仪自动完成地形图的绘制。为建立野外采集的数据同实地或地形图之间对应的关系,使绘图人员与计算机能够识别所采集的数据,便于对其进行处理和加工,必须对点赋予三类信息:①测点的位置;②测点的属性;③测点间的连接关系。也就是说,即要确定点位,又要知道点与点间的相互关系,还须清楚它们对应的图示符号,才可使计算机将所测的图绘制出来。

测点的位置,可用仪器在野外测量得到,最终以 X,Y,Z 三维坐标形式表示,并对测点同时赋予点号。绘图时计算机根据点号可自动提取点的坐标。

测点的属性用地形编码来表示。根据编码计算机就可知道点的特征及其相应的图示符号。显示成图时,利用测图系统中的图示符号库,计算机就可以从库中调出与该编码对应的图示符号成图。

关于地形信息的编码应体现一致性、灵活性、简易使用性、高效性、可识别性的特点，以便于识别和计算机的自动成图。以代码设计成五位为例，前三位为该碎部点的地形属性编码，与《地形图图式》的编号相对应（例如 A05 表示导线点、B01 表示房角点等）；后两位表明测点间的连接关系，可分解为连接点和连接线型：第四位表示连线信息，有 B、M、E 三种代码，（B 表示连线的起点，M 表示中间点，E 表示结束点），第五位为连线形式，有 1、2、3、空四种代码（1 为直线，2 为样条曲线，3 为圆弧，空为独立点）。

这样的编码设计即符合测量人员的习惯，又便于计算机的后续处理：编码的第一位可以将细部按地形要素类别分层储存；第二、三位可以从符号库中调用相应符号；第四、五位可决定连线的起止及连线的形式。这样使计算机能根据细部点的代码在屏幕上编辑出地物细部的初级图形，便于做进一步的成图编辑。

综上所述，对每一个点来说，获取了描述点的三类信息，就具备了计算机自动成图的必要条件。

在进行碎部点测量时，应尽可能按地物的类别进行，这样便于观测人员的编码输入，对于同一类地物，无需重新输入其编码，只需确认即可。表 7－11 为储存在 SET 2000 全站仪工作文件中的一段细部点记录（POS）。

表 7－11　细部点坐标及代码记录

点号	X(m)	Y(m)	H(m)	编码
201	4356.44	3724.36	3.56	A05
202	4386.67	3747.58	3.82	D04
203	4369.79	3741.03	3.78	E15B2
204	4365.94	3764.11	3.45	E15M2
205	4360.27	3780.45	3.64	E15E2

3. 野外作业的方法和步骤

测记法数字测图作业步骤与传统的测图作业步骤是一样的，即应遵循“从整体，到局部；先控制，后碎部”。而电子平板法数字测图还可以采用“一步测图法”或“一步法”测图，即在图根导线选点、埋桩以后，图根导线测量和碎部测量同时进行。

（1）一步测图法

在采用“一步测图法”的作业过程中，图根控制测量与传统的作业方法相同，所不同的是在进行图根控制测量的同时，即在施测下一个图根点的测站上，同步测量本测站的各碎部点并实时成图（这时的图根点坐标是未经平差的）。

待图根控制导线测量完毕时，由系统提供的程序对图根导线进行平差计算。如果闭合差超限，则应查清错误，进行返工（返工仅限于图根点的返工，而碎部点原始测量数据仍可利用）。若闭合差在限差范围内，则可平差计算出各导线点的坐标。为提高测图精度，可根据平差后的导线点坐标值，重新计算各碎部点的坐标（称为碎部点坐标重算），然后再显示成图。

“一步测图法”的特点是外业的作业效率大大提高。

（2）碎部测量

大比例尺地面数字测图，通常采用极坐标法进行碎部测量，并记录全部测点信息。如遇特殊情况，则可选用软件所提供的其他碎部点的测量方法施测。

大比例尺数字测图碎部点的确定，除基本要求和传统平板仪测图碎部点的确定一致外，还需考虑数字测图计算机制图和制图系统的特点，碎部点的确定应注意以下几点：

①对于有方位的独立地物，应测定两个点的坐标，取两个点的中点即为独立地物的中心位置，并以两点的连线确定符号的方位。

②任何依比例尺的矩形形状的地物，只要测出三个角点的坐标，第四个角点的坐标可由程序自动计算。

③房屋的附属建筑（如台阶、门廊、凉台等）和房屋轮廓线的交点不必实际测量，而是按垂线法自动计算出交点的坐标。

④依比例尺的双线地物（如道路、沟渠、河流等），需测定两侧边线特征点的坐标。

⑤圆形地物应在圆周上测定均匀分布的三点的坐标。较小的圆也可测定对径方向的两个点的坐标。

⑥圆弧线一般应测定起点、终点和大致中间一点的坐标。

⑦如测图系统给出标准图块，则必须按照标准图块标注的点测定其坐标。

采用测记法模式数字测图，在进行碎部测量的同时还应现场认真绘制工作草图。工作草图是图形的信息编码，是碎部点间接坐标计算和人机交互编辑修改的依据，是保证数字测图质量的一项措施，必须随记录数据一起转交内业。如果测区有相近比例尺的地图，可利用旧图并适当放大复制裁成合适的大小作为工作草图。在这种情况下，作业员先进行测区调查，对照实地将变化的地物反映在草图上，同时也标出控制点的位置，这种工作草图也起到工作计划图的作用。在无工作草图的条件下，应在数据采集时同时绘制工作草图。工作草图应绘制地物的相关位置，点号标记，丈量距离记录，地理名称和说明注记等。草图可按地物的相互关系一块块绘制，也可按测站绘制，地物密集处可绘制局部放大图。草图上点号标记应清楚正确，并和电子手簿点号一一对应。

4. 野外数据的记录格式

数字测图的外业测量数据记录，是由电子手簿或电子平板通过所配置的软件来实现的。

外业数据文件通常采用可读的文本格式，以便检索和交换。文件中表达信息的最小单位是数据项；若干个数据项组合到一起，描述某一测量要素（如测站或测点），称作记录。一个记录通常对应于文件的一行。外业数据文件中通常有若干个不同作用的记录，用相应的标志加以区分，称为记录类型标志。记录中含有的那些数据项、各数据项的名称、在记录中的位置、长度、数据类型等称为记录的结构。记录的结构和长度可以固定，便于阅读和存取；也可以不固定，减少不必要的数据存储空间。

外业数据采集软件，要求必须能够完整地记录成图信息。但不同的数字测图系统，其外业数据采集软件也可能不同，自然相应的外业数据记录格式也会不一样。

7.3.7 机助制图基本原理

外业数据采集完成后，就可以进行数据处理，即将外业记录的原始数据经计算机处理，生成图块文件，在计算机屏幕上显示图形，然后在人机交互的方式下进行地图的编辑，生成数字地图的图形文件。

这种利用计算机自动成图的技术和方法，称为机助制图。

7.3.7.1 坐标变换

大比例尺地面数字测图中使用的坐标系都是平面直角坐标系，且分为测量坐标系、计算机屏幕坐标系和绘图仪坐标系三种。野外采集的地物和地貌特征点信息，经过数据处理后形成了图形数据文件。其数据是以高斯直角坐标系的形式存放的，即使用的是用户坐标系；而在编制绘图软件用于计算机图形输出，无论是在显示器上显示图形，还是在绘图仪上自动绘图，使用的是相应的屏幕坐标系和绘图坐标系（也称设备坐标系）。

高斯直角坐标系纵向为 X 轴，向北为正；横向为 Y 轴，向东为正。

屏幕坐标系，以 Y 轴作为纵轴，向下为正；X 轴作为横轴，向右为正，并以屏幕左上角为原点。

绘图坐标系与屏幕坐标系基本相同，但 Y 轴向上为正，原点一般位于绘图仪的左下角。

在测量坐标系中，一般以米为单位。从理论上讲，测量坐标系中的取值范围可以是整个实数域；但实际工作中，它的取值往往和某一地理区域有关。而设备坐标系则以设备的最小分辨率为坐标单位，一般只能是正整数。坐标值都限制在 0 到最大显示或绘图范围之内。

因此，外业测量采集的测量坐标数据经过处理后需以图形方式显示、输出时需要进行坐标变化，把测量坐标转换到计算机屏幕坐标和绘图仪坐标。

7.3.7.2 图形显示的分层处理

在应用数字测图系统显示地形图和对图形进行编辑时，为了更清楚地观察不同地物间的关系，解决符号的压盖问题，往往将显示的图形分成包含不同内容的若干层次，这种处理方式称为图形显示的分层处理。

层是地物特征属性在同一坐标平面的逻辑意义上的集合。在构造层时，每一种属性的数据都可形成一个独立的层，如在地形图中可以构成图廓层、点号层、房屋层、道路层等。每一层可分别给定它的颜色、是否参加显示和其他操作。

在数字测图系统中是按地物的属性编码来实现分层的，分层后，对层的操作和使用十分方便、快捷。

7.3.7.3 地物符号的自动绘制

地形图上各种地物要素是用相应的图示符号来表示的。地物符号可分为独立符号、线状符号和面状符号三类。下面讨论这三类符号在机助制图中的实现方法。

1. 独立符号和汉字字符的自动绘制

独立符号以点定位，在一定的比例尺范围内，图上的大小是固定的，如各种控制点符号。它们常常不能用某一固定的数学公式来描述，必须首先建立表示这些符号特征点信息的符号库，才能实现计算机的自动绘制。汉字字符的自动绘制和独立符号相仿。

(1)独立符号库的建立

按照地形图图示，将图示上的独立符号和说明注记等放大 20 倍绘在毫米格网纸上，进行符号特征点的坐标采集，采集坐标时均以符号的定位点作为坐标原点。对于规则符号，可直接计算符号特征点的坐标；对于圆，采集圆心坐标和半径；对于圆弧，则采集圆心坐标、半径、起始角和终点角；对于涂实符号，则采集边界信息，并给出涂实信息。

独立符号的特征点信息是按信息块的结构存放在独立符号库中，其信息块的结构见表 7－12。

表 7－12　独立符号信息块的结构存放表

特征点数 N	抬落笔码 1	笔画代码 1	X_1、Y_1	····	抬落笔码 N	笔画代码 N	X_N、Y_N

(2)汉字字符库的建立

汉字字符库的建立一般采用建立字模，在字模上选取汉字的特征点。作为采集信息的标准汉字字模，不仅要字体美观，而且还要有足够的大小，这样才能保证在读取汉字笔画特征点的坐标时有足够的精度。为此，要在毫米格网纸上建立 50mm×50mm 大小的标准等线体字模，在字模上标出每一汉字的笔画特征点。对于直线，以首末端点为特征点；对于撇、捺、折等则用若干直线来逼近。坐标采集时都是以汉字的左下角作为坐标原点。除了读取特征点的坐标外，还要规定抬、落笔信息。如图 7－24 所示，为汉字的“天”的笔画特征点。

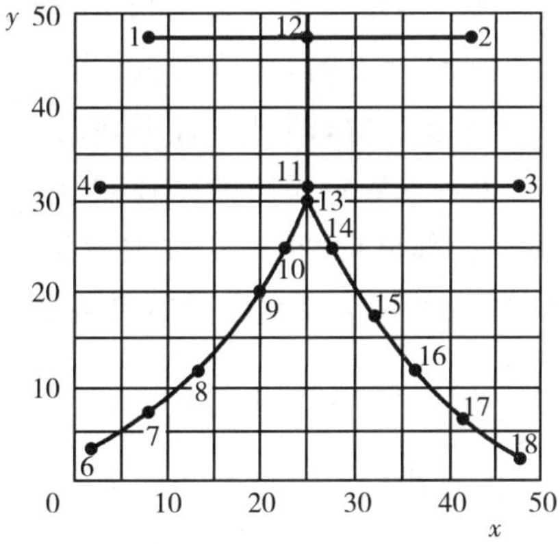

图 7－24　汉字笔画特征点示意图

由于字符(包括数字、字母)大都以长体字出现，因此，字符的字模可按高 50mm、宽 30mm 来建立，其坐标的采集方法和汉字相同。

汉字特征点的坐标信息也是按照信息块的结构存放在汉字库中，其信息块的结构见表 7－13。

表 7－13　汉字信息块的结构存放表

特征点数 N	抬落笔码 1	X_1、Y_1	····	抬落笔码 N	X_N、Y_N

(3)独立符号和汉字字符的自动输出

根据符号的代码，可以在独立符号库中检索出该符号的信息数据。为了提高检索符号信息的速度，可以以符号代码为关键字建立索引。因此，在独立符号库中实际上包括两部分内容；在其首部是索引表，在其后部是符号的坐标及抬落笔信息。索引表可按符号代码由小到大顺序存放。这样计算机按实现编制的绘图程序在读出独立符号信息数据后，即可按照地形图上要求的位置和方向对信息数据中的坐标进行旋转和平移变换，然后绘图画出该符号。

汉字字符的自动输出，和独立符号类似。国标汉字中的每一个汉字都有一个唯一的机内码；对于字符，每一个字符也都有一个唯一的 ASCII 编码。在汉字字符的首部，建立一个索引表，用来映射汉字机内码及字符 ASCII 码和其相应的信息串首地址的关系。要输出一个汉字或字符时，计算机首先根据该汉字的机内码或字符的 ASCII 码，在索引表中取出其相应的信息块数据的首地址及特征点数，然后依次取出其信息数据，根据书写字体的要求，对其中的坐标数据进行各种变换（旋转、平移、耸肩和倾斜等），再调用基本绘图子程序输出该汉字或字符。

2. 线状符号的自动绘制

在地形图中，大量用到各种线型来表示各种不同的地物。在数字化测图系统中，设置了多种线型，而其中每一种线型又分为直线、曲线、圆（圆弧）以及加粗和不加粗。

(1)线型的设置及绘制

地形图上用到的线型尽管很复杂，但归结起来，它们都可以用以下绘图参数来表示：定位点个数和定位点坐标，实步长 D_1，虚步长 D_2 和点步长 D_3。当虚步长 $D_2=0$ 时，即为点划线；当点步长 $D_3=0$ 时，即为虚线；实步长 D_1 与虚步长 D_2 都为 0 时，即为点线。通过给定不同的步长值，即可设置不同的线型。它们的绘制方法是：对于虚线，根据给定的 D_1 与 D_2，沿着定位线的路径和方向，分别计算其对应的两个端点坐标，然后落笔连接实步长部分，而抬笔走过虚步长部分；对于点划线，根据给定的步长 D_1 与 D_3，计算 D_1 对应的两个端点坐标后再落笔连接，计算 D_3 对应中点坐标作为点部的定位点，然后画点。

(2)平行线的绘制

平行线由两条间距相等的直线构成。很多线状地物如道路、围墙等都是由平行线作为基本边界，然后再加绘一定的内容而成。加粗线实际上也是通过绘制平行线而获得的，因而平行线是绘制很多线状地物的基础。

平行线的绘制参数为：定位直线（母线）节点个数和定位节点坐标，平行线宽度，平行线绘制的方向（即在定位直线的左方还是右方绘制）。它的绘制方法是：先调用子程序计算出对应平行线的节点坐标，然后按上述方法绘制。

(3)加粗线的绘制

绘制加粗直线就是对直线平行加粗到指定宽度。应用在地形图上的加粗线通常用来绘制道路、境界、图廓等。

加粗线的绘图参数为：定位直线节点个数、定位节点坐标、加粗线宽度和绘图笔迹宽度。它的绘制方法为：首先绘制定位直线，然后在定位直线两侧按由里到外的顺序绘制一组中心线间距为二分之一绘图笔迹宽度的平行线，直到最外层的两条平行线的间距逼近加粗线的宽度为止。

(4)线状符号的绘制

线状符号除了在每两个离散点之间有趋势性的直线、曲线等符号外，有些线状符号中间还配置有其他的符号。如陡坎符号，除了定位中心线以外，还配置有短齿线。它的绘制方法是：先调用子程序计算出齿心和齿端坐标，然后根据不同的线状符号特点，采用不同的连接方式就可产生陡坎符号。对于其他这样沿中心轴线按一定规律进行配置的线状符号，皆可用类似的方法绘制。

3. 面状符号的自动绘制

面状符号的绘图参数为：轮廓边界点个数，轮廓边界点坐标，符号注记轴线间的间距以及轴线和 X 轴的夹角，每一排轴线上符号的注记间隔。其自动绘制的步骤如下：

(1)调用子程序计算面状符号的注记轴线。

(2)计算注记轴线长度，并结合轴线上的注记间隔按均匀分布的原则计算注记符号的中心位置。

(3)根据面状符号代码，在符号库中读取表示该符号的图形数据，在上步计算出的符号中心位置上绘制面状符号。

7.3.7.4 等高线的自动绘制

目前，在数字化测图中生成等高线的方法主要有两种：一是根据实测的离散高程点自动建立不规则三角网数字高程模型（如图 7-25 所示），并在该模型上内插等值点生成等高线；二是根据已建立的规则网格数字高程模型数据点，生成等高线（如图 7-26 所示）。

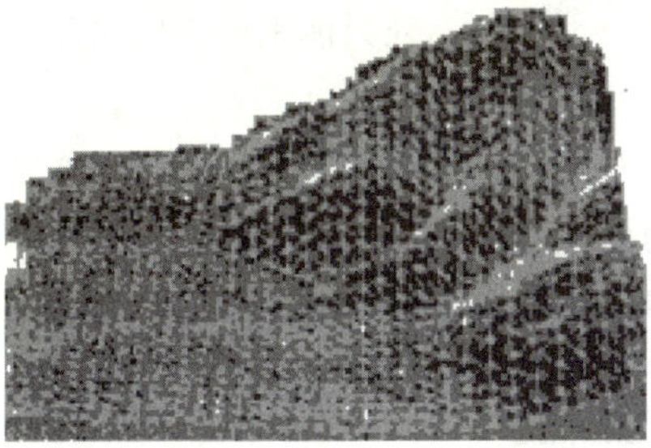

图 7-25 不规则三角网数字高程模型示意图

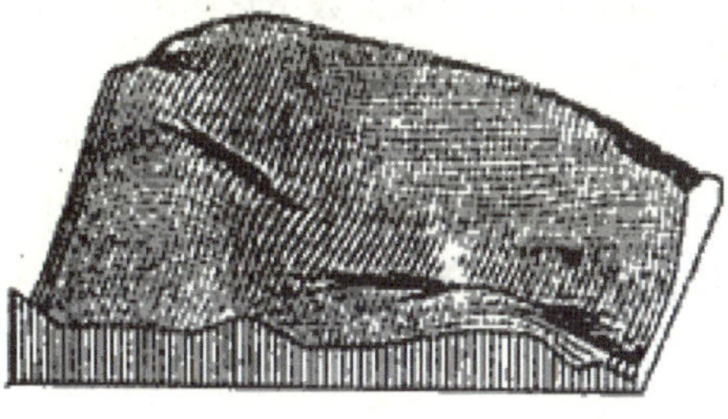

图 7-26 规则网格数字高程模型示意图

由于不规则三角网数字高程模型点（三角形的顶点）全为实测碎部点，地形特征数据得到充分的利用；完全依据碎部高程点的原始数据插绘等高线，几何精度高，且算法简单；等高线和碎部点的位置关系与原始数据完全相符，减少了模型中错误的发生。因此，在地面数字化测图生产中，多数都采用该法来绘制等高线。其作业流程为：

1. 等值点的内插与追踪

等值点的内插，就是指由数字高程模型点的高程内插出高程等值点，以便形成连续的等高线。其实质为数学上的插值逼近或曲面拟合问题。为了使内插点的高程与实际地貌有最佳的逼近，须选用最恰当的数学方法。对于不规则三角网数字高程模型，因所有的三角形顶点都是地面实际测点，它们具有足够的精度和代表性，故一般直接采用线性内插即可。

不规则三角网数字高程模型形成后，即可在该模型上依次对每条等高线的等值点进行内插。每条等高线内插时，首先要寻找到等高线的起点，然后再逐个三角形地追踪下一个等值点，直至终点（开曲线）或回到起点（闭曲线）。

2. 高程的自动注记

高程的注记，包括两方面的内容：一是离散点（即地形图上需要保留高程的那些地貌点）；二是计曲线高程的注记。

对离散点高程的注记，除地貌特征点和主要建筑物地坪应指定注记高程外，一般是按一定的间距，将整个离散点区域划分成间隔相等的方格，在每个方格中选取一个最接近方格中心的离散点加注高程。

计曲线高程的注记，则是先在计曲线上自动寻找出比较平缓的位置，然后按识别出的高程值并自动按字头指向高处的规则注记高程。

3. 等高线遇地物自动断开处理

等高线遇地物与注记时的自动断开处理，相对来说在软件编制时比较复杂，其基本原理是利用求交点的方法找出等高线和地物的交点，等高线在交点处自动断开。在具体实施时，需对曲线轮廓和直线轮廓的地物进行分别处理，以提高断开处理的速度。

4. 等高线的光滑输出

经过以上各项工作后，便形成了每条等高线的等值点列。然后，采用张力样条函数再对这些等值点列进行光滑内插，才能最终得到光滑的等高线。

7.3.7.5 交互式计算机图形编辑

图形编辑是保证数字化测图输出正确图形的重要一环，目前，还只能采取人机交互的方式进行。

通常，人机交互式图形编辑界面如图 7－27 所示，一般将屏幕划分图形区、命令区、菜单区和汉字输入区。图形区用于各种图形的编辑、显示等；命令区用于各种操作命令的输入和提示；菜单区用于图形编辑菜单的显示；汉字输入区用在汉字输入时列表提示。

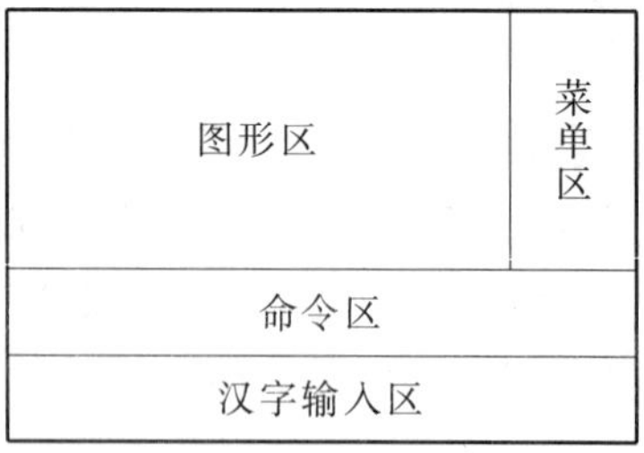

图 7－27　图形编辑界面示意图

图形的编辑，主要包括对各种图块（形）进行修改、添加、删除、旋转和平移等操作。

1. 修改

在图形编辑过程中，往往会发现有些符号的坐标位置是正确的，而其符号代码、连线类别（直线、曲线、圆或圆弧）或颜色不正确，这时需要对图形进行修改。修改时，通过移动屏幕十字丝光标，选择出要修改的图形，然后输入正确的符号代码、连线类别、颜色，便可自动地将错误图形删除，并立即显示正确图形。

2. 添加

在图形编辑过程中，若发现有部分地物（符号）在原始测量数据文件中没有进行编码和连线，屏幕显示时只有实测点，这时可通过“添加”的方式，在屏幕上移动屏幕十字丝光标，分别对准各实测点（只要在一定误差之内，即可认为对准了该点），然后输入符号代码和连接类型、颜色等，则程序自动用各实测点的坐标（而不是屏幕坐标）进行符号绘制，并存入绘图文件。

3. 删除

该图形编辑系统可对屏幕上所显示的各种图形、符号、注记等进行删除。删除方式有：局部删除（删除两点之间的某一部分），单线删除（删除两点之间的连线）和整体删除（删除整个图块，如一栋房子、一条路等）。删除时可通过移动屏幕十字丝光标到所要删除的图块上，选中该图块，然后再根据所选中的图块类型（点状、线状、面状、注记）选择不同的删除方式进行删除。对于点状符号和注记，删除时都是整个符号和注记（可以是字符串和分式）一起删除；对于线状符号（如围墙、栏杆等），删除时可以有上面 3 种不同的方式，而且删除区间内符号上的小短线一并删除，删除区间之外的小短线、小符号或线的实步、虚部的原有配置不受任何影响；对于晕线及面状符号的删除，可以有 6 种不同的删除方式供选择：删除整个图块、删除外边界轮廓线、删除内部小岛边界、删除小岛边界及其空区、删除内部填充的晕线或符号、删除晕线及边界保留内部小岛。

4. 旋转

在图形编辑过程中，对于一些示意性的图形、符号及各类注记，当其位置不合要求时，可以进行旋转。旋转时首先移动屏幕十字丝光标选择要旋转的图块，然后确定基点（或旋转点）和旋转角度，再将原位置上的图块删除，并显示旋转后的图块。在旋转过程中，图块上各点与基点之间的距离保持不变。

5. 平移

与旋转同时，在图形编辑过程中，对于一些图形、符号及各类注记，当其位置不合要求时，可以进行平移。平移时也是通过移动屏幕十字丝光标先选择要旋转的图块，然后再确定基点和平移后的位置，再将原位置上的图块删除，并在新位置显示平移后的图块。

7.3.8 成果输出

成果输出是数字化测图的最后环节，主要包括两个方面：一是图形输出；二是数据打印，即利用打印机输出各种测量成果表册，如平面控制测量成果表册、界址点坐标成果表册、面积测算表册等。

成果输出的设备，主要有图形显示器、数控绘图仪和打印机等。通过数控绘图仪自动绘制的大比例尺数字化图，可供设计人员在图纸上人工完成各种设计；通过图形显示器输出的数字化图，可供设计人员直接在计算机上进行各种机助设计和计算；通过打印机可局部放大输出数字化图，可供对图纸质量和精度要求不高的人员使用。

数控绘图仪是目前数字测图系统中使用最多的图形输出设备，它可以将计算机中以数字形式表示的图形用绘图笔(或刻针等)绘在图纸或刻图膜上。按台面结构不同，数控绘图仪主要分为平台式绘图仪和滚筒式绘图仪两类。

1. 平台式绘图仪

如图 7-28 所示，平台式绘图仪由绘图台面、绘图笔架、导轨、滑轨、滑轨使动装置和控制电路组成，绘图纸用静电和真空吸附方法固定在平台上，按放在笔架上的绘图笔或刻针可沿导轨 x 方向和滑轨 y 方向运动绘图。

2. 滚筒式绘图仪

如图 7-29 所示，滚筒式绘图仪由滚筒、绘图笔架、滑轨、滑轨使动装置和控制电路组成，图纸贴在圆柱形滚筒上，通过滚筒的转动及送纸机构带动绘图纸前后移动(x 方向)，笔架则沿滚筒横轴滑轨方向(y 方向)运动，使绘图笔形成垂直于纸面沿 x、y 方向移动绘图。

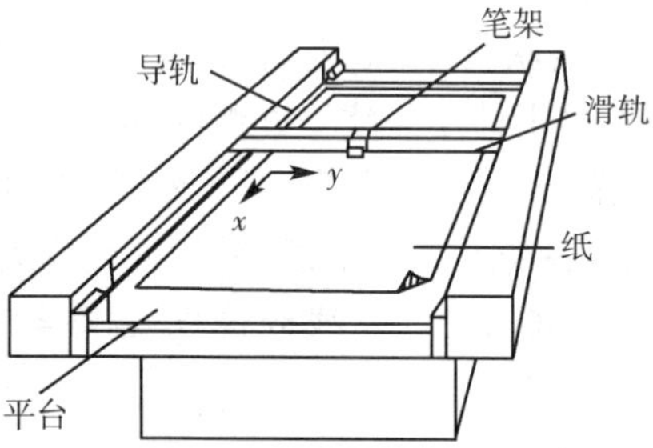

图 7-28　平台式绘图仪示意图

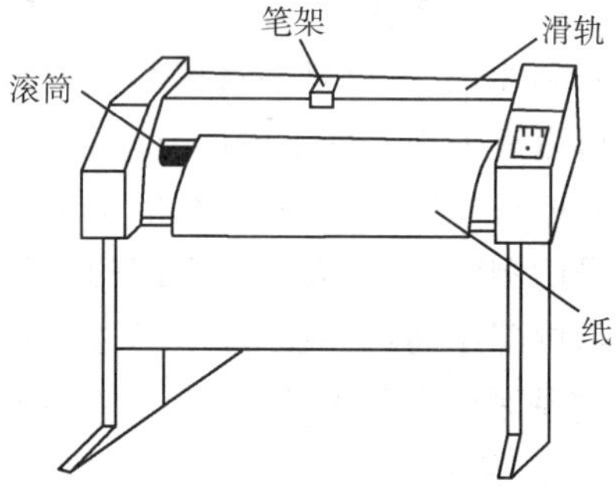

图 7-29　滚筒式绘图仪示意图

滚筒式绘图仪可以在 x 方向连续绘制长图，绘制速度比平台式绘图仪高，但绘图质量低，通常用于校核绘图和低精度绘图。

数控绘图仪的性能优劣，可通过其精度、速度和分辨率三项指标来判断。

精度是绘图仪的主要技术指标，它主要包括重复精度和定位精度。重复精度是绘图仪在重复绘制曲线时反映的误差。定位精度是绘图仪绘制某一坐标点出现的定位误差，它包括重复误差。定位的系统误差可以通过软件修改 x 和 y 方向的长度比得到改正。高精度绘图仪的精度为 0.01～0.2mm。

绘图仪的速度是指绘图笔作直线运动时所能达到的最高速度。和速度相联系的指标是加速度，高速的绘图仪加速度也大，这样绘图仪从低速达到最大速度所需的时间就短，在绘短线段时也可达到很高的速度。绘图仪的绘图速度一般每秒为几十毫米到几百毫米。另外，绘图速度可以分级选择，视使用的绘图笔和绘图纸进行调整。

分辨率是指绘图笔一次移动的步距，即一个电脉冲驱动电机与传动机构使绘图笔移动的距离。步距越小，绘图精度越高，绘图线条越光滑。绘图仪的步距，一般为 0.01～0.05mm。

机助制图一般采用联机方式，将计算机与绘图仪直接连接，计算机将处理后的数据和绘图指令送往绘图仪进行绘图。在绘图过程中，计算机的数据处理和图形的屏幕显示基本相同。但由于绘图仪有它本身的坐标系统和绘图单位,因此需将图形文件中的测量坐标转换成绘图坐标。驱动绘图仪绘图,可以利用绘图仪基本图形命令,如抬笔、落笔、绘直线、折线和圆弧等指令来完成。

在数字化图输出时,可以很容易地实现按地形类别分层输出(如地籍图、房产图、管线图、地物平面图、等高线图、地形图等)、分幅或局部输出、放大或缩小输出、多幅合并输出等,达到一测多用、一图多用的目的。其基本操作步骤如下:

(1)输入图幅号

根据图幅号,绘图程序即可自动找到对应的绘图文件。

(2)确定是否全绘

若全绘,即转入第5步执行;否则,选择某一层和(或)某一区域进行绘制。

(3)分层输出

输入要绘制的图层层号,即可自动绘制出某一层的内容。

(4)开窗输出

在实际工作中,有时候只需要输出图幅内某一区域,这时候只需要输入该区域窗口左下角和右上角的坐标,即确定输出窗口坐标,程序则会自动将窗口外的内容裁减掉,而将窗口内的内容按原样输出。

(5)输入绘图比例尺

输入新的绘图比例尺,则按此比例尺对图幅内的内容进行放大或缩小输出。如不输入新的绘图比例尺,则按生成绘图文件时的比例尺输出图幅内的内容。

(6)图廓整饰

图廓整饰决定直接影响到图面的质量和美观程度,其内容包括外图廓线、内图廓线、坐标格网线、结合图表、绘图比例尺、测量员姓名、绘图员姓名、检查员姓名、测图坐标系、测图日期、测图单位、图名和图号等。

(7)绘图仪开始绘图

这时计算机向绘图仪发送绘图数据,指挥绘图仪输出满足要求的地(形)图。

数字化图除可直接在输出设备上输出图形外,更主要的是它可作为地理信息系统和各种专题信息系统的基础资料,例如用于自然资源管理、地理专家系统、城市土地信息系统的建立,地质遥感与勘探、城市规划、土木工程计算及设计等。

7.4 航空摄影测量成图

7.4.1 摄影测量学的定义与特点

1. 摄影测量学的定义与特点

摄影测量学(Photogrammetry)是一门通过摄影,对所获得的影像(像片)进行测量、分析、研究,从而确定所摄物体的形状、大小、性质和空间位置等的学科。

摄影测量利用前方交会的做法,如图7-30在两个控制点S_1、S_2上安置摄影仪,同时分别拍摄两张照片(左像片P_1,右像片P_2,合称为一个立体像对);然后在室内利用摄影测量仪器量测左、右像片上的同名点(空间同一个点在左、右像片上的像点,称为同名点）a_1、a_2的坐标影像，这样通过摄影光线S_1a_1、S_2a_2即可获得其交点 A 的空间坐标。

由于左、右像片是同一个空间物体的投影，因此利用影像上任意一对同名点都能确定交会出一个对应空间点的位置并建立空间物体的三维立体模型。

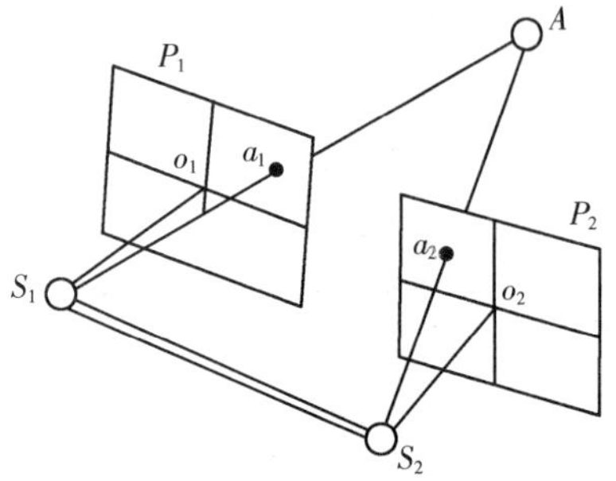

图 7－30　摄影测量基本原理示意图

摄影测量的主要特点为：

（1）测量中无须接触被研究物体本身，较少受到自然和地理条件的限制。

（2）无论是固态、还是液态、气态，无论是静态还是动态，无论是大还是小都可运用摄影测量技术。

（3）人们可以从摄影像片中获取巨量的信息，实现了点到面的测量。

（4）降低了测量野外作业的工作量。

2. 摄影测量的分类与近代发展

根据对地面获取影像位置的不同，摄影测量可以分为下面 3 类：

（1）航空摄影测量

航空摄影测量是将摄影机安装在飞机上，对地面摄影。

（2）航天摄影测量

航天摄影测量是随着航天、卫星、遥感技术的发展而发展起来的摄影测量技术，它将摄影机（一般称为传感器）安装在卫星上，对地面进行摄影。

（3）地面（近景）摄影测量

地面摄影测量是将摄影机安置在地面上进行测量。地面摄影测量即可利用测量专用的摄影机（称为量测摄影机）进行，也可以利用一般的摄影机（称为非量测摄影机）进行。

从人类掌握摄影技术到现在，摄影测量已走过了近 170 年的历程。20 世纪 70 年代，随着电子技术的发展，解析摄影测量得到了迅速的发展。解析立体测图仪的出现使测图过程的工作效率进一步提高，并能提供数字产品。20 世纪 80 年代，随着计算机及信息技术的加速发展，摄影测量的全数字化——数字摄影测量系统开始研究与发展。90 年代，数字摄影测量系统进入实用化阶段。进入 21 世纪后，数字摄影测量系统开始全面替代传统的摄影测量仪器，摄影测量生产真正步入全数字化时代。

数字摄影测量是解析摄影测量进一步发展的结果，与模拟摄影测量、解析摄影测量的主要区别在于：可处理的原始信息不仅可以是像片，更主要则是数字影像或数字化影像；它以计算机视觉代替人眼的立体观测，不再需要传统的摄影测量光机仪器，成为通用的标准计算机硬件和软件以及各种专用软件集合而成的数字摄影测量工作站，实现了数字测量自动化、数字化；其产品可以是各种数字产品，也可以是图解产品，如绘制等高线图、透视图、坡度图、断面图、景观图、制作各种专题图，可进行 GIS 数据采集，建立虚拟景观、数字高程模型（DEM），制作数字正射影像图（DOM）、数字线划图、数字栅格图，还可通过一定的算法提供体积、空间距离、表面积、填挖量等工程数据，完成各种工程运算。

7.4.2　航空摄影与航摄像片

摄影测量是利用摄影机拍摄物体的像片，根据像片上所获得的影像信息来测定物体的形状、大小和空间位置的方法。由于摄影取得的影像信息能真实和详尽地记录摄影瞬间客观景物的形态、具有良好的量测精度和判读性能，因此摄影测量被广泛应用于各个方面。航空摄影测量也是现今测绘地形图的主要方法。

航空摄影测量制作地形图大体上分三个阶段：航空摄影、航测外业（像片控制点联测与加密及像片外业调绘）、航测内业成图。

7.4.2.1　航空摄影

1. 航空摄影的基本概念

航空摄影是将航摄仪安装在航摄飞机上，从空中一定的高度对地面物体进行摄影，取得航摄像片。如图 7－31 所示，在第一条航线摄完后，飞机调转 180°继续拍摄第二条航线，这样连续往返拍摄直到整个测区拍摄完毕。一条航线覆盖的地面称为一个航带。在进行航空摄影时应选择晴朗无云、气流平稳的天气进行。在摄影中保持预定的航向、航高、航速和机身水平。

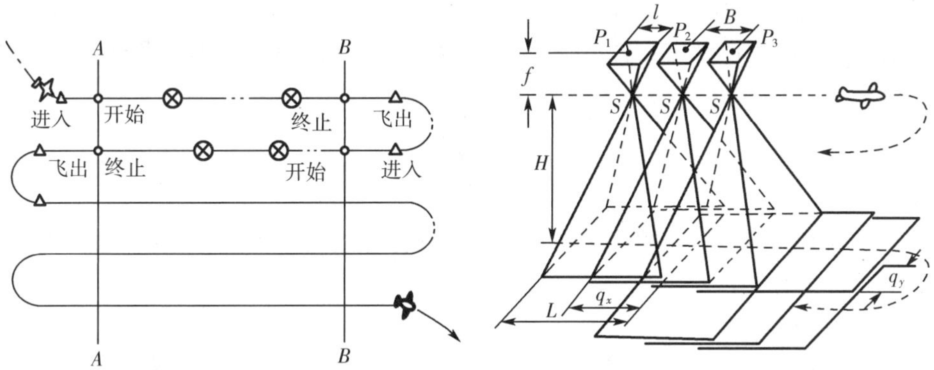

图 7－31　航空摄影示意图

2. 航摄像片的基本知识

(1)航摄像片的主要内容

如图 7－32 所示，像片的像幅（影像范围的大小）一般为 23cm×23cm。像幅内为地球表面的影像；像幅外，有摄影瞬时时刻、日期、摄影次序号码（以便像片拼接）以及圆水准器（说明摄影时光轴倾斜情况）等记录，在四个边框的四角及四个边框的中央各有一个框标。

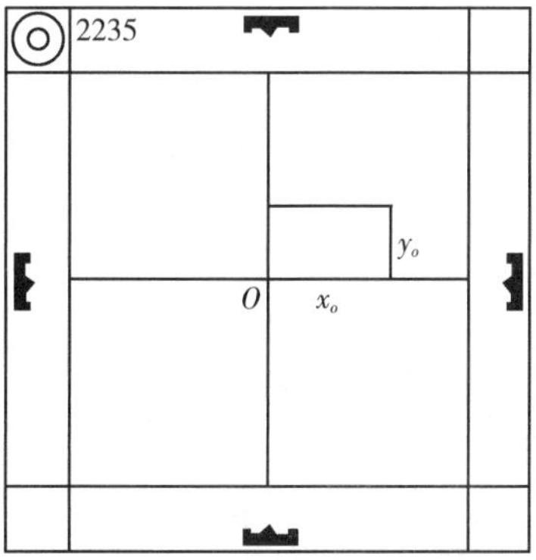

图 7－32　航空像片示意图

框标的作用是在理论分析和像点量测时，用于量测或决定像片主点的位置，建立像片平面坐标系。像片主点是指主光轴与像片平面的交点，在像片上可由边框中央的四个框标连线的交点获得。像片平面坐标系，就是以像片主点 O 点为原点。在左右边框中央框标的连线

为像片坐标系的 x 轴，上下边框中央框标的连线为 y 轴。

按像片感光材料的不同，航摄像片可分为黑白片、彩色片、红外片。

(2)航摄像片与地形图的差别

航摄像片是地面上的景物的反射光线通过摄影中心在像片上的构像。由于像片上可以反映出地表各种形状和各种色调的地物、地貌，其相关位置与实地相似，因此人们可以从像片上了解地面地物、地貌的详细内容。但是像片和地形图存在以下差别。

①投影不同

地形图一般为正射(形)投影，同一种比例尺地形图各处比例尺都一样且固定。航摄像片是地面的中心投影，当被摄的地面与像片均水平时，像片上图像的形状与地面上的形状完全相似，此时，像片具有正射投影的性质，像片上任意两点的距离与地面相应两点的距离的比值即航摄像片的比例尺也是常数(等于航摄仪的焦距与航高之比)，如图 7-31 所示。但实际上，摄影时飞行高度可能有变化，地面也有高低起伏，所以像片各处和不同像片的航摄比例尺一般都不相同，且存在投影误差；同时摄影时，像片也可能不水平，从而产生倾斜误差，此时航摄像片就失去了正射投影的性质。下面分这三种情况进行讨论。

a. 当像片和地面均为水平时的情况

由图 7-33 可以看出，当像片和地面均为水平时的，则两者相互平行，则有相似三角形关系得：

$$\frac{ao}{AO}=\frac{bo}{BO}=\frac{ab}{AB} \tag{7-2}$$

这就说明像片上各点的比例尺和地形图一样是处处一致的，这种理想状态在实际作业中是少有的。

b. 当像片倾斜而地面水平时的情况

由图 7-34 可以看出，假定 P 为水平像片，P_1 为倾斜像片，则地面上一点 A 在两张像片上的位置就不一样：在水平像片 P 上的位置为 a 点，在倾斜像片 P_1 上的位置为 a_1 点。这种由于像片倾斜而产生的像点位移，称为倾斜误差。这样就使像片上的比例尺处处不一致。在利用航摄像片测绘地形图的过程中，需要采用像片纠正的方法来消除这种误差。

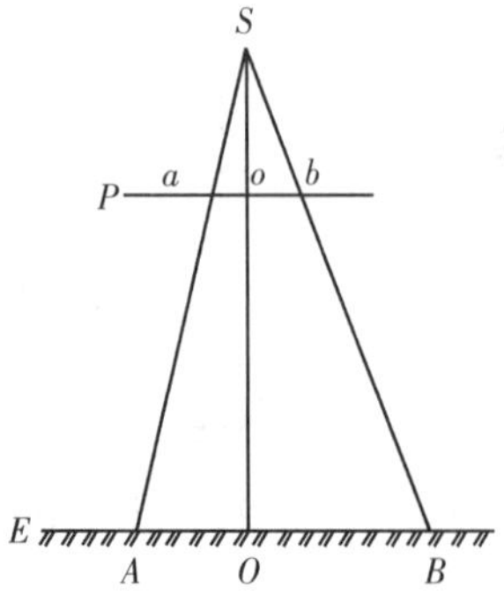

图 7-33　像片和地面均水平的情况

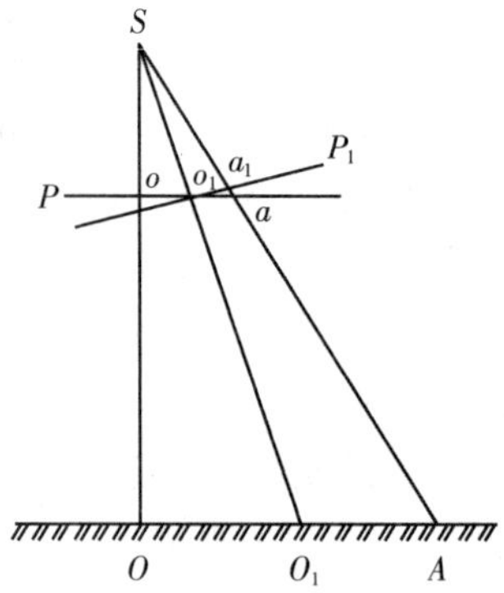

图 7-34　像片倾斜而地面水平时的情况

c. 当地面有起伏而像片是水平时的情况

由图 7－35 可以看出，由于地面起伏，地面上一点 A 高出水平面 E。A 点在水平面 E 上的垂足为 A_1，因此在像片上正确的投影位置应为 a_1，但实际上地面 A 点在像片上的位置为 a 点。这种由于地形起伏在像片上引起的像点移位 aa_1，称为投影误差 δ_h。

$$\delta_h = \frac{r\Delta h}{H} \qquad (7-3)$$

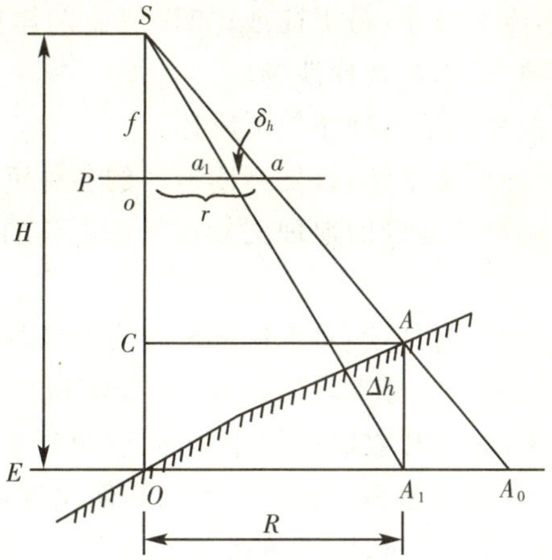

图 7－35　地面有起伏而像片是水平时的情况

②表示的内容和方法不同

地形图为线划图，是用各种规定的符号、注记说明、颜色等地图语言来表示地物、地貌；而摄影像片则由影像的大小、形状和色调(或色彩)等来表示。像片表示地物、地貌无选择性，它以其影像的表达能力将地面信息表达出来，但表示不出如居民地名称、道路登记标注、水深、流速等要素；而地形图则是由测绘人员加工处理、综合取舍后将那些需要表示的内容以符号、颜色、文字和数字注记等地图语言表示出来。

③现势性不同

摄影像片记录的是曝光瞬间的地面信息，是某一固定时刻的地物、地貌的形态；而地形图表示的内容在时间上落后于航摄时间，且能表现某一时间段的动态特征，如水系中的常水位宽、深和高水位宽、深等。

7.4.2.2　航测外业

1. 像片控制点联测与加密

为了纠正像片倾斜误差和投影误差，需要用一定数量已知平面位置和高程的控制点作为纠正依据。因此，应在像片上选取合乎要求的少数明显地物点作为像片控制点，其实地相应的点可采用前、后方交会、导线测量、三角测量、水准测量、三角高程测量等方法与国家控制点连测，以求得其平面位置和高程；然后再利用这些控制点进行内业加密(目前均采用电算加密的方法)，保证每张像片上至少有 4～6 个控制点。

2. 像片外业调绘

由于太阳斜射时会在照片上产生阴影，造成航片上某些物体被遮挡，如房角被树遮挡、建筑物屋檐遮住房角位置，需要携带像片到实地弄清需要被遮挡地物的位置；同时，还要识别像片上的影像在实地上究竟属于何种地物、地貌，并判别出它们在像片上的准确位置(称为像片判读)。另外航片上摄影地物很多，需进行适当取舍，并要加上地物注记，所以要携带像片到实地进行判读调绘。

像片的判读有直接判定法：对于像片上比较明显的，通过直接观察即可判断的影像，可利用一些直接判断标志予以确定；对比分析法：将像片上影像与已有的标准像片进行比较来判断其性质；逻辑推理法：利用各种现象之间的关系，按照逻辑推理来进行判读。如像片上有一条道路垂直通过河流的对岸(河中无桥)说明此处水比较浅,流速较小,易于徒涉;如果河流两岸的道路是斜向连接的,则说明该点水流较为湍急,必须另选徒涉场。

像片判读的顺序如下所述。

(1)准备工作:收集判读地区的各种资料,如地形图、专题地图、航片的说明资料和有关判读地区的地理文献资料。工具的准备,如立体镜、放大镜、直尺、两脚规、透明纸等。

(2)室内判读:对于比例尺较小的像片,首先判读水系,确定水系的位置和流向,根据水系确定分水岭的位置,区分流域。掌握地形特征后,开始判读比较容易识别的现象,如大片农田的位置,居民点的分布。然后确定居民点之间的主要交通线,如公路、高速公路等。最后再识别其他比较细小的地物,如桥梁、小路等。在判读较大比例尺的像片时,由于单张像片所包括的面积不大,仅仅观察一张像片不能掌握地形的全貌,故在判读之前要根据像片略图等掌握整个地区全貌,了解判读地区所在的位置,然后判读像片上的居民点和线状地物,以后的判读顺序与上述相同。

外业调绘:对于像片上不清晰或者有怀疑的地方,需要到野外去进行实地调查,这也是训练判读本领的方法之一。在野外把像片上的影像与实地对照,以掌握地面现象和影响的相互关系。并将影像显示的信息按照用图的需要综合取舍后,用《地形图图式》规定的符号在像片上表示出来。对于影像没有显示而地形图又要需要的地物,需要用地形测量的方法补测描绘到像片上,最终获得能够表示测区地面地理要素的调绘片。

3. 摄影像片的立体观测

(1)人眼的立体视觉

人眼是一个天然的光学系统,结构复杂。图 7-36 为表示人眼结构的示意图。它好像一架完善的自动调光的摄影机。水晶体如同摄影机物镜,它能自动改变焦距,使观察不同远近物体时,眼网膜上都能得到清晰的物像。瞳孔好像光圈,网膜好像底板,能接受物体的影像信息。

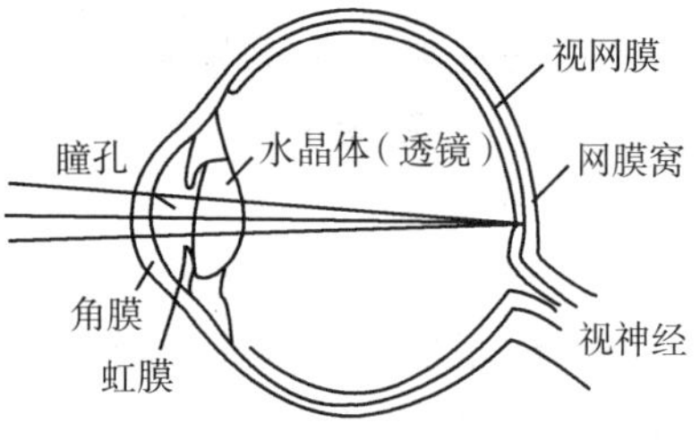

图 7-36　人眼结构

单眼观察景物时,使人感觉到的仅是景物的中心构像,好像一张像片一样,得不到景物的立体构像,不能正确判断景物的远近,只有用双眼观察景物,才能判断景物的远近,得到景物的立体效应。这种现象称为人眼的立体视觉。摄影测量中,正是根据这一原理对同一地区要在两个不同摄站点上拍摄两张照片,构成一个立体像对,进行立体观测与量测。

(2)人造立体视觉的产生

自然界中,当用两眼同时观察空间远近不同的 A 与 B 两个物点时,如图 7-37。由于远近不同而形成的交会角的差异,便在人的两眼中产生了生理视差,得到一个立体视角,能分辨出物体远近。根据生理视差原理,如果在眼睛的前面各放置一块毛玻璃片,如图 7-37 中的 P_1、P_2,把所看到的影像分别记在玻璃片上,如 a_1 和 b_1 与

a_2和b_2。然后移开实物A和B，此时观察玻璃片上的a_1和b_1与a_2和b_2的影像，同样会交会出与实物一样的A和B点。同时，两影像也在两眼中产生与实物相同的生理视差，能分辨出物体的远近。根据这一原理在P_1与P_2两个位置上，用摄影机拍摄同一景物的两张像片，这两张像片称为立体像对。当左右眼各看一张相应像片时(即左眼看左片，右眼看右片)，在眼睛中同样产生生理视差，就可感觉到与实物一样的地面景物存在，能分辨出物体的远近。这种观察立体像对得到地面景物立体影像的立体感觉称为人造立体视觉。

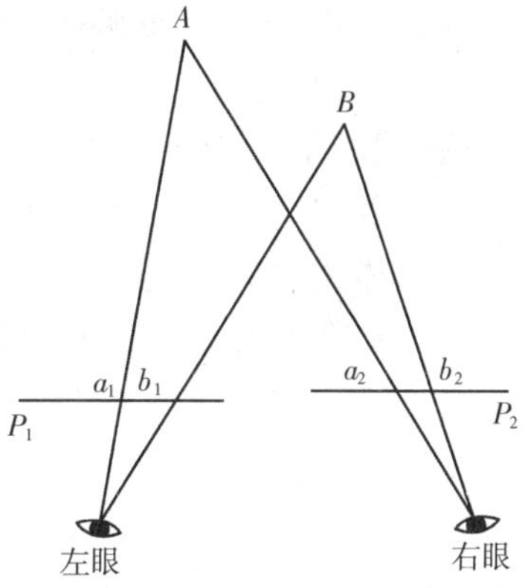

图 7－37　立体视觉

按照立体视觉原理，只要在一基线的两端用摄影机获取同一地物的一个立体像对，观察中就能重现物体的空间景观，测绘物体的三维坐标。这是摄影测量进行三维坐标测量的理论基础。根据这一原理，规定航空摄影中，像片的航向重叠要求达到60%以上，就是为了构造立体像对进行立体量测。双眼观察立体像对所构成的立体模型，是一个不接触的虚像，称为视模型。

(3)观测人造立体的条件

摄影测量中，广泛应用人造立体的观察，但观察中必须满足形成人造立体视觉的条件。

①由两个摄影站点摄取同一景物而组成立体像对；

②每只眼睛必须分别观察像对的一张像片；

③两条同名像对的视线与眼基线应在同一平面内。

人造立体效能的应用使摄影测量初期的单像量测，发展为双像的立体量测，不仅提高了量测的精度和摄影测量的工作效率，更重要的是扩大了摄影测量的应用范围，奠定了立体摄影测量的基础。

人造立体效能的条件之一是每只眼睛只观测一张像片，这违反了人们日常观察自然界景观时眼的交向本能的习惯，其次在人造立体效能中观察的是像片平面，凝视的条件要求不改变，而交向的地方是视模型，随点位的远近而异，这又违反了人眼的交向本能和凝视本能同时协调的习惯。因此就有必要采取某种措施来帮助完成人造立体效能应具备的条件和改善眼的视觉本能的状况。

(4)立体观察方法

立体观察是一项很重要的基本技能，在航测外业中也得到广泛应用。

立体镜的主要作用是一只眼睛能清晰地只看一张像片的影像。它克服了肉眼观察立体时强制调焦与交会所引起的人眼疲劳，所以得到广泛应用。最简单的立体镜是桥式立体镜。它是在一个桥架上安装一对低倍率的简单透镜，透镜的光轴平行，其间距约为人眼的眼基线距离，桥架的高度等于透镜焦距(如图7－38所示)，观察时像片对放在透镜的焦面上，这时像片上的物点光线，通过

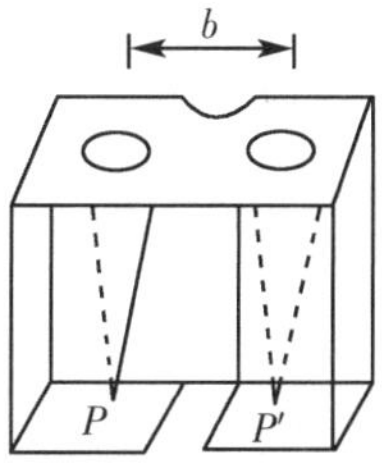

图 7－38　立体镜

透镜后为一组平行光，使观察者感到物体在较远的距离。达到人眼的调焦与交向本能基本统一。

航摄像片像幅较大，为了便于航摄像对的立体观察而设计的一种立体观察工具称为反光立体镜，如图7－39所示。这种立体镜在左右光路中各加入一对反光镜扩大像片的间距，便于放置大像幅的航摄像片。

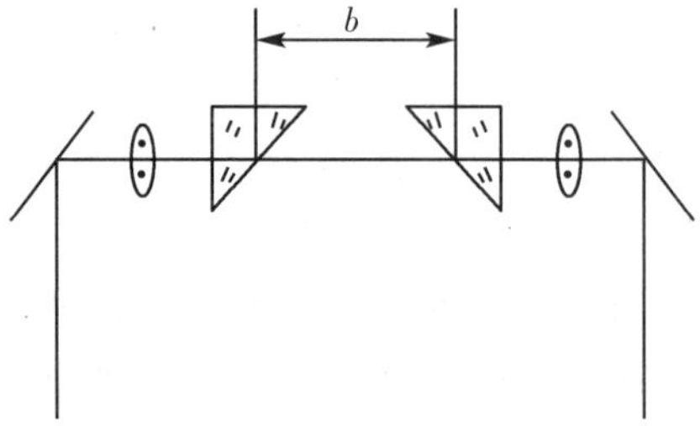

图 7－39　反光立体镜

用立体镜观察立体时，看到的立体模型与实物不一样，主要是在竖直方向夸大了，即地面的起伏变大了，这种变形有利于高程量测。

(5)像对的立体量测原理

像对的立体量测见图 7－40。设地面高低不同的两点 A、C，在两张像片上成像为 a_1、c_1、a_2、c_2。由像片框标连线建立像片坐标系，量测各像点坐标。令同一地面点在相邻像片上 x 值之差即左右视差 P_i。

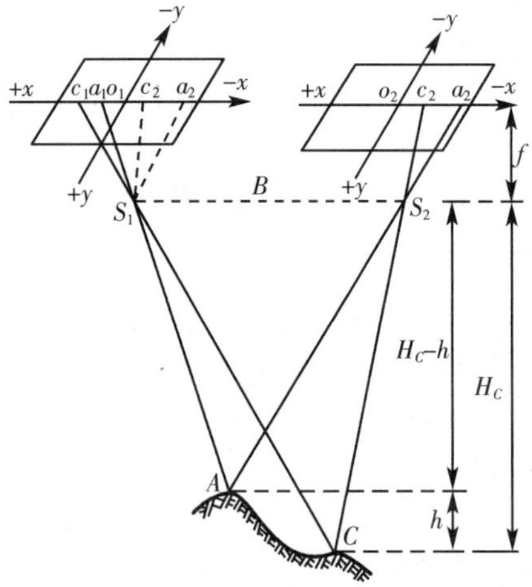

图 7－40　像对的立体量测

A 点的左右视差为

$$P_A = x_{a_1} - x_{a_2} = \overline{a_1 a_2} \tag{7-4}$$

C 点的左右视差为

$$P_C = x_{c_1} - x_{c_2} = \overline{c_1 c_2} \tag{7-5}$$

因 $\Delta a_1 S_1 a_2 \approx \Delta S_1 A S_2$，所以

$$\frac{\overline{a_1 a_2}}{B} = \frac{f}{H_C - h} \tag{7-6}$$

式中：B——立体像对投影基线长度；

f——摄影焦距；

H_C——C 点航高；

h——A、C 两点高差。

$$P_A=\frac{fB}{H_C-h} \tag{7-7}$$

同理可得：

$$P_C=\frac{fB}{H_C} \tag{7-8}$$

令 $P_A-P_C=\Delta P$ 为左右视差较差，则有：

$$\Delta P=\frac{P_C h}{H_C-h} \tag{7-9}$$

$$h=\frac{\Delta P H_C}{P_C+\Delta P} \tag{7-10}$$

上式为理想像对（像片水平），H_C 为起始点 C 的航高。一般选择基准面上某点作起始点（C 点），只要量出 A、C 两点的像坐标，即可计算出 A 点相对于 C 点的高差。

在非理想像对中同名像点的纵坐标不为零。q 称为上、下视差，利用它可恢复摄影瞬间像片的空间位置，建立立体模型。

$$q=y_1-y_2 \tag{7-11}$$

7.4.2.3　航测内业成图

通过航空摄影并进行一定的技术处理，可以得到各种形式的测量成果。

1. 单张像片

单张像片是用航摄负片晒印出来的像片，上面有地面的影像，但比例尺不一致，存在着倾斜误差和投影误差，使用时应根据像点在像片上的位置和变化规律，限制其使用范围。如前所述，像点位移所产生的误差，从像片中心向边缘逐渐增大，因此只能使用像片的中心部分，称为像片的使用面积。它的范围是相邻像片重叠部分的中央线划部分，如图 7－41 所示的 a、b、c、d。因此，用单张像片只能研究局部地区的情况，涉及范围较大的工程的研究，则应利用拼接后的像片略图。

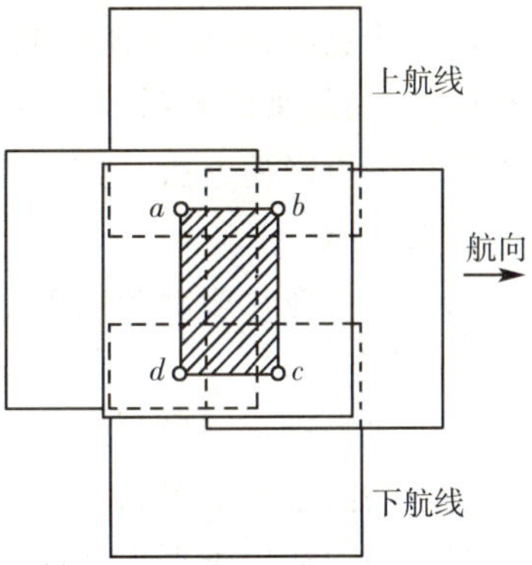

图 7－41　像片使用面积示意图

2. 像平面图

当测区范围大时，可利用几张纠正后的像片拼接成一张完整的像片平面图，这一工作称为镶嵌。镶嵌后的平面图具有规定的比例尺和像幅的大小。可以直接用于城镇规划、地籍类型标识、环境及河道整治、道路选线、桥梁隧道选址及洪水、地震灾情测报等。

像片纠正只可消除倾斜误差，不能消除地面倾斜的投影差。所以生产中投影差不能超过一定限度。要求投影差 δ_E 不应超过±0.4mm。

$$\delta_E=\delta_H\times\frac{m}{M}=\frac{hr}{H}\cdot\frac{m}{M}=\frac{rh}{fM} \tag{7-12}$$

式中：δ_E——像点位移投影差；

m——像片比例尺；

r——像点的像径；

H——航高；

M——测图比例尺；

f——焦距。

以两倍中误差为容许误差，则：

$$h=2\delta\,\frac{f}{r}M \tag{7-13}$$

为消除投影像片的倾斜误差，限制其投影误差，并将影像归化为成图比例尺而进行的工作称为像片纠正。其实质就是将像片的中心投影变换为成图比例尺的正射投影。目前，常用的方法为常规纠正、微分纠正和数字纠正3种。

常规纠正：是用投影变换方法来解决平坦地区和起伏较小的丘陵地区的像片纠正，其主要使用的仪器为纠正仪。

微分纠正：又称正射投影技术，它是在底图上选用一定长度的狭窄缝隙作为纠正单元，适用于山地和起伏较大的丘陵地区的像片纠正。其使用的主要仪器为正射投影仪。

数字纠正：是将像片扫描到计算机内，或直接将数字影像输入计算机，以像素为纠正单元，用计算机通过数字图像变换完成像片纠正。像素是一块面积极小的影像，可以看成是像点，数字纠正是高精度纠正，适合处理所有的航摄像片。

值得注意的是，像片的倾斜误差可以通过纠正的方法予以消除，但不能消除其投影误差，只能采取限制的方法，即规定投影误差不能超过某一限值，如超过限值则需采用分带投影的方法，以保证整个地区所有的点在图上的投影误差不超过限值。

3. 线划图

利用航摄像片绘制线划图主要有两种方法：

(1)综合法

综合法为摄影测量与地形测量相结合的一种方法，即利用单张像片或像片平面图确定地物的平面位置，再在野外采用一般地形测量方法测绘出地貌，最后制作成地形图。该法适用于平坦地区。

(2)全能法

全能法立体测图的基本原理是摄影过程的几何反转，如图7-42所示。在摄影时，地面上任意一点A的反射光线AS_1和AS_2(称为同角光线)经过摄影物镜分别在相邻像片P_1，P_2上构成像点a_1，a_2(称为同名点)，地面上其他地物点也都会在像片上有相应的点。若将两张像片放到原来的航摄仪内，航摄仪的位置也在原来的位置，像片上的同名点投影下来一定会交到地面上原来的点，构成立体模型。其大小和位置与所摄地区表面完全吻合。可见投影过程是摄影的几何反转。在实际作业时是在室内量测，是将摄影片放到室内仪器架上，见图7-42，将P_2像片沿摄制基线移动。移动过程中保持相应光线相互平行。这时，P_1、P_2像片上同名点投影光线对对相交，构成新的立体模型，其形状与原地面相似，但是缩小的模型。模型比例尺为

$$\frac{1}{M}=\frac{B'}{B} \tag{7-14}$$

改变B'大小，就可以改变模型的大小。用立体测图仪进行测图时，就是在立体测图仪建立的立体模型上进行测绘。

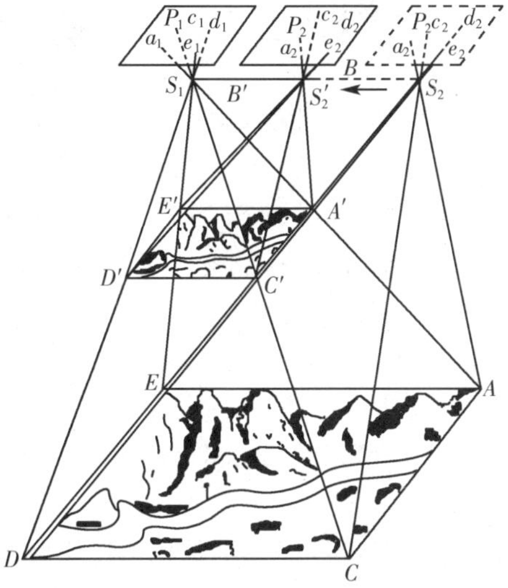

图 7-42　立体测图原理

4. 影像图

将像片平面图与线划图合二为一即是影像图(见图 7-43)。它的图面内容要素主要由影像构成，并有等高线和高程注记、地名注记和说明注记等。因此，影像图的内容更加丰富，信息量更大。

图 7-43　等高线正射影像图

近几年来，摄影测量向数字摄影测量方向发展。它与模拟法和解析法测图系统不同的是采用了数字相关技术，即将航空像片利用摄影数字化器对整张像片或重叠范围全部扫描，将所有元素的灰度值进行数字化。记录下来形成数字影像，然后用

计算机对数字影像进行数字相关处理，生成数字高程模型、数字地图和专题图、数字正摄影像图及带线划和符号的数字像图地图。测图过程如图 7－44 所示。

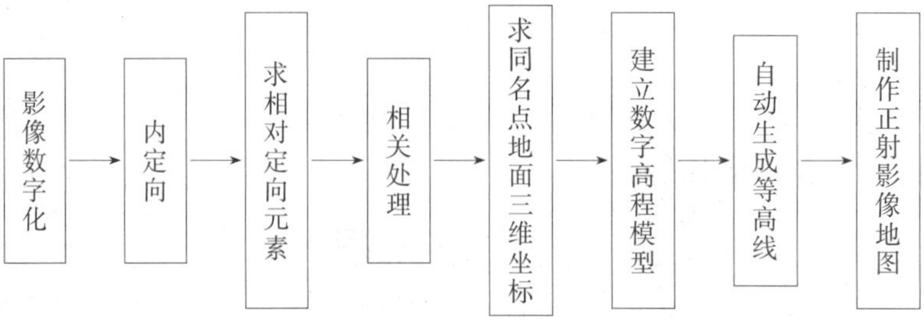

图 7－44　用航空像片立体测图

思考题与习题

1. 名词解释：地形图、地形图的比例尺、地形图比例尺的精度、地貌、等高线、等高距、等高线平距、数字化测图、摄影测量学。

2. 比例尺精度有何作用？

3. 地物符号分哪几种？等高线有哪些特性？

4. 某地经度为 117°16′10″，纬度为 31°53′30″，试求该地所在 1：10000 和 1：5000 比例尺地形图的分幅编号。

5. 已知地形图图号为 F49H030020，试求该地形图西南图廓角点的经度和纬度。

6. 按图 7－45 地貌特征点高程，用目估法勾绘 1m 等高距的等高线。图中虚线为山脊线，实线为山谷线。

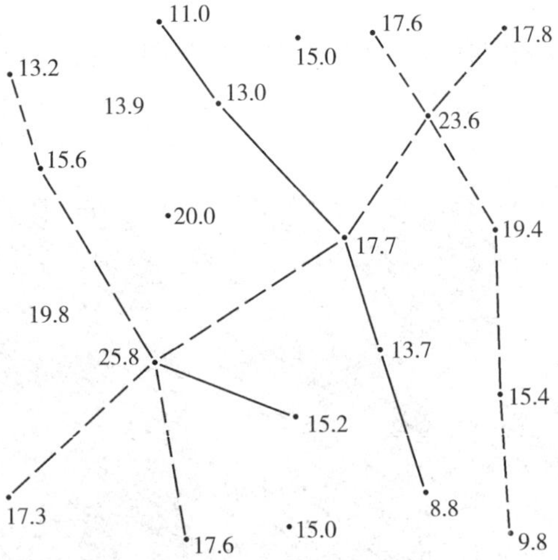

图 7－45　习题 6 图

7. 简述数字化测图的基本原理。

8. 与常规测图方法相比，数字化测图有哪些优点？

9. 数字化测图的作业过程分为哪几步？各步的主要设备是什么？

10. 航空摄影测量的主要作业流程是什么？

11. 航摄像片与地形图有何区别？

第8章

地形图的应用

[本章导读]

本章主要介绍地形图应用的基本内容。通过本章的学习，读者能初步掌握数字地形图的应用。

[知识目标]

1. 掌握地形图应用的基本内容。
2. 掌握数字地形图的应用。

[能力目标]

1. 掌握在地形图上查询坐标、高程、间距、方位角和面积的方法。
2. 掌握地形图在工程项目的规划设计、施工放样、竣工验收和运营管理等各个阶段中的应用。

[重点难点]

数字地形图的应用。

8.1 概 述

地形图是用各种规定的符号和注记表示地物、地貌及其他相关信息，比较全面、客观地反映了地面的基本情况。它所包含的丰富的自然地理、人文地理和社会经济信息是进行土木工程建设项目可行性研究的重要资料，是进行规划、设计和施工的重要依据。分析现有的地形图资料，通过识读地形图上的符号和注记，可使实地立体模型展现在人们的面前。在勘测、规划、设计过程中能充分利用地形图，优化设计和施工方案，有效地节省工程建设费用，提高建设效率。

在识读地形图时，应注意地面上的地物和地貌不是一成不变的。近些年，由于城乡建设的迅猛发展，地面上的地物、地貌也随之发生天翻地覆的变化。因此，在应用地形图进行规划以及解决工程设计和施工中的各种问题时，除了细致地识读地形图外，还需要进行实地勘察，以便对建设用地作全面正确地了解。

在地形图上，可以确定点位、点与点之间的距离；可以确定直线的方位，进行实地定向；可以确定点的高程和两点间的高差；可以根据地形图计算出面积和体积，从而能确定土石方量、蓄水量、矿产量等；可以从图上了解到各种地物、地类、地貌等的分布情况，获得房屋的权属、数量、质量、层次等资料；可以从图上决定各设计对象的施工数据；可以从图上截取断面，绘制断面图。利用地形图作底图，可以编绘出一系列专题地图，如城市规划图、道路规划图、建筑物总平面图、土地利用规划图、城市交通图等。

8.2 地形图应用的基本内容

8.2.1 点位的坐标量测

想在地形图上确定点的坐标，首先要根据图廓坐标注记和点的图上位置，绘出坐标方格，再按比例尺量取长度。

如图 8-1 所示，地形图的比例尺为 1∶1000。若求 A 点的坐标，需先过 A 点作格网的平行线，交格网边于 m、n 点。再按测图比例尺量出 $am=44\text{m}$，$an=51\text{m}$，则 A 点坐标为：

$$x_A=x_a+am=200+44=244\text{m}$$

$$y_A=y_a+an=200+51=251\text{m}$$

但是，由于图纸会产生伸缩，使方格边长往往不等于理论长度。为了使求得 A 点的坐标值精确(x_A,y_A)，可采用乘伸缩系数按式(8-1)进行计算。

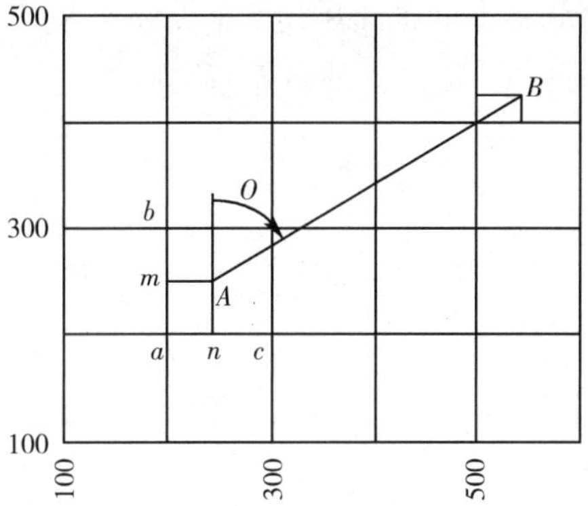

图 8-1 在地形图上量算点的坐标

$$\left.\begin{aligned} x_A &= x_a + \frac{100}{ab} \cdot am \\ y_A &= y_a + \frac{100}{ac} \cdot an \end{aligned}\right\} \tag{8-1}$$

8.2.2 两点间的水平距离量测

1. 直接量测

用卡规在图上直接卡出线段长度，再与图示比例尺比量，即可得其水平距离。也可以用毫米尺量取图上长度并按比例尺换算为水平距离，但后者受图纸伸缩的影响。

2. 根据两点的坐标计算水平距离

当距离较长时，为了消除图纸变形的影响以提高精度，可用两点的坐标计算距离。如果需要确定图上 A、B 两点间的水平距离 D 时，可以根据已求得的 A、B 两点的坐标值，见式(8-2)：

$$D_{AB} = \sqrt{(x_B - x_A)^2 + (y_B - y_A)^2} \tag{8-2}$$

8.2.3 直线的方位角量测

若求直线 AB 的方位角，先求出 A、B 两点的坐标，然后再按坐标反算公式计算 AB 的坐标方位角，也称为解析法。当直线较长时，解析法可取得较好的结果，如式(8-3)：

$$\alpha_{AB} = \arctan \frac{y_B - y_A}{x_B - x_A} \tag{8-3}$$

8.2.4 点位的高程及两点间的坡度量测

图上点的高程可通过等高线求得。如果所要求的点恰好位于某等高线上，那么该点高程就等于此等高线的高程。如图 8-2 所示，点 A 的高程为 50m。如果所求点在两等高线之间，如图中 B 点可通过 B 作一条大致垂直两相邻等高线的线段 mn，在图上量出 mn 和 mB 的长度，则 B 点的高程 H_B 为：

$$H_B = Hm + \frac{mB}{mn}h \tag{8-4}$$

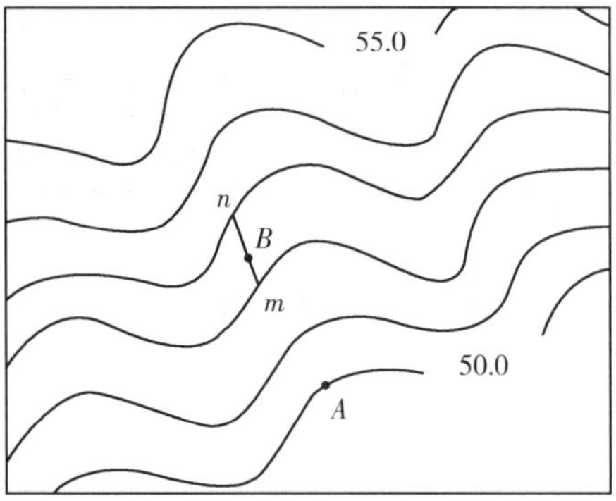

图 8-2　在地形图上求算点的高程

在图上求某点的高程时，通常可以根据相邻两等高线的高程目估确定。因此，其高程精度低于等高线本身的精度。规范中规定：在平坦地区，等高线的高程中误差不应超过 1/3 等高距；丘陵地区，不应超过 1/2 等高距；山区，不应超过一个等高距。由此可见，如果等高距为 1m，则平坦地区等高线本身的高程误差允许到 0.3m，丘陵地区为 0.5m；山区可达 1m。所以，用目估确定点的高程是允许的。

设地面两点间的水平距离为 D，高差为 h，而高差与水平距离之比称为坡度，以 i 表示，常以百分率或千分率表示。如果两点间的距离较长，中间通过疏密不等的等高线，则上式所求地面坡度为两点间的平均坡度。

$$i = \frac{h}{D} = \frac{h}{d \cdot M} \tag{8-5}$$

式中：h——高差；

d——图上量测的距离；

M——比例尺的分母。

8.2.5　图形面积的量算

在地形图上量算面积的方法有很多种，应根据具体情况选择所需要的方法。

8.2.5.1　多边形面积量算

1. 几何图形法

可将多边形划分为若干个几何图形来计算。如图8-3所示，所求多边形 1、2、3、4、5 的面积分解为 1、2、3 三个三角形，求出各三角形的面积，其面积总和即为整个多边形的面积。

各三角形的面积可直接用比例尺量出 1、2、3 每个三角形底边长 c 及其高 h，按公式 $A = ch/2$ 计算得到；也可用边长和坐标方位角来计算每个三角形面积。在图 8-3中，先求出多边形各顶点 1、2、3、4、5 的坐标，按式(8-2)和式(8-3)分别求出

12、13、14、15 的距离 D_1、D_2、D_3、D_4 和坐标方位角 α_{12}、α_{13}、α_{14}、α_{15}，则各三角形的面积为

$$S_1=\frac{1}{2}D_1D_2\sin(\alpha_{13}-\alpha_{12})$$

$$S_2=\frac{1}{2}D_2D_3\sin(\alpha_{14}-\alpha_{13})$$

$$S_3=\frac{1}{2}D_3D_4\sin(\alpha_{15}-\alpha_{14})$$

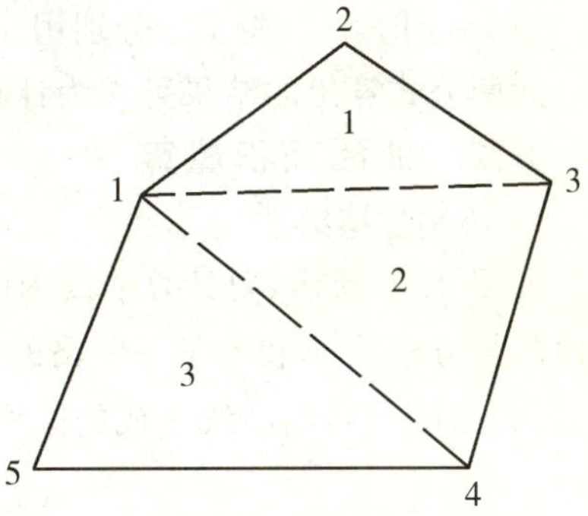

图 8-3　几何图形法求面积

图形总面积为

$$A=S_1+S_2+S_3$$

2. 坐标计算法

多边形图形面积很大时，可在地形图上求出各顶点的坐标(或在实地用全站仪测得)，直接用坐标计算面积。

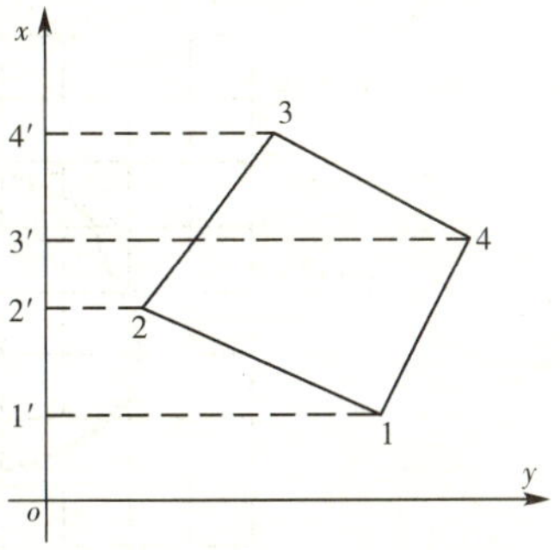

8-4　坐标计算法求面积

如图 8-4 所示，将任意四边形各顶点按顺时针编号为 1、2、3、4，各点坐标分别为 (x_1, y_1)、(x_2, y_2)、(x_3, y_3)、(x_4, y_4)。由图可知，四边形 1234 的面积等于梯形 33′44′加梯形 4′411′的面积再减去梯形 3′322′与梯形 2′211′的面积，即：

$$A=\frac{1}{2}[(y_3+y_4)(x_3-x_4)+(y_4+y_1)(x_4-x_1)$$

$$-(y_3+y_2)(x_3-x_2)-(y_2+y_1)(x_2-x_1)]$$

整理后得：

$$A=\frac{1}{2}[x_1(y_2-y_4)+x_2(y_3-y_1)+x_3(y_4-y_2)+x_4(y_1-y_3)]$$

若四边形各顶点投影于 y 轴，则为

$$A=\frac{1}{2}[y_1(x_4-x_2)+y_2(x_1-x_3)+y_3(x_2-x_4)+y_4(x_3-x_1)]$$

若图形为 n 边形，则一般形式为

$$A=\frac{1}{2}\sum_{i=1}^{n}x_i(y_{i+1}-y_{i-1}) \qquad (8-6)$$

或

$$A=\frac{1}{2}\sum_{i=1}^{n}y_i(x_{i-1}-x_{i+1}) \qquad (8-7)$$

式中：n——多边形边数。

当 $i=1$ 时，y_{i-1} 和 x_{i-1} 分别用 y_n 和 x_n 代入。

此两公式算出的结果可作为计算检核。

8.2.5.2 曲线面积量算

1. 透明方格纸法

如图 8-5 所示，要计算曲线内的面积，将一张透明方格纸覆盖在图形上，数出曲线内的整方格数 n_1 和不足一整格的方格数 n_2。设每个方格的面积为 a（当为毫米方格时，$a=1\text{mm}^2$），则曲线围成的图形实地面积为：

$$A=\left(n_1+\frac{1}{2}n_2\right)aM^2 \tag{8-8}$$

式中，M 为比例尺分母。计算时应注意 a 的单位。

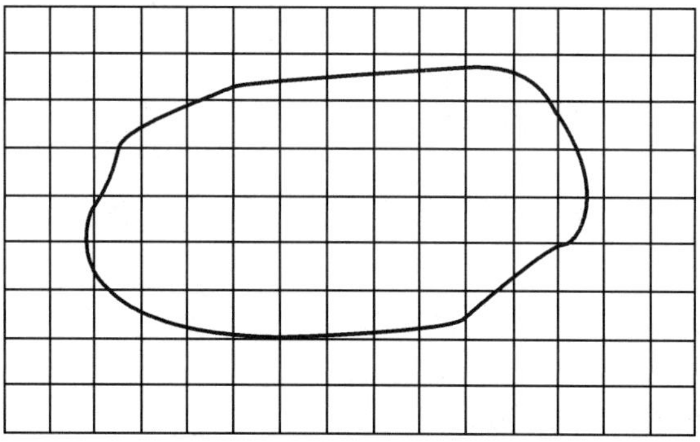

图 8-5 方格纸法求面积

2. 平行线法

如图 8-6 所示，在曲线围成的图形上绘出间隔相等的一组平行线，并使两条平行线与曲线边缘相切。将这两条平行线间隔等分得相邻平行线间距为 h。每相邻平行线之间的图形近似为梯形。用比例尺量出各平行线在曲线内的长度为 l_1、l_2、…、l_n，则各梯形面积为：

$$A_1=\frac{1}{2}h(0+l_1)$$

$$A_2=\frac{1}{2}h(l_1+l_2)$$

$$\vdots$$

$$A_n=\frac{1}{2}h(l_{n-1}+l_n)$$

$$A_{n+1}=\frac{1}{2}h(l_n+0)$$

图形总面积为：

$$A=A_1+A_2+\cdots+A_{n+1}=h(l_1+l_2+\cdots+l_n) \tag{8-9}$$

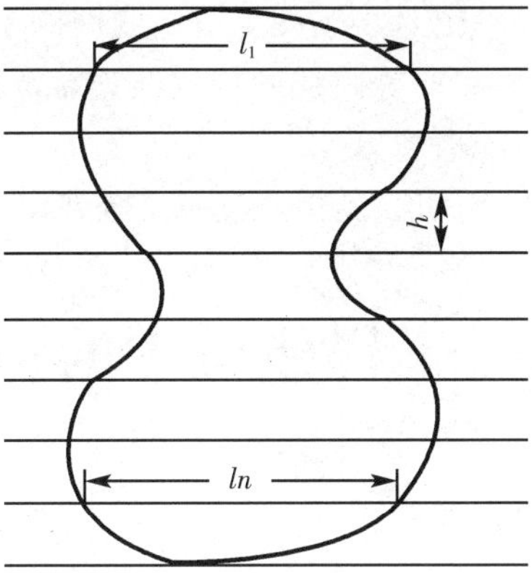

图 8-6　平行线法求面积

除上述方法外，还可用求积仪来测定图形面积。此仪器设定图形比例尺和计量单位后，将描迹镜中心点沿曲线推移一周后，在显示窗自动显示图形面积和周长。

8.2.6　在图上设计等坡线

对管线、渠道、交通线路等工程进行初步设计时，通常先在地形图上选线。按照技术要求，选定的线路坡度不能超过规定的限制坡度，并且线路最短。

如图 8-7 所示，地形图的比例尺为 1∶2000，等高距为 2m。设需在该地形图上选出一条由 A 至某地 B 的最短线路，并且在该线路任何处的坡度都不超过 2%。

常见的做法是将两脚规在坡度尺上截取坡度为 2%时相邻两等高线间的平距；也可以按下式计算相邻等高线间的最小平距（地形图上距离）：$d=\frac{h}{M \cdot i}=\frac{2}{2000 \cdot 2\%}=0.05\text{m}$，即 50mm。

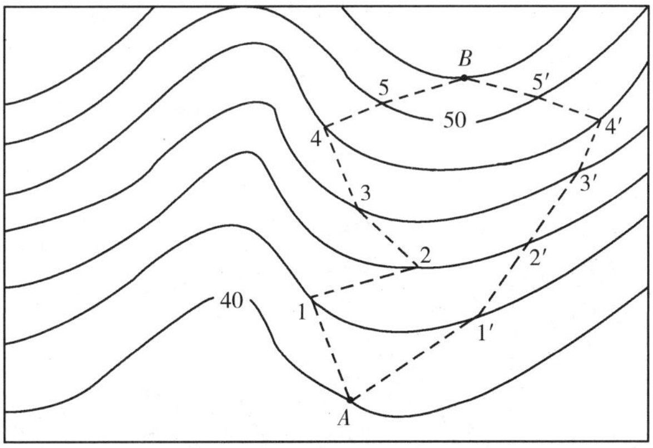

图 8-7　在地形图上设计等坡路线

然后，将两脚规的脚尖设置为 50mm，把一脚尖立在以点 A 为圆心上作弧，交另一等高线 1′点，再以 1 点为圆心，另一脚尖交相邻等高线 2 点。如此继续直到 B 点。这样，由 A、1、2、3、4、5 至 B 连接的 AB 线路，就是所选定的坡度不超过 2%的最短线路。

从图 8－7 中看出，如果平距 d 小于图上等高线间的平距，则说明该处地面最大坡度小于设计坡度，这时可以在两等高线间用垂线连接。此外，从 A 到 B 的线路可采用上述方法选择多条，例如，由 A、$1'$、$2'$、$3'$、$4'$、$5'$至 B 所确定的线路。最后选用哪条，则主要根据占用耕地、拆迁民房、施工难度及工程费用等因素来决定。

8.3　工程建设中的应用

8.3.1　绘制地形断面图

在各种线路工程设计中，为了进行填挖方量的概算，以及合理地确定线路的纵坡，需要了解沿线路方向的地面起伏情况。为此，常需利用地形图绘制沿指定方向的纵断面图。

如图 8－8(a)所示，欲沿 MN 方向绘制纵断面图，方法如下：

1. 首先在图纸上绘制直角坐标系。以横轴表示水平距离，以纵轴表示高程。水平距离比例尺一般与地形图比例尺相同，称为水平比例尺。为了明显地表示地面的起伏状况，高程比例尺一般是水平比例尺的 10 至 20 倍。

2. 在纵轴上注明高程，并按基本等高距作与横轴平行的高程线。高程起始值要选择恰当，使绘出的断面图位置适中。

3. 在地形图上沿 MN 方向线量取断面与等高线的交点 1、2、…、13 至 M 点的距离(图中点 3、5、8、10 是缓和曲线的起点和终点)。按各点的距离数值，自 M 点起依次截取于直线 $M'N'$ 上(见图 8－8(b))，则得 1、2、…各点在直线 $M'N'$ 上的位置，即 1、2、…在地形图上读取各点的高程。

4. 将各点的高程按高程比例尺画垂线，就得到各点在断面图上的位置。

5. 将各相邻点用平滑曲线连接起来，即为 MN 方向的断面图，如图 8－8(b)所示。

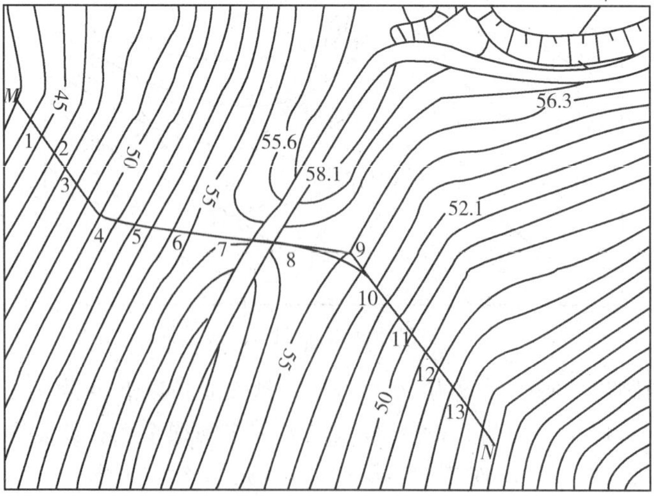

(a)

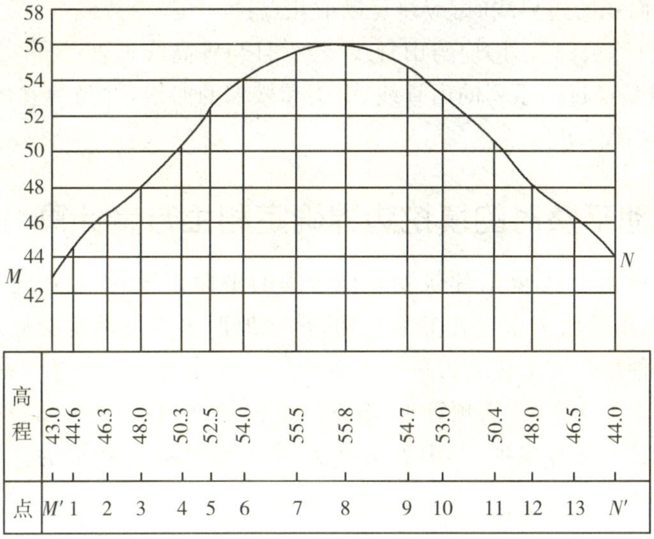

(b)

图 8－8　绘制地形纵断面图

8.3.2　确定汇水面积

修筑道路时有时要跨越河流或山谷，这时就必须建桥梁或涵洞，兴修水库必须筑坝拦水。而桥梁、涵洞孔径的大小，水坝的设计位置与坝高，水库的蓄水量等，都要根据汇集于这个地区的水流量来确定。汇集水流量的面积称为汇水面积。

由于雨水是沿山脊线(分水线)向两侧山坡分流，所以汇水面积的边界线是由一系列的山脊线连接而成的。如图 8－9 所示，一条公路经过山谷，拟在 M 处架桥或修涵洞，其孔径大小应根据流经该处的流水量决定，而流水量又与山谷的汇水面积有关。量测该面积的大小，再结合气象水文资料，便可进一步确定流经公路 M 处的水量，从而对桥梁或涵洞的孔径设计提供依据。

图 8－9　确定汇水面积

确定汇水面积的边界线时，应注意以下几点：

1. 边界线(除公路段外)应与山脊线一致，且与等高线垂直；

2. 边界线是经过一系列的山脊线、山头和鞍部的曲线，并与河谷的指定断面(公路或水坝的中心线)闭合。

8.3.3 场地平整时的填挖边界确定和土方量计算

在各种工程建设中，除对建筑物要作合理的平面布置外，往往还要对原地貌作必要的改造，以便适用于布置各类建筑物，排除地面水以及满足交通运输和铺设地下管线等。这种地貌改造称之为平整土地。

在平整土地工作中，常需预算土、石方的工程量，即利用地形图进行填挖土(石)方量的概算。其方法有多种，其中方格网法、等高线法是应用最为广泛。下面分别介绍这两种方法。

1. 方格网法

假设要求将原地貌按挖填土方量平衡的原则改造成平面，其步骤如下：

(1)在地形图上绘方格网

在地形图上拟建场地内绘制方格网。方格网的大小取决于地形复杂程度，地形图比例尺大小，以及土方概算的精度要求。例如在设计阶段采用 1∶500 的地形图时，根据地形复杂情况，一般边长为 10m 或 20m。方格网绘制完后，根据地形图上的等高线，用内插法求出每一方格顶点的地面高程，并注记在相应方格顶点的右上方。

(2)计算设计高程

先将每一方格顶点的高程加起来除以 4，得到各方格的平均高程，再把每个方格的平均高程相加除以方格总数，就得到设计高程 H。从计算设计高程的过程可以看出，角点 $A1$、$D1$、$D4$、$C6$、$A6$ 的高程只参加一次计算，边点 $B1$、$C1$、$D2$、$D3$、$C5$ …的高程参加两次计算，拐点 $C4$ 的高程参加三次计算，中点 $B2$、$C2$、$C3$ …的高程参加四次计算。因此，设计高程的计算公式为：

$$H_{设}=\frac{\sum H_{角}+2\sum H_{边}+3\sum H_{拐}+4\sum H_{中}}{4n} \tag{8-10}$$

式中：n——方格总数，$H_{角}$、$H_{边}$、$H_{拐}$、$H_{中}$分别表示角点、边点、拐点和中点的高程。

将图 8-10 中各点高程代入上式，求出设计高程为 54.4m。在地形图中内插绘出 54.4m 等高线(图中虚线)，即为不填不挖的边界线，也称为零线。

(3)计算挖、填高度

根据设计高程和方格顶点的高程，可以计算出每一方格顶点的挖、填高度，即

$$挖、填高度\ h=地面高程-设计高程 \tag{8-11}$$

将图中各方格顶点的挖、填高度写于相应方格顶点的左上方。正号为挖深，负号为填高。

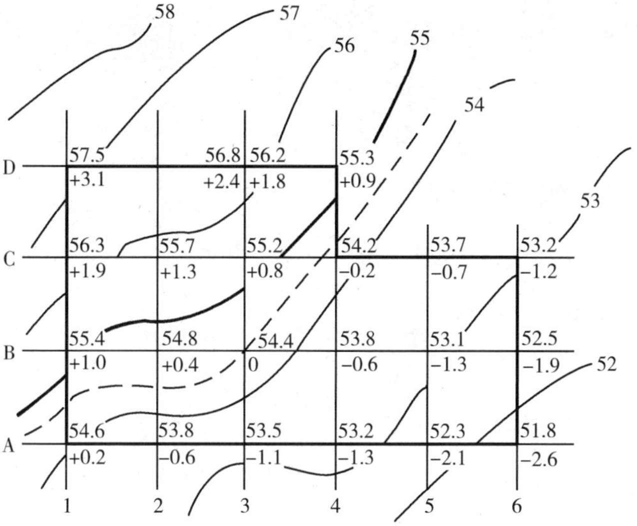

图 8-10　方格网法估算土石方

(4)计算挖、填土方量

挖、填土方量可将角点、边点、拐点和中点分别按下式列表计算。

$$\left.\begin{aligned}&\text{角点:挖(填)方高度}\times\frac{1}{4}\text{方格面积}\\&\text{边点:挖(填)方高度}\times\frac{2}{4}\text{方格面积}\\&\text{拐点:挖(填)方向度}\times\frac{3}{4}\text{方格面积}\\&\text{中点:挖(填)方高度}\times 1\text{ 方格面积}\end{aligned}\right\}\qquad(8-12)$$

计算时,按方格线依次计算挖、填方量,然后再计算挖方量和填方量总和。图8-10中,土石方量计算如下(方格边长为15m×15m):

A　$V_W=\frac{1}{4}\times225\times0.2=+11.25\text{m}^3$

$V_T=\frac{1}{4}\times225\times(-2.6)+\frac{2}{4}\times225\times(-0.6-1.1-1.3-2.0)=-720\text{m}^3$

B　$V_W=\frac{2}{4}\times225\times1.0+225\times0.4=+202.5\text{m}^3$

$V_T=1\times225\times(0-0.6-1.3)+\frac{2}{4}\times225\times(-1.9)=-641.25\text{m}^3$

C　$V_W=\frac{2}{4}\times225\times1.9+225\times(1.3+0.8)=+686.25\text{m}^3$

$V_T=\frac{3}{4}\times225\times(-0.2)+\frac{2}{4}\times225\times(-0.7)+\frac{1}{4}\times225\times(-1.2)=-180\text{m}^3$

D　$V_W=\frac{1}{4}\times225\times(3.1+0.9)+\frac{2}{4}\times225\times(2.4+1.8)=+697.5\mathrm{m}^3$

总挖方量：$\sum V_W\approx+1598\mathrm{m}^3$；

总填方量：$\sum V_T\approx-1541\mathrm{m}^3$。

从计算结果可以看出，挖方量和填方量基本相等，满足"挖、填平衡"的要求。

2. 等高线法

场地地面起伏较大，且仅计算挖方时，可采用等高线法。这种方法是从场地设计高程的等高线开始，算出各等高线所包围的面积，分别将相邻两条等高线所围面积的平均值乘以等高距，就是此两等高线平面间的土方量，再求和即得总挖方量。

如图 8-11 所示，地形图等高距为 1m，要求平整场地后的设计高程为 33.5m。先在图中内插设计高程 55m 的等高线(图中虚线)，在分别求出 33.5m、34m、35m、36m、37m 五条等高线所围成的面积 $A_{33.5}$、A_{34}、A_{35}、A_{36}、A_{37}后，即可算出每层土石方量为

$$V_1=\frac{1}{2}(A_{33.5}+A_{34})\times1$$

$$V_2=\frac{1}{2}(A_{34}+A_{35})\times1$$

$$\vdots$$

$$V_5=\frac{1}{3}A_{37}\times0.1$$

总挖方量为

$$\sum V_W=V_1+V_2+V_3+V_4+V_5$$

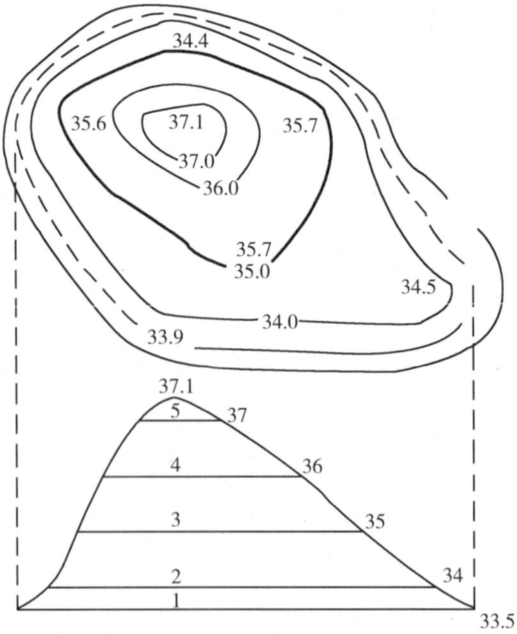

图 8-11　等高线法求土石方

8.4 建筑设计中的应用

现代技术设备能够推移大量的土方，在许多情况下，有可能将建设用地完全推平，消灭用地上的所有起伏。但是，很多事实证明，剧烈改变地形的自然形态，仅在特殊场合下才可能是合理的，因为这种做法需要花费大量的资金，更主要的是破坏了周围的环境状态，如地下水、土层、植物生态和地区的景观环境。这就要求在进行建筑设计时，应该充分考虑地形特点，进行合理的竖向规划。例如，当地面坡度为2.5%～5%时，应尽可能沿等高线方向布置较长的建筑物，这样，房屋的基础工程较节约，道路和联系阶梯也容易布置。

地形对建筑物布置的间接影响是自然通风和日照效果方面的影响。由地形和温差形成的地形风，往往对建筑通风起着主要作用，常见的有山阴风、顺坡风、山谷风、越山风和山垭风等。在布置建筑物时，需结合地形并参照当地气象资料加以研究。为达到良好的通风效果，在迎风坡，高建筑物应置于坡上；在背风坡，高建筑物应置于坡下。把建筑物斜列布置在鞍部两侧迎风坡面，可充分利用垭口风，以取得较好的自然通风效果。建筑物布列在山堡背风坡面两侧和正下坡，可利用绕流和涡流获得较好的通风效果。在平地，日照效果与地理位置、建筑物朝向和高度、建筑物间隔有关；而在山区，日照效果除了与上述因素有关外，还与周围地形、建筑物处于向阳坡或背阳坡、地面坡度大小等因素密切相关。因此，日照效果问题就比平地复杂得多，必须对每个建筑物进行个别的具体分析来决定。

在建筑设计中，既要珍惜良田好土，尽量利用薄地、荒地和空地，又要满足投资省、工程量少和使用合理等要求。如建筑物应适当集中布置，以节省农田，节约管线和道路；建筑物应结合地形灵活布置，以达到省地、省工、通风和日照效果均好的目的；公共建筑应布置在小区的中心；对不宜建筑的区域，要因地制宜地利用起来，如在陡坡、冲沟、空隙地和边缘山坡上建设公园和绿化地；自然形成或由采石、取土形成的大片洼地或坡地，高差较大，可用来布置运动场和露天剧场；高地可设置气象台和电视转播站等。

建筑设计中所需要的这些地形信息，大部分都可以在地形图中分析找到。

8.5 给排水工程设计中的应用

选择自来水厂的厂址时，要根据地形图确定位置：如厂址设在河流附近，则要考虑到厂址在洪水期内不会被水淹没，在枯水期内又能有足够的水量。水源离供水区不应太远，供水区的高差也不应太大。

在0.5%～1%地面坡度的地段，排除雨水是方便的。在地面坡度较大的地区内，要根据地形分区排水。由于雨水和污水的排除是靠重力在沟管内自流的，因此沟管应有适当的坡度。在布设排水管网时，要充分利用自然地形，如雨水干沟应尽量设在地形低处或山谷线处，这样既能使雨水和污水畅通自流，又能使施工的土方量最小。

在防洪、排涝、涵洞和涵管等工程设计中，经常需要在地形图上确定汇水面积作为设计依据。

8.6 道路勘测设计中的应用

随着社会主义市场经济的进一步发展，人们生活水平的提高，对交通运输的需求逐年增加，交通运输系统的发展已成为控制国民经济发展的重要因素，而交通运输也成为国民经济的动脉。交通运输是由铁路、水运、公路、航空和管道等运输方式所组成。公路灵活机动、快捷，特别适宜于客货短途运输，从而在交通运输中占有重要的地位。

理想的道路路线以平、直为主，但实际上，由于地形和其他原因的限制，要达到这种理想状态是很困难的。为了选择一条经济而合理的路线，必须进行路线勘测，路线勘测一般分为初测和定测两个阶段。

路线勘测是一个涉及面广、影响因素多、政策性和技术性都很强的工作。在路线勘测之前，要做好各种准备工作。首先要搜集与路线有关的规划统计资料以及地形图、地质图、水文和气象等资料；然后进行分析研究，在地形图上初步选择路线走向，利用地形图对山区和地形复杂、外界干扰多、牵涉面大的段落进行重点研究。研究时，应进行多种方案的比选。

1. 初测

初测是根据上级批准的计划和基本确定的路线走向、控制点和路线等级标准而进行的外业调查勘测工作。通过初测，要求对路线的基本走向和方案作进一步的论证比较，概略地拟定中线位置，提出切合实际的初步设计方案和修建方案，确定主要工程的概略数量，为编制初步设计和设计概算提供所需的全部资料。因此，在指定的范围内若有现势性强的大比例尺地形图和测量控制网，初测时就可直接利用该地形图编制路线各方案的带状地形图和纵断面图。在已有的大比例尺地形图上根据实际的地形特点进行选线的，所选路线特征是尽可能选择直线，跨越较少的地物，可行的情况下避开水系、山体等。若没有现势性很强的大比例尺地形图，就应先布设导线，测量路线各方案的带状地形图和纵断面图。收集沿线水文、地质等有关资料，为纸上定线、编制比较方案的初步设计提供依据。根据初步设计，选定某一方案，即可转入路线的定测工作。

2. 定测

定测是具体核定路线方案，实地标定路线，进行路线详细测量，实地布设桥涵等构造物，并为编制施工图搜集资料。

在选定设计方案的路线上进行中线测量、纵断面和横断面测量，以便在实地定出路线中线位置和绘制路线的纵横断面图。对布设桥涵等构造物的局部地区，还应提供或测绘大比例尺地形图，这些图件和资料为路线纵坡设计、工程量计算等道路的技术设计提供了详细的测量资料。

由此可见，地形图在道路勘测中起着重要作用。

8.7 城镇规划中的应用

不管是城市还是村镇，在用地规划设计前，应该仔细分析用地的地形，并在地形图上标明不同坡度的地区的地面水流方向、分水线和集水线等，再根据建筑、交通、给水和排水等对地形的要求，合理地利用地形和改造原有地形。

下面结合社会主义新农村建设的实例来说明怎样分析地形，图 8－12 是某县江心村1∶1000比例尺地形图，结合地形图与实地勘查，可以得出这个村的地形特点如下：

(1)江心村的整体轮廓是长方形，南北长 6000 米，东西长 4000 米；地势南北面高，中间低，尤其北面最高。

(2)村东与胜江路相通，西与长江子江相连，东、南、北面被幸福村环绕。

(3)该村已有民宅规划比较整齐，均为一到三层小楼。村北侧有一民族性的标志建筑——清真寺。

(4)南北向共有四条内部道路，但是铺路材料为泥土。

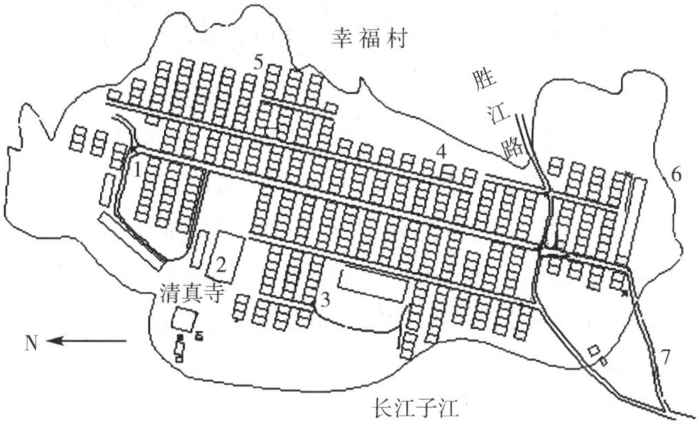

图 8－12　规划用地的地形分析

了解上述地形特点以后，再结合实地勘查，作如下整治规划：

(1)根据南北向的地势，我们可由两端向中间铺设排水管道，然后再汇集排入子江；道路需要重新整治，可选择水泥或混凝土路；

(2)以地形图为底图，可以绘出现状图、规划图、道路、电力、排水系统图等以及渲染图，使看图分析更直观、方便。

图 8－13 是以图 8－12 为底图绘制而成的规划图，10 年规划的成果展现在我们面前。

图 8-13　村镇规划图

8.8　数字地形图的应用

数字地形图是以用数字形式记录的地形信息，是信息时代的高科技产品。

通过地面数字测图、数字摄影测量和卫星遥感测量等方法，可以得到各种数字地形图。它已广泛地应用于国民经济建设的各个方面，如工程建设的设计、交通工具的导航、环境监测和土地利用调查等。另外，也被应用于国防和科学研究等领域。

有了数字地形图，在 Auto CAD 软件环境下，可以输出绘制各种比例尺的地形图和专题图，也可以很容易地获取各种地形信息。例如，用 ID 命令，可以量测各个点位的坐标；利用 DIST 命令，可以量测点与点之间的距离；利用 Auto LISP 语言编制简单的程序，可以量测直线的方位角、点位的高程、两点间的坡度和在图上设计坡度线等。

有了数字地形图，利用 Auto CAD 的三维图形处理功能，可以建立数字地面模型(DTM)，即相当于得到了地面的立体的形态。利用该模型，可以绘制各种比例尺的等高线地形图、地形立体透视图、地形断面图，确定汇水范围和计算面积，确定场地平整的填挖边界和计算土方量。在公路和铁路设计中，可以绘制地形的三维轴视图和纵、横断面图，进行自动选线设计。

随着 3S 技术的发展，数字地形图也是建立城市地理信息系统的基础，可以通过分析当地地形图，建立所需的数据库，进而建立旅游、房产、交通、地籍管理等信息系统。图 8-14 是以地形图作底图进行矢量化后的矢量图，右侧为各地物所对应的属性数据库；图 8-15 是矢量图贴上地物纹理后的三维图，可以进行建筑物属性查询；

图 8－16 是三维图漫游显示结果。

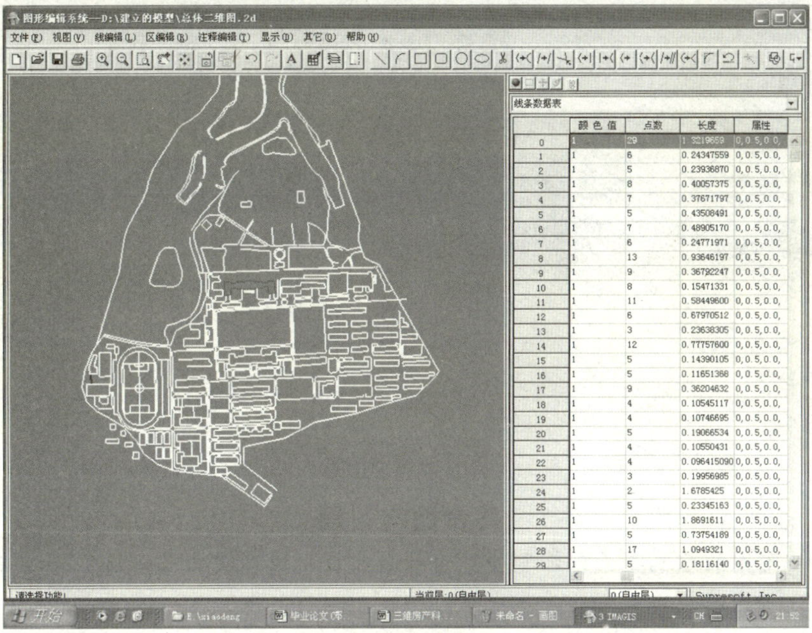

图 8－14　矢量图

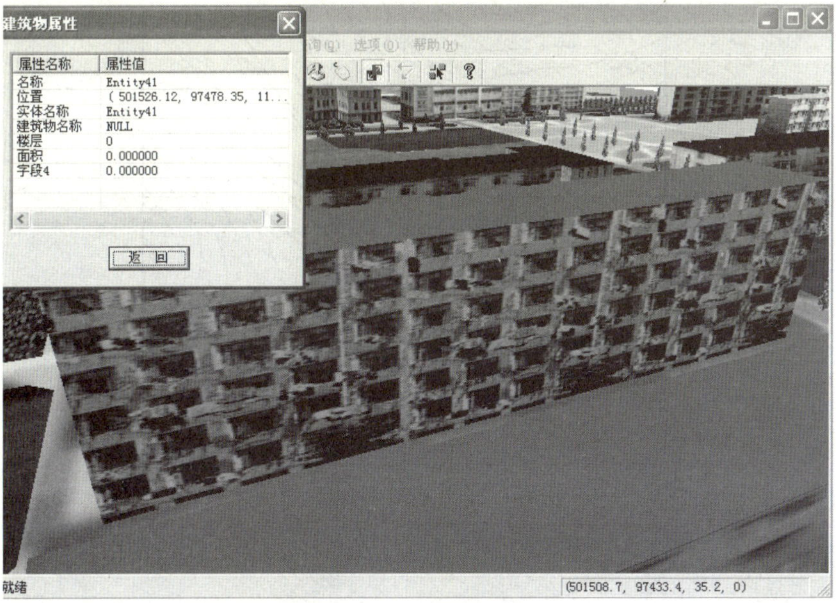

图 8－15　建筑物属性查询

8-16　三维漫游显示

思考题与习题

1. 地形图的基本要素包括哪些？为什么在应用地形图之前必须了解这些要素？

2. 地形图的应用有哪些基本内容？

3. 在图 8-17 所示的 1∶10000 比例尺地形图上完成以下工作：

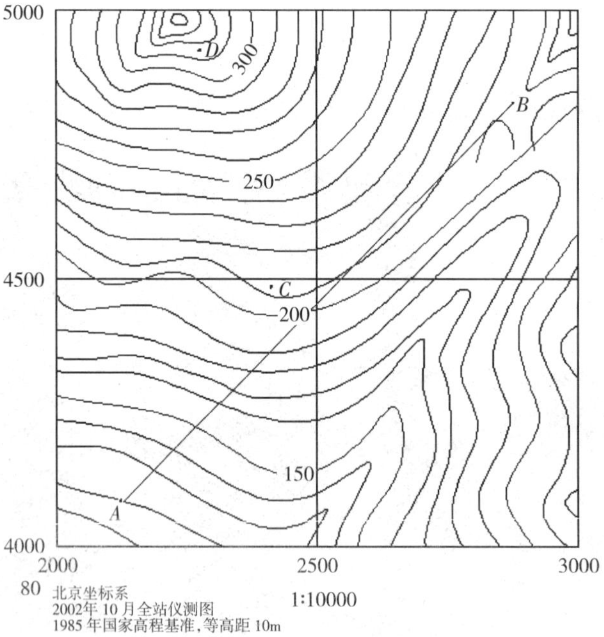

图 8-17　习题 3 图

(1) 确定 C、D 两点的坐标；

(2) 计算 AB 线的长度和方位角，用图上实量距离和方位角进行校核，求长度误差和方向误差各为多少？

(3) 求 A、C 两点高程及其连线的坡度；

(4) 由 A 到 B 定出一条坡度为 5% 的路线。

4. 怎样按已知方向线在地形图上绘制断面图？图 8－18 为 1∶2000 比例尺地形图，请沿 AB 方向绘制断面图（可设高程比例尺为水平比例尺的 10 倍）。

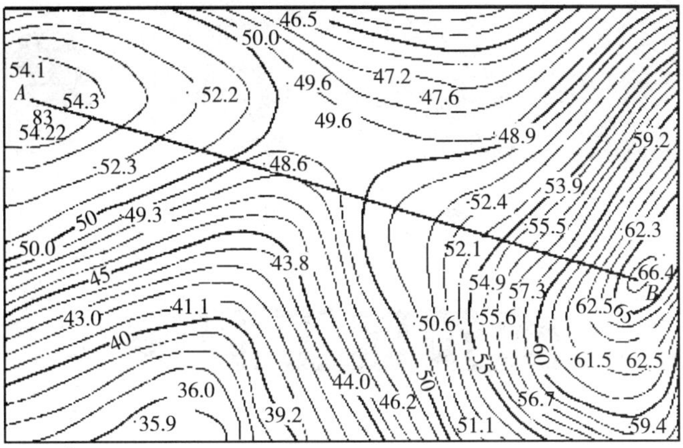

图 8－18　习题 4 图

5. 常用求算面积的图解法有哪几种？如何进行求算？各在什么情况下使用？

6. 怎样用解析法求面积？它的精度如何？

7. 什么叫汇水面积？若在如图 8－19 所示的 1∶5000 比例尺地形图上的 A 点处修建一座涵洞，请在图上确定其汇水面积。

8. 平整土地的基本原则是什么？在地形图上怎样确定填挖边界线？

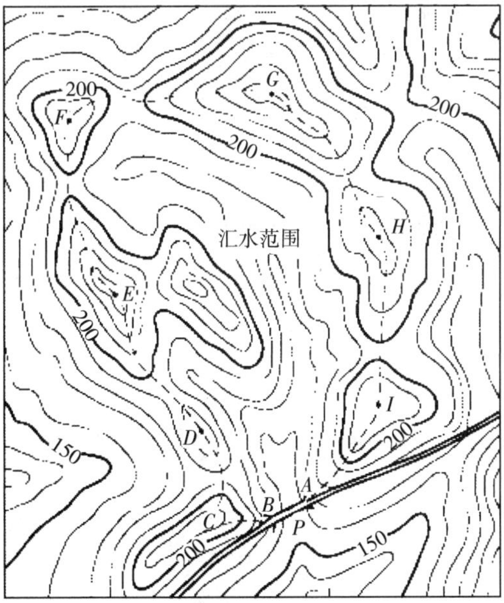

图 8－19　习题 7 图

第9章

建筑施工测量

[本章导读]

本章主要介绍施工测量、竣工测量和建筑物的变形测量等内容。通过本章的学习，读者能初步掌握建筑施工测量。

[知识目标]

1. 掌握测设的基本工作。
2. 掌握施工控制测量。
3. 掌握施工测量(包括民用建筑施工测量、工业建筑施工测量和管道线路施工测量)。
4. 掌握竣工测量。
5. 掌握建筑物的变形测量(包括沉降观测、倾斜观测和位移观测)。

[能力目标]

1. 掌握全站仪的测设方法。
2. 掌握沉降观测。

[重点难点]

1. 全站仪测设。
2. 建筑物变形观测。

9.1 施工测量概述

1. 施工测量的目的和内容

施工测量的目的是把设计的建筑物、构筑物的平面位置和高程，按设计要求以一定的精度放样到地面上，作为施工的依据，并在施工过程中进行一系列的测量工作，以衔接和指导各工序间的施工。

土木工程建设都要经过勘测、设计、施工和竣工验收等几个阶段。勘测要进行地形测量工作，提供建筑场地的地形图或数字地图，以便在已有的地形信息的基础上进行设计。一旦设计完毕，就要在施工场地上进行建筑物的定位和施工测量。所以施工测量贯穿于整个施工过程中，从场地平整、建筑物定位、基础施工，到建筑物构件的安装等，都需要进行施工测量，才能使建筑物、构筑物各部分的尺寸、位置符合设计要求。有些工程竣工后，为了便于维修和扩建，还必须测绘出竣工图。有些高大或特殊的建筑物建成后，还要定期进行变形观测，以便积累资料，掌握变形的规律，为今后建筑物的设计、维护和使用提供资料。

2. 施工测量的特点

测绘地形图是将地面上的地物、地貌测绘在图纸上，而施工测量则和它相反，是将设计图纸上的建筑物、构筑物按其设计位置测设到相应的地面上。

施工测量与一般测绘地形图相比，具有以下特点：

(1)施工测量的精度要求取决于建筑物或构筑物的大小、结构、用途和施工方法等因素。一般测设的精度高于地形测量的精度，特别是高层建筑物和特种建筑工程，其测设精度要求则更高。

(2)施工测量工作与工程质量及施工进度有着密切的联系。

(3)施工现场工种多，交叉作业频繁，并有大量土、石方挖填，地面变动很大，又有动力机械的震动，因此各种测量标志必须稳固且坚实地埋设于不宜破坏的位置。还应做到妥善保护，经常检查，如有破坏应及时恢复。

3. 施工测量的原则

施工测量和测绘地形图一样，也要遵循“从整体到局部，先控制后碎部”的原则。即先在施工现场建立统一的平面控制网和高程控制网，然后以此为基础，测设出各个建筑物和构筑物的位置。施工测量的检核工作也很重要，必须采用各种不同的方法加强外业和内业的检核工作。

总之，施工测量是指把图纸上设计好的建(构)筑物位置(包括平面和高程位置)在实地标定出来的工作，即按设计的要求将建(构)筑物各轴线的交点、道路中线、桥墩等点位标定在相应的地面上。这项工作又称为测设或放样。这些待测设的点位是根据控制点或已有建筑物特征点与待测设点之间的角度、距离和高差等几何关系，应用测绘仪器和工具标定出来的。

因此，测设已知水平距离、测设已知水平角、测设已知高程是施工测量的基本工作。

9.2 测设的基本工作

9.2.1 水平距离、水平角度和高程的测设

9.2.1.1 测设已知水平距离

测设已知水平距离是从地面一已知点开始，沿已知方向测设出给定的水平距离以定出第二个端点的工作。根据测设的精度要求不同，可分为一般测设方法和精确测设方法。

1. 用钢尺测设已知水平距离

(1)一般方法

在地面上，由已知点 A 开始，沿给定方向，用钢尺量出已知水平距离 D 定出 B 点。为了校核与提高测设精度，在起点 A 处改变读数，按同法量已知距离 D 定出 B' 点。由于量距有误差，B 与 B' 两点一般不重合，其相对误差在允许范围内时，则取两点的中点作为最终位置。

(2)精确方法

当水平距离的测设精度要求较高时，按照上面一般方法在地面测设出的水平距离，还应再加上尺长、温度和高差 3 项改正，但改正数的符号与精确量距时的符号相反，即

$$S=D-\Delta_l-\Delta_t-\Delta_h \tag{9-1}$$

式中：S——实地测设的距离；

D——待测设的水平距离；

Δ_l——尺长改正数，$\Delta_l=\dfrac{\Delta l}{l_0}\cdot D$（$l_0$ 和 Δl 分别是所用钢尺的名义长度和尺长改正数）；

Δ_t——温度改正数，$\Delta_t=\alpha\cdot D\cdot(t-t_0)$（$\alpha=1.25\times10^{-5}$ 为钢尺的线膨胀系数；t 为测设时的温度；t_0 为钢尺的标准温度，一般为 20℃）；

Δ_h——倾斜改正数，$\Delta_h=-\dfrac{h^2}{2D}$（$h$ 为线段两端点的高差）。

[例 9-1] 如图 9-1 所示，欲测设水平距离 AB，所使用钢尺的尺长方程式为：

$$l_t=30.000\text{m}+0.003\text{m}+1.2\times10^{-5}\times30(t-20℃)\text{m}$$

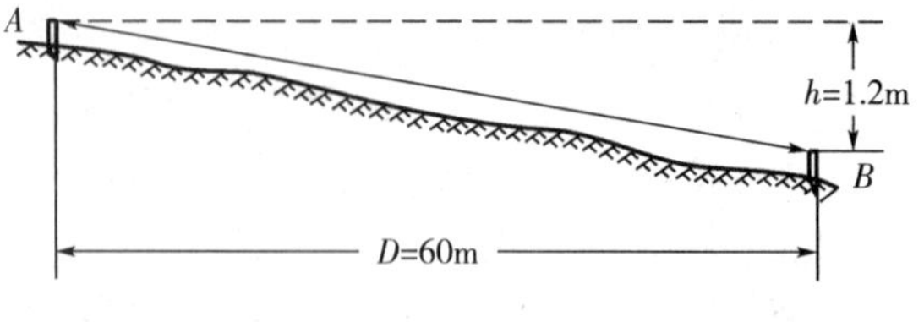

图 9-1 已知水平距离测设

测设时的温度为 5℃，AB 两点之间的高差为 1.2m，试求计算测设时在实地应量

出的长度是多少？

［解］ 根据精确量距公式 9-1 算出 3 项改正。

尺长改正：$\Delta_l=\frac{\Delta_l}{l_0}\cdot D=\frac{0.003}{30}\cdot 60=0.006\text{m}$

温度改正：$\Delta_t=\alpha\cdot D\cdot(t-t_0)=60\times 1.2\times 10^{-5}\times(5-20)=-0.01\text{m}$

倾斜改正：$\Delta_h=-\frac{h^2}{2D}=-\frac{1.2^2}{2\times 60}=-0.012\text{m}$

则实地测设水平距离为：$S=D-\Delta_l-\Delta_t-\Delta_h=60-0.006+0.011+0.012=60.017\text{m}$

测设时，自线段的起点 A 沿给定的 AB 方向量出 S，定出终点 B，即得设计的水平距离 D。为了检核，通常再放样一次，若两次放样之差在允许范围内，则取平均位置作为终点 B 的最后位置。

2. 光电测距仪测设已知水平距离

用光电测距仪测设已知水平距离与用钢尺测设方法大致相同。如图 9-2 所示，光电测距仪安置于 A 点，反光镜沿已知方向 AB 移动，使仪器显示的距离大致等于待测设距离 D，定出 B' 点；测出 B' 点反光镜的竖直角及斜距，计算出水平距离 D'。再计算出 D' 与需要测设的水平距离 D 之间的改正数 $\Delta D=D-D'$。根据 ΔD 的符号在实地沿已知方向用钢尺由 B' 点量 ΔD 定出 B 点，AB 即为测设的水平距离 D。

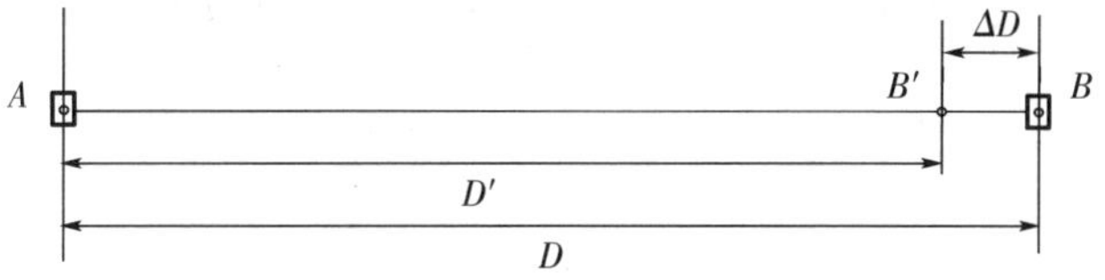

图 9-2 光电测距仪放样距离

现代的全站仪瞄准位于 B 点附近的棱镜后，能够直接显示出全站仪与棱镜之间的水平距离 D'，因此，可以通过前后移动棱镜使其水平距离 D' 等于待测设的已知水平距离 D 时，即可定出 B 点。

为了检核，将反光镜安置在 B 点，测量 AB 的水平距离，若不符合要求，则再次改正，直至在允许范围之内为止。

9.2.1.2 测设已知水平角

测设已知水平角就是根据一已知方向测设出另一方向，使它们的夹角等于给定的设计角值。按测设精度要求不同分为一般方法和精确方法。

1. 一般方法

当测设水平角精度要求不高时，可采用此法，即用盘左、盘右取平均值的方法。如图 9-3 所示，设 OA 为地面上已有方向，欲测设水平角 β，在 O 点安置经纬仪，以盘左位置瞄准 A 点，配置水平度盘读数为 0°。转动照准部使水平度盘读数恰好为 β 值，在视线方向定出 B_1 点。然后用盘右位置，重复上述步骤定出 B_2 点，取 B_1 和 B_2 中

点 B,则$\angle AOB$ 即为测设的 β 角。该方法也称为盘左盘右分中法。

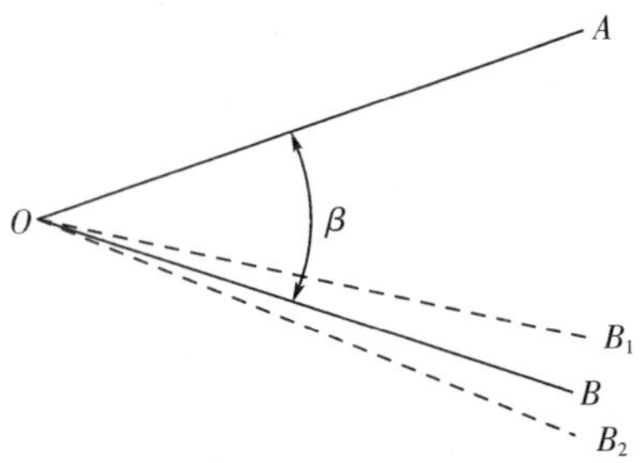

图 9-3 一般方法测设水平角

2. 精确方法

当测设精度要求较高时,可采用精确方法测设已知水平角。如图 9-4 所示,安置经纬仪于 O 点,按照上述一般方法测设出已知水平角$\angle AOB'$,定出 B' 点。然后较精确地测量$\angle AOB'$的角值,一般采用多个测回取平均值的方法,设平均角值为 β',测量出 OB'的距离。按公式($D_{B'B}=\dfrac{\beta'-\beta}{\rho''}\cdot D_{OB'}=\dfrac{\Delta\beta}{\rho''}\cdot D_{OB}$)计算 B'点处 OB'线段的垂距 $B'B$。

然后,从 B'点沿 OB'的垂直方向调整垂距 $B'B$,$\angle AOB$ 即为 β 角。如图 9-4 所示,若 $\Delta\beta>0$ 时,则从 B'点往内调整 $B'B$ 至 B 点;若 $\Delta\beta<0$ 时,则从 B'点往外调整 $B'B$ 至 B 点。

9.2.1.3 测设已知高程

测设已知高程就是根据已知点的高程,通过引测,把设计高程标定在固定的位置上。如图 9-5 所示,已知高程点 A,其高程为 H_A,需要在 B 点标定出已知高程为 H_B的位置。方法是:在 A 点和 B 点中间安置水准仪,精平后读取 A 点的标尺读数为 a,则仪器的视线高程为 $H_i=H_A+a$,由图可知测设已知高程为 H_B的 B 点标尺读数应为 b($b=H_i-H_B$)。将水准尺紧靠 B 点木桩的侧面上下移动,直到尺上读数为 b 时,沿尺底画一横线,此线即为设计高程 H_B的位置。测设时应始终保持水准管气泡居中。

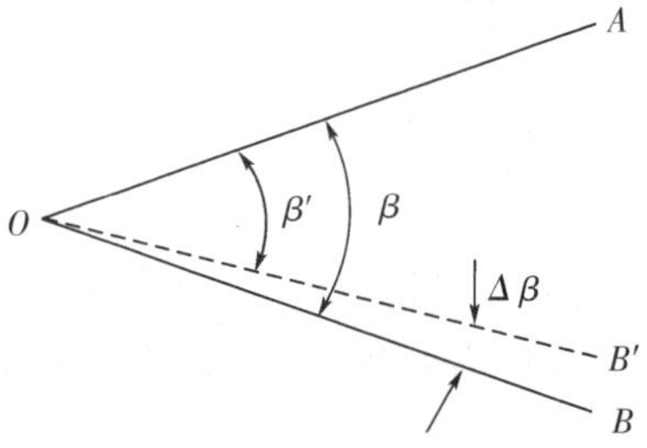

图 9-4 精确方法测设水平角

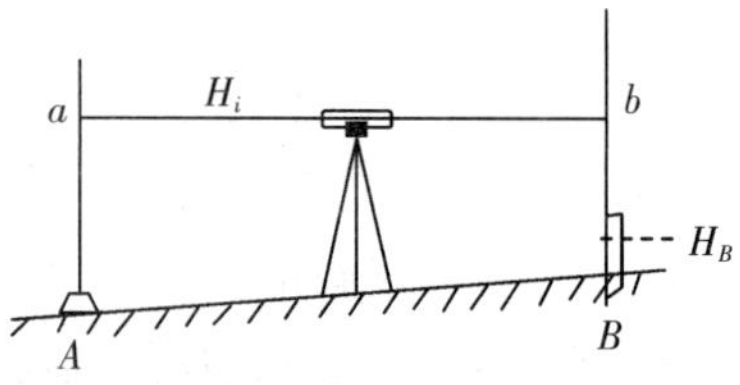

图 9-5 已知高程测设

在建筑设计和施工中,为了计算方便,通常把建筑物的室内设计地坪高程用±0 标高表示,建筑物的基础、门窗等高程都是以±0 为依据进行测设。因此,首先要在施工现场利用测设已知高程的方法测设出室内地坪高程的位置。

在地下坑道施工中,高程点位通常设置在坑道顶部。通常规定当高程点位于坑道顶部时,在进行水准测量时水准尺均应倒立在高程点上。如图 9-6 所示,A 为已知高程 H_A的水准点,B 为待测设高程为 H_B的位置,由于 $H_B=H_A+a+b$,则在 B 点应有的标尺读数 $b=H_B-(H_A+a)$。因此,将水准尺倒立并紧靠 B 点木桩上下移动,直到尺上读数为 b 时,在尺底画出设计高程 H_B的位置。

同样,对于多个测站的情况,也可以采用类似分析和解决方法。如图 9-7 所示,

A 为已知高程 H_A 的水准点，C 为待测设高程为 H_C 的点位，由于 $H_C=H_A-a-b_1+b_2+c$，则在 C 点应有的标尺读数 $c=H_C-(H_A-a-b_1+b_2)$。

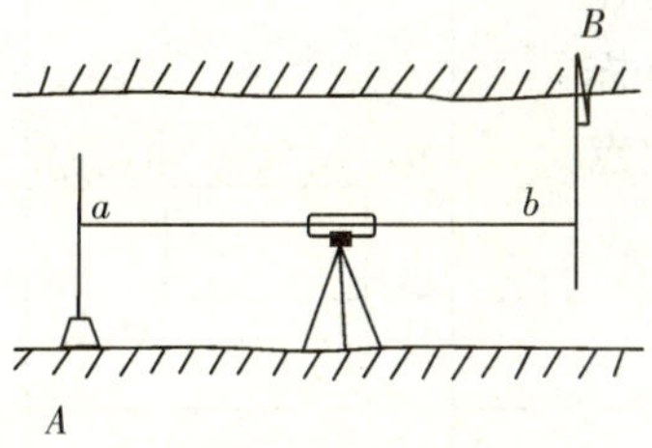

图 9－6 高程点在顶部的测设

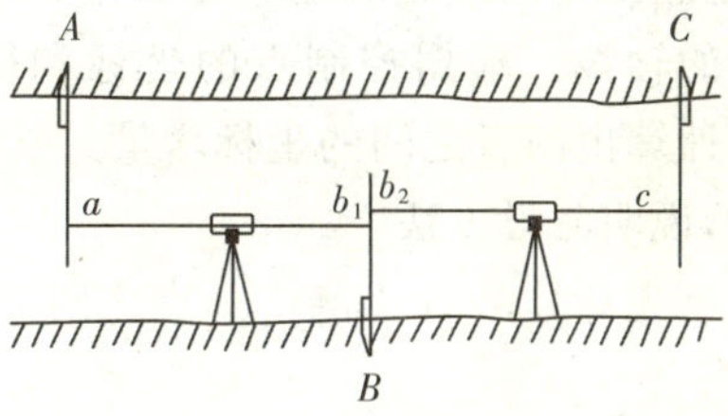

图 9－7 多个测站高程点测设

当待测设点与已知水准点的高差较大时，则可以采用悬挂钢尺的方法进行测设。如图 9－8 所示，钢尺悬挂在支架上，零端向下并挂一重物，A 为已知高程为 H_A 的水准点，B 为待测设高程为 H_B 的点位。在地面和待测设点位附近安置水准仪，分别在标尺和钢尺上读数 a_1、b_1 和 a_2。由于 $H_B=H_A+a-(b_1-a_2)-b_2$，则可以计算出 B 点处标尺的读数 $b_2=H_A+a-(b_1-a_2)-H_B$。同样，图 9－9 所示情形也可以采用类似方法进行测设，即计算出前视读数 $b_2=H_A+a_1+(a_2-b_1)-H_B$，再划出已知高程位 H_B 的标志线。

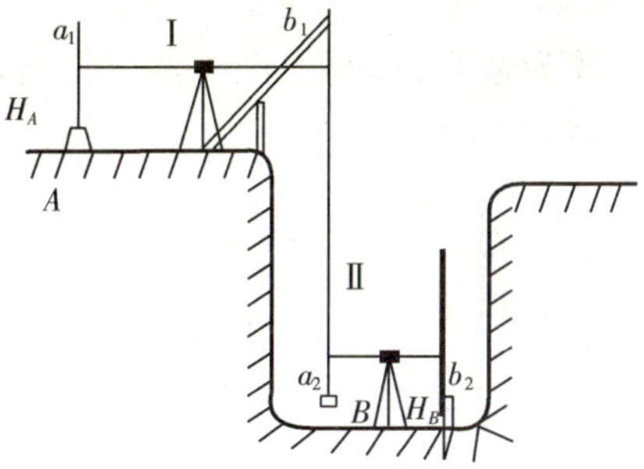

图 9－8 测设建筑基底高程

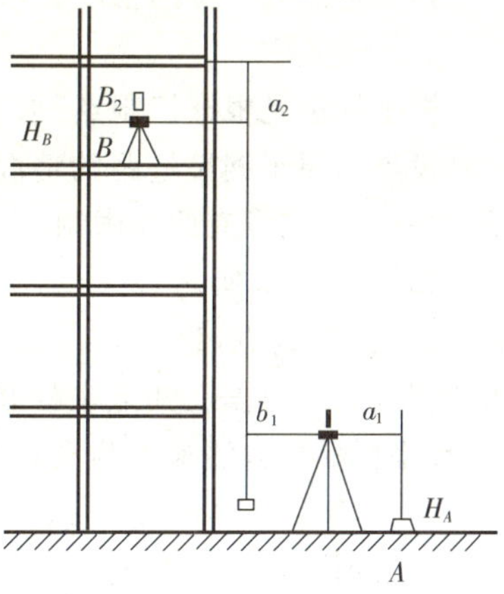

图 9－9 测设建筑楼层高程

9.2.2 点的平面位置测设

点的平面位置测设是根据已布设好的控制点的坐标和待测设点的坐标，反算出测设数据，即控制点和待测设点之间的水平距离和水平角，再利用上述测设方法标定出设计点位。根据所用的仪器设备、控制点的分布情况、测设场地地形条件及测设点精度要求等条件，可以采用以下几种方法进行测设工作。

1. 直角坐标法

直角坐标法是建立在直角坐标原理基础上测设点位的一种方法。当建筑场地已建立有相互垂直的主轴线或建筑方格网时，一般采用此法。

如图 9－10 所示，A、B、C、D 为建筑方格网或建筑基线控制点，1、2、3、4 点为待测设建筑物轴线的交点，建筑方格网或建筑基线分别平行或垂直待测设建筑物的轴线。根据控制点的坐标和待测设点的坐标可以计算出两者之间的坐标增量。下面以测设 1、2 点为例，说明测设方法。

首先计算出 A 点与 1、2 点之间的坐标增量，即：

$$\Delta x_{A1}=x_1-x_A \qquad \Delta y_{A1}=y_1-y_A$$

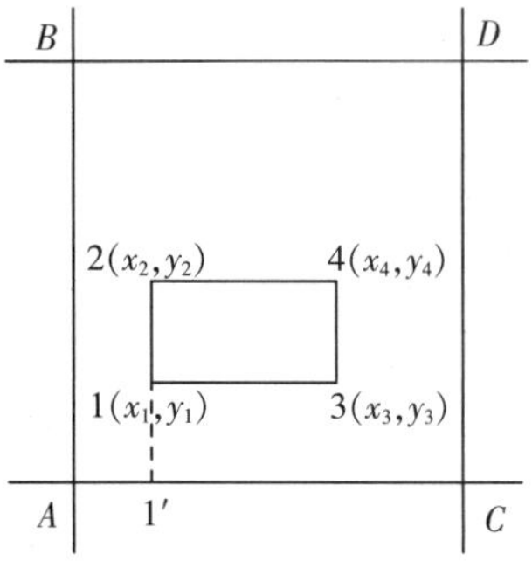

图 9－10　直角坐标法测设点位

测设 1、2 点平面位置时，在 A 点安置经纬仪，照准 C 点，沿此视线方向从 A 沿 C 方向测设水平距离 Δy_{A1} 定出 1′点。再安置经纬仪于 1′点，盘左照准 C 点(或 A 点)，左转 90°给出视线方向，沿此方向分别测设出水平距离 Δx_{A1} 和 Δx_{12} 定 1、2 两点。同法以盘右位置再定出 1、2 两点，取 1、2 两点盘左和盘右的中点即为所求点位置。

采用同样的方法可以测设 3、4 点的位置。

检查时，可以在已测设的点上架设经纬仪，检测各个角度是否符合设计要求，并丈量各条边长。

如果待测设点位的精度要求较高，可以利用精确方法测设水平距离和水平角。

2. 极坐标法

极坐标法是根据控制点、水平角和水平距离测设点平面位置的方法。在控制点与测设点间便于钢尺量距的情况下，采用此法较为适宜，而利用测距仪或全站仪测设水平距离，则没有此项限制，且工作效率和精度都较高。

如图 9－11 所示，$A(x_A, y_A)$、$B(x_B, y_B)$为已知控制点，$1(x_1, y_1)$、$2(x_2, y_2)$点为待测设点。根据已知点坐标和测设点坐标，按坐标反算方法求出测设数据，即：D_1，D_2，$\beta_1=\alpha_{A1}-\alpha_{AB}$，$\beta_2=\alpha_{A2}-\alpha_{AB}$。

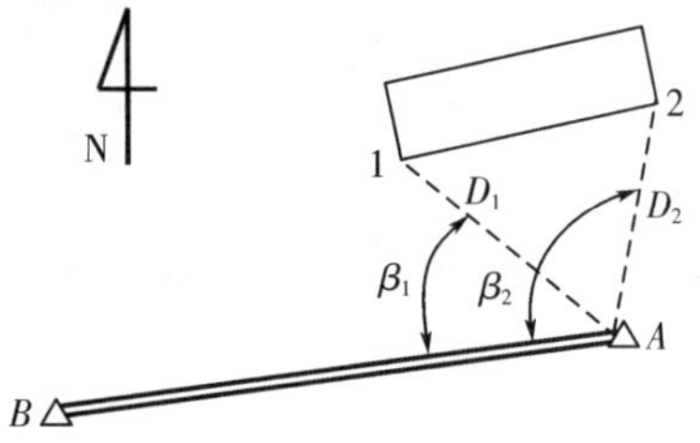

图 9－11　极坐标法测设点位

测设时，经纬仪安置在 A 点，后视 B 点，置度盘为零，按盘左盘右分中法测设水平角 β_1、β_2，定出 1、2 点方向。沿此方向测设水平距离 D_1、D_2，则可以在地面标定出设计点位 1、2 两点。

检核时，可以采用丈量实地 1、2 两点之间的水平边长，并与 1、2 两点设计坐标反算出的水平边长进行比较。

如果待测设点 1、2 的精度要求较高，可以利用前述的精确方法测设水平角和水平距离。

3. 角度交会法

角度交会法是在 2 个控制点上分别安置经纬仪，根据相应的水平角测设出相应的方向，根据两个方向交会定出点位的一种方法。此法适用于测设点离控制点较远或量距有困难的情况。

如图 9－12 所示，根据控制点 A、B 和测设点 1、2 的坐标，反算测设数据 β_{A1}、β_{A2}、β_{B1} 和 β_{B2} 角值。将经纬仪安置在 A 点，瞄准 B 点，利用 β_{A1}、β_{A2} 角值按照盘左盘右分中法，定出 $A1$、$A2$ 方向线，并在其方向线上的 1、2 两点附近分别打上两个木桩（俗称骑马桩），桩上钉小钉以表示此方向，并用细线拉紧。然后，在 B 点安置经纬仪，同法定出 $B1$、$B2$ 方向线。根据 $A1$ 和 $B1$、$A2$ 和 $B2$ 方向线可以分别交出 1、2 两点，即为所求待测设点的位置。

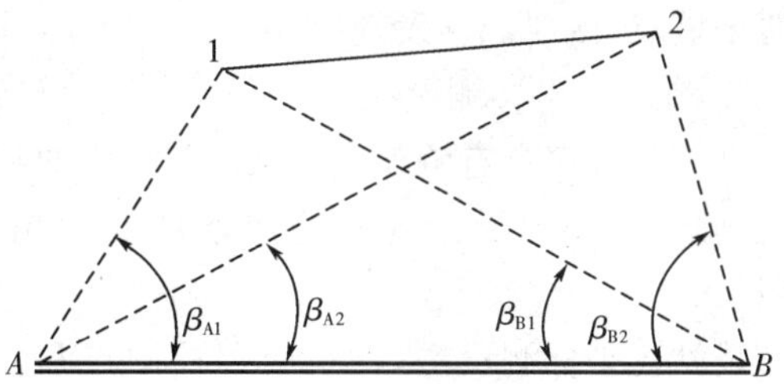

图 9－12　角度交会法测设点位

当然，也可以利用两台经纬仪分别在 A、B 两个控制点同时设站，测设出方向线后标定出 1、2 两点。

检核时，可以采用丈量实地 1、2 两点之间的水平边长，并与 1、2 两点设计坐标反算出的水平边长进行比较。

4. 距离交会法

距离交会法是从两个控制点利用两段已知距离进行交会定点的方法。当建筑场地平坦且便于量距时，用此法较为方便。

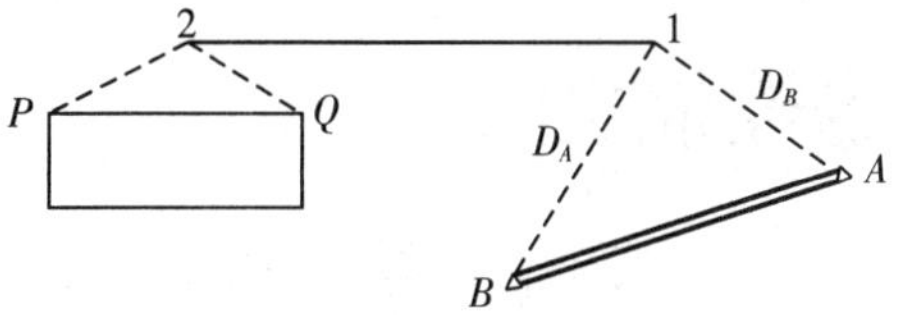

图 9－13　距离交会法测设点位

如图 9－13 所示，A、B 为控制点，1 点为待测设点。首先，根据控制点和待测设点的坐标反算出测设数据 D_A 和 D_B，然后用钢尺从 A、B 两点分别测设两段水平距离 D_A 和 D_B，其交点即为所求 1 点的位置。

同样，2 点的位置可以由附近的地物点 P、Q 交会出。检核时，可以实地丈量 1、2 两点之间的水平距离，并与 1、2 两点设计坐标反算出的水平距离进行比较。

5. 十字方向线法

十字方向线法是利用两条互相垂直的方向线相交得出待测设点位的一种方法。如图 9－14 所示，设 A、B、C 及 D 为一个基坑的范围，P 点为该基坑的中心点位，在挖基坑时，P 点则会遭到破坏。为了随时恢复 P 点的位置，则可以采用十字方向线法重新测设 P 点。

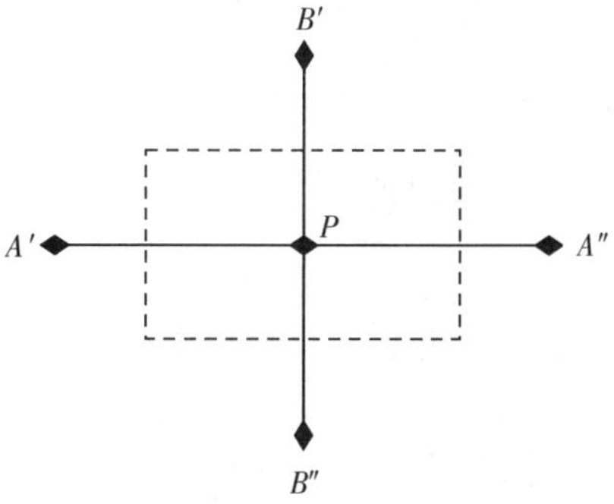

图 9－14　十字方向线法测设点位

首先，在 P 点架设经纬仪，设置两条相互垂直的直线，并分别用两个桩点来固定。当 P 点被破坏后需要恢复时，则利用桩点 $A'A''$ 和 $B'B''$ 拉出两条相互垂直的直线，根据其交点重新定出 P 点。

为了防止由于桩点发生移动而导致 P 点测设误差，可以在每条直线的两端各设置两个桩点，以便能够发现错误。

6. 全站仪坐标测设法

全站仪不仅具有测设高精度、速度快的特点，而且可以直接测设点的位置。同时，在施工放样中受天气和地形条件的影响较小，从而在生产实践中得到了广泛应用。

全站仪坐标测设法，就是根据控制点和待测设点的坐标定出点位的一种方法。首先，仪器安置在控制点上，使仪器置于测设模式，然后输入控制点和测设点的坐标，一人持反光棱镜立在待测设点附近，用望远镜照准棱镜，按坐标测设功能键，全站仪显示出棱镜位置与测设点的坐标差。根据坐标差值，移动棱镜位置，直到坐标差值等于零，此时，棱镜位置即为测设点的点位。

为了能够发现错误，每个测设点位置确定后，可以再测定其坐标作为检核。

7. RTK 测设

将控制点和所要放样的测设点的坐标输入仪器，经过设定之后，一人持仪器在场地采用实时动态 GPS 技术进行放样。一般来说，RTK 进行建筑物放样的时候每个点的精度基本是一致的，解决了光学仪器的测设站点过多降低放样精度的弊端，同时没有光学仪器需要两点通视的要求，但宜在空旷无遮挡处使用。

9.3 施工场地控制测量

在工程建设勘测阶段已建立了测量控制网，但是由于它是为测图而建立的，未考虑施工的要求，因此其控制点的分布、密度、精度都难以满足施工测量的要求。此外，平整场地时控制点大多受到破坏，因此在施工之前，必须重新建立专门的施工控制网。施工控制网包括平面控制网和高程控制网，它是施工测量的基础。

在道路和桥梁工程建设中，施工平面控制网往往布设成三角网或导线网，其测量方法与测量控制网的测量方法相同，在此不再赘述。在大中型建筑施工场地上，施工控制网多用正方形或矩形网格组成，称之为建筑方格网。在面积不大、又不十分复杂的建筑场地上，常常布设一条或几条基线，称为建筑基线，作为施工控制。下面分别介绍建筑基线和建筑方格网这两种控制形式。

9.3.1 建筑基线

1. 建筑基线的布设

建筑基线是建筑场地的施工控制基准线，即在场地中央放样一条长轴线或若干条与其垂直的短轴线。它适用于建筑设计总平面图布置比较简单的小型建筑场地。

建筑基线的布设形式是根据建筑物的分布、场地地形等因素来确定的，其常见的形式有“一”字形、“L”字形、“T”字形和“十”字形，如图 9－15 所示。

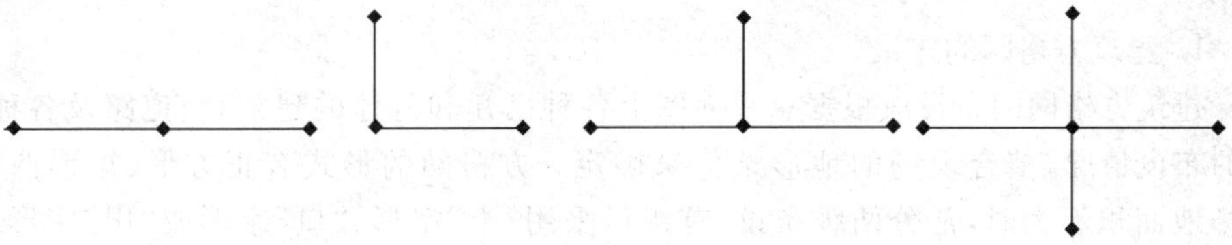

图 9 - 15　建筑基线布设形式

建筑基线的布设要求是：

(1)主轴线应尽量位于场地中心,并与主要建筑物轴线平行,主轴线的定位点应不少于三个,以便相互检核。

(2)基线点位应选在通视良好和不易被破坏的地方,且要设置成永久性控制点,如设置成混凝土桩或石桩。

2. 建筑基线的放样方法

根据建筑场地的条件不同,建筑基线的放样方法主要有以下两种:

(1)根据建筑红线或中线放样

建筑红线也就是建筑用地的界定基准线,由城市测绘部门测定,它可用作建筑基线放样的依据。如图 9 - 16 所示,由建筑红线 1、2、3,直角坐标法放样建筑基线 A、B、C。在 A 点安置仪器,测得角值与 90°之差应满足要求(如:20″、±24″等);否则按角度归化法调整。

(2)根据测量控制点测设

施工坐标系与测图坐标系的换算(式中 α 为两坐标系之间的夹角),如图 9 - 17,有:

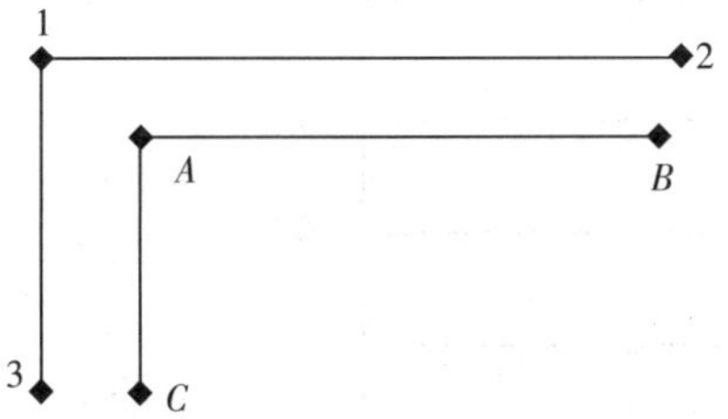

图 9 - 16　建筑基线用建筑红线放样

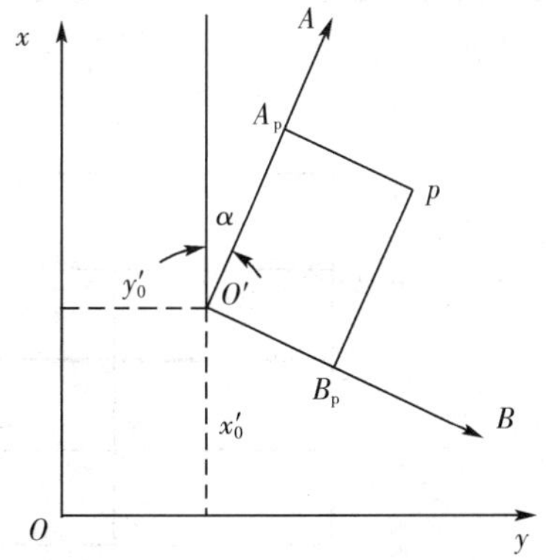

图 9 - 17　施工与测图坐标系的关系

$$\begin{cases} x_P = x'_0 + A_P\cos\alpha - B_P\sin\alpha \\ y_P = y'_0 + A_P\sin\alpha + B_P\cos\alpha \end{cases} \text{即：} \begin{bmatrix} x_P \\ y_P \end{bmatrix} = \begin{bmatrix} x'_0 \\ y'_0 \end{bmatrix} + \begin{bmatrix} \cos\alpha & -\sin\alpha \\ \sin\alpha & \cos\alpha \end{bmatrix} \begin{bmatrix} A_P \\ B_P \end{bmatrix} \quad (9-2)$$

9.3.2 建筑方格网

1. 建筑方格网的布设

建筑方格网的布设应根据总平面图上各种已建和待建的建筑物、道路及各种管线的布设情况，结合现场的地形条件来确定。方格网的形式有正方形、矩形两种。当场地面积不大时，常分两级布设，首级可采用“十”字形、“口”字形或“田”字形，然后再加密方格网。建筑方格网适用于按矩形布置的建筑群或大型建筑场地。建筑方格网的轴线与建筑物轴线平行或垂直，因此，可用直角坐标法进行建筑物的定位，放样较为方便，且精度较高。但由于建筑方格网必须按总平面图的设计来布置，放样工作量成倍增加，其点位缺乏灵活性，易被毁坏，所以在全站仪逐步普及的条件下，正逐步被导线网或三角网所代替。如图 9-18 所示，先确定方格网的主轴线 *C*—*C* 和 3—3，然后再布设方格网。

2. 建筑方格网的放样

(1)主轴线放样

主轴线放样与建筑基线放样方法相似。首先，准备放样数据，然后实地放样两条相互垂直的主轴线 *C*—*C*、3—3，如图 9—18 所示。主轴线实质上是由 5 个主点 *C*1(*C*—*C* 与 1—1 轴线的交点称为 *C*1 点，以下同)、*C*3、*C*5、*A*3 和 *E*3 点所组成。最后精确检测主轴线点的相对位置关系，并与设计值相比较。若角度较差大于$\pm 10''$，则需要横向调整点值，使角度与设计值相符；若距离较差大于 1/15000，则纵向调整点位使距离与设计值相符。

(2)方格网点放样

如图 9-18 所示，主轴线放样后，分别在主轴线端点 *C*1、*C*5 和 *A*3、*E*3 上安置经纬仪，后视主点 *C*3，向左右分别拨角 90°，这样就可交会出田字形方格网点。随后再作检核，测量相邻两点间的距离，看是否与设计值相等，测量其角度是否为 90°，误差均应在允许范围内，并埋设永久标志。此后，再以田字形方格网为基础，加密方格网的其余各点。

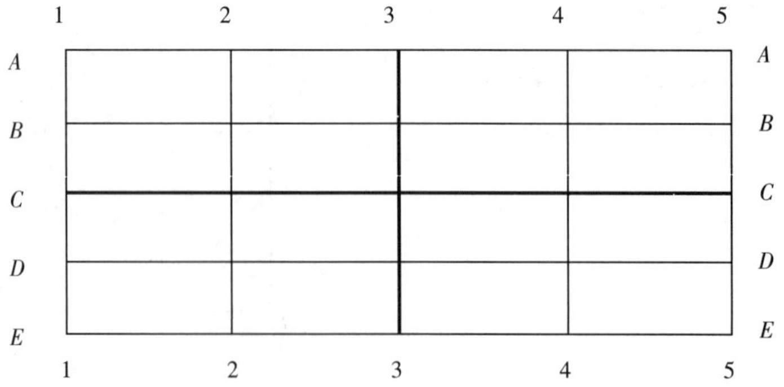

图 9-18 建筑方格网布设图

9.3.3 施工高程控制网的建立

高程控制网可分为首级网和加密网。相应水准点分别称为基本水准点和施工水准点。

(1)基本水准点

一般建筑场地埋设3个,按三、四等水准测量要求,将其布设成闭合水准路线,其位置应设在不受施工影响之处。

(2)施工水准点

靠近建筑物,可用来直接测设建筑物的高程。通常设在建筑方格网桩点上。

为了放样方便,在每栋较大的建筑物附近,还要布设±0.000水准点(一般以底层建筑物的室内地坪标高为±0.000),其位置多选在较稳定的建筑物墙、柱的侧面,用红油漆绘成上顶为水平线的"Δ"形,其顶端表示±0.000位置。

9.4 建筑施工测量

9.4.1 民用建筑施工测量

民用建筑指的是住宅、办公楼、商场、俱乐部、医院和学校等建筑物。其中包括高层建筑物的施工测量,其任务是按照设计的要求,把建筑物的位置测设到地面上,并配合施工以保证工程质量。

9.4.1.1 一般民用建筑的施工测量

1. 测设前的准备工作

(1)熟悉图纸。设计图纸是施工测量的依据,在测设前,应熟悉建筑物的设计图纸,了解施工的建筑物与相邻地物的相互关系,以及建筑物的尺寸和施工的要求等。测设时必须具备下列图纸资料。

总平面图,是施工测设的总体依据,建筑物就是根据总平面图上所给的尺寸关系进行定位。

建筑平面图,给出建筑物各定位轴线间的尺寸关系及室内地坪标高等。

基础平面图,给出基础轴线间的尺寸关系和编号。

基础详图(即基础大样图),给出基础设计宽度、形式及基础边线与轴线的尺寸关系。

还有立面图和剖面图,它们给出基础、地坪、门窗、楼板、屋架和屋面等设计高程,是高程测设的主要依据。

(2)现场踏勘,目的是为了解现场的地物、地貌和原有测量控制点的分布情况,并调查与施工测量有关的问题。

(3)平整和清理施工现场,以便进行测设工作。

(4)拟定测设计划和绘制测设草图,对各设计图纸的有关尺寸及测设数据应仔细核对,以免出现差错。

2. 民用建筑物的定位

建筑物的定位,就是把建筑物外廓各轴线交点测设在地面上,然后再根据这些点进行细部放样。测设时,如现场已有建筑方格网或建筑基线时,可直接采用直角坐标法进行定位。

3. 龙门板和轴线控制桩的设置

建筑物定位以后，所测设的轴线交点桩（或称角桩），在开挖基础时将被破坏。施工时为了能方便地恢复各轴线的位置，一般是把轴线延长到安全地点，并作好标志。延长轴线的方法有两种：龙门板法和轴线控制桩法。

龙门板法适用于一般小型的民用建筑物，为了方便施工，在建筑物四角与隔墙两端基槽开挖边线以外约 1.5～2m 处钉设龙门桩。桩要钉得竖直、牢固，桩的外侧面与基槽平行。根据建筑场地的水准点，用水准仪在龙门板上测设建筑物±0.000 标高线。根据±0.000 标高线把龙门板钉在龙门桩上，使龙门板的顶面在一个水平面上，且与±0.000 标高线一致。用经纬仪将各轴线引测到龙门板上。龙门板的施工成本较轴线控制桩高，当使用挖掘机开挖基槽时，极易妨碍挖掘机工作，现已很少使用，主要使用轴线控制桩。

轴线控制桩设置在基槽外基础轴线的延长线上，作为开槽后各施工阶段确定轴线位置的依据。轴线控制桩离基础外边线的距离根据施工场地的条件而定。如果附近有已建的建筑物，也可将轴线投设在建筑物的墙上。为了保证控制桩的精度，施工中往往将控制桩与定位桩一起测设，有时先测设控制桩，再测设定位桩。图 9-19中各轴线控制桩的位置距离外墙线 10m。

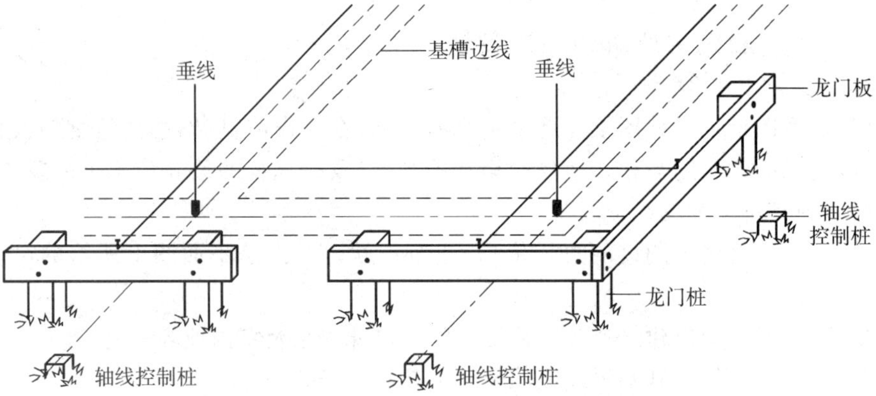

图 9-19　轴线控制桩、龙门桩和龙门板

4. 基础施工的测量工作

基础分墙下条形基础和柱下独立基础。基础施工测量的主要内容是放样基槽开挖边线、控制基础的开挖深度、测设垫层的施工高程和放样基础模板的位置。

(1)放样基槽开挖边线和抄平

基础开挖前，根据轴线控制桩（或龙门板）的轴线位置和基础宽度，并顾及到基础挖深应放坡的尺寸，在地面上用白灰放出基槽边线（或称基础开挖线）。开挖基槽时，不得超挖基底，要随时注意挖土的深度，当基槽挖到离槽底 0.300～0.500m 时，用水准仪在槽壁上每隔 2～3m 和拐角处钉一个水平桩，用以控制挖槽深度及作为清理槽底和铺设垫层的依据（如图 9-20 所示）。施工中，称高程测设为抄平。

基槽开挖完成后，应根据轴线控制桩复核基槽宽度和槽底标高，合格后方可进行垫层施工。

(2)垫层和基础放样

如图 9－20 所示，基槽开挖完成后，应在基坑底设置垫层标高桩，使桩顶面的高程等于垫层设计高程，作为垫层设计施工的依据。垫层施工完成后，根据轴线控制桩，用拉线的方法，吊垂球将墙基轴线投设到垫层上，用墨斗弹出墨线，用红油漆画出标记。墙基轴线投设完成后，应按设计尺寸复核。

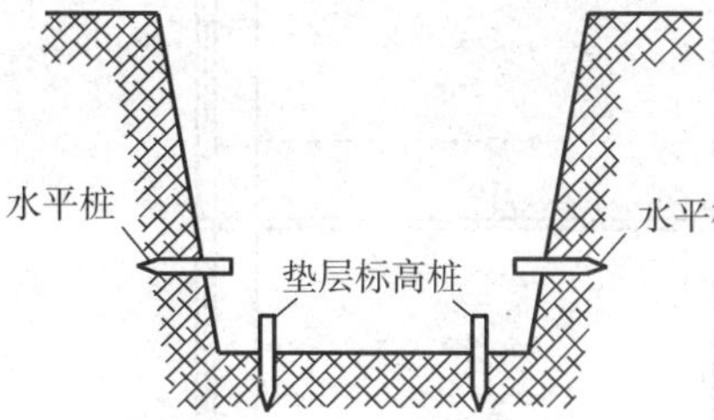

图 9－20 基槽抄平

9.4.1.2 高层建筑的施工测量

按照我国对高层建筑物的划分：对于住宅建筑，7 层～9 层为中高层；10 层及以上为高层(或对公共建筑及综合性建筑的总高度超过 24m 为高层)。在此讨论的高层建筑物施工测量，均是超过 10 层以上或建筑的总高度超过 24m 的高层建筑物。

高层建筑物施工测量中的主要问题是控制竖向偏差，也就是各层轴线如何精确地向上引测的问题。《钢筋混凝土高层建筑结构设计与施工规定》中指出：竖向误差在本层内不得超过 5mm，全楼的累积误差不得超过 20mm。

与普通多层建筑物的施工测量比较，高层建筑施工测量的主要问题是如何将轴线精确地向上引测和怎样进行高程传递。

1. 高层建筑物的轴线投测

高层建筑物轴线的投测，一般分为经纬仪引桩投测法和激光铅垂仪投测法两种，下面分别介绍这两种方法：

(1)经纬仪引桩投测法

首先选择中心轴线，接着向上投测中心轴线，然后增设轴线引桩。当楼房逐渐增高，而轴线控制桩距建筑物又较近时，望远镜的仰角较大，操作不便，投测精度将随仰角的增大而降低。为此，要将原中心轴线控制桩引测到更远的安全地方，或者附近大楼的屋顶上。

需要注意的事项：经纬仪一定要经过严格检校才能使用，尤其是照准部水准管轴应严格垂直于竖轴，作业时要仔细整平。为了减少外界条件(如日照和大风等)的不利影响，投测工作在阴天及无风天气进行为宜。

(2)激光铅垂仪投测法

铅垂仪又称垂准仪，它是利用发射望远镜发射的铅直激光束到达光靶，在靶上显示光点，从而投测定位。为了把建筑物的平面定位轴线投测至各层上去，每条轴线至少需要两个投测点。根据梁、柱的结构尺寸，投测点距轴线 500～800mm 为宜。为了使激光束能从底层投测到各层楼板上，在每层楼板的投测点处，需要预留孔洞，洞口大小一般在 300×300mm 左右。

2. 高层建筑物的高程传递

如图 9－21(a)所示，首层墙体砌到 1.5m 高后，用水准仪在内墙面上测设一条“＋50mm”的水平线，作为首层地面施工及室内装修的标高依据。以后每砌高一层，就从楼梯间用钢尺从下层的“＋50mm”标高线，向上量出设计层高，测出上一楼层的“＋50mm”标高线。以第二层为例，图中各读数间存在方程$(a_2-b_2)-(a_1-b_1)=$

l_1，由此解出 b_2 为：$b_2=a_2-l_1-(a_1-b_1)$。

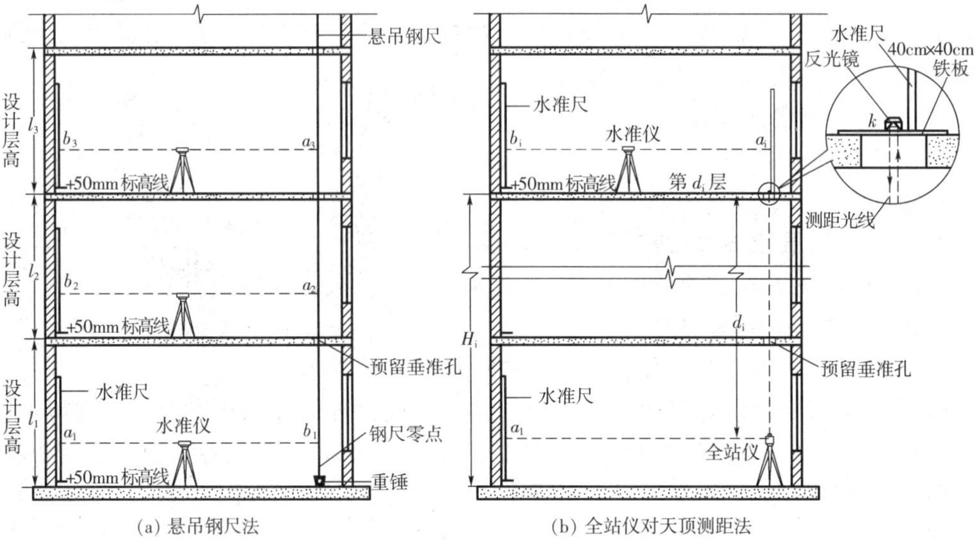

图 9-21　高程传递的方法

根据情况也可用吊钢尺法向上传递高程。

在进行第二层的水准测量时，上下移动水准尺，使其读数为 b_2，沿水准尺底部在墙面上画线，即可得到该层的"+50mm"标高线。同理，第三层的 b_3 为：$b_3=a_3-(l_1+l_2)-(a_1-b_1)$。

对于超高层建筑，吊钢尺有困难时，可以在投测点或电梯井安置全站仪，通过对天顶方向测距的方法引测高程（如图 9-21(b)所示）。

9.4.2　工业建筑施工测量

9.4.2.1　工业厂房柱列轴线的测设和柱基施工测量

1. 柱列轴线的测设

检查厂房矩形控制网的精度符合要求后，即可根据柱间距和跨间距用钢尺沿矩形网各边量出各轴线控制桩的位置，并打入大木桩，钉上小钉，作为测设基坑和施工安装的依据。

2. 柱基的测设

柱基测设就是根据基础平面图和基础大样图的有关尺寸，把基坑开挖的边线用白灰标示出来以便挖坑。在进行柱基测设时，应注意定位轴线不一定都是基础中心线，有时一个厂房的柱基类型不一，尺寸各异，放样时应特别注意，如图 9-22 所示。

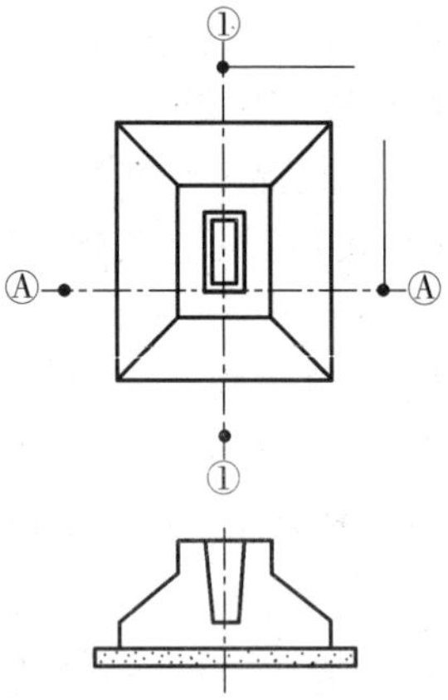

图 9-22　柱基的测设

3. 基坑的高程测设

当基坑挖到一定深度时，应在坑壁四周离坑底设计高程 0.3～0.5m 处设置几个水平桩，作为基坑修坡和清底的高程依据。

此外还应在基坑内测设出垫层的高程，即在坑底设置小木桩，使桩顶面恰好等于垫层的设计高程。

4. 基础模板的定位

打好垫层之后，根据坑边定位小木桩，用拉线的方法，吊垂球把柱基定位线投到垫层。用墨斗弹出墨线，用红漆画出标记，作为柱基立模板和布置基础钢筋网的依据。立模时，将模板底线对准垫层上的定位线，并用垂球检查模板是否竖直。最后将柱基顶面设计高程测设在模板内壁。

9.4.2.2 工业厂房构件的安装测量

在工业建筑中以厂房为主体。尤其是装配式单层工业厂房，它主要由柱子、吊车梁、屋架、天窗架和屋面板等主要构件组成。在吊装每个构件时，有绑扎、起吊、就位、临时固定、校正和最后固定等几道操作工序。下面着重介绍柱子、吊车梁及吊车轨道等构件在安装时的校正工作。

1. 柱子安装测量

柱子吊装前，应根据轴线控制桩，把定位轴线投测到杯形基础的顶面上，并用红油漆画上“▲”标明。同时还要在杯口内壁，测出一条高程线，从高程线起向下量取一整分米数，作为杯底的设计高程。

在柱子的三个侧面弹出柱中心线，每一面又需分为上、中、下三点，并画小三角形“▲”标志，以便安装校正。

柱长的检查与杯底找平：柱子在预制时，由于模板制作和模板变形等原因，不可能使柱子的实际尺寸与设计尺寸一样，为了解决这个问题，往往在浇注基础时把杯形基础底面高程降低 2～5cm，然后用钢尺从牛腿顶面沿柱边量到柱底，根据这根柱子的实际长度，用 1：2 水泥砂浆在杯底进行找平，使牛腿面符合设计高程。

安装柱子时的竖直校正：柱子插入杯口后，首先应使柱身基本竖直，再令其侧面所弹的中心线与基础轴线重合，如图 9－22 所示。用木楔或钢楔初步固定，然后进行竖直校正。校正时用两架经纬仪分别安置在柱基纵横轴线附近，离柱子的距离约为柱高的 1.5 倍。先瞄准柱子中心线的底部，然后固定照准部，再仰视柱子中心线顶部。如重合，则柱子在这个方向上就是竖直的。如果不重合，应进行调整，直到柱子两个侧面的中心线都竖直为止。由于纵轴方向上柱距很小，通常把仪器安置在纵轴的一侧，在此方向上，安置一次仪器可校正数根柱子(见图 9－23)。

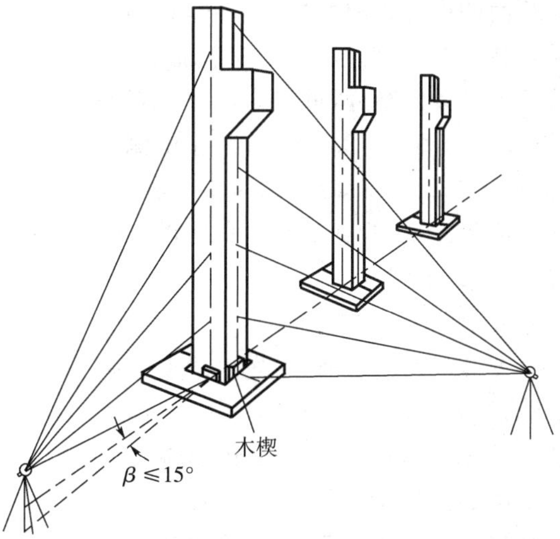

图 9－23　柱子垂直高度的校正

安装柱子时应注意如下事项：

(1) 校正柱子前，应经严格检校经纬仪，因为校正柱子竖直时，往往只用盘左或盘右观测，仪器误差影响很大，操作时还应注意使照准部水准管气泡严格居中。

(2) 柱子在两个方向的垂直度都校正好后，应再复查平面位置，看柱子下部的中线是否仍对准基础的轴线。

(3) 当校正变截面的柱子时，经纬仪必需放在轴线上校正，否则容易产生差错。

(4) 在阳光照射下校正柱子垂直度时，要考虑温度影响，因为柱子受太阳照射后，柱子向阴面弯曲，使往顶有一个水平位移。为此应在早晨或阴天时校正。

(5) 当安置一次仪器校正几根柱子时，仪器偏离轴线的角度 β 最好不超过 15°。

安装柱子时其精度要求如下：

(1) 柱脚中心线应对准柱列轴线，允许偏差为±5mm。

(2) 牛腿面的高程与设计高程一致，其误差不应超过±5mm；如果柱高大于 5m，高程之差最多为±8mm。

(3) 柱的全高竖向允许偏差值为 1/1000 柱高，但不应超过 20mm。

2. 吊车梁的安装测量

安装前先弹出吊车梁顶面中心线和吊车梁两端中心线，如图9-24所示，要将吊车轨道中心线投到牛腿面上。然后分别安置经纬仪于吊车轨道线的一个端点上，瞄准另一端点，仰起望远镜，即可将吊车轨道中线投测到每根柱子的牛腿面上并弹以墨线。然后，根据牛腿面的中心线和梁端中心线，将吊车梁安装在牛腿上。吊车梁安装完后，应检查吊车梁的高程，可将水准仪安置在地面上，如图 9 - 25 所示，在柱子侧面测设+50cm 的标高线(相对于厂房±0.000)，再用钢尺从该线沿柱子侧面向上量出至梁面的高度，检查梁面标高是否正确，然后在梁下用铁板调整梁面高程，使之符合设计要求(如图 9 - 26 所示。)

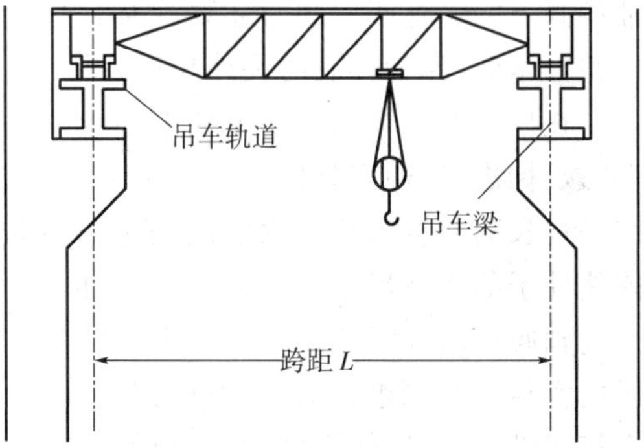

图 9 - 24　安装吊车

3. 吊车轨道安装测量

安装吊车轨道前，须先对梁上的中心线进行检测，此项检测多用平行线法。首先在地面上从吊车轨中心线向厂房中心线方向量出长度。然后安置经纬仪于平行线一端点上，瞄准另一端点，固定照准部，仰起望远镜投测。此时另一人在梁上移动横放的木尺，当视线正对准尺上一米刻划时，尺的零点应与梁面上的中线重合。如不重合，应予以改正，可用撬杠移动吊车梁。

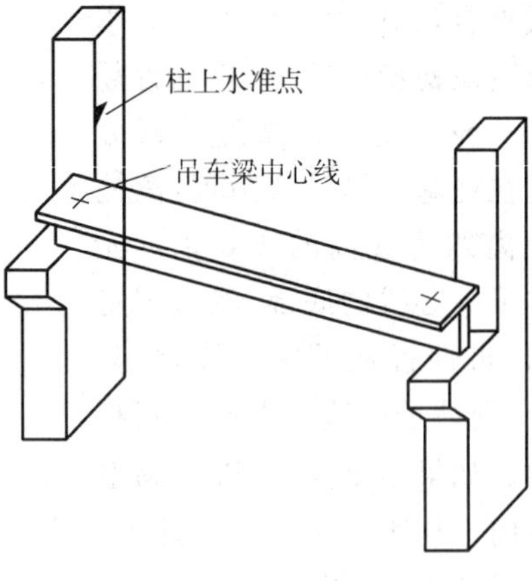

图 9 - 25　确定柱上水准点和吊车梁中心线

吊车轨道按中心线安装就位后，可将水准仪安置在吊车梁上，水准尺直接放在轨顶上进行检测，每隔 3m 测一点高程，与设计高程相比较，误差应在±3mm 以内。还要用钢尺检查两吊车轨道间跨距，与设计跨距相比较，误差不得超过±5mm，如图 9-26 所示。

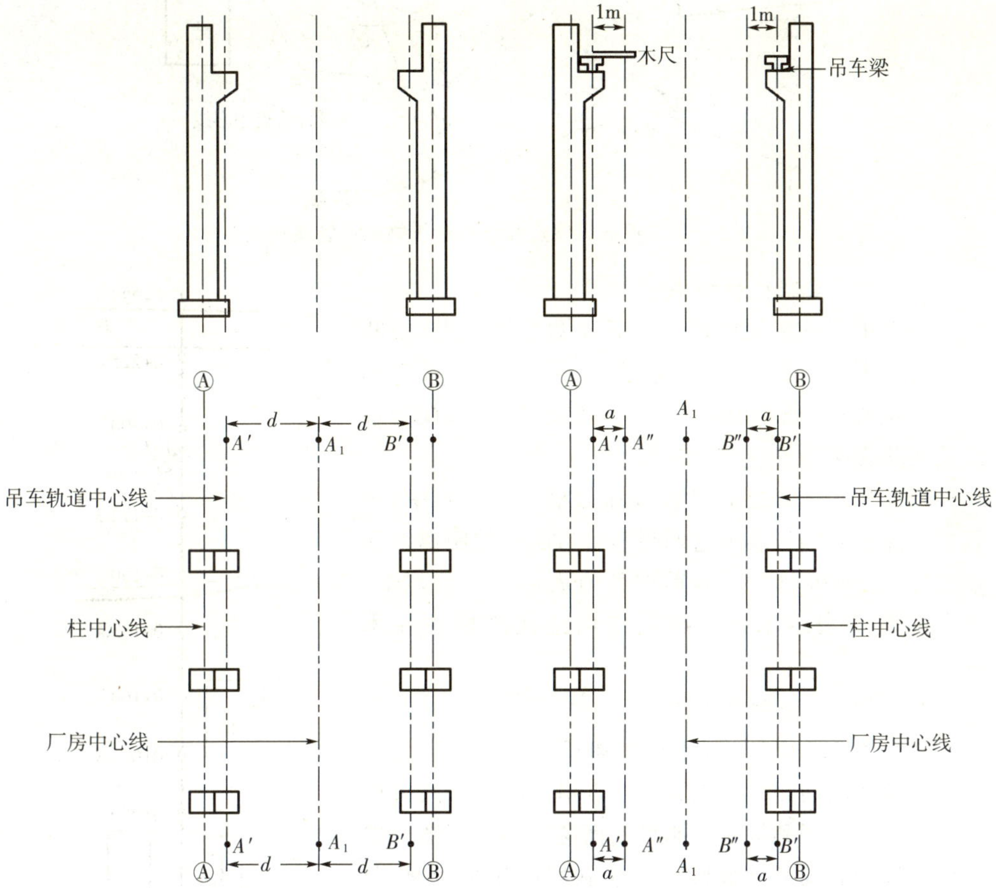

图 9-26 吊车梁和吊车轨道的安装测量

9.4.3 管道施工测量

管道包括给水、排水、煤气、暖气、电缆、通信、输油、输气等管道。管道工程测量的主要内容包括管道中线测量、管道纵横断面测量和管道施工测量。

1. 管道中线测量

管道中线测量的任务是将设计管道中心线的位置在地面测设出来。中线测量的内容有管线转点桩测设、交点桩测设、线路转折角测量、里程桩和加桩的标定。

(1) 测设转点桩、交点桩和测量转折角

图 9-27 为某设计管线示例，图中 1、2、3、4、5 点为管线转点，A、B、C、D 为已有导线点。可以在地形图成图软件 Cass 中采集管线转点的坐标并上传到全站仪中，在导线点上安置仪器测设。完成测设后，应沿着测设的管线转点进行导线测量，与附

近的测量控制点连测，构成符合导线形式，以检查转点测设的正确性。

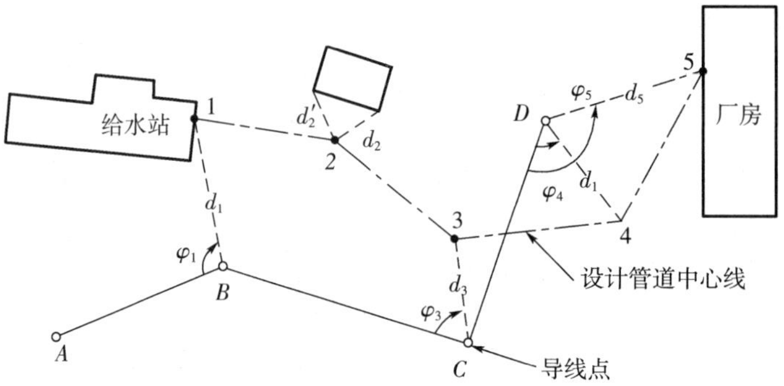

图 9－27　根据导线点和已有建筑物测设管线转点

(2) 测设里程桩和加桩

测设里程桩和加桩是为了后面测量管线纵、横断面图的需要。沿管道中心线，自起点开始，每隔 50m 打一个里程桩，如果地势有变化，还应打加桩，在新管线及道路交叉处，也应打加桩。

图 9－28 是管道的里程桩和加桩草图。其中，里程桩和加桩的编号表示它们距离管道起点的距离。起点桩号为 0＋000（“＋”号前的数值表示千米数，“＋”号后的数值表示米数），桩号应用红油漆标注在木桩上。

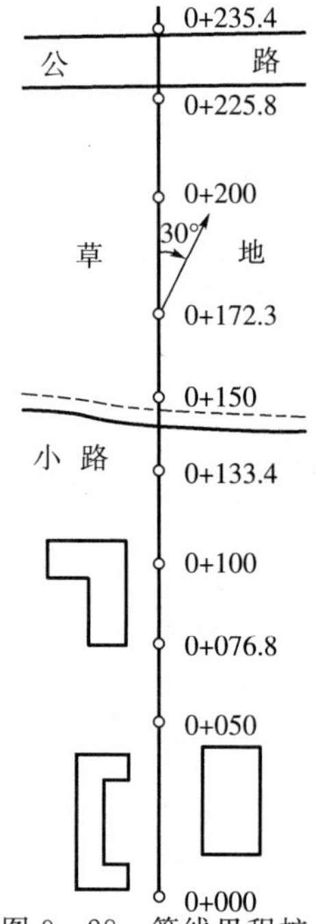

图 9－28　管线里程桩和加桩草图

2. 管线纵、横断面测量

(1) 管线纵断面测量和纵断面图的绘制

管道纵断面测量的内容是根据沿管线中心线桩所测得的桩点高程和桩号绘制纵断面图。纵断面图反映了沿管线中心线的地面高低起伏和坡度陡缓情况，是设计管道埋深、坡度和计算土方量的主要依据。

(2)管线横断面测量和横断面图的绘制

管线横断面图用于表示中线两侧的地形起伏和计算管线沟槽开挖的土方量。根据纵断面图上的管线埋深、纵坡设计、横断面图上中线两侧的地形起伏，可以计算出管线施工的土方量。

3. 管道施工测量

先检查管道中线上各种桩位的保存情况，如有破坏，应根据设计和测量数据恢复并进行检核。

(1) 设置坡度板及测设中线钉

管道施工中的测量工作主要是控制管道中线设计位置和管底设计高程。为此，需设置坡度板。坡度板跨槽设置如图 9－29 所示，间隔一般为 10～20m，编以板号。根据中线控制桩，用经纬仪把管道中心线投测到坡度板上，用小钉作标记（称作中线钉），以控制管道中心的平面位置。

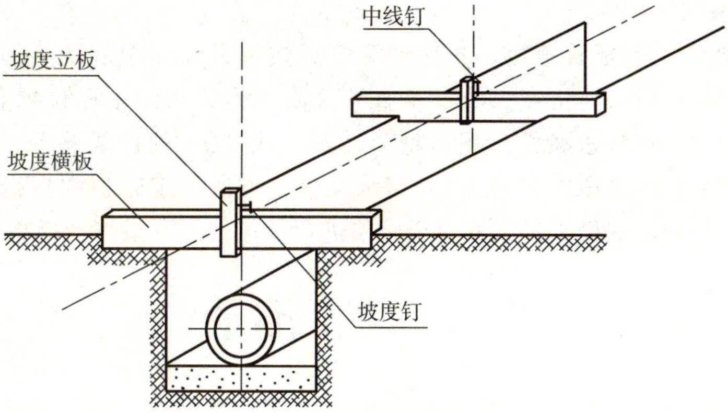

图 9－29　坡度板的设置

（2）测设坡度钉

为了控制沟槽的开挖深度和管道的设计高程，还需要在坡度板上测设设计坡度。为此，在坡度横板上设一坡度立板，一侧对齐中线，在竖面上测设一条高程线，其高程与管底设计高程相差一整分米数，称为下反数。在该高程线上横向钉一小钉（称为坡度钉），以控制沟底挖土深度和管子的埋设深度。

4. 顶管的施工测量

当地下管道需要穿越其他建筑物时，不能用开槽方法施工，应采用顶管施工法。在顶管施工中要做的测量工作有以下两项：

（1）中线测设

挖好顶管工作坑，根据地面上标定的中线控制桩，用经纬仪将中线引测到坑底，在坑内标定出中线方向，如图 9－30 所示。在管内前端水平放置一把木尺，尺上有刻划并标明中心点，用经纬仪可以测出管道中心偏离中线方向的数值，依此在顶进中进行校正。如果使用激光准直经纬仪，则沿中线方向发射一束激光。激光是可见的，所以管道顶进中的校正更为方便。

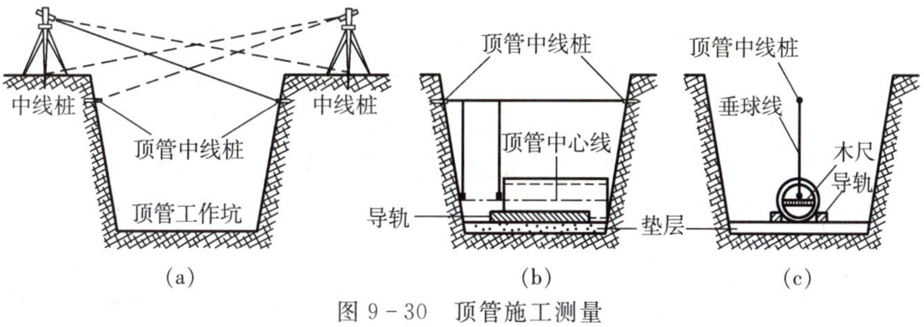

图 9－30　顶管施工测量

（2）高程测设

在工作坑内测设临时水准点，用水准仪测量管底前、后各点的高程，可以得到管底高程和坡度的校正数值。测量时，管内使用短水准标尺。如果将激光准直经纬仪安置的视准轴倾斜坡度与管道设计中心线重合，则可以同时控制顶管作业中的方向和高程。

5. 管道竣工测量

管道竣工测量包括管道竣工平面图和管道竣工纵断面图的测绘。竣工平面图主要测绘管道的起点、转折点、终点、检查井及附属构筑物的平面位置和高程，测绘管道与附近重要地物（永久性房屋、道路、高压电线杆等）的位置关系。管道竣工纵断面图的测绘，要在回填土之前进行，用水准测量方法测定管顶的高程和检查井内管底的高程，距离用钢尺丈量。使用全站仪进行管道竣工测量将会提高效率。

9.5 竣工测量

竣工测量是指各种工程建设竣工、验收时所进行的测绘工作。竣工测量的最终成果就是竣工总平面图，它包括反映工程竣工时的地形现状、地上与地下各种建（构）筑物以及各类管线平面位置与高程的总现状地形图和各类专业图等。竣工总平面图是设计总平面图在工程施工后实际情况的全面反映和工程验收时重要依据，也是竣工后工程改建、扩建的重要基础技术资料。因此，工程单位必须十分重视竣工测量。

竣工测量包括室外的测量工作和室内的竣工总平面图编绘工作，其内容如下。

9.5.1 室外测量

室外测量主要用于以下几方面：

（1）主要厂房及一般建（构）筑物墙角和厂区边界围墙角的测量；

（2）架空管线支架测量；

（3）电讯线路测量；

（4）地下管线测量；

（5）交通运输线路测量。

9.5.2 竣工总平面图的编绘

竣工总平面图是设计总平面图在施工后实际情况的全面反映，所以设计总平面图不能完全代替竣工总平面图。编绘竣工总平面图的目的在于：

（1）在施工过程中可能由于设计时没有考虑到的问题而使设计有所变更，这种临时变更设计的情况必须通过测量反映到竣工总平面图上；

（2）它将便于日后进行各种设施的维修工作，特别是地下管道等隐蔽工程的检查和维修工作；

（3）为项目的扩建提供了原有各项建筑物、构筑物、地上和地下各种管线及交通线路的坐标、高程等资料。

新建的项目竣工总平面图的编绘，最好是随着工程的陆续竣工相继进行编绘。一面竣工，一面利用竣工测量成果编绘竣工总平面图。如发现地下管线的位置有问题，可及时到现场核对，使竣工图能真实反映实际情况。边竣工边编绘的优点是：当企业全部竣工时，竣工总平面图也大部分编制完成；既可作为交工验收的资料，又可大大减少实测工作量，从而节约了人力和物力。

竣工总平面图的编绘，包括室外实测和室内资料编绘两方面的内容。

1. 竣工测量

在每一个单项工程完成后，必须由施工单位进行竣工测量。提出工程的竣工测量成果。其内容包括以下各方面：

(1)工业厂房及一般建筑物

包括房角坐标，各种管线进出口的位置和高程；并附房屋编号、结构层数、面积和竣工时间等资料。

(2)铁路和公路

包括起止点、转折点、交叉点的坐标，曲线元素，桥涵等构筑物的位置和高程。

(3)地下管网

窨井、转折点的坐标，井盖、井底、沟槽和管顶等的高程；并附注管道及窨井的编号、名称、管径、管材、间距、坡度和流向。

(4)架空管网

包括转折点、结点、交叉点的坐标，支架间距，基础面高程。

(5)其他

竣工测量完成后，应提交完整的资料，包括工程的名称，施工依据，施工成果，作为编绘竣工总平面图的依据。

2. 竣工总平面图的编绘

竣工总平面图上应包括建筑方格网点，水准点、厂房、辅助设施、生活福利设施、架空及地下管线、铁路等建筑物或构筑物的坐标和高程，以及厂区内空地和未建区的地形。有关建筑物、构筑物的符号应与设计图例相同，有关地形图的图例应使用国家《地形图图式》符号。

厂区地上和地下所有建筑物、构筑物绘在一张竣工总平面图上时，如果线条过于密集而不醒目，则可采用分类编图。如综合竣工总平面图，交通运输竣工总平面图和管线竣工总平面图等，比例尺一般采用1∶1000。如不能清楚地表示某些特别密集的地区，也可局部采用1∶500的比例尺。

如果施工的单位较多，多次转手，造成竣工测量资料不全，图面不完整或与现场情况不符时，只好进行实地施测，这样绘出的平面图，称为实测竣工总平面图。

9.6 建筑物的变形测量

建筑物的变形观测，目前在我国已受到高度重视。随着我国经济建设的蓬勃发展，各种复杂的大型建(构)筑物，如高层建筑、水坝、大型桥梁、隧道及各种大型设备的出现，因变形而造成损失的也越来越多。这种变形总是由量变到质变而造成事故的，因而及时地对建筑物进行变形观测，随时监视变形的发展变化，在未造成损失以前，及时采取补救措施，这就是变形观测的主要目的。它的另一个目的是检验设计的合理性，为提高设计质量提供科学的依据。实践证明，变形观测已日益成为工程建设中的一项十分重要的工作内容。

建筑物的变形观测主要包括沉降观测、倾斜观测和位移观测，下面分别加以阐述。

9.6.1 沉降观测

建筑物的沉降是地基、基础和上部结构共同作用的结果，它是指建筑物及其基础在垂直方向上的变形（也称垂直位移）。沉降观测就是测量建筑物上所设观测点与水准点之间随时间的高差变化量。通常采用精密水准测量或液体静力水准测量的方法进行，通过此项观测，研究解决地基沉降问题和分析相对沉降是否有差异，以监视建筑物的安全。

1. 水准点的布设

沉降观测的基准点或工作点也称为水准点，是观测建筑物地基变形的基准。水准点应埋设在建筑物变形影响范围之外、一般距基坑开挖边线 50m 左右，选在不受施工影响的地方。

2. 观测点的布设

沉降观测点是固定在建筑物结构基础、柱、墙上的测量标志，是测量沉降量的依据。观测点的数目和位置应能全面反映建筑物沉降的情况，这与建筑物的大小、荷重、基础形式和地质条件有关。一般情况下，沿房屋四周每隔 10～15m 布置一点。另外，在最容易变形的地方，如设备基础、柱子基础、伸缩缝两旁、基础形式改变处、地质条件改变处、高低层建筑连接处、新老建筑连接处等也应设立观测点。

3. 沉降观测

(1)观测周期的确定

沉降观测的周期应根据建(构)筑物的特征、变形速率、观测精度和工程地质条件等因素综合考虑，并根据沉降量的变化情况适当调整。

深基坑开挖时，锁口梁会产生较大的水平位移，沉降观测周期应较短，一般每隔 1～2 天观测一次；浇筑地下室底板后，可每隔 3～4 天观测一次，至支护结构变形稳定。当出现暴雨、管涌、变形急剧增大时，要加密观测。

建筑物主体结构施工时，每 1～2 层楼面结构浇筑完观测一次；结构封顶后每两个月左右观测一次；建筑物竣工投入使用后，观测周期视沉降量大小而定，一般可每三个月左右观测一次，至沉降稳定。如遇停工时间过长，停工期间也要适当观测。无论何种建筑物，沉降观测次数不能少于 5 次。

(2)沉降观测方法

一般性高层建筑和深基坑开挖的沉降观测，通常用精密水准仪，按国家二等水准技术要求施测，将各观测点布设成闭合环或附合水准路线联测到水准基点上。为提高观测精度，观测时前视、后视宜使用同一根水准尺，视线长度小于 50m，前、后视距大致相等。每次观测宜采用相同的观测路线，使用同一台仪器和水准尺，固定观测人员。为了正确地分析变形原因、观测时还应记录荷载变化和气象情况。

(3)成果整理

每次观测结束后，应及时整理观测记录。先根据基准点高程计算出各观测点高程，然后分别计算各观测点相邻两次观测的沉降量（本次观测高程减上次观测高程）和累计沉降量（本次观测高程减第一次观测高程），并将计算结果填入相应的成果表中。为了更形象地表示沉降、荷重和时间之间的相互关系，可绘制荷重、时间沉降量关系曲线图，简称沉降曲线图。

9.6.2 倾斜观测

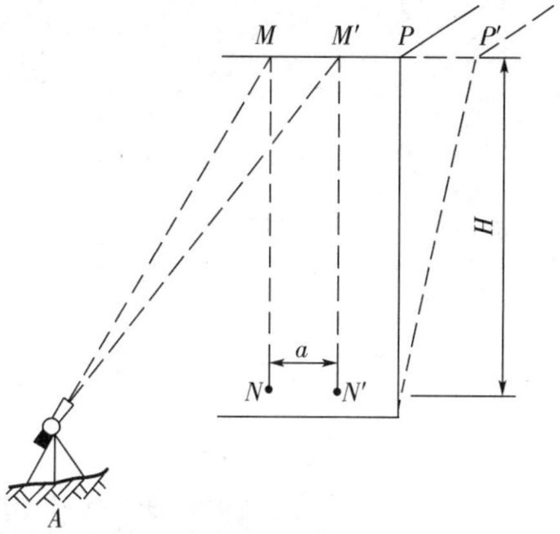

图 9-31　房屋建筑的倾斜观测

基础的不均匀沉降会导致建筑物倾斜。房屋建筑的倾斜观测可采用经纬仪投点的方法进行。如图 9-31 所示，在房屋顶部设置观测点 M，在离房屋建筑墙面大于其高度的 A 点（设一标志）安置经纬仪（AM 应基本上与被观测的墙面平行），用正、倒镜法将 M 点向下投影，得 N 点，作一标志。当建筑物发生倾斜时，设房顶角 P 点偏到了 P' 点的位置，则 M 点也同方向偏到了 M' 点的位置，这时，经纬仪安置在 A 点将 M' 点（标志仍为 M 点）向下投影得 N' 点。N' 与 N 不重合，两点的水平距离 a 表示建筑物在该垂直方向上产生的倾斜量。用 H 表示墙的高度，则倾斜度为 $i=a/M$。对房屋建筑的倾斜观测应在相互垂直的两立面上进行。

9.6.3 位移观测

建筑物的位移是指其接近地面部分的平面位置的改变，往往与不均匀沉降、横向挤压等有关，其观测方法有基准点上的观测法和位移点上的观测法两种。

思考题与习题

1. 施工放样与测绘地形图有什么根本的区别？
2. 施工测量为何也应按照“从整体到局部”的原则？
3. 施工放样的基本工作有哪些？它们与量距、测角、测高程的区别是什么？
4. 测设平面点位有哪几种方法？各适用于什么场合？
5. 详述精密测设水平角的方法？
6. 施工平面控制网有哪些形式？如何进行测设？
7. 如何测设建筑物轴线？如何测设龙门桩和龙门板？
8. 如何进行厂房柱子安装测量？
9. 如何进行管道中线测量？如何测绘管线纵、横断面图？
10. 为什么要进行建筑工程变形观测？建筑物变形观测包括哪些主要内容？

第10章

道路与桥梁工程测量

[本章导读]

本章主要介绍道路中线测量和路线纵横断面测量。通过本章的学习，读者能初步掌握道路与桥梁工程测量。

[知识目标]

1. 掌握道路带状地形测量。
2. 掌握道路中线测量。
3. 掌握路线纵横断面测量。
4. 掌握道路施工测量。
5. 了解桥梁施工测量。

[能力目标]

1. 掌握全站仪道路中线测量的方法。
2. 掌握绘制纵横断面图的方法。

[重点难点]

1. 道路中线测量。
2. 绘制纵横断面图。

10.1 概　　述

道路工程分为城市道路(包括高架道路)、联系城市之间的公路(包括高速公路)、工矿企业的专用道路以及农业生产服务的农村道路,由此组成了全国道路网。在道路的勘测设计和施工中所进行的测量工作,称为道路工程测量。

在道路工程的建设中,遇到障碍物时,要采取一定的工程手段来解决,如过江河峡谷架桥梁,必须要修建大量的桥梁。有铁路桥梁、公路桥梁、铁路公路两用桥梁。陆地上的立交桥和高架道路也属于桥梁结构。这些桥梁在勘测设计、建筑施工和运营管理期间都需要进行大量的测量工作。在桥梁的勘测设计、建筑施工和运营管理期间所进行的大量测量工作,称为桥梁工程测量。

在桥梁的勘测设计阶段,需要测绘各种比例尺的地形图(包括水下地形图)、河床断面图,以及提供其他测量资料。在桥梁的建筑施工阶段,需要建立桥梁平面控制网和工程控制网,进行桥墩、桥台定位和梁的架设等施工测量,以保证建设的位置准确。在建成后的管理阶段,为了监测桥梁的安全运营,充分发挥其效益,需要定期进行变形观测。本章主要介绍桥梁施工测量。

10.2 道路带状地形测量

道路勘测工作分为初测和定测两个阶段进行,初测在一条道路的全部勘测工作中占有重要地位,它决定着道路的基本方向。道路初测阶段的主要技术工作是进行带状地形测量,绘制带状地形图,为道路工程设计、施工和运营提供详细的地形信息。为下一步进行图上定线设计(即在带状地形图上确定线路中线直线段及其交点位置,标明直线段连接曲线的有关参数)服务。

如图 10－1 所示,带状地形图上连贯首尾的粗线是定线设计的道路中线的局部(经过缩印处理)。图中的 K_1,K_2 等是导线点,BM. 1 等是水准点,JD 是公路直线段的交点。图中方格线所注参数是方格的平面直角坐标。例如 N2876600,E38638600,前者表示 x 坐标,后者表示 y 坐标。在 JD 两侧的 ZH、HY、QZ、YH、HZ 表示与直线段相连的曲线主点。

带状地形测量的特点是宽度窄、距离远。在进行带状地形测量时,常规的方法是先布设一条贯穿全程的导线,然后进行导线(亦称初测导线)控制测量,在导线平差完毕后,在图上展绘导线点,利用平板仪进行碎步测量。导线测量和用平板仪进行碎步测量的方法在前面几章中已经作了详细介绍,因此本节只对道路带状地形测量的特点做一些概述。

10.2.1 导线测量

初测导线是测绘线路带状地形图和定测放线的基础。导线测量的外业及内业工作已在前面章节中作了介绍,此处仅介绍道路测量中导线的检核计算方法。

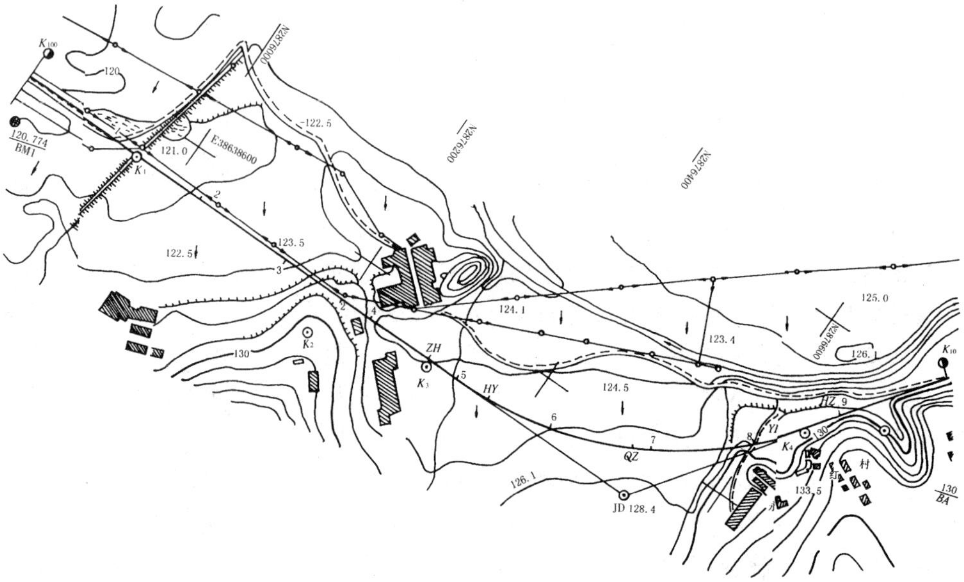

图 10－1　线路中线

1. 导线联测及技术要求

导线起终点及不大于 30km 的点上，应与高等级控制点联测检核；有条件时，也可采用 GPS 全球定位技术加密四等以上大地点。其技术要求见表 10－1。

表 10－1　导线测量限差

导线长度(km)	边长(m)	仪器精度等级	测回数	测角中误差(″)	测距相对中误差	联测检核	
						方位闭合差(″)	相对闭合差
≤30	400～600	2″级仪器	1	12	≤1/2000	$24\sqrt{n}$	≤1/2000
		6″级仪器		20		$40\sqrt{n}$	

注：表中 n 为测站数。

2. 导线长度的两化改正

当初测导线与国家大地点联测时，首先应将导线测量成果改化到大地水准面上，然后再改化到高斯平面上，才能与大地点坐标进行比较检核，为此要进行导线的两化改正。特别是导线处于海拔较高或位于投影带的边缘时，必须进行两化改正。

设导线在地面上的长度为 s，则改化到大地水准面上的长度 s_0，可按下式计算：

$$s_0 = s\left(1 - \frac{H_m}{R}\right) \tag{10-1}$$

其距离改正数为：$s - \dfrac{H_m}{R}$。

式中：H_m—— 导线两端的平均标高；

　　R—— 地球半径。

将 s_0 再改化至高斯平面上，可按下式计算：

$$s_g = s_0\left(1+\frac{y_m^2}{2R^2}\right) \tag{10-2}$$

其改正数为：$s_0\ \frac{y_m^2}{2R^2}$。

式中：y_m—— 导线边距中央子午线的平均距离；

R—— 地球半径。

当用 s 代替 s_0 时，其改正数与用式(10－2)计算出的数值相差甚微，故采用简化公式计算。

在初测导线计算中，都是采用坐标增量 Δx、Δy 来求算闭合差，故只需求出坐标增量总和($\sum\Delta x$，$\sum\Delta y$)，将其经过两化改正，求出改化后的坐标增量总和，才能计算坐标闭合差。

两次改化后的坐标增量总和按下式计算：

$$\left.\begin{aligned}\sum\Delta x_s &= \sum\Delta x\left(1-\frac{H_m}{R}+\frac{y_m^2}{2R^2}\right)\\ \sum\Delta y_s &= \sum\Delta y\left(1-\frac{H_m}{R}+\frac{y_m^2}{2R^2}\right)\end{aligned}\right\} \tag{10-3}$$

式中：$\sum\Delta x_s$、$\sum\Delta y_s$—— 两化改正后的纵、横坐标增量和(m)；

$\sum\Delta x$、$\sum\Delta y$—— 导线的纵、横坐标增量和(m)；

y_m—— 距中央子午线的平均距离(即导线两端点横坐标的平均值)；

H_m—— 导线两端点的平均绝对高程。

10.2.2 高程测量

初测高程的任务有两个：一是沿线路布设水准点，作为线路的高程控制网；二是测定导线点和加桩的高程，为带状地形测绘和专业调查使用。

1. 水准点高程测量

线路水准点一般每隔 2km 设置一个，重点工程地段应根据实际情况增设水准点。水准点高程按五等水准测量要求的精度施测；水准点高程测量应与国家水准点联测，其路线长度不远于 30km 联测一次，形成附合水准路线；水准点高程测量可采用水准测量或光电测距三角高程测量方法进行，高程取至于 mm。

(1)水准测量

水准仪的精度不应低于 DS3 级，水准尺宜用整体式；可采用一组往返测或两台水准仪并测。高差较差在限差以内时采用平均值，限差要求见表 10－2。

表 10-2　五等水准测量精度

等级	每千米高差全中误差(mm)	路线长度(km)	往返较差、附合或环线闭合差(mm)
五等	15	30	$30\sqrt{L}$

注：L 为水准路线长度(km)。

视线长度应不大于 150m，跨越深沟、河流时可增至 200m。前、后视距离应大致相等，其差值不宜大于 10m，视线离地面高度不应小于 0.3m，并应在成像清晰稳定时进行。

当跨越大河、深沟，其视线长度超过 200m 时，应按五等跨河水准测量的要求进行。

(2)光电测距三角高程测量

光电测距三角高程测量，可与平面导线测量合并进行。水准点的设置要求、闭合差限差及检测限差应符合水准测量要求。

导线点应作为高程转点。高程转点间的距离和竖直角必须往返观测；斜距应加气象改正；高差可不加折光改正，采用往返观测取平均值；仪器高、棱镜高应在测距前和测角后分别量测一次，取位至 mm，两次量测的较差不大于 2mm 时，取其平均值。测量的技术要求见表 10-3。

表 10-3　光电测距三角高程测量技术要求

距离测回数	竖　直　角				边长范围(m)
	测回数	最大角值(″)	测回间较差(″)	指标差互差(″)	
1(往、返)	2(往、返)	20	8	8	200～500

2. 加桩(中桩)高程测量

加桩是指导线点之间所钉设的板桩，它用于里程计算和专业调查，一般每 100m 钉设一桩；在地形变化处及地质不良地段，亦应钉设加桩。

(1)加桩水准测量

加桩水准测量使用精度不低于 DS10 的水准仪；采用单程观测，水准路线应起闭于水准点，导线点应作为转点，转点高程取位至 mm。加桩高程取位至 cm。限差要求见表 10-4。

表 10-4　加桩高程测量限差(mm)

项　目		附合路线闭合差	检　测	附　注
水准测量		$\pm50\sqrt{L}$	±100	L——附合路线长度(km)
光电三角高程		$\pm50\sqrt{L}$	±100	
一般三角高程	困难地段	±300	±150	
	隧道项	±800	±400	

(2)加桩光电测距三角高程测量

加桩高程测量可与水准点光电测距三角高程测量同时进行;若单独进行加桩光电测距三角高程测量时,其高程路线必须起闭于水准点,其限差要求见表 10-4。

高程转点间的竖直角用中丝法往返观测各一测回;加桩高程测量的距离和竖直角,可单向观测一测回,半测回间高差之差在限差以内时取平均值。加桩光电测距三角高程测量的技术要求见表 10-5。

表 10-5　加桩光电测距三角高程测量技术要求

<table>
<tr><th rowspan="2">类别</th><th rowspan="2">距离测回数</th><th colspan="3">竖　直　角</th><th rowspan="2">半测回或两次高差(mm)</th></tr>
<tr><th>最大竖直角(″)</th><th>测回数</th><th>半测回间较差(″)</th></tr>
<tr><td>高程转点</td><td>往返各一测回</td><td>30</td><td>中丝法往返各一测回</td><td>12</td><td></td></tr>
<tr><td rowspan="2">加桩</td><td rowspan="2">单向一测回</td><td rowspan="2">40</td><td>单向两次</td><td></td><td rowspan="2">100</td></tr>
<tr><td>单向一测回</td><td>30</td></tr>
</table>

(3)一般三角高程测量

在困难地段和隧道顶加桩高程测量亦可采用一般三角高程测量。其三角高程路线分段起闭于具有水准高程的导线点;转点间的竖直角应往返观测各一测回,半测回间角值较差限差为 30″;高程测量限差见表 10-4。

10.2.3　带状地形测量

带状地形测量应尽量以导线点作为测站,必要时可设置一个测站点。但在地貌、地物复杂处,设置一个测站点上不能测出隐蔽的测点时,可以继续设置第二个测站点。

道路属线状地物,所需地形图为带状,其测图带的宽度与测图比例尺、地形的复杂程度有关。《测规》对此作了规定(如表 10-6)。

表 10-6　带状地形图测绘规定

测图比例尺	导线每侧的测绘宽度(m)	等高距(m)		最大视线长度(m)	
		一般地段	困难地段垂	直度<12°	垂直度≥12°
1∶10000	250～500	5	10	600	600
1∶5000	200～300	2	5	450	350
1∶2000	100～150	1	2	400	300
1∶1000	按需要	1	1	250	150
1∶500	按需要	0.5	1	150	80

10.3　道路中线测量

道路中线测量是把在道路带状地形图上设计好的道路中心线标定在实地上。道路中心线的平面几何线型由直线和曲线组成(见图 10－2),线路的起点、终点和转点通称为线路主点。中线测量工作主要包括测设中线上各交点(JD)和转点(ZD)、量距和钉桩、测量转点上的偏角(α)、测设圆曲线等。

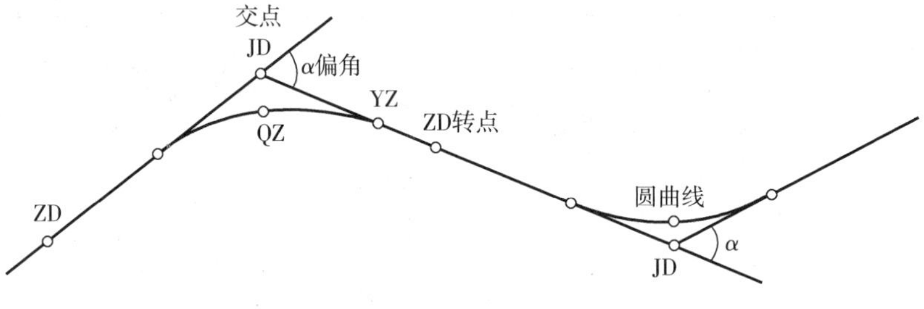

图 10－2　道路中线

10.3.1　路线的交点和转点测设

路线的转折点称为交点。它是布设线路、详细测设直线和曲线的控制点。对于低等级的道路,常采用一次定测的方法直接在现场测设出交点的位置。对于等级高的道路或地形复杂的地段,一般先在初测的带状地形图上进行纸上定线,然后实地标定交点位置。

转点是路线直线段上的点。定线测量中,当相邻两交点互不通视或直线较长时,需要在其连线(直线段)上测定一个或几个转点,以便在交点测量转折角和直线量距时作为照准和定线的目标。路线直线段上一般每隔 200～300m 设一转点,此外,在路线与其他道路交叉处,以及路线上需设置构筑物(如桥、涵等)时也要设置转点。

1. 交点测设

由于定位条件和现场情况的不同,交点测设的方法也需灵活多样,工作中应根据实际情况合理选择测量方法。

(1)根据地物测设交点

根据交点与地物的关系测设交点。如图 10－3 所示,交点 JD_{12} 的位置已在地形图上确定,可在图上量出交点到两房角和电杆的距离,在现场根据相应的房角和电杆,用皮尺分别量取相应尺寸,用距离交会法测设出 JD_{12} 交点。

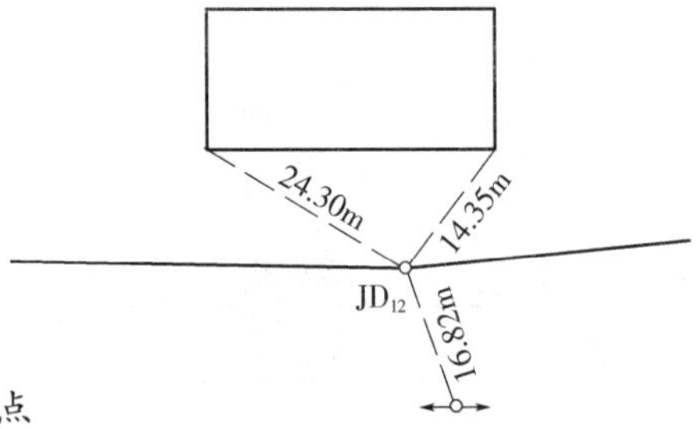

图 10－3　根据地物测设交点

(2)根据导线点和交点的设计坐标测设交点

根据附近导线点和交点的设计坐标,反

算出有关测设数据，按坐标法、角度交会法或距离交会法测设出交点。如图 10－4 所示，根据导线点 6、7 和 JD_1 三点的坐标，反算出方位角 $\beta_{6,7}$ 和 6 点到 JD_1 之间的距离 D 和方位角 β_{6,JD_1}，按极坐标法测设 JD_1。

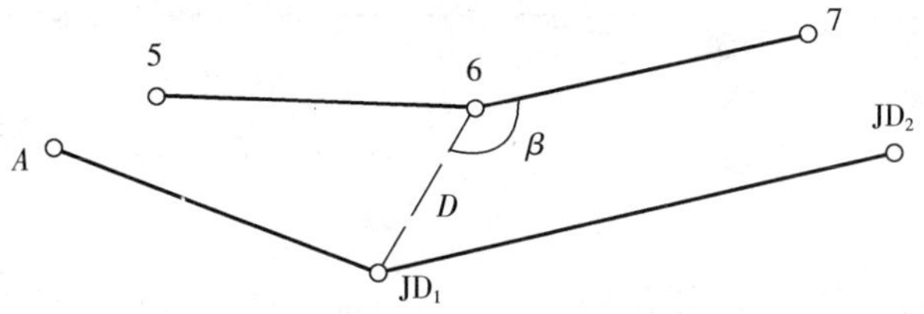

图 10－4　根据导线点测设交点

按上述方法依次测设各交点时，由于测量和绘图都带有误差，测设交点越多，距离越远，误差积累就越大。因此，在测设一定里程后，应和附近导线点联测。联测闭合差限差与初测导线相同。若符合限差要求，应进行闭合差的调整。

(3)穿线法测设交点

穿线法是利用图上就近的导线点或地物点与纸上定线的直线段之间的角度和距离关系，用图解法求出测设数据，通过实地的导线点或地物点，把中线的直线段独立地测设到地面上，然后将相邻直线延长相交，定出地面交点桩的位置。此法适用于地形不太复杂，且线路中线离初测导线不远的地区，其放线步骤为：

① 室内选点

在初测地形图上，根据线路与初测导线的相互关系，选择定测中线转点位置，每条直线段三个点以上，如图 10－5 所示，D_7、D_8、D_9、D_{10}、D_{11} 为初测导线点，采用支距法，即从初测导线作垂线与线路相交，得 1、2、4、6 号点，有时也可采用极坐标法，如图 10－5 中，根据 β 角和 D_{10} 与 5 号点之间的距离，得 5 号点。有时也可采用导线相交法(如图 10－5 所示)，采用此法得到 3 号点。

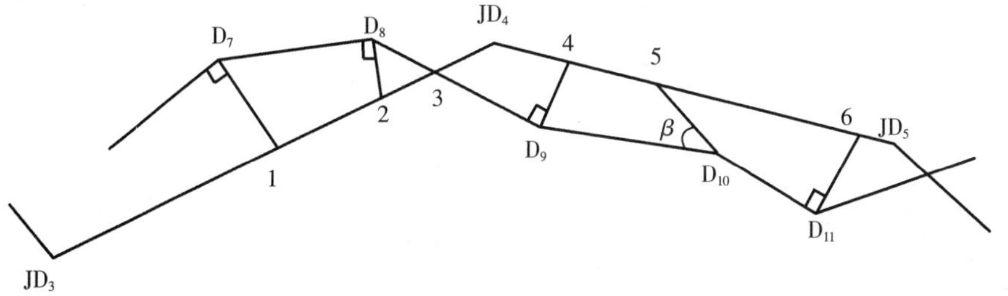

图 10－5　室内选点

② 现场放线

在导线点上用经纬仪给出方向，沿该方向量出相应距离，即可得到 1、2、3、4、5、6。

③ 穿线

放出的临时各点理论上应在一条直线上，由于图解数据和测设工作均存在误差，实际上并不严格在一条直线上，需用经纬仪将相应的各点调整到同一直线上，这一工作称为穿线,如图 10－6 所示。

图 10－6　穿线

穿线时,一种方法是将经纬仪安置于一个较高的临时点上,照准最远处的一个转点(ZD),若中间各点偏离视线方向不大,则可将各点移动,标定在视线方向上,并打桩钉上小钉;另一种方法是将经纬仪安置于某临时支点附近,使其前、后大多数点均在仪器正、倒镜视线所指直线的方向附近,则以此视线作为直线段的方向,在此方向上钉出若干个直线转点桩,取消临时点桩。

④ 交点

相邻两直线段 AB、CD 在地面上测设出来之后,将它们延长即可测设出其交点 JD。交点是确定中线的直线段方向和测设曲线的重要控制点。利用经纬仪正倒镜分中法定出交点的步骤如下:

a. 在 B 点架仪,瞄准 A,倒镜,在视线上接近交点 JD 的概略位置前后打下两桩(骑马桩)。采用正倒镜分中法在该两桩上定出 a,b 两点,并钉以小钉,挂上细线。

b. 同理在 CD 方向上可定出 c、d 两点,挂上细线。

c. 两细线的相交处打下木桩,并钉以小钉,得到 JD 点,如图 10－7 所示。

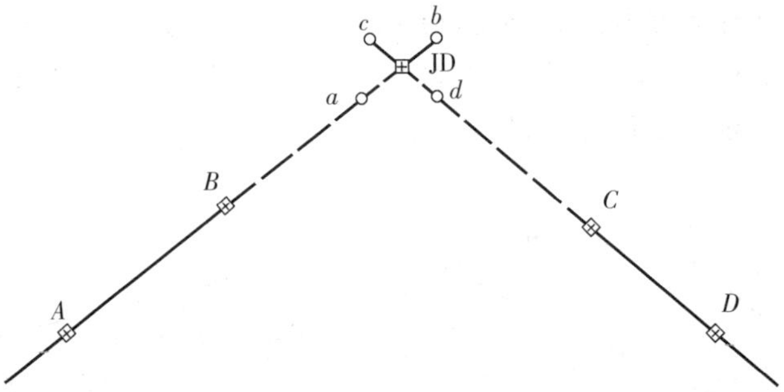

图 10－7　交点

2. 转点测设

当相邻两交点互相不通视时,需要在其连线上,测设一点或数点,以供交点、测转折点、量距或延长直线时瞄准之用。这样的点称为转点(ZD),其测设方法如下:

(1)两交点间设转点

如图 10－8 所示,JD_5 和 JD_6 为相邻而互不通视的两个交点,ZD′为初定转点。欲检查 ZD′是否在两交点的连线上,可将经纬仪安置在 ZD′上,用正倒镜分中法延长直线 JD_5—ZD′至 JD'_6;与 JD_6 的偏差为 f,用视距法测定距离为 a,b,则 ZD′应移动的距离 e 可按下式计算:

$$e=\frac{a}{a+b}f \tag{10-4}$$

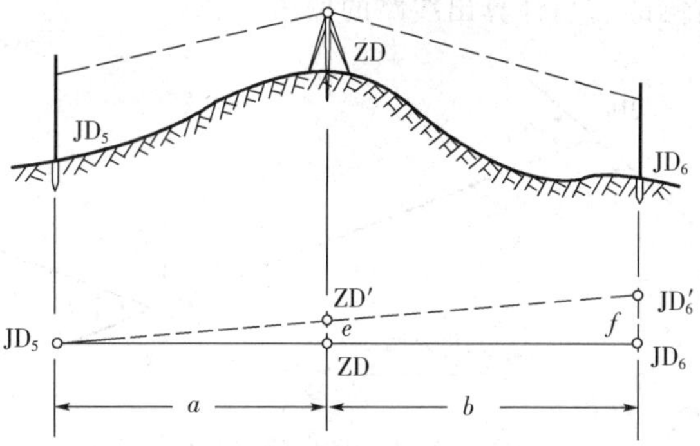

图 10-8　两个不通视交点间测设转点

将 ZD′按 e 值移至 ZD。在 ZD 上安置经纬仪，按上述方法逐渐趋近，直至符合要求为止。

(2)延长线上设转点

如图 10-9 所示，JD_8、JD_9 互不通视，可在其延长线上初定转点 ZD′。在 ZD′上安置经纬仪，用正倒镜照准 JD_8，固紧水平制动螺旋俯视 JD_9，两次取中得到中点 JD_9'。若 JD_9 与 JD_9' 重合或偏差值 f 在容许范围内，即可将 ZD′作为转点，否则应重设转点。用视距法定出 a、b，则 ZD′应横向移动的距离 e 可按下式计算：

$$e=\frac{a}{a-b}f \tag{10-5}$$

将 ZD' 按 e 值移至 ZD。重复上述方法，直至符合要求为止。

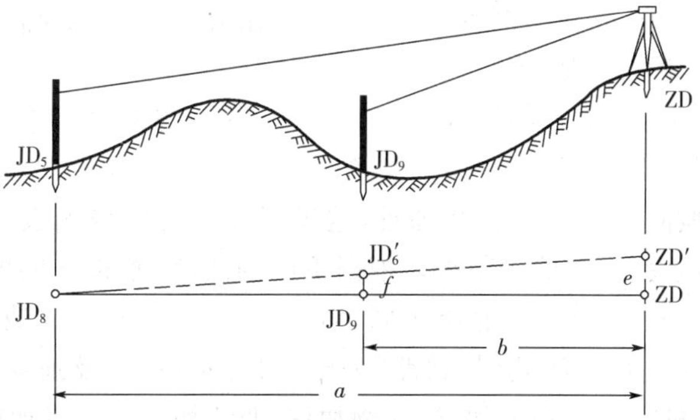

图 10-9　延长线上设转点

10.3.2　偏角和分角线的测设

1. 偏角测设

偏角是指路线由一个方向偏向另一个方向时，偏转后的方向与原方向的夹角。

当偏转后的方向在原方向的右侧，称为右偏角；反之为左偏角。

路线的交点和转点确定后，可测量各交点的转向角。通常是测定线路前进方向的右角 β，如图 10－10 所示。用 DJ2 或 DJ6 经纬仪按测回法观测一个测回。为了测设曲线，还要通过所测的右角计算出线路的偏角。

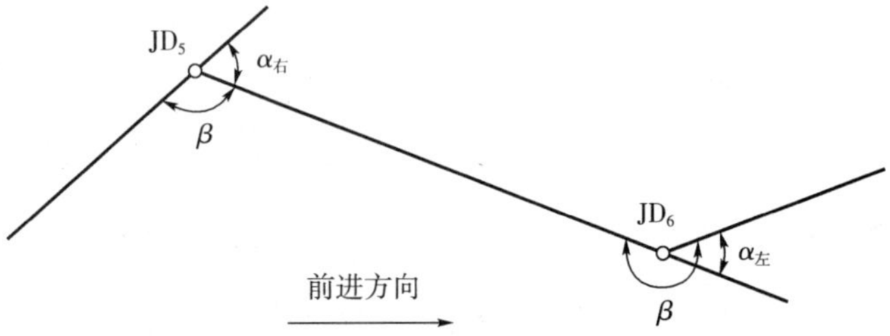

图 10－10　路线的转向角和左右偏角

当 $\beta<180°$时，为右偏角（线路向右转）；当 $\beta>180°$时，为左偏角（线路向左转）。右偏角或左偏角的计算按下式进行：

$$\alpha_{右}=180°-\beta \tag{10-6}$$

$$\alpha_{左}=\beta-180° \tag{10-7}$$

2. 分角线的测设

在 β 角测定后，测设其分角线方向，定出 C 点，在此方向上钉临时桩，以便日后测设道路曲线的中点，如图 10－11 所示。

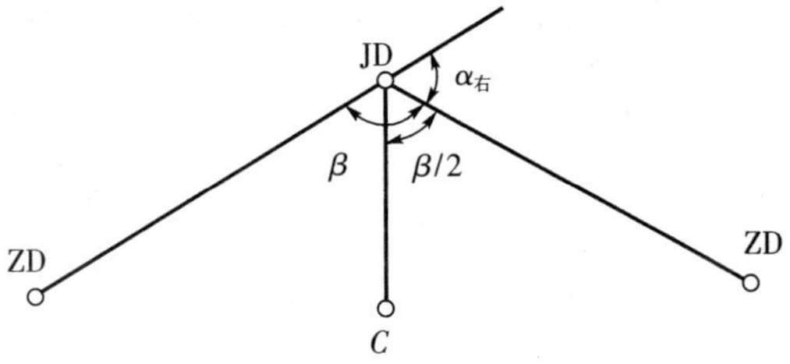

图 10－11　分角线的测设

10.3.3　里程桩的测设

里程桩又称中桩，表示该桩至路线起点的水平距离。如：$K7+814.19$ 表示该桩距路线起点的里程为 7814.19m，分为整桩和加桩。

为了测定线路的长度，进行线路中线测量和测绘纵横断面图，从线路起点开始，需沿线路方向在地面上设置整桩和加桩，这项工作称为中桩测设。从起点开始，按规定每隔某一整数设一桩，此为整桩。根据不同的线路，整桩之间的距离也不同，一般为 20m、30m、50m 等（曲线上根据不同半径 R，每隔 20m、10m 或 5m）。在相邻整桩之间线路穿越的重要地物处（如铁路、公路、旧有管道等）及地面坡度变化处要增设加桩。因此，加桩又分为地形加桩、地物加桩、曲线加桩和关系加桩等。

为了便于计算，线路中桩均按起点到该桩的里程进行编号，并用红油漆写在木桩侧面，如整桩号为 0＋100，即此桩距起点 100m（“＋”号前的数为公里数）。整桩和加桩统称为里程桩，里程桩包括路线的起点桩、公里桩、百米桩和一系列的加桩，还有起控制作用的交点桩、转点桩、平曲线主点桩、桥梁和隧道轴线桩、断链桩等。百米桩和公里桩均属整桩，一般情况下均应设置，见图 10－12(a)。

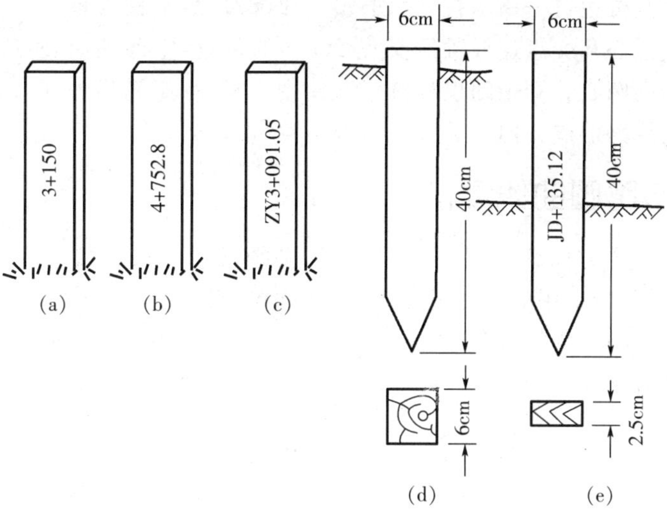

图 10－12　里程桩

地形加桩是在路线纵、横向地形有明显变化处设置的桩；地物加桩是在中线上桥梁、涵洞、隧道等人工构筑物处，以及与既有公路、铁路、管线、渠道等交叉处设置的桩；曲线加桩是在曲线起点、中点、终点等曲线主点上设置的桩；关系加桩是在转点和交点上设置的桩。此外，还可根据具体情况在拆迁建筑物处、工程地质变化处、断链处等加桩。对于人工构造物，在书写里程时，要冠以工程的名称如“桥”、“涵”等。在书写曲线和关系加桩时，应在桩号之前加其缩写名称，如图 10－12 中(b)、(c)所示。目前我国公路采用汉语拼音的缩写名称，如表 10－7 所示。

表 10－7　平曲线主点名称及缩写表

名称	简称	汉语拼音缩写	英语缩写
交点		JD	IP
转点		ZD	TP
圆曲线起点	直圆点	ZY	BC
圆曲线中点	曲中点	QZ	MC
圆曲线终点	圆直点	YZ	EC
公切点		GQ	CP
第一缓和曲线起点	直缓点	ZH	TS
第一缓和曲线终点	缓圆点	HY	SC
第二缓和曲线起点	圆缓点	YH	CS
第二缓和曲线终点	圆直点	HZ	ST

为避免测设中桩错误，量距一般用钢尺丈量两次，精度为 1/1000。

在钉桩时，对于交点桩、转点桩、距线路起点每隔 500m 处的整桩、重要地物加桩（如桥、隧道位置桩），以及曲线主点桩，都要打下方桩（见图 10－12(d)），桩顶露出地面约 20cm，在其旁边钉一指示桩（见图 10－12(e)），指示桩为板桩。交点桩的指示桩应钉在曲线圆心和交点连线外距交点 20cm 的位置，字面朝向交点。曲线主点的指示桩字面朝向圆心。其余的里程桩一般使用板桩，一半露出地面，以便书写桩号，字面一律背向线路前进方向。

10.3.4 道路圆曲线测设

当路线由一个方向转向另一个方向时，必须用曲线来连接。曲线的形式有多种，其中圆曲线是最常用的一种平面曲线，又称单曲线，如图 10－13 所示，偏角 α 根据所测右角（或左角）计算；圆曲线半径 R 根据地形条件和工程要求选定，根据 α 和 R 可以计算其他各个要素。

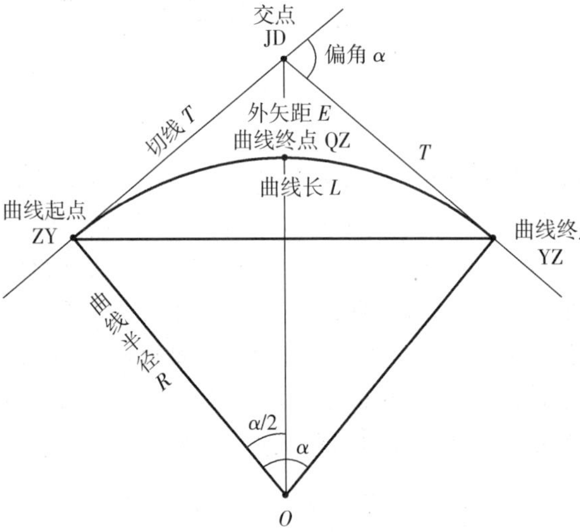

图 10－13　道路圆曲线

道路圆曲线的测设一般分两步进行，先测设出圆曲线起控制作用的主点，即起点（ZY）、中点（QZ）和终点（YZ）；然后在主点间进行加密，在加密过程中同时测设里程桩，也称圆曲线细部测设。具体选用何种方法，应根据实际工程要求和条件选择。

1. 圆曲线主点测设

(1)圆曲线的主点

如图 10－13 所示：

JD——交点，即两直线相交的点；

ZY——直圆点，按线路前进方向由直线进入曲线的分界点，为圆曲线的起点；

QZ——曲中点，为圆曲线的中点；

YZ——圆直点，按线路前进方向由圆曲线进入直线的分界点，为圆曲线的终点。

ZY、QZ、YZ 三点称为圆曲线的主点。

(2)圆曲线主点测设元素及其计算

为了在实地测设圆曲线的主点，需要知道切线长 T、曲线长 L 及外矢距 E，这些元素称为主点测设元素。在图 10－13 中：

T——切线长，为交点至直圆点或圆直点的长度；

L——曲线长，即圆曲线的长度（自 ZY 经 QZ 至 YZ 的弧线长度）；

E——外矢距，为 JD 至 QZ 的距离；

α——转向角。沿线路前进方向，下一条直线段向左转则为 $\alpha_{左}$；向右转则为 $\alpha_{右}$；

R——圆曲线的半径。

α、R 为计算圆曲线主点测设元素的必要资料，是已知值。α 可由外业直接测出，亦可由纸上定线求得；R 为设计时采用的数据。

圆曲线主点测设元素的计算公式，由图 10-13 得：

$$\left.\begin{aligned}&\text{切线长}\quad T=R\tan\frac{\alpha}{2}\\&\text{曲线长}\quad L=R\alpha\frac{\pi}{180^{\circ}}\\&\text{外\ \ 距}\quad E=R(\sec\frac{\alpha}{2}-1)\\&\text{切曲差}\quad D=2T-L\end{aligned}\right\}\tag{10-8}$$

计算 L 时，α 以度为单位。

在已知 α、R 的条件下，即可按式（10-8）计算圆曲线主点测设元素。它可用计算器求得，也可根据 α、R，在“曲线测设用表”中查取。

[例 10-1] 已知某道路圆曲线交点 JD 里程为 K4＋522.31m，半径 $R=1200\text{m}$，偏角 $\alpha=10^{\circ}49'$，整桩间距 $l_0=20\text{m}$，采用全站仪放样，求圆曲线各测设元素。

[解] 按上式可得：

$$T=R\tan(\frac{\alpha}{2})=113.61\text{m}$$

$$L=R\alpha(\frac{\pi}{180^{\circ}})=226.54\text{m}$$

$$E=R(\sec\frac{\alpha}{2}-1)=5.37\text{m}$$

$$D=2T-L=0.69\text{m}$$

(3)主点里程的计算

为表示桩点至路线起点的距离，在道路工程中还需要根据交点 JD 的里程和以上圆曲线测设元素计算圆曲线主点的里程（桩号）。

由图 10-13 可知：

$$\left.\begin{aligned}&ZY\text{ 里程}=JD\text{ 里程}-T\\&YZ\text{ 里程}=ZY\text{ 里程}+L\\&QZ\text{ 里程}=YZ\text{ 里程}-L/2\\&JD\text{ 里程}=QZ\text{ 里程}+D/2\end{aligned}\right\}\quad(10-9)$$

在上式的最后一步，若计算出的交点 JD 里程与实际相同，说明计算无误。则上例圆曲线主点里程按式(10－9)计算如下：

JD	K4＋522.31
－T	113.61
ZY	K4＋408.70
＋L	226.54
YZ	K4＋635.24
－L/2	113.27
QZ	K4＋521.97
＋D/2	0.34
JD	K4＋522.31

（计算无误）

(4)主点测设

将全站仪置于 JD 上，望远镜照准后视相邻交点或转点，沿此方向线量取切线长 T，得曲线起点 ZY，插上一个测钎。然后丈量 ZY 点至最近一个直线桩的距离，如两桩号之差等于这段距离或相差在容许范围内，即可用木桩在测钎处打下 ZY 桩，否则应查明原因，进行处理，以保证点位的正确性。设置终点 YZ 时，将望远镜照准前一方向的交点或转点，往返量取切线长 T，得曲线终点，打下 YZ 桩。最后将视线转至内角平分线上量取 E，用盘左、盘右分中得 QZ 点，打下QZ 桩。

2. 圆曲线细部测设

一般情况下，当地形变化不大、曲线长度小于 40m 时，测设曲线的三个主点已能满足设计和施工的需要。如果曲线较长，地形变化大，则除了测定三个主点以外，还需要按照一定的桩距 l，在曲线上测设整桩和加桩，称为圆曲线细部测设。

圆曲线细部测设的方法很多，在此主要介绍圆曲线细部测设中最常用的一种方法——偏角法。

(1)偏角法测设曲线的原理

偏角法实质上是一种方向距离交会法。

偏角法测设曲线的原理是：根据偏角和弦长交会出曲线点。如图 10－14，由 ZY 点拨偏角 δ_1 方向与量出的弦长 C_1 交于 1 点，拨偏角 δ_2 与由 1 点量出的弦长 C_2 交于 2 点；同样方法，可测设出曲线上的其他点。

(2)细部测设数据计算

偏角在几何学上称为弦切角。根据弦切角等于其弧长所对圆心角的一半的关系，在图 10－14 中，ZY～1 点的弧长为 l，则其对应的偏角 δ 及弦长 C 分别为：

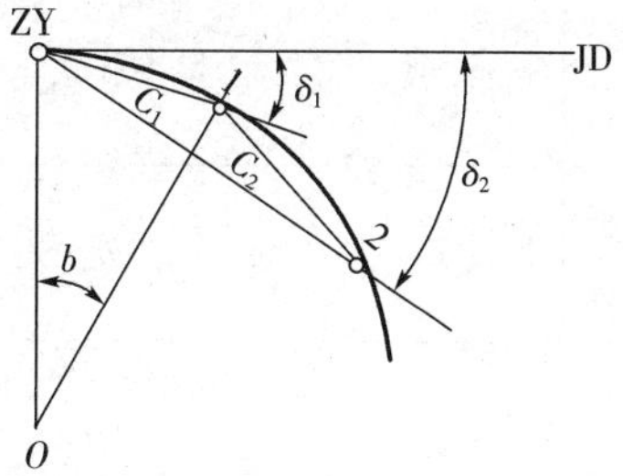

图 10－14　偏角法测设曲线

$$\left.\begin{aligned}\delta&=\frac{l}{2R}\cdot\frac{180^\circ}{\pi}\\ C&=2R\sin\delta\end{aligned}\right\}\qquad(10-10)$$

式中：R——曲线半径；

l——置镜点至测设点的弧长。

若测设点间曲线长相等，设第 1 点偏角为 δ_1，则各点偏角依次为：

$$\delta_2=2\cdot\delta_1$$

$$\delta_3=3\cdot\delta_1$$

$$\vdots$$

$$\delta_n=n\cdot\delta_1$$

［例 10－2］　使用例 10－1 的数据，计算圆曲线 ZY 至 YZ 各桩点测设数据。

［解］　①细部测设数据计算

距起点第一个里程：

弧长　$l_1=(K4+420.00)-(K4+408.70)=11.3\text{m}$

所对圆心角　$\varphi_1=\frac{l_1}{R}\cdot\frac{180^\circ}{\pi}=0^\circ32'22''$

偏角　$\delta_1=\frac{\varphi_1}{2}=0^\circ16'11''$

弦长　$C_1=2R\sin\delta_1=11.29\text{m}$

距起点第 i 个里程：

弧长　l_i＝桩号里程－(弧的起点里程)

偏角　$\delta_i=\frac{l}{2R}\cdot\frac{180^\circ}{\pi}$

弦长　$C_i=2R\sin\delta_i$

将细部测设数据汇总，列表 10－8。

表 10-8　圆曲线主点参数和细部测设数据计算表

已知参数	偏角 10°49′	$JD_{里程}$=K4+522.31m	设计半径 R=1200m	整桩间距 l_0=20m
特征参数	切线 T=113.61m	外矢矩 E=5.37m	弧长 L=226.54m	切曲差 D=0.68m
主点里程	$ZY_{里程}$=K4+408.70	$QZ_{里程}$=K4+521.97	$YZ_{里程}$=K4+635.24	$JD_{里程}$=K4+522.31（检核）
细部测设数据			偏角法 测站:ZY 起始方向:ZY—JD	
点名	桩号里程（km+m）	累计弧长（m）	δ(°　′　″)	C(m)
ZY	K4+408.70	0		
1	K4+420.00	11.30	0 16 11	11.29
2	K4+440.00	31.30	0 44 49	31.29
3	K4+460.00	51.30	1 13 28	51.29
4	K4+480.00	71.30	1 42 07	71.28
5	K4+500.00	91.30	2 10 46	91.27
6	K4+520.00	111.30	2 39 25	111.25
QZ	K4+521.97	113.27	2 42 15	113.22
7	K4+540.00	131.30	3 08 04	131.23
8	K4+560.00	151.30	3 36 43	151.19
9	K4+580.00	171.30	4 05 22	171.15
10	K4+600.00	191.30	4 34 00	191.02
11	K4+620.00	211.30	5 02 39	211.02
YZ	K4+635.24	226.54	5 24 30	226.20

② 细部点测设

a. 将全站仪安置在起点 ZY 上，后视 JD 点，使度盘读数为 0°0′00″。

b. 转动照准部，正拨（顺时针方向）使度盘读数为 δ_1，沿此方向从 ZY 点量弦长 C_1，定出曲线上第一个整桩 1。

c. 转动照准部，使度盘读数为 δ_2，量出弦长 C_2。以此类推，直到测设出各整桩点，直至 YZ′。

测得曲线终点 YZ′点，若 YZ′点与 YZ 点不重合，则要与主点 YZ 位置进行闭合校核。其闭合差一般应按如下要求。

路线横向：不超过±10cm

路线纵向：不超过±L/2000（L 为曲线长）

当闭合差满足限差要求时，曲线点位一般不再作调整；若闭合差超限，则应查找原因并重测。

10.4 路线纵横断面测量

线路纵断面测量又称线路水准测量。它的任务是测定中线上各里程桩的地面高程，绘制中线纵断面图，作为设计线路坡度、计算中桩填挖尺寸的依据。横断面测量是测定各中心桩两侧垂直于线路中线的地面高程，然后按一定比例尺绘成横断面图，是路基断面设计、土石方等工程量计算和施工时确定断面填挖边界的依据。

10.4.1 路线纵断面测量

为了提高测量精度和成果检查，根据“从整体到局部”的测量原则，路线水准测量分两步进行：首先在线路方向上设置若干水准点，建立线路的高程控制，称为高程控制测量也称基平测量；其次是根据各水准点高程，分段进行中桩水准测量，称为中平测量。基平测量的精度要求比中平高，一般按四等水准测量的精度；中平测量只作单程观测，可按普通水准测量精度要求。

1. 高程控制测量

高程控制测量也称基平测量。它的任务是沿线布设水准点、施测水准点的高程，作为线路测量工作的高程控制点。水准点分为永久水准点和临时水准点两种，是高程测量的控制点，在勘测设计和施工阶段甚至工程运营阶段都要使用。因此，水准点应选在地基稳固、易于引测以及施工时不易被破坏的地方。

永久性水准点，在较长线路上一般应每隔 25～30km 布设一点；在线路起点和终点、大桥两岸、隧道两端，以及需要长期观测高程的重点工程附近，均应布设。永久性水准点要埋设标石，也可设在永久性建筑物上，或将金属标志嵌在基岩上。临时水准点的布设密度应根据地形复杂情况和工程需要而定。在重丘陵和山区，每隔 0.5～1km 布设一个，在平原和微丘陵区，每隔 1～2km 布设一个。此外，在中小桥梁、涵洞以及停车场等地段，均应布设。较短的线路上，一般每隔 300～500m 布设一点。

基平测量时，首先应将起始水准点与国家高程基准进行联测，以获得绝对高程。在沿线途中，也应尽量与附近国家水准点进行联测，以便获得更多的检核条件。若线路附近没有国家水准点，也可以采用假定高程基准。

水准点高程的测定，一般是将相邻水准点连成一条附合水准路线，采用四等水准测量的方法，或全站仪电磁波三角高程测量的方法进行，外业成果合格后要进行平差计算，从而得到各水准点的高程。

2. 中平测量

中平测量是以相邻水准点为一测段，从一个水准点出发，逐个测定中桩的地面高程，附合到下一个水准点上。相邻水准点间构成一条附合水准路线。

测量时，在每一测站上首先读取后、前两转点(TP)的标尺读数，再读取两转点间所有中线桩地面点(间视点)的标尺读数，间视点的立尺由后司尺员来完成。

由于转点起传递高程的作用，因此，转点标尺应立在尺垫、稳固的桩顶或坚石上，尺上读数至毫米，视距一般不应超过 150m。间视点标尺读数至厘米，要求尺子立在紧靠桩边的地面上。

当线路跨越河流时，还需测出河床断面、洪水位高程和正常水位高程，并注明时间，以便为桥梁设计提供资料。

如图 10－15 所示，水准仪置于测站①，后视水准点 BM.1，前视转点 TP.1，将观测结果分别记入路线纵断面水准(中平)测量记录表中“后视”和“前视”栏内；然后观测中间的各个中线桩，即后司尺员将标尺依次立于 0＋000，0＋050，…，0＋120 等各中桩处的地面上，将读数分别记入表 10－9 中的“间视”栏内。如果利用中线桩作转点，应将标尺立在桩顶上，并记录桩高。

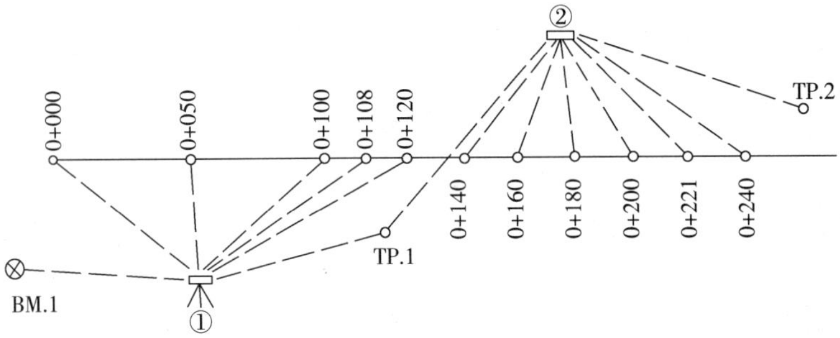

图 10－15　中平测量

表 10－9　线路纵断面水准(中平)测量记录

测点	点名	水准尺读数			视线高程 H_i	高程 $H_{间}$	备注
		后视 $a_{后}$	间视 $b_{间}$	前视 $b_{前}$			
1	BM.1	2.191	16.2		14.505	12.314	已知点
	0＋000		1.90			12.89	
	0＋050		0.62			12.61	
	0＋100		1.03			13.89	
	0＋108		0.91			13.48	ZY.1
	0＋120					13.60	
	TP.1			1.006		13.499	
2	TP.1	2.162			15.661	13.499	
	0＋140		0.50			15.16	
	0＋160		0.52			15.14	
	0＋180		0.82			14.84	
	0＋200		1.20			14.46	
	0＋221		1.01			14.65	QZ.1
	0＋240		1.06			14.60	
	TP.2			1.521		14.140	

（续表）

测点	点名	水准尺读数			视线高程 H_i	高程 $H_{间}$	备注
		后视 $a_{后}$	间视 $b_{间}$	前视 $b_{前}$			
3	TP. 2	1.421			15.561	14.140	YZ. 1
	0+260		1.48			14.08	
	0+280		1.55			14.01	
	0+300		1.56			14.00	
	0+320		1.57			13.99	
	0+335		1.77			13.79	
	0+350		1.97			13.59	
	TP. 3			1.388		14.173	
4	TP. 3	1.724			15.897	14.173	JD. 2
	0+384		1.58			14.32	
	0+391		1.53			14.37	
	0+400		1.57			14.33	
	BM. 2			1.281		14.616	(14.618)

仪器搬至测站②，后视转点 TP. 1，前视转点 TP. 2，然后观测各中线桩地面点。用同法继续向前观测，直至附合到水准点 BM. 2，完成附合路线的观测工作。

每一测站的各项计算依次按下列公式进行：

视线高程＝后视点高程＋后视读数，即：

$$H_i = H_{后} + a_{后} \tag{10-11}$$

转点高程＝视线高程－前视读数，即：

$$H_{转} = H_i - b_{前} \tag{10-12}$$

中桩高程＝视线高程－中视读数，即：

$$H_{间} = H_i - b_{间} \tag{10-13}$$

记录员应边记录边计算，直至下一个水准点为止。计算高差闭合差 f_h，若 $f_h \leqslant f_{h容} = 50 \pm \sqrt{L}$（$L$ 为测段的水准路线长度，单位 km），则符合要求，可以不进行闭合差的调整，以表中计算的各点高程作为绘制纵断面图的数据。

上面介绍的是利用水准仪进行中平测量的方法，也可以采用全站仪进行中平测量。方法是：先在 BM. 1 上测定各转点 TP. 1、TP. 2 的高程，再在 TP. 1、TP. 2 测定各桩点的高程。其原理即为三角高程测量原理。

3. 纵断面图的绘制及施工量计算

纵断面图既表示中线方向的地面起伏，又可在其上进行纵坡设计，是线路设计和施工的重要资料。

纵断面图是在以中线桩的里程为横坐标、以其高程为纵坐标的直角坐标系中绘制。里程（水平）比例尺和高程（垂直）比例尺根据实际工程要求参照表 10－10 选取。为了明显地表示地面起伏，一般取高程比例尺较里程比例尺大 10 倍或 20 倍。高程按比例尺注记，但要参考其他中线桩的地面高程确定原点高程（如图中 0＋000 桩号的地面高程)在图上的位置,使绘出的地面线处在图上适当位置。纵断面图一般自左至右绘制在透明毫米方格纸的背面,这样可以防止用橡皮修改时把方格擦掉。

表 10-10　线路工程测图种类及其比例尺

线路工程类型	带点地形图	工点地形图	纵断面图		横断面图	
			水平	垂直	水平	垂直
铁路	1∶1000	1∶200	1∶1000	1∶100	1∶100	1∶100
	1∶2000	1∶200	1∶2000	1∶200	1∶200	1∶200
	1∶5000	1∶500	1∶10000	1∶1000		
公路渠道	1∶2000	1∶200	1∶2000	1∶200	1∶100	1∶100
		1∶500				
	1∶5000	1∶1000	1∶5000	1∶500	1∶200	1∶200
架空索道	1∶2000	1∶200	1∶2000	1∶200	—	—
	1∶5000	1∶500	1∶5000	1∶500		
自流管线	1∶1000	1∶500	1∶1000	1∶100	—	—
	1∶2000	1∶500	1∶2000	1∶200		
压力管线	1∶2000	1∶500	1∶2000	1∶200	—	—
	1∶5000	1∶500	1∶5000	1∶500		
架空输电线路	—	1∶200	1∶2000	1∶200		—
		1∶500	1∶5000	1∶500		

图 10-16 是道路设计纵断面图。图的上半部,从左至右绘有贯穿全图的两条线。细折线表示中线方向的地面线,根据中平测量的中线桩地面高程绘制;粗折线表示纵坡设计线。

此外,图的上部还注有以下资料:水准点编号、高程和位置;竖曲线示意图及其曲线参数;桥梁的类型、孔径跨数、长度、里程桩号和设计水位;涵洞的类型、孔径和里程桩号;与其他线路工程交叉点的位置、里程桩号和有关说明等。

图的下部表格,注记以下有关测量和纵坡设计的资料:

(1)在图纸左面自下而上各栏填写线型(直线和曲线)、桩号、填挖土深度、地面高程、设计高程、坡度和距离等。

(2)在桩号一栏中,自左至右按规定的里程比例尺注上各中线桩的桩号。

(3)在地面高程一栏中,注上对应于各中线桩桩号的地面高程,并在纵断面图上按各中线桩的地面高程依次点出其相应的位置,用细直线连接各相邻点位,即得中线方向的地面线。

(4)在线型(直线和曲线)一栏中,按里程桩号标明线路的直线部分和曲线部分。曲线部分用直角折线表示,上凸表示线路右偏,下凹表示线路左偏,并注明交点编号及其桩号,注明 α、R、T、L、E 等曲线参数。

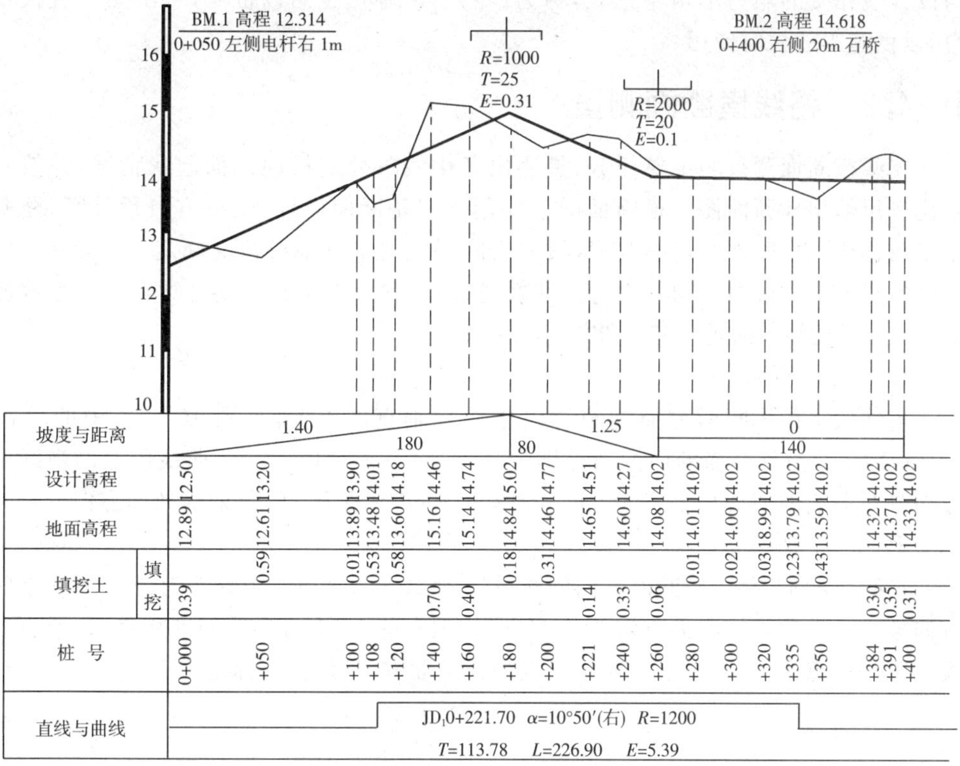

图 10－16　道路设计纵断面图

(5) 在上部地面线部分根据实际工程的专业要求进行纵坡设计。设计时，一般要考虑施工时土石方工程量最小、填挖方尽量平衡及小于限制坡度等与线路工程有关的专业技术规定。

(6) 在坡度和距离一栏内，分别用斜线或水平线表示设计坡度的方向，线的上方注记坡度数值(按百分点注记)，下方注记坡长，水平线表示平坡。不同的坡段以竖线分开。某段的设计坡度值按下式计算：

$$设计坡度=\frac{终点设计高程-起点设计高程}{平距}$$

(7)在设计高程一栏内，分别填写相应中线桩处的路基设计高程。某点的设计高程按下式计算：

$$设计高程=起点高程+设计坡度\times起点至该点的平距$$

例如，0＋000 桩号的设计高程为 11.50m，设计坡度为＋1.4％(上坡)，则桩号 0＋200 的设计高程应为

$$设计高程=11.50+1.4\%\times200=14.30m$$

(8)在填挖土深度一栏内，按下式进行施工量的填挖土深度计算：

$$某点的施工量=该点地面高程-该点设计高程$$

式中求得的施工量的填挖土深度，正值为挖土深度，负值为填土高度。地面线

与设计线相交的点为不填不挖处，称为“零点”。零点也给以桩号，可由图上直接量得，以供施工放样时使用。

10.4.2 路线横断面测量

路线横断面测量的主要任务，是测出各中线桩处的横向地面起伏情况，并按一定比例尺绘出横断面图。横断面图主要用于路基断面设计、土石方数量计算、路基施工放样等。横断面测量的宽度，根据实际工程要求和地形情况确定。一般在中线两侧各测 15—50m，距离和高差分别准确到 0.1m 和 0.05m 即可满足要求。因此，横断面测量多采用简易的测量工具和方法，以提高工效。

1. 测设横断面方向

直线段上的横断面方向是与线路中线相垂直的方向，如图 10-17 中的 A，Z(ZY)，Y(YZ)点处的横断面方向分别为 a—a'，z—z'，和 y—y'。曲线段上的横断面方向是与曲线的切线相垂直的方向，如图 10-17 中的 P_1，P_2等的横断面方向分别为 P_1—P'_1，P_2—P'_2等。

在直线段上，路线横断面方向的测设如图 10-18 所示，将杆头有十字形木条的方向架立于欲测设横断面方向的 A 点上，用架上的 1—1′方向线照准交点 JD 或直线段上某一转点 ZD，则 2—2′ 即为 A 点的横断面方向，用花杆标定。

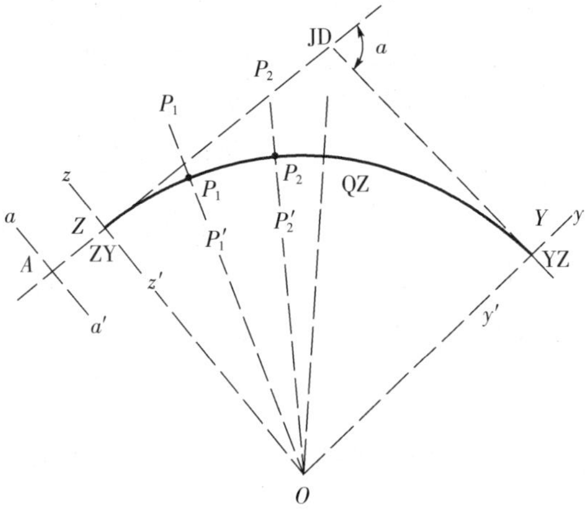

图 10-17　路线横断面方向测设

为了测设曲线上里程桩处的横断面方向，在方向架上加一根可转动的定向杆 3—3′，如图 10-19 所示。如确定(图 10-17 中)ZY 和 P_1点的横断面方向，先将方向架立于 ZY 点上，用 1—1′方向照准 JD，则 2—2′方向即为 ZY 的横断面方向。再转动定向杆 3—3′ 对准 P_1点，制动定向杆。将方向架移至 P_1点，用 2—2′ 对准 ZY 点，依照同弧两端弦切角相等的原理，3—3′方向即为 P_1点的横断面方向。为了继续测设曲线上 P_2点的横断面方向，在 P_1点定好横断面方向后，转动方向架，松开定向杆，用 3—3′ 对准 P_2点，制动定向杆。然后将方向架移至 P_2点，用 2—2′ 对准 P_1点，则 3—3′ 方向即为 P_2点的横断面方向。

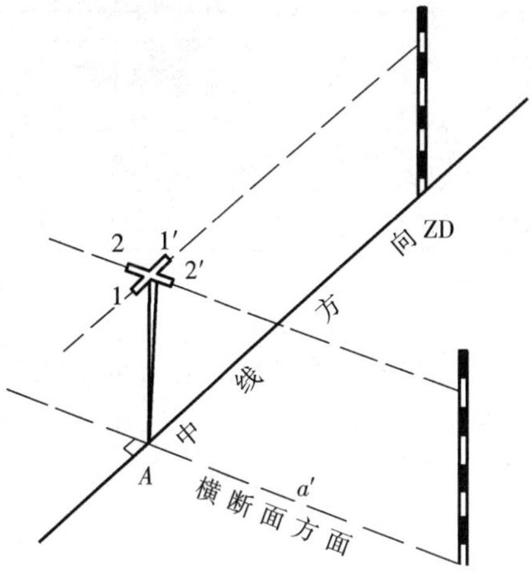

图 10－18　用方向架定横断面方向

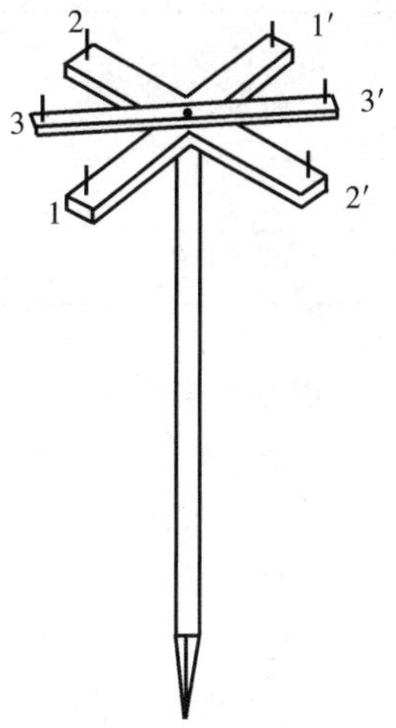

图 10－19　有活动定向杆的方向架

2. 测定横断面上点位和高差

横断面上中线桩的地面高程已在纵断面测量时测出，只要测量出各地形特征点相对于中线桩的平距和高差，就可以确定其点位和高程。平距和高差可用下述方法测定。

(1)水准仪皮尺法

此法适用于施测横断面较宽的平坦地区。如图 10－20，安置水准仪后，以中线桩地面高程点为后视，以中线桩两侧横断面方向的地形特征点为前视，标尺读数读至厘米。用皮尺分别量出各特征点到中线桩的水平距离，量至分米。记录格式见表 10－11，表中按线路前进方向分左、右侧记录，以分式表示前视读数和水平距离。高差由后视读数与前视读数求差得到。

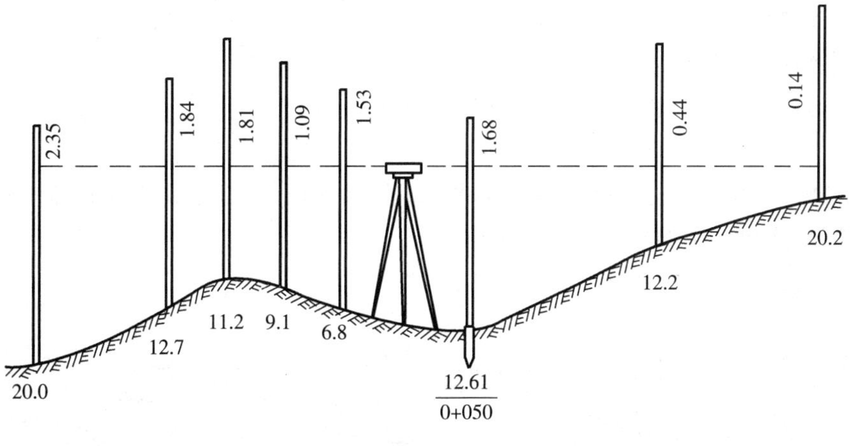

图 10－20　水准仪皮尺法测横断面

表 10－11　路线横断面测量纪录

前视读数/距离（左测）	后视读数/桩号	前视读数/距离（右测）
2.35/20.0　1.84/12.7　1.81/11.2　1.09/9.1　1.53/6.8	1.68/0＋050	0.44/12.2　0.14/20.2

(2) 经纬仪视距法

安置经纬仪于中线桩上，可直接用经纬仪测定出横断面方向。量出至中线桩顶面的仪器高，用视距法测出各特征点与中线桩间的平距和高差。此法适用于任何地形，包括地形复杂、山坡陡峻的线路横断面测量。利用电子全站仪速度快、效率高。

(3)光电测距仪法

利用光电测距仪测量横断面，不仅速度快、精度高，而且安置一次仪器可以测多个断面，所以在有条件的单位，应大力推广使用这种方法。值得注意的是，由于视线长，为防止各断面点互相混淆，应画草图，做好记录。

(4)全站仪法

该方法适用于地形复杂地区，精度高的情况下。

置全站仪于道路中桩上或者任意控制点上，用三维坐标测量的方法测定横断面上的地形特征点，并作自动记录。与计算机联机通讯后，可以用绘图仪自动绘制路线横断面图。

3. 横断面图的绘制

根据实际工程要求，确定绘制横断面图的水平和垂直比例尺，一般采用相同比例尺，一般为 1∶300。依据横断面测量得到的各点间的平距和高差，在毫米方格纸上绘出各中线桩的横断面图(如图 10－21)。绘制时，先标定中线桩位置，由中线桩开始，逐一将特征点展绘在图纸上，用细线连接相邻点，即绘出横断面的地面线。

以道路工程为例，横断面图画好后，经路基断面设计，在透明图上按相同的比例尺分别绘出路堑、路堤和半填半挖的路基设计线，称为标准断面图。依据纵断面图上该中线桩的设计高程把标准断面图套绘到横断面图上。也可将路基断面设计的标准断面直接绘在横断面图上，绘制成路基断面图，这一工作俗称“戴帽子”。图 10－22所示为半填半挖的路基横断面图。根据横断面的填、挖面积及相邻中线桩的桩号，可以算出施工的土石方量。

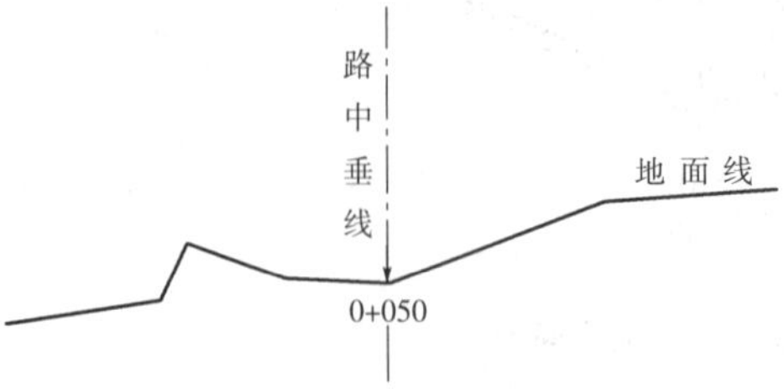

图 10－21　绘制横断面图

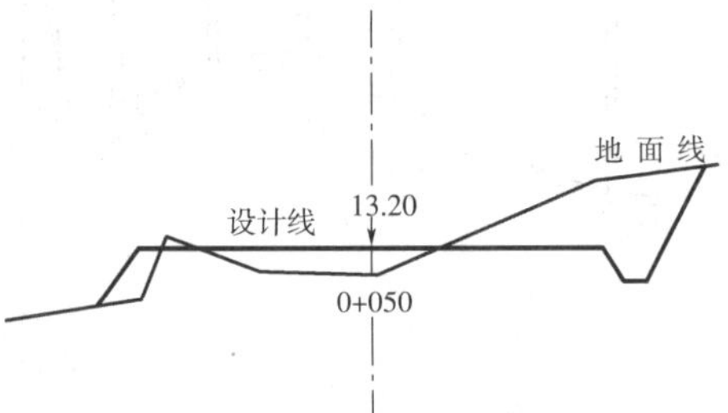

图 10－22　设计路基横断面图

10.5　道路施工测量

根据线路纵横断面图及其他有关资料完成道路、工程的技术设计之后，在开工之前和整个施工过程中，常进行道路工程的施工测量，以指导施工。道路施工测量的主要任务有恢复中线、施工控制桩测设、路基边桩和边坡测设等。

10.5.1　恢复中线

线路勘测阶段所测设的中桩（包括交点桩、中线里程桩），从工程勘测开始，经过工程设计到开始施工这段时间里，往往会有一部分中线桩被碰动或丢失。为了保证线路中线位置的正确可靠，施工前应进行一次复核测量，并将已经丢失或碰动过的交点桩、里程桩恢复和校正好，其方法与中线测量相同。

10.5.2　施工控制桩的测设

中线桩在施工过程中要被挖掉或填埋。为了在施工过程中及时、方便、可靠地控制中线位置，需要在不易受施工破坏、便于引测、易于保存桩位的地方测设施工控制桩。有以下两种测设方法：

1. 平行线法

平行线法是在设计路基宽度以外，测设两排平行于中线的施工控制桩，如图10－23所示。控制桩的间距一般取10～20m。

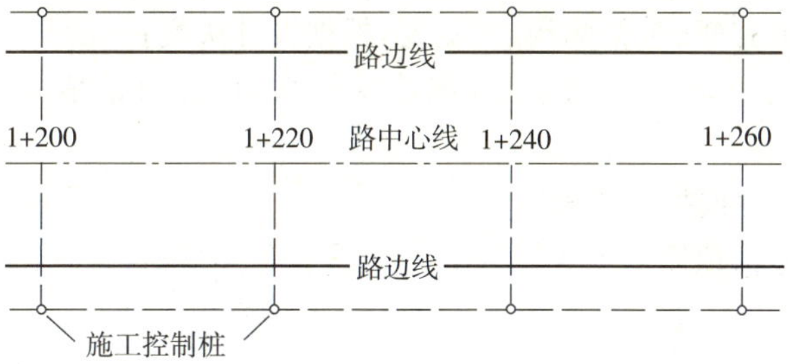

图10－23　平行线法测定施工控制桩

2. 延长线法

延长线法是在线路转折处的中线延长线上以及曲线中点至交点的延长线上测设施工控制桩，如图10－24所示。控制桩至交点的距离应量出并作记录。

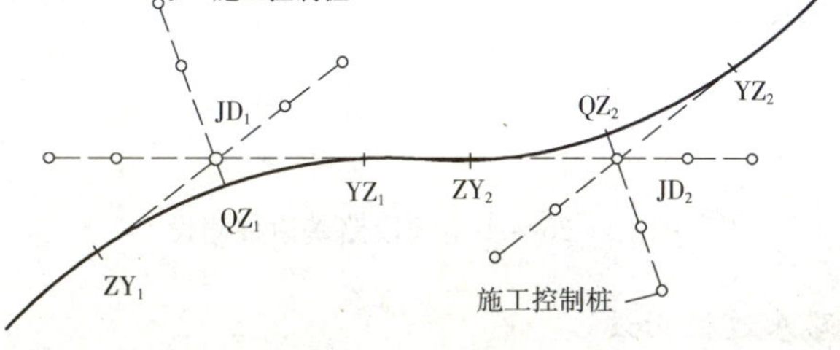

图10－24　延长线法定施工控制桩

10.5.3 边桩的测设

施工前，要把设计路基的边坡与地面相交的点测设出来，该点称为边桩。边桩测设方法有：

1. 图解法

在道路工程设计时，地形横断面及设计标准断面都已绘制在横断面图上，边桩的位置可用图解法求得，即在横断面图上量取中线桩至边桩的距离，然后到实地在横断面方向上用卷尺量出其位置。

2. 解析法

解析法是通过计算求得中线桩至边桩的距离。在平地、山区计算和测设的方法不同。现分述如下：

(1)平坦地段路基边桩测设

填方路基称为路堤(见图 10－25(a))，挖方路基称为路堑(见图 10－25(b))。

根据设计的路基填挖高，按下式来计算路堤边桩到中线桩的水平距离：

$$l_{左}=l_{右}=\frac{B}{2}+mh \tag{10-14}$$

路堑边桩至中线桩的距离为：

$$l_{左}=l_{右}=\frac{B}{2}+mh+S \tag{10-15}$$

式中：B——路堤或路堑(包括侧沟)的宽度，根据设计决定；

m——路基边坡坡度比例系数，依填挖材料而定，通常填方为 1.5，挖方为 1 或 0.75；

h——填土高度或挖土深度；

S——路堑边沟顶宽。

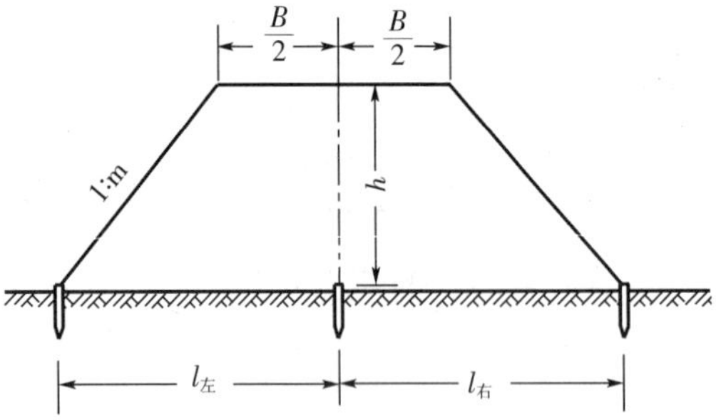

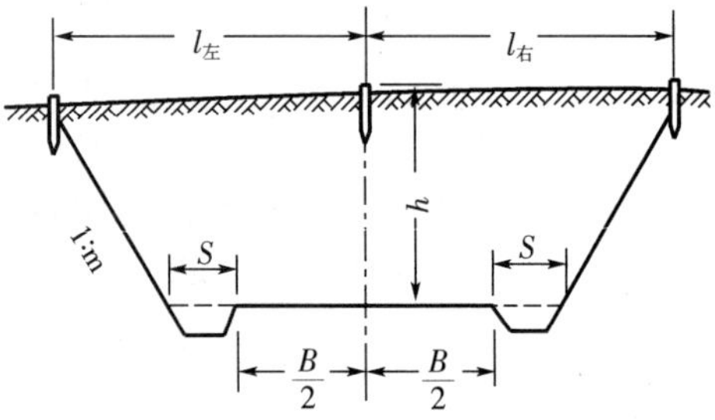

图 10－25　平坦地段路基边桩测设

(2)山坡地段路基边桩测设

山坡地段路基边桩测设如图 10－26 所示。从图上可以看出，左、右边桩离中线桩的距离为：

$$l_{左}=\frac{B}{2}+s+m\cdot h_{左} \tag{10-16}$$

$$l_{右}=\frac{B}{2}+s+m\cdot h_{右} \tag{10-17}$$

式中：B、s、m 均由设计决定，故 $l_{左}$、$l_{右}$ 随 $h_{左}$、$h_{右}$ 而变。

由于 $h_{左}$、$h_{右}$ 是边桩处地面与设计路基面的高差，而边桩位置是待定的，故 $h_{左}$、$h_{右}$ 均不能事先知道。在实际测设工作中，可采用逐渐趋近法。

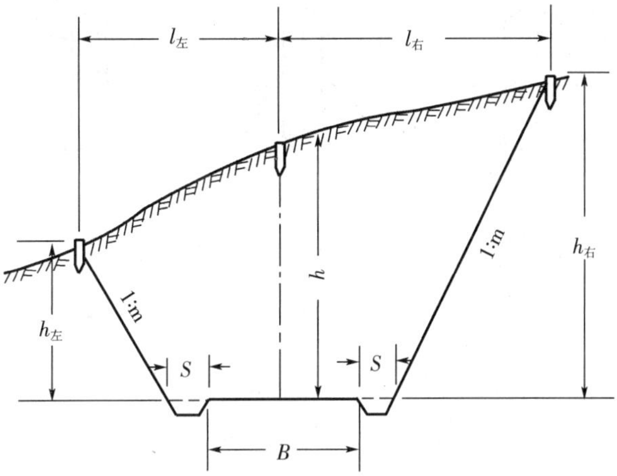

图 10－26　山坡地段路基边桩测设

10.6　桥梁施工测量

为了发展铁路、公路和城市道路工程等交通运输事业，在江河上修建了大量桥梁，有铁路桥梁、公路桥梁、铁路公路两用桥梁。陆地上的立交桥和高架道路也属于桥梁结构。这些桥梁在勘测设计、建筑施工和运营管理期间都需要进行大量的测量工作。

桥梁按其轴线长度一般分为特大型桥（＞500m）、大型桥（100～500m）、中型桥（30～100m）和小型桥（＜30m）四类。桥梁施工测量的方法及精度要求随桥梁轴线长度、桥梁结构而定，主要内容包括平面控制测量、高程控制测量、墩台定位、轴线测设等。以下按小型桥梁、大中型桥梁分别介绍桥梁施工测量的主要内容。

10.6.1　小型桥梁施工测量

建造跨度较小的小型桥梁，一般是临时筑坝截断河流或选在枯水季节进行，以便于桥梁的墩台定位和施工。

1. 桥梁中轴线和控制桩的测设

小型桥梁的中轴线一般由线路的中线来决定。如图 10－27 所示，先根据桥位桩号在线路中线上测设出桥台和桥墩的中心桩位 A、B、C 点，并在河道两岸测设桥位

控制桩 k_1、k_2、k_3、k_4点。然后分别在 A、B、C 各点上安置经纬仪(或者全站仪),在与桥的中轴线垂直的方向上测设桥台和桥墩控制桩位 a_1、a_2、b_1、b_2、c_1、c_2…点,每侧要有两个控制桩。测设时量距要用经过检定的钢尺,并加尺长、温度和高差改正;或用光电测距仪,测距精度应高于 1∶5000,以保证桥的上部结构安装时能正确就位。

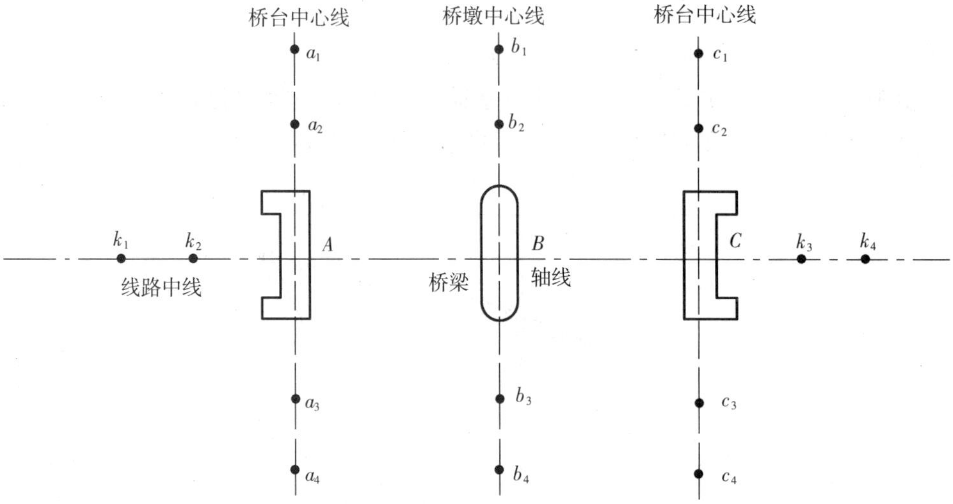

图 10-27　小型桥梁施工控制桩

2. 基础施工测量

根据桥台和桥墩的中心线定出基坑开挖边界线。基坑上口尺寸应根据坑深、坡度、地质情况和施工方法而定。基坑挖到一定深度后,根据水准点高程在坑壁测设距基坑底设计面有一定高差(如 1m)的水平桩,作为控制挖深及基础施工中控制高程的依据。

基础完工后,应根据上述的桥位控制桩和墩、台控制桩用经纬仪(或者全站仪)在基础面上测设出墩、台中心及其相互垂直的纵、横轴线。根据纵、横轴线即可放样桥台、桥墩砌筑的外轮廓线,并弹出墨线,作为砌筑桥台、桥墩的依据。

10.6.2　大、中型桥梁施工测量

建造大、中型桥梁时,河道宽阔,桥墩在河水中建造,且墩台较高,基础较深,墩间跨距大,梁部结构复杂,对桥轴线测设、墩台定位要求精度较高,所以需要在施工前布设平面控制网和高程控制网,用较精密的方法进行墩台定位和架设梁部结构。为了合理地拟定桥梁施工平面控制测量的布网方案和观测方案,保证墩台中心的定位精度,必须预先估算桥轴线长度测定的必要精度。

1. 桥轴线长度所需精度的估算

在选定的桥梁中线上,于桥头两端埋设两个控制点,两控制点间的连线称为桥轴线。由于墩、台定位时主要以这两点为依据,所以桥轴线长度的精度直接影响墩、台定位的精度。为了保证墩、台定位的精度要求,首先需要估算出桥轴线长度需要的精度,以便合理地拟定测量方案。

根据梁的结构形式、施工过程中可能产生的误差，推导出了如下的估算公式：

(1)钢筋混凝土简支梁

设墩台中心点位放样的极限误差为 Δ_D（通常取 $\Delta_D=10$ mm），中误差为 $\Delta_D/2$，则相邻二墩台中心的跨距中误差为：

$$m_l=\pm\frac{\Delta_D}{2}\sqrt{2}=\pm\frac{\Delta_D}{\sqrt{2}} \tag{10-18}$$

设全桥共有 N 跨，则桥轴线长度的中误差为：

$$m_L=m_l\sqrt{N}=\pm\frac{\Delta_D}{\sqrt{2}}\sqrt{N} \tag{10-19}$$

(2)钢板梁及短跨($l\leqslant 64m$)简支钢桁梁

考虑梁长制造误差和固定支座安装误差 δ 的共同影响，单跨钢板梁和单跨简支钢桁梁的长度中误差为：

$$m_l=\pm\frac{1}{2}\sqrt{\left(\frac{1}{5000}\right)^2+\delta^2} \tag{10-20}$$

式中：1/5000 为梁长制造限差。

当桥梁为 N 跨时，则桥轴线长度 L 的中误差为：

$$m_L=\pm\sqrt{m_{l_1}^2+m_{l_2}^2+\cdots+m_{l_N}^2} \tag{10-21}$$

当桥梁为 N 跨且等跨时，则桥轴线长度 L 的中误差为：

$$m_L=\pm m_l\sqrt{N} \tag{10-22}$$

(3)连续梁及长跨($l\geqslant 64m$)简支钢桁梁

由 n 个节间构成的单联或单跨梁，设节间拼装的极限误差为 Δ_l（通常取 $\Delta_l=\pm$ 2mm），则由于梁体拼装误差和固定支座安装误差 δ 的共同影响，每一联（跨）长度的中误差为：

$$m_l=\pm\frac{1}{2}\sqrt{n\Delta_l^2+\delta^2} \tag{10-23}$$

当桥梁为 N 跨时，则桥轴线长度 L 的中误差为：

$$m_L=\pm\sqrt{m_{l_1}^2+m_{l_2}^2+\cdots+m_{l_N}^2} \tag{10-24}$$

当桥梁为 N 跨且等跨时，则桥轴线长度 L 的中误差为：

$$m_L=\pm m_1\sqrt{N} \tag{10-25}$$

[例 10-3] 某三联三跨连续梁桥，每跨支座间距离为 128m，由长 16m 的 8 个节间组成，每联 24 个节间，固定支座安装极限误差为±7mm，试计算全桥桥轴线中误差。

[解] 单联中误差为：

$$m_l = \pm \frac{1}{2}\sqrt{n\Delta_l^2 + \delta^2} = \pm\sqrt{24 \times 2^2 + 7^2} = \pm 6.02\text{mm}$$

全桥桥轴线中误差为：

$$m_L = \pm\sqrt{m_{l_1}^2 + m_{l_2}^2 + m_{l_3}^2} = m_l\sqrt{3} = \pm 10.43\text{mm}$$

2. 平面控制测量

平面控制网的目的是测定桥轴线长度和据以进行墩、台位置的放样；同时，也可用于施工过程中的变形监测。

根据桥梁的大小、精度要求和地形条件，桥梁施工平面控制网的网形布设有以下几种形式，如图 10－28 所示，图中点划线为桥轴线。

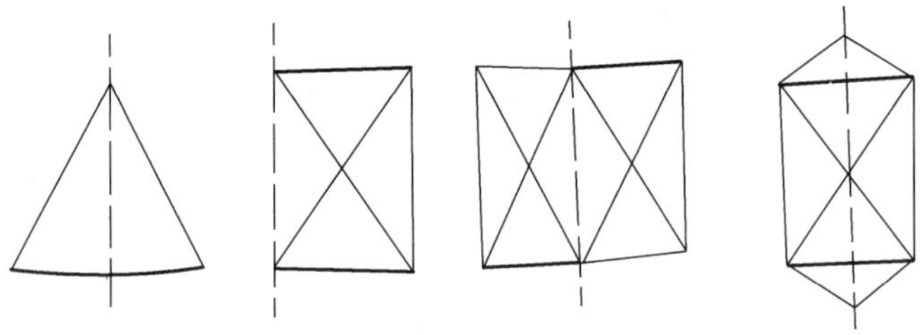

(a)　(b)　(c)　(d)

图 10－28　桥梁平面控制网多布设

选择控制点时，应尽可能使桥的轴线作为三角网的一个边，以利于提高桥轴线的精度。如不可能，也应将桥轴线的两个端点纳入网内，以间接求算桥轴线长度，如图 10－28(d)所示。

对于控制点的要求，除了图形强度要好外，还要求地质条件稳定，视野开阔，便于交会墩位，其交会角不致太大或太小。

在控制点上要埋设标石及刻有“＋”字的金属中心标志。如果兼作高程控制点使用，则中心标志宜做成顶部为半球状。

控制网可采用测角网、测边网或边角网。采用测角网时宜测定两条基线，如图 10－28 的粗线所示。过去测量基线是采用因瓦线尺或经过检定的钢卷尺，现在已被光电测距仪取代。测边网是测量所有的边长而不测角度；边角网则是边长和角度都测。一般来说，在边、角精度互相匹配的条件下，边角网的精度较高。

按照桥轴线的精度要求，一般将三角网的精度分为五个等级，它们分别对测边和测角的精度规定如表 10－12 所示。

表 10－12　测边和测角的精度规定

三角网等级	桥轴线相对中误差	测角中误差(″)	最弱边相对中误差	基线相对中误差
一	1/175 000	±0.7	1/150 000	1/400 000
二	1/125 000	±1.0	1/100 000	1/300 000
三	1/75 000	±1.8	1/60 000	1/200 000

（续表）

三角网等级	桥轴线相对中误差	测角中误差(″)	最弱边相对中误差	基线相对中误差
四	1/50 000	±2.5	1/40 000	1/100 000
五	1/30 000	±4.0	1/25 000	1/75 000

上述规定是对测角网而言，由于桥轴线长度及各个边长都是根据基线及角度推算的，为保证桥轴线有可靠的精度，基线精度要高于桥轴线精度 2～3 倍。如果采用测边网或边角网，由于边长是直接测定的，所以不受或少受测角误差的影响，测边的精度与桥轴线要求的精度相当即可。

由于桥梁三角网一般都是独立的，没有坐标及方向的约束条件，所以平差时都按自由网处理。它所采用的坐标系，一般是以桥轴线作为 X 轴，而桥轴线始端控制点的里程作为该点的 X 值。这样，桥梁墩台的设计里程即为该点的 X 坐标值，可以便于以后施工放样的数据计算。

在施工时如因机具、材料等遮挡视线，无法利用主网的点进行施工放样时，可以根据主网两个以上的点将控制点加密，这些加密点称为插点。插点的观测方法与主网相同，但在平差计算时，主网上点的坐标不得变更。

3. 高程控制测量

在桥梁的施工阶段，为了作为放样的高程依据，应建立高程控制，即在河流两岸建立若干个水准基点。这些水准基点除用于施工外，也可作为以后变形观测的高程基准点。

当精密水准测量从河的一岸测到另一岸时，由于过河距离较长，用水准仪在水准尺上读数困难，而且前、后视距相差悬殊，水准仪的 i 角误差（视准轴不平行于水准管轴误差）和地球曲率及大气折光的影响都会增加。此时，可以采用过河水准测量的方法或光电测距三角高程测量方法。

(1)过河水准测量

过河水准测量用两台水准仪同时作对向观测，两岸测站点和立尺点布置成如图10－29所示的对称图形。图中，A、B 为立尺点，C、D 为测站点，要求 AD 与 BC 长度基本相等，AC 与 BD 长度基本相等且不小于 10m。

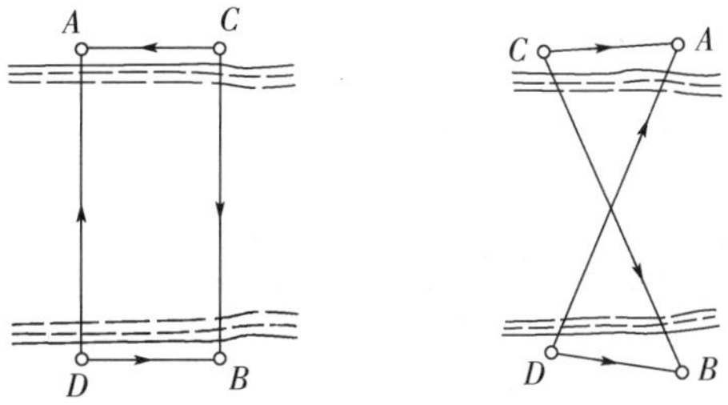

图 10－29　过河水准测量的测站和立尺点布置

用两台水准仪作同时对向观测，在 C 站先测本岸 A 点尺上读数，得 a_1；然后测对岸 B 点尺上读数 2～4 次，取其平均值得 b_1，高差为 $h_1=a_1-b_1$。同时，在 D 站先测本岸 B 点尺上读数，得 b_2；然后测对岸 A 点尺上读数 2～4 次，取其平均值得 a_2，高差为 $h_2=a_2-b_2$。取 h_1 和 h_2 的平均值，即完成一个测回。一般进行 4 个测回。

由于过河水准测量的视线长，远尺读数困难，可以在水准尺上安装一个能沿尺面上下移动的觇板，如图 10－30 所示。观测员指挥司尺员上下移动觇板，使觇板中横线被水准仪横丝平分，司尺员根据觇板中心孔在水准尺上读数。

(2)光电测距三角高程测量

如果有电子全站仪，则可以用光电测距三角高程测量的方法。在河的两岸布置 A、B 两个临时水准点，在 A 点安置全站仪，量取仪器高 i；在 B 点安置棱镜，量取棱镜高 l。全站仪照准棱镜中心，测得垂直角和斜距 S，计算 A、B 点间的高差。由于距离较长且穿过水面，高差测定会受到地球曲率和大气垂直折光的影响，但是大气结构在短时间内不会突变，因此可以采用对向观测的方法，能有效地抵消地球曲率和大气垂直折光的影响。对向观测的方法是在 A 点观测完毕将全站仪与棱镜位置对调，用同样的方法再进行一次测量，取对向观测高差的平均值作为 A、B 两点间的高差。

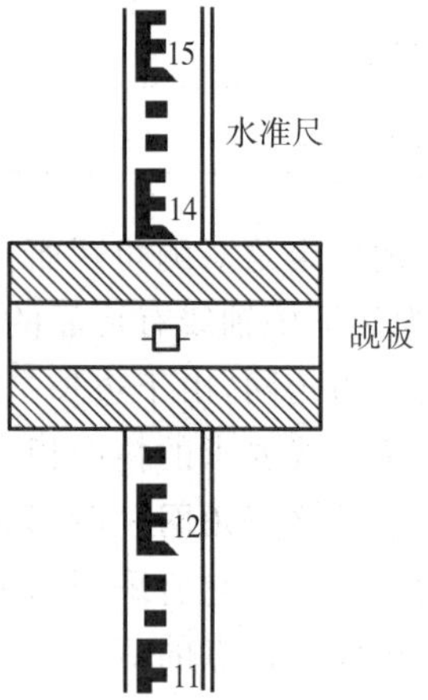

图 10－30　过河水准测量的觇板

4. 桥梁墩台定位测量

桥梁墩台定位测量是桥梁施工测量中的关键性工作。水中桥墩基础施工定位，采用方向交会法，这是由于水中桥墩基础一般采用浮运法施工，目标处于浮动中的不稳定状态，在其上无法使测量仪器稳定。在已稳固的墩台基础上定位时，可以采用方向交会法、距离交会法或极坐标法。同样，桥梁上层结构的施工放样也可以采用这些方法。

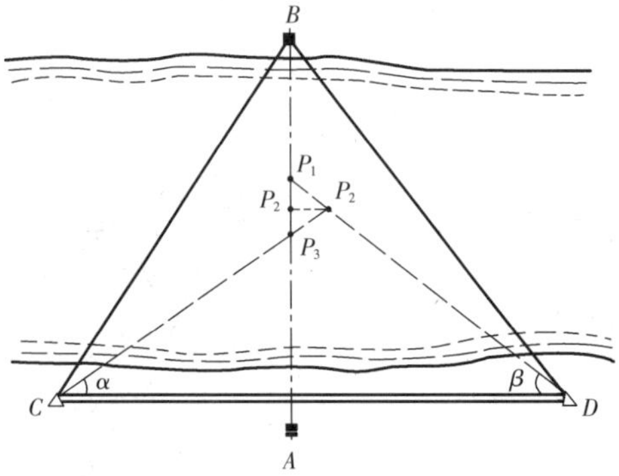

图 10－31　三方向交会中的误差三角形

(1)方向交会法

如图 10－31 所示，AB 为桥轴线，C、D 为桥梁平面控制网中的控制点，P_i 点为第 i 个桥墩设计的中心位置(待测设的点)。在 A、C、D 三点上各安置一台经纬仪。A 点上的经纬仪照准 B 点，定出桥轴线方向；C、D 两点上的经纬仪均先照准对方，并分别测设根据 P_i 点的设计坐标和控制点坐标计算的 α、β 角，以正倒镜分中法定出交会方向线。

由于测量误差的影响，从 C、A、D 三点指来的三条方向线一般不可能正好交会于一点，而是构成误差三角形 $\Delta P_1P_2P_3$。如果误差三角形在桥轴线上的边长(P_1P_3)在容许范围之内(对于墩底放样为 2.5cm，对于墩顶放样为 1.5cm)，则取 C、D 两点所测方向线的交点 P_i 在桥轴线上的投影 P_i 作为桥墩的中心位置。在桥墩施工中，随着桥墩的逐渐筑高，桥墩中心的放样工作需要重复进行，而且要迅速和准确。为此，在第一次求得正确的桥墩中心位置 P_i 以后，将 CP_i 和 DP_i，方向线延长到对岸，设立固定的照准标志 C'、D'，如图10－32所示。以后每次作方向交会法放样时，从 C、D 点直接照准 C'、D'点，即可恢复对 P_i点的交会方向。

(2)极坐标法

在使用全站仪并在被测设的点位上可以安置棱镜的条件下，用极坐标法放样桥墩中心位置，更为精确和方便。对于极坐标法，原则上可以将仪器安置于任意控制点上，按计算的放样数据——角度和距离测设点位。

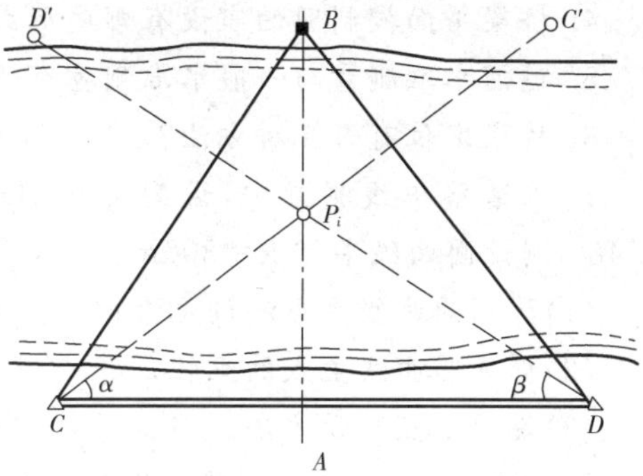

图 10－32　方向交会的固定瞄准标志

但是，若是测设桥墩中心位置，最好是将仪器安置于桥轴线点 A 或 B 上，照准另一轴线点作为定向，然后指挥棱镜安置在该方向上，测设 AP_i 或 BP_i 的距离，即可测定桥墩中心位置 P_i点。

5. 桥梁架设施工测量

桥梁架设是桥梁施工的最后一道工序。桥梁梁部结构比较复杂，要求对墩台方向、距离和高程用较高的精度测定，作为架梁的依据。

墩台施工时，对其中心点位、中线方向和垂直方向以及墩顶高程都作了精密测定，但当时是以各个墩台为单元进行的。架梁时需要将相邻墩台联系起来，考虑其相关精度，要求中心点间的方向、距离和高差符合设计要求。

桥梁中心线方向测定，在直线部分采用准直法，用经纬仪正倒镜观测，在墩台上刻划出方向线。如果跨距较大($>$100m)，应逐墩观测左、右角。在曲线部分，则采用偏角法。

相邻桥墩中心点之间距离用光电测距仪观测，适当调整使中心点里程与设计里程完全一致。在中心标板上刻划里程线，与已刻划的方向线正交形成十字交线，表示墩台中心。

墩台顶面高程用精密水准测定，构成水准线路，附合到两岸基本水准点上。

大跨度钢桁架或连续梁采用悬臂或半悬臂安装架设。安装开始前，应在横梁顶部和底部的中点作出标志。架梁时，用来测量钢梁中心线与桥梁中心线的偏差值。

在梁的安装过程中，应不断地测量以保证钢梁始终在正确的平面位置上，高程(立面)位置应符合设计的大节点挠度和整跨拱度的要求。

如果梁的拼装是两端悬臂在跨中合拢，则合拢前的测量重点应放在两端悬臂的相对关系上，如中心线方向偏差、最近节点高程差和距离差要符合设计和施工的要求。

全桥架通后，作一次方向、距离和高程的全面测量，其成果可作为钢梁整体纵、横移动和起落调整的施工依据，称为全桥贯通测量。

思考题与习题

1. 道路工程测量包括哪些主要内容？
2. 何谓道路中线的转点、交点和里程桩？如何测设里程桩？

3. 桥梁工程测量包括哪些主要内容？

4. 桥梁平面控制网的布设有哪些形式？

5. 过河水准测量与一般水准测量有哪些不同？

6. 桥墩定位有哪几种方法？

7. 在道路中线测量中，设某交点JD的桩号为3＋182.766，测得右偏角α为$25°48'$，测设圆曲线半径R＝300m。

(1)计算圆曲线主点测设元素；

(2)计算圆曲线主点的里程；

(3)说明主点测设方法。

8. 根据表10－13所列路线纵断面水准测量记录，算出各里程桩高程；并按距离比例尺为1∶1000、高程比例尺为1∶100，在毫米方格纸上绘出路线纵断面图；设计一条坡度为－1%的纵坡线，并计算各桩的填土高度和挖土深度。

表10－13　路线纵断面水准测量记录

测点	点名	水准尺读数			视线高程	点的高程
		后视	间视	前视		
1	BM.1	1.321				47.385
	0＋000		1.28			
	0＋020		1.64			
	0＋040		1.73			
	0＋060					
	0＋080			1.900		
2	0＋080	1.340				
		0＋160		1.92		

9. 根据表10－14所列路线横断面的测量记录，绘出里程桩号为0＋020和0＋030.9的两个横断面图。已知后视点的高程为12.150m，先计算出各测点的高程，然后在下面的毫米方格纸上绘制横断面图。要求水平距离按1∶500的比例尺、高程按1∶200的比例尺绘制。

表10－14　路线横断面测量纪录

$\frac{\text{前视读数}}{\text{距离}}$（左测）	$\frac{\text{后视读数}}{\text{桩号}}$	$\frac{\text{前视读数}}{\text{距离}}$（右测）
$\frac{0.21}{20.0}$ $\frac{0.81}{7.8}$ $\frac{1.32}{2.2}$	$\frac{1.54}{0+020.0}$	$\frac{1.14}{4.2}$ $\frac{2.79}{11.7}$ $\frac{2.81}{20.0}$
$\frac{0.32}{20.0}$ $\frac{0.57}{14.5}$ $\frac{1.02}{3.7}$	$\frac{1.05}{0+030.9}$	$\frac{1.25}{5.5}$ $\frac{2.36}{10.4}$ $\frac{24.0}{20.0}$

第11章

隧道工程测量

[本章导读]

本章主要介绍隧道地面控制测量、隧道施工测量和竖井联系测量。通过本章的学习，读者能初步掌握隧道工程测量。

[知识目标]

1. 掌握地面控制测量。
2. 掌握隧道施工测量。
3. 掌握竖井联系测量。
4. 掌握隧道竣工测量。

[能力目标]

1. 掌握隧道施工测量的方法。
2. 掌握竖井联系测量。

[重点难点]

1. 隧道施工测量。
2. 竖井联系测量。

11.1 概　　述

隧道是线路工程穿越山体等障碍物的通道，或是为地下工程施工所做的地面与地下联系的通道。在隧道施工中，为了加快工程进度，一般都由隧道两端洞口进行对向开挖，如图 11－1(a)中的 A、B 所示。长隧道施工中，往往在两洞口间增加竖井 C 或斜井 E 或平峒 A、B、D，以增加开挖工作面。

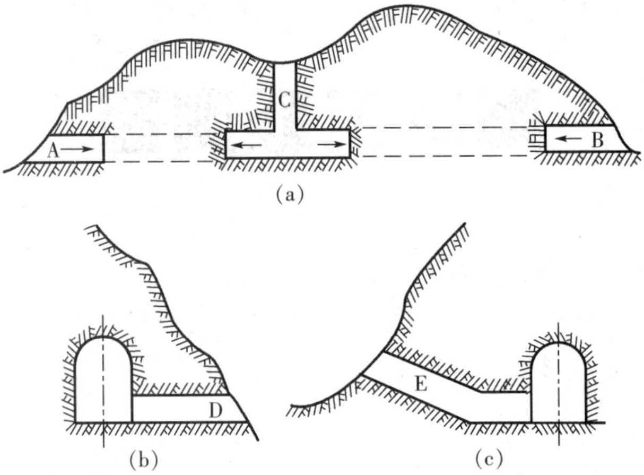

图 11－1　隧道的开挖

隧道工程施工中对测量工作的精度要求，要视工程的性质、隧道长度和施工方法而定。在对向开挖的隧道贯通面上，中线不能吻合，这种偏差称为贯通误差。贯通误差包括纵向误差 Δt、横向误差 Δu、高程误差 Δh。其中，纵向误差仅影响隧道中线的长度，容易满足设计要求。因此，根据具体工程的性质、隧道长度和施工方法的不同，一般只规定贯通面上横向误差及高程误差的限差：$\Delta u<50\sim100$mm，$\Delta h<30\sim50$mm。在隧道工程施工过程中，需要利用测量技术指定隧道的开挖井位、开挖方向，控制隧道的贯通误差等。为了做好这些工作，首先要进行地面控制测量。地面控制测量分平面控制和高程控制两部分。

11.2　地面控制测量

11.2.1　平面控制测量

隧道工程平面控制测量的主要任务是测定各洞口控制点的平面位置，以便根据洞口控制点将设计方向导向地下，指引隧道开挖，并能按规定的精度进行贯通。因此，平面控制网中应包括隧道的洞口控制点。通常，平面控制测量有以下几种方法。

1. 直接定线法

对于长度较短的直线隧道，可以采用直接定线法。

如图 11－2 所示，A、D 两点是设计的直线隧道洞口点，直接定线法就是把直线隧道的中线方向在地面标定出来，即在地面测设出位于 AD 直线方向上的 B、C 两点；并将这两点作为洞口点 A、D 向洞内引测中线方向时的定向点。

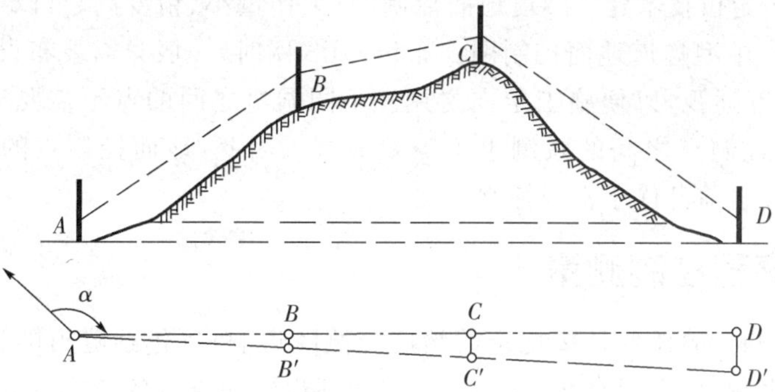

图 11-2　直接定线法地面控制

在 A 点安置经纬仪，根据概略方位角 α 定出 B' 点。经纬仪搬到 B' 点，用正倒镜分中法延长直线到 C' 点。经纬仪搬至 C' 点，同法再延长直线到 D 点的近旁 D' 点。在延长直线的同时，用经纬仪视距法或用测距仪测定 AB'、$B'C'$ 和 $C'D'$ 的长度，量出 $D'D$ 的长度。C 点的位移量 $C'C$ 可按下式进行计算

$$C'C = D'D\,\frac{AC'}{AD'} \tag{11-1}$$

在 C' 点垂直于 $C'D'$ 方向量取 $C'C$，定出 C 点。安置经纬仪于 C 点，用正倒镜分中法延长 DC 至 B 点，再从 B 点延长至 A 点。如果不与 A 点重合，则进行第二次趋近，直至 B、C 两点正确位于 AD 方向上。B、C 两点即可作为在 A、D 点指明掘进方向的定向点，A、B、C、D 的分段距离用测距仪测定，测距的相对误差不应大于1∶5000。

2. 导线测量法

连接两隧道口布设一条导线或大致平行的两条导线，导线的转折角用 DJ2 级经纬仪观测，距离用光电测距仪测定，相对误差不大于1∶10000。经洞口两点坐标的反算，可求得两点连线方向的距离和方位角，据此可以计算掘进方向。

用光电测距导线，既方便又灵活，对地形复杂、量距困难的隧道进行地面平面控制，已成为主要方法。

3. 三角网法

对于隧道较长、地形复杂的山岭地区，地面平面控制网一般布置成三角网形式，如图 11-3 所示。测定三角网的全部角度和若干条边长，或全部边长，使之成为边角网。三角网的点位精度

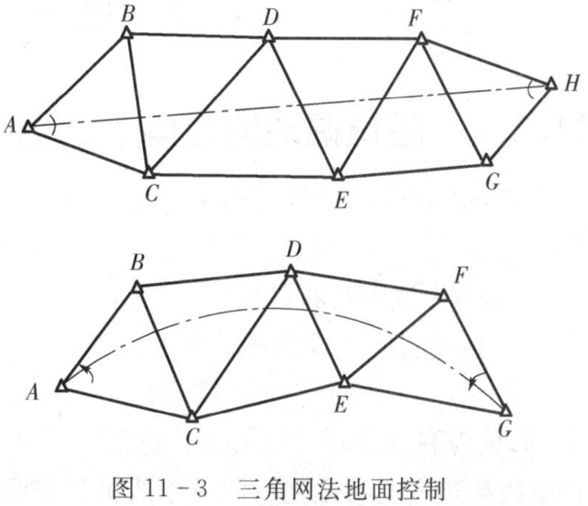

图 11-3　三角网法地面控制

比导线高，有利于控制隧道贯通的横向误差。

4. GPS 法

利用 GPS 定位技术建立隧道地面控制网，工作量小、精度高、可以全天候观测，适用于建立大、中型隧道地面控制网。布设 GPS 网时，一般只需要布设洞口控制点和定向点且相互通视，以便施工定向之用。不同洞口之间的点不需要通视，与国家控制点或城市控制点之间的联测也不需要通视。因此，地面控制点的布设灵活方便，且定位精度目前已优于常规控制方法。

11.2.2 高程控制测量

高程控制测量的任务是按规定的精度施测隧道洞口（包括隧道的进出口、竖井口、斜井口和平峒口）附近水准点的高程，作为高程引测进洞的依据。高程控制通常采用水准测量的方法施测，对于四、五等高程控制测量也可采用光电测距三角高程测量。

表 11-1 高程测量的等级划分

测量部位	测量等级	每千米水准测量偶然中误差 M_Δ(mm)	两开挖洞口间高程路线长度(km)	水准仪等级/测距仪等级	水准尺类型
洞外	二	≤±1.0	>36	DS05、DS1	因瓦水准尺
	三	≤±3.0	13～36	DS1	因瓦水准尺
				DS3	区格式水准尺
	四	≤±5.0	5～13	DS3/Ⅰ、Ⅱ	区格式水准尺
	五	≤±7.5	<5	DS3/Ⅰ、Ⅱ	区格式水准尺

水准测量时应选择连接洞口最平坦和最短的线路，以期达到设站少、观测快、精度高的要求。每一洞口埋设的水准点应不少于两个，且以安置一次水准仪即可联测为宜。两端洞口之间的距离大于 1km 时，应在中间增设临时水准点。

11.3 隧道施工测量

11.3.1 隧道掘进的方向、里程和高程测设

洞外平面和高程控制测量完成后，即可求得洞口点（各洞口至少有两个）的坐标和高程，根据设计参数计算洞内中线点的设计坐标和高程。坐标反算得到测设数据，即洞内中线点与洞口控制点之间的距离、角度和高差关系。测设洞内中线点位。

1. 掘进方向测设数据计算

图 11-4 所示为一直线隧道的平面控制网，A、B、C…G 为地面平面控制点。其中，A、C 为洞口点，S_1、S_2 为设计进洞的第 1、第 2 个中线里程桩。为了求得 A 点洞口中线掘进方向及掘进后测设中线里程桩 S_1，用坐标反算公式求测设数据：

$$
\left.\begin{aligned}
\alpha_{AB}&=\arctan\frac{y_B-y_A}{x_B-x_A}\\
\alpha_{AG}&=\arctan\frac{y_G-y_A}{x_G-x_A}\\
\beta_A&=\alpha_{AG}-\alpha_{AB}\\
D_{AS_1}&=\sqrt{(x_{S_1}-x_A)^2+(y_{S_1}-y_A)^2}
\end{aligned}\right\}\quad(11-2)
$$

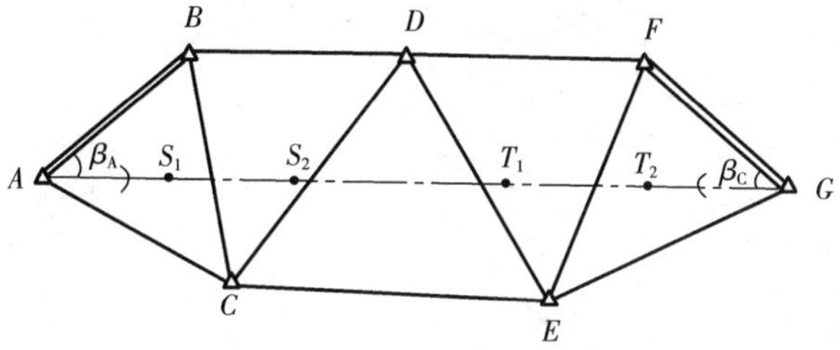

图 11－4　直线隧道掘进方向

对于 G 点洞口的掘进测设数据，可以作类似的计算。

对于中间具有曲线的隧道，如图 11－5 所示，隧道中线转折点 C 的坐标和曲线半径 R 已由设计文件给定。因此，可以计算两端进洞中线的方向和里程并测设。当掘进达到曲线段的里程以后，按照测设线路工程平面圆曲线的方法测设曲线上的里程桩。

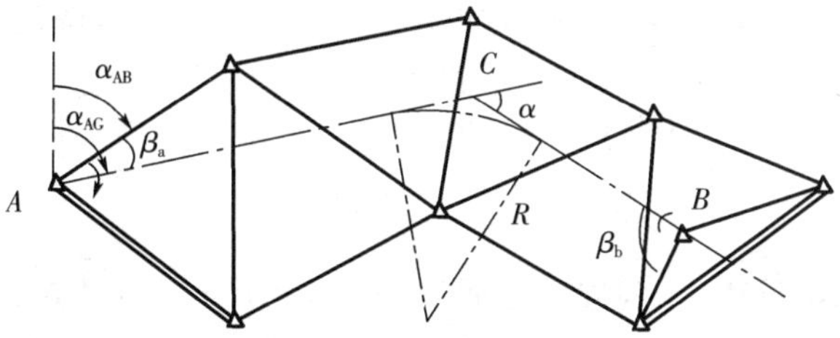

图 11－5　曲线隧道掘进方向

2. 洞口掘进方向标定

隧道贯通的横向误差主要由隧道中线方向的测设精度所决定，而进洞时的初始方向尤为重要。因此，在隧道洞口，要埋设若干个固定点，将中线方向标定于地面，作为开始掘进及以后与洞内控制点联测的依据。如图 11－6 所示，用 1、2、3、4 标定掘进方向，再在洞口点 A 与中线垂直方向上埋设 5、6、7、8 桩。所有固定点应埋设在不易受施工影响的地方，并测定 A 点至 2、3、6、7 点的平距。这样，在施工过程中可以随时检查或恢复洞口控制点的位置和进洞中线的方向及里程。

3. 洞内中线和腰线的测设

中线测设：根据隧道洞口中线控制桩和中线方向桩，在洞口开挖面上测设开挖中线，并逐步往洞内引测中线上的里程桩。一般，当隧道每掘进 20m 要埋设一个中线里程桩。中线桩可以埋设在隧道的底部或顶部，如图 11－7 所示。

腰线测设：在隧道施工中，为了控制施工的标高和隧道横断面的放样，在隧道岩壁上，每隔一定距离(5～10m)测设出比洞底设计地坪高出1m的标高线，称为腰线。腰线的高程由引入洞内的施工水准点进行测设。由于隧道的纵断面有一定的设计坡度，因此，腰线的高程按设计坡度随中线的里程而变化，它与隧道的设计地坪高程线是平行的。

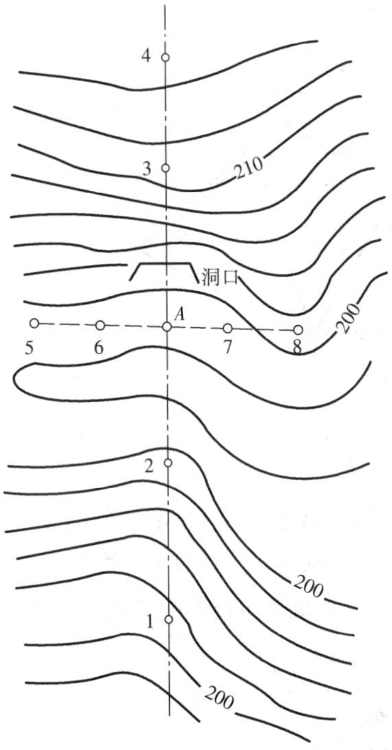

图 11-6　洞口控制点和掘进方向的标定

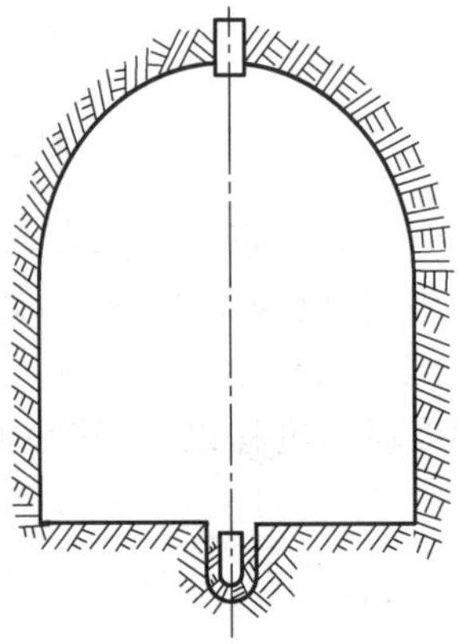

图 11-7　隧道中线桩

4. 掘进方向指示

隧道的开挖掘进过程中，洞内工作面狭小，光线暗淡。因此，在隧道掘进的定向工作中，经常使用激光准直经纬仪或激光指向仪，以指示中线和腰线方向。它具有直观、对其他工序影响小、便于实现自动控制等优点。例如，采用机械化掘进设备，用固定在一定位置上的激光指向仪，配以装在掘进机上的光电接收靶，当掘进机向前推进中，方向如果偏离了指向仪发出的激光束，则光电接收靶会自动指出偏移方向及偏移值，为掘进机提供自动控制的信息。

11.3.2　洞内施工导线和水准测量

1. 洞内导线测量

测设隧道中线时，通常每掘进20m埋设一个中线桩。由于定线误差，所有中线桩不可能严格位于设计位置上。所以，隧道每掘进至一定长度(直线隧道约每隔100m左右，曲线隧道按通视条件尽可能放长)布设一个导线点，也可以利用埋设的中线桩作为导线点，组成洞内施工导线。导线的转折角采用DJ2级经纬仪至少观测两个测回，或者DJ6级经纬仪至少观测六个测回，测角中误差不应超过±5″。距离用经过检定的钢尺或光电测距仪测定，距离测量相对误差不大于1/5000。洞内施工导线只能布置成支导线的形式，并随着隧道的掘进逐渐延伸。支导线缺少检核条件，观测应特别注意，转折角应观测左角和右角，边长应往返测量。根据导线点的坐标来检查和调整中线桩位置。随着隧道的掘进，导线测量必须及时跟上，以确保贯通精度。

2. 洞内水准测量

地下水准测量的目的是在地下建立与地面统一的高程系统，以作为隧道施工放样的依据，保证隧道在竖向上正确贯通。地下水准测量是以洞口水准点为高程依据，沿水平坑道、竖井或斜井将高程引测到地下，然后再测量地下隧道内各水准点高程。

隧道向前掘进，每隔 50m 应设置一个洞内水准点，并据此测设腰线。通常情况下，可利用导线点作为水准点，也可将水准点埋设在洞顶或洞壁上，但都应力求稳固和便于观测。洞内水准线路也是支水准线路，除应往返观测外，还须经常进行复测。水准点按三四等水准测量要求施测。

11.3.3 盾构施工测量

盾构法是隧道施工采用的一项综合性施工技术，它是将隧道的定向掘进、运输、衬砌、安装等各工种组合成一体的施工方法。其工作深度可以很深，不受地面建筑和交通的影响，机械化和自动化程度很高，是一种先进的土层隧道施工方法，广泛用于城市地下铁道、越江隧道等工程的施工中。

盾构的标准外形是圆筒形，也有矩形、半圆形等与隧道断面相近的特殊形状。图 11－8 所示为圆筒形盾构及隧道衬砌管片的纵剖面示意图。切口环是盾构掘进的前沿部分，利用沿盾构圆环四周均匀布置的推进千斤顶，顶住已拼装完成的衬砌管片（钢筋混凝土预制），使盾构向前推进。

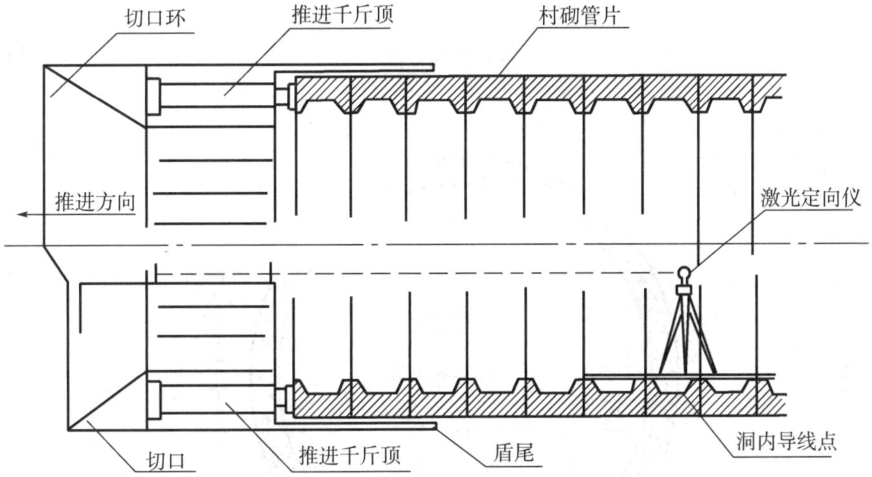

图 11－8 盾构掘进及隧道衬砌

盾构施工测量主要是控制盾构的位置和推进方向。利用洞内导线点测定盾构的位置（当前空间位置和轴线方向），用激光经纬仪或激光定向仪指示推进方向，用千斤顶编组施以不同的推力，进行纠偏，即调整盾构的位置和推进方向。

11.4 竖井联系测量

在隧道施工中，除了通过开挖平峒、斜井以增加工作面外，还可以采用开挖竖井的方法来增加工作面，将整个隧道分成若干段，实行分段开挖。例如，城市地下铁道的建造，每个地下站是一个大型竖井，在站与站之间用盾构进行开挖，并不受城市地面密集的建筑物和繁忙交通的影响。

为了保证地下各方向的开挖面能准确贯通，必须将地面控制网中的点位坐标、方位和高程，通过竖井传递到地下，这项工作称为竖井联系测量。它包括平面联系测量和高程联系测量两部分，前者称为竖井定向测量，后者称为竖井高程传递。

11.4.1 竖井定向测量

竖井施工前，根据地面控制点把竖井的设计位置测设于地面。竖井向地下开挖，其平面位置用悬挂大锤球或用垂准仪测设铅垂线，可以将地面的控制点垂直投影至地下施工面。工作原理和方法与高层建筑的平面控制点垂直投影完全相同。高程控制点的高程传递可以用钢卷尺垂直丈量法或全站仪天顶测距法。

竖井施工到达设计底面以后，应将地面控制点的坐标、高程和方位作最后的精确传递，以便能在竖井的底层确定隧道的开挖方向和里程。由于竖井的井口直径（圆形竖井）或宽度（矩形竖井）有限，用于传递方位的两根铅垂线的距离相对较短（一般仅为 3～5m），垂直投影的点位误差会严重影响井下方位定向的精度。

如图 11-9 所示，V_1、V_2是圆形竖井井口的两个投影点，垂直投影至井下。由于投点误差，至井底偏移到设 V'_1、V'_2点，设 $V_1V'_1=V_2V'_2$，则产生的方位角误差为：

$$\Delta\alpha=\frac{2\rho V_1V'_1}{V_1V_2} \tag{11-3}$$

式中：ρ 为 206 265″。

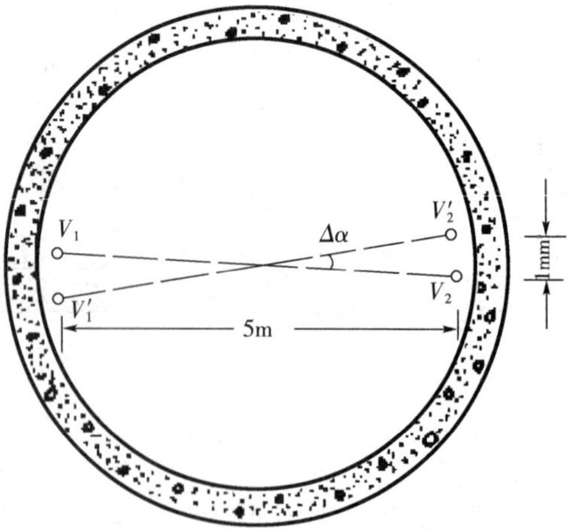

图 11-9 竖井中方位角传递误差

设 $V_1V_2=5\text{m}$，$V_1V'_1=1\text{mm}$，则产生的方位角误差 $\Delta\alpha=1'23''$。一般要求投点误差应小于0.5mm。两垂直投影点的距离越大，则投影边的方位角误差越小。该边的方位角要作为地下洞内导线的起始方位角。因此，在竖井联系测量工作中，方位角传递是一项关键性工作，主要有一井定向、两井定向等方法。

1. 一井定向

通过一个竖井口，用垂线投影法将地面控制点的坐标和方位角传递至井下隧道施工面，称为一井定向，如图11－10所示。在竖井口的井架上设 A、B 两个固定投影点，向井下投影的方法可以用垂球线法或用垂准仪法。以下介绍用细钢丝悬挂大垂球法：从 A、B 点悬挂大垂球，例如，对于100m井深，垂球重量应为60kg，钢丝直径为0.7mm。为了使垂球较快稳定下来，可将其沉没在盛有油类液体的桶中，但垂球不可与桶壁接触。进行联系测量时，如图11－10和图11－11所示，在井筒中自由悬挂两根吊锤线 A、B，它代表一铅垂面，面上的任一条直线都具有相同的方位角，然后通过近井点 C 和 C' 用经纬仪以联系三角形法将地面已知点 D 和井下导线点 D' 分别与吊锤线进行联测，通过计算求得井下导线起始边 $D'E'$ 的方位角和起始点 D' 的坐标。

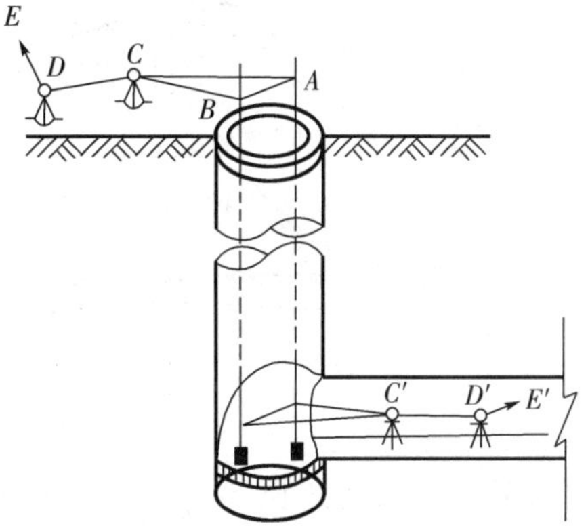

图11－10　一井定向联系测量

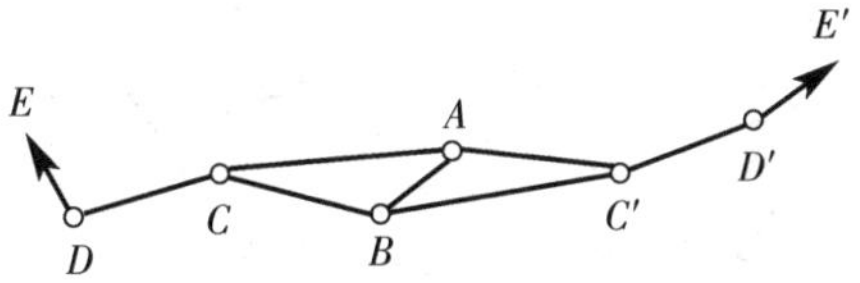

图11－11　联系三角形

2. 两井定向

在隧道施工中，为了通风和出土方便，往往在竖井附近增加一通风井或出土井。此时，井上和井下的联系测量可以采用两井定向法，以克服因一井定向时两根投影铅垂线相距过近而影响方位角传递精度的缺点。

两井定向是在两个井筒内各用垂球悬挂一根钢丝，通过地面和井下导线将它们连接起来，从而把地面坐标系统中的平面坐标和方向传递到井下，如图11－12所示。

(1)外业工作

① 投点

投点设备与方法和一井定向相同，只是在两井定向方法中，每个竖井内只需一点投点。

② 地面连接测量

如图11－13所示，在两井周围的近井控制点Ⅰ、Ⅱ分别设置仪器测定连接角

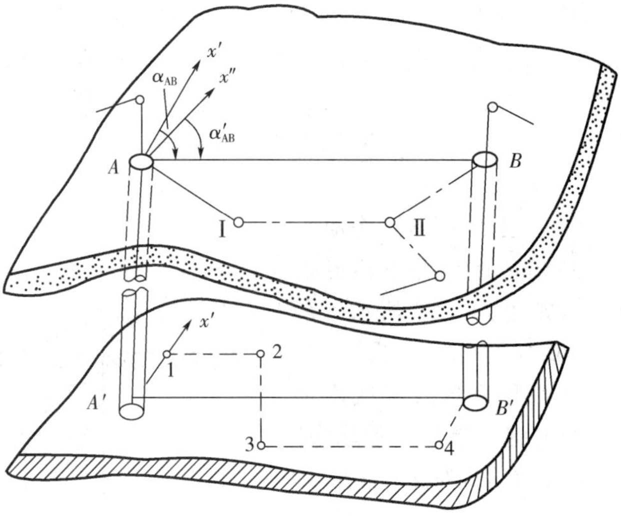

图 11-12　两井定向示意图

W_1、W_2及连接边边长 d_1、d_2，据此可确定两钢丝平面坐标。当近井点较远、量测距离超过一个尺段时，也可从一个近井点引测一条导线连接于两吊锤线，求得两吊锤线精密坐标。

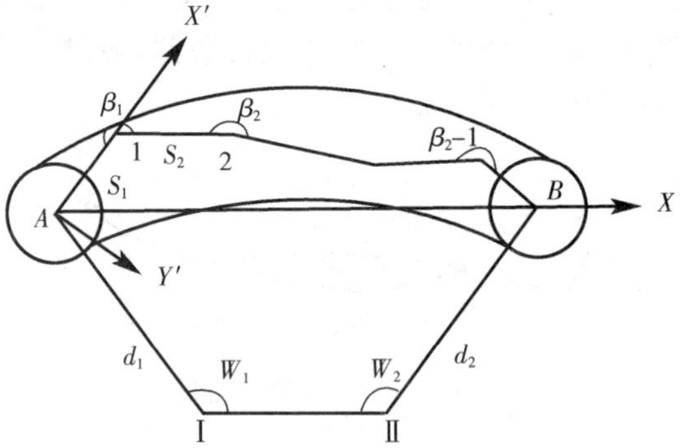

图 11-13　两井定向平面示意图

③ 地下连接测量

在地下两竖井间布设导线，各导线边应尽可能长，以减少测角次数、减少测角误差影响，按洞内控制测量方法测各导线边边长及各转折角值。

(2)内业计算

① 利用近井点Ⅰ、Ⅱ坐标计算吊锤线坐标，求得 A、B 点坐标(X_A，Y_A)及(X_B，Y_B)；然后根据下式计算 α_{AB} 及 S_{AB}：

$$\alpha_{AB}=\arctan\frac{Y_B-Y_A}{X_B-X_A} \tag{11-4}$$

$$S_{AB}=\sqrt{(Y_B-Y_A)^2+(X_B-X_A)^2} \tag{11-5}$$

② 取 A 点为坐标原点，$A1$ 为 X' 方向，则 $X'_A=Y'_A=0$，利用地下导线测量所得各观测角及导线边长，计算各地下导线点在 $X'AY'$ 坐标系中坐标 X'_i、Y'_i 和各导线边方位角 α'_i，同时求得 B 点在 $X'AY'$ 坐标系中坐标 X'_B、Y'_B，根据下式计算 AB 在新坐标系中方位角及边长：

$$\alpha'_{AB}=\arctan\frac{Y'_B}{X'_B} \tag{11-6}$$

$$S'_{AB}=\sqrt{(Y'_B)^2+(X'_B)^2} \tag{11-7}$$

③ 计算前后两坐标系旋转角及边长比：

$$\Delta\alpha=\alpha_{AB}-\alpha'_{AB} \tag{11-8}$$

$$R=\frac{S_{AB}}{S'_{AB}} \tag{11-9}$$

利用两坐标系旋转角及边长比，即可对地下导线各方位角及边长作改正：

$$\alpha_i=\alpha'_i+\Delta\alpha \tag{11-10}$$

$$S_i=RS'_i \tag{11-11}$$

改正后各地下导线边长和方位角是在地面坐标系中相应值，利用这些值可计算地下导线点在地面坐标系中坐标。

11.4.2 竖井高程传递

竖井高程传递即通过竖井将地面控制点的高程传递到井下的测量工作。

经由竖井传递高程时，过去一直采用悬挂钢尺的方法，即在井上悬挂一根经过检定的钢尺(或钢丝)，尺零点下端挂一标准拉力的重锤，如图 11-14 所示。在井上、井下各安置一台水准仪，同时读取钢尺读数 a_1 和 b_1，然后再读取井上、井下水准点的尺读数 a、b，由此可求得井下水准点 B 的高程：

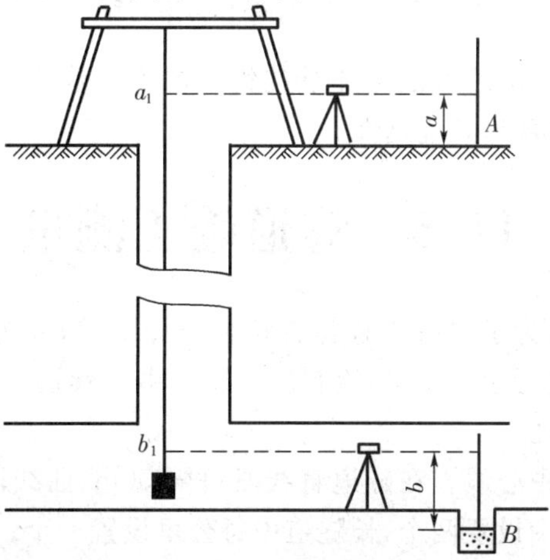

图 11-14 钢尺传递高程

$$H_B = H_A + a - [(a_1 - b_1) + \Delta t + \Delta k] - b \quad (11-12)$$

式中：H_A——井上水准点 A 的高程；

a、b——井上、井下水准尺读数；

a_1、b_1——井上、井下钢尺读数，$L = a_1 - b_1$；

Δt——钢尺温度改正数，$\Delta t = \alpha L(t_{均} - t_0)$；

α——钢尺膨胀系数，取 $1.25 \times 10^{-5}/℃$；

$t_{均}$——井上、井下平均温度；

t_0——钢尺检定时的温度；

Δk——钢尺尺长改正数，$\Delta k = (L/l) \cdot \Delta l$。$l$ 和 Δl 分别是钢尺的名义长度和它的尺长改正数。

如果在井上装配一托架，安装上光电测距仪，使照准头向下直接瞄准井底的反光镜测出井深 D_h，然后在井上、井下用两台水准仪，同时分别测定井上水准点 A 与测距仪照准头转动中心的高差（$a_{上} - b_{上}$）、井下水准点 B 与反射镜转动中心的高差（$b_{下} - a_{下}$），即可求得井下水准点 B 的高程 H_B（如图 11－15 所示）：

$$H_B = H_A + (a_{上} - b_{上}) + (b_{下} - a_{下}) - D_h \quad (11-13)$$

式中：H_A——井上水准点 A 的已知高程。

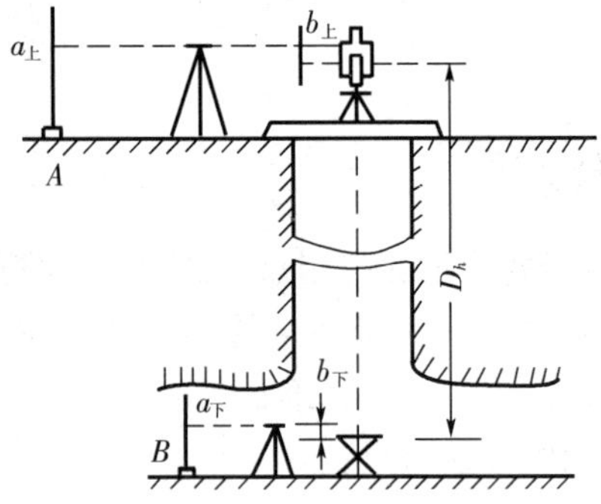

图 11－15　测距仪传递高程

用光电测距仪测井深的方法远比悬挂钢尺的方法快速、准确，尤其是对于 50m 以上的深井测量，更显现出其优越性。

11.5　隧道竣工测量

隧道工程竣工后，为了检查工程是否符合设计要求，并为设备安装和运营管理提供基础信息，需要进行竣工测量，绘制竣工图。由于隧道工程是在地下，因此隧道竣工测量具有独特之处。

验收时检测隧道中心线。在隧道直线段每隔 50m、曲线段每隔 20m 检测一点。地下永久性水准点至少设置两个，长隧道中每公里设置一个。

隧道竣工时，还要进行纵断面测量和横断面测量。纵断面应沿中线方向测定底板和拱顶高程，每隔 10～20m 测一点，绘出竣工纵断面图，在图上套绘设计坡度线进行比较。直线隧道每隔 10m、曲线隧道每隔 5m 测一个横断面。横断面测量可以用直角坐标法或极坐标法。

如图 11－16(a)所示，用直角坐标法测量隧道竣工横断面。测量时，是以横断面的中垂线为纵轴，以起拱线为横轴，量出起拱线至拱顶的纵距 x_i 和中垂线至各点的横距 y_i，还要量出起拱线至底板中心的高度 x' 等，依此绘制竣工横断面图。

如图 11－16(b)所示，用极坐标法测量竣工横断面。用一个有 0°～360°刻度的圆盘，将圆盘上 0°～180°刻度线的连线方向放在横断面中垂线位置上，圆盘中心的高程从底板中心高程量出。用长杆挑一皮尺零端指着断面上某一点，量取至圆盘中心的长度，并在圆盘上读出角度，即可确定点位。在一个横断面上测定若干特征点，就能据此绘出竣工横断面图。

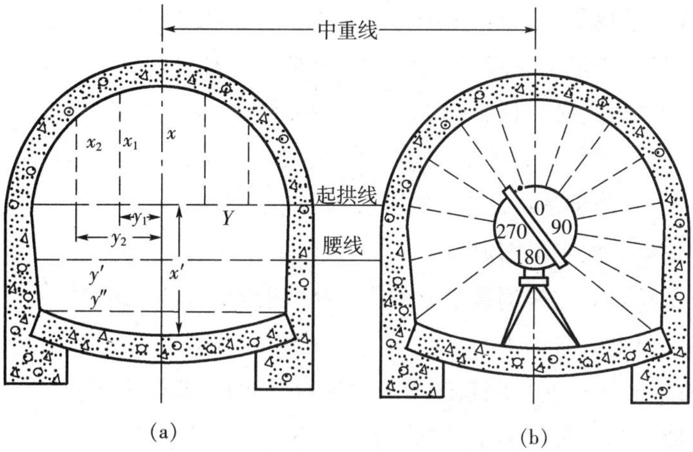

图 11－16　隧道竣工横断面测量

思考题与习题

1. 在隧道测量中，布置地面平面控制网有哪几种形式？
2. 在隧道测量中，如何进行高程控制测量？
3. 在隧道施工中，如何测设中线和腰线？
4. 什么叫竖井联系测量？如何进行竖井联系测量？
5. 为什么要进行隧道地面和地下的联系测量？

参考文献

[1] 王依等．现代普通测量学．北京:清华大学出版社,2001.
[2] 覃辉等．土木工程测量．上海:同济大学出版社,2008.
[3] 顾孝烈等．测量学(第三版)．上海:同济大学出版社,2002.
[4] 李生平等．建筑工程测量．北京:高等教育出版社,2002.
[5] 工程测量规范．北京:中国计划出版社,2008.
[6] 冯仲科．测量学原理．北京:中国林业出版社,2002.
[7] 孔祥元,梅是义．控制测量学．武汉:武汉大学出版社,2002.
[8] 卞正富．测量学．北京:中国农业出版社,2002.
[9] 李秀江．测量学．北京:中国林业出版社,2003.
[10] 潘正风．数字测图原理．武汉:武汉大学出版社,2002.
[11] 严莘稼等．建筑测量学教程．北京:测绘出版社．2007.
[12] 郭宗河等．实用土木工程测量．北京:中国电力出版社．2006.
[13] 李晓莉,张晓明．测量学实验与实习．北京:测绘出版社．2006.
[14] 杨晓明等．数字测绘基础．北京:测绘出版社．2005.